MONUMENTA STUDIA INSTRUMENTA LITURGICA

50

MONUMENTA STUDIA INSTRUMENTA LITURGICA

curantibus

MANLIO SODI - ACHILLE MARIA TRIACCA (†)
Facultatis Theologicæ
Universitatis Pontificiæ Salesianæ
in Urbe

Curatores scientiæ tuendæ

Cesare ALZATI – Matias AUGÉ, cmf – Maurizio BARBA
Anna BENVENUTI – Edmondo A. CARUANA, o.carm
Juan Javier FLORES ARCAS, osb – Cesare GIRAUDO, sj
Mario LESSI-ARIOSTO, sj – Marco NAVONI – Stefano PARENTI
Cosimo SEMERARO, sdb – Pietro SORCI, ofm – Alessandro TONIOLO

CESARE ALZATI

IL LEZIONARIO
DELLA CHIESA AMBROSIANA

La tradizione liturgica
e il rinnovato "ordo lectionum"

Presentazione

di

MANLIO SODI

Libreria Editrice Vaticana – Centro Ambrosiano

Città del Vaticano – Milano
2009

L'opera è stata realizzata con il contributo
dell'Università Cattolica del S. Cuore di Milano
e del Centro Ambrosiano di Studi e Documentazione

Finito di stampare nel mese di febbraio 2009
dalla Tipografia Giammarioli
via Enrico Fermi, 8/10 - 00044 Frascati (Roma)
Tel. 06.942.03.10 - Fax 06.940.18.499
www.tipografiagiammarioli.com – posta@tipografiagiammarioli.com

ISBN 978-88-209-8161-7

PRESENTAZIONE

Tra le prime "voci" che il Lettore incontra aprendo il *Dizionario di Liturgia* apparso in edizione rinnovata nel 2001 (Ed. San Paolo, Cinisello B. [Milano]), si trova «Ambrosiana, liturgia». In essa l'appassionato studioso Achille M. Triacca offre un'ampia sintesi delle ricchezze proprie della *traditio vivens* di quella Chiesa percorrendone i principali capitoli e offrendo una documentazione imponente per chiunque voglia approfondire la realtà della Chiesa milanese.

Pochi anni prima un altro grande studioso, Marco Navoni, aveva curato il *Dizionario di liturgia ambrosiana*, con presentaziopne del Card. Carlo M. Martini (NED, Milano 1996); le numerose "voci" permettono di avere un quadro sufficientemente completo circa la *lex orandi* della Chiesa ambrosiana e quindi circa la teologia, la spiritualità e la pastorale che vi sono correlate.

Due soli titoli – ma l'elenco si potrebbe sviluppare a dismisura, passando anche attraverso il *Dizionario di omiletica* (Ldc-Velar, Torino-Bergamo 2002) – che lasciano intravedere l'interesse e l'attenzione riservata al Rito ambrosiano. Una attenzione che necessariamente rinvia al libro liturgico: a quello strumento, cioè, che codifica nelle sue espressioni una *traditio*, rilanciandone continuamente i contenuti e i valori attraverso i linguaggi della celebrazione.

È pertanto in questa linea che possiamo salutare la presente opera. Partendo dall'attualità di una pubblicazione ufficiale, essa permette di entrare in un capitolo particolare qual è quello costituito dal *Lezionario* e da tutto ciò che esso comporta (si pensi ai numerosi altri libri liturgici).

1. Il *Lezionario Ambrosiano* riformato

Il 20 marzo 2008, al termine della Messa Crismale (giovedì *in Authentica*) il Cardinale Arcivescovo di Milano Dionigi Tettamanzi ha promulgato il *Lezionario Ambrosiano* di fronte al clero e al popolo raccolti nel Duomo di Milano. Il fatto ripropone il significato – per la comunione cattolica e non solo – della presenza di una tradizione cultuale non romana nell'Occidente latino.

Si tratta di una tradizione liturgica in cui si esprime una specifica vicenda ecclesiale, che conferisce a questa identità rituale ambrosiana un preciso significato ecclesiologico, come ben manifesta la condizione di "capo Rito" propria dell'Arcivescovo milanese.

In effetti il Rito ambrosiano si radica nelle concrete modalità di esistenza storica della Chiesa milanese, nelle sue esperienze istituzionali, nel patrimonio dottrinale al suo interno trasmesso, nelle relazioni e negli scambi da essa intessuti nel contesto dell'ecumene cristiana, ossia in tutti quegli elementi che, nella loro progressiva sedimentazione, sono venuti a costituire la *traditio* ambrosiana.

Questo spiega perché il presente volume si apra con un'introduzione dedicata a tratteggiare i lineamenti storico-istituzionali della Chiesa milanese e a riproporre la sua collocazione e il ruolo da essa svolto nella comunione delle Chiese. Ma questo spiega anche perché si parli della configurazione storica e della riforma del *Lezionario Ambrosiano* all'interno di una più complessiva presentazione delle strutture celebrative che caratterizzano questo Rito, e perché solo al termine di tale itinerario – nella terza parte – si collochi la circostanziata esposizione dei contenuti del *Lezionario* riformato (in questo quadro non è stato affrontato il tema, oltremodo specifico, del canto ambrosiano, sulla cui tradizione codicologica fondamentali risultano le ricerche condotte in tempi recenti da Giacomo Baroffio).

Merita peraltro osservare come nella stessa esposizione dei contenuti del nuovo *Lezionario* non sia stato possibile prescindere da una previa illustrazione della configurazione del giorno liturgico nella *traditio* ambrosiana, del carattere festivo che in essa il *Sabato* riveste e della centralità della *Domenica* che da sempre la connota.

Tra i dati più significativi, che emergono da tale esposizione, vanno indubbiamente annoverati il radicamento gerosolimitano di alcuni elementi tra i più antichi della *traditio* cultuale milanese (segnatamente l'ordinamento delle letture evangeliche del *Sacro Triduo*), la continuità rispetto ad Ambrogio dell'ordinamento delle letture di *Quaresima* e dell'*Ottava pasquale*; le consonanze di lessico, di forme, di pericopi, con le tradizioni cultuali dell'antica *Praefectura Galliarum* (in particolare, per quanto concerne i temi dell'*Avvento*, con l'ambito ispanico).

Il *Lezionario* ora promulgato si pone come la proiezione, nel presente, del *Mysterium Ambrosianum*, configurandosi come un suo aggiornamento in conformità alle indicazioni formulate dal Concilio Vaticano II.

La creatività – che, in sintonia con le nuove esigenze pastorali, proprio il radicamento nell'antico può suscitare – è ben mostrata dalla forma assegnata, sulla scia delle *Grandi Vigilie* tradizionali, alla celebrazione vigiliare vespertina della Domenica, considerata non come soddisfazione anticipata del precetto festivo, ma come introduzione solenne alla Pasqua settimanale. Si tratta di un elemento di non poco rilievo per la formazione di una corretta coscienza cultuale cristiana.

Per la Chiesa milanese la stessa ripresa della specifica configurazione del *Lezionario Ambrosiano* può offrire uno stimolo non piccolo all'auto-coscienza del presbiterio ambrosiano e al consolidamento dei suoi legami di comunione. Del resto è l'intera comunità ambrosiana che, negli elementi costitutivi del suo *Lezionario*, può trovare i fondamenti della propria specificità ecclesiale e del servizio che essa è chiamata a rendere alla comunione di tutte le Chiese.

2. Struttura dell'opera

Una volta percorso l'*Indice generale* il Lettore ha la percezione immediata di trovarsi di fronte ad un quadro notevolmente ampio che gli permette di cogliere tutto ciò che direttamente o indirettamente può contribuire ad una conoscenza adeguata dell'annuncio della Parola di Dio nel contesto dell'anno liturgico.

In questa prospettiva è da cogliere la "pedagogia" scelta dall'Autore nel condurre il Lettore ad una conoscenza più attenta della comunità cultuale ambrosiana nella storia (parte I, cc. I-III) e dei suoi ordinamenti rituali (parte II, cc. IV-VI), per presentare poi l'annuncio e l'esperienza misterica della salvezza nel rinnovato *Lezionario Ambrosiano* (parte III, cc. VII-XVII). A questa parte, ovviamente la più sviluppata e i cui capitoli sono arricchiti da numerosi *Allegati*, fa seguito una serie di *Appendici*. Il *Piccolo dizionario di Liturgia Ambrosiana* completa in modo ottimale l'intera opera favorendo il Lettore in una comprensione precisa di termini propri.

Alcuni tra i capitoli delle prime due sezioni rielaborano, integrandoli e aggiornandoli, saggi precedentemente apparsi nel volume *La tunica variegata. Conversazioni sul Rito Ambrosiano*, a cura di Marco Mauri (NED, Milano 1995). Da questa pubblicazione sono tratti anche due tra i contributi posti in *Appendice* e dedicati alle presenze ambrosiane oltre i confini dell'Arcidiocesi di Milano: i saggi di Marco Mauri e del compianto vescovo di Casale Monferrato, Mons. Germano Zaccheo, spentosi a Fatima il 20 novembre 2007. Un omaggio a questo presule, di origine ambrosiana non milanese, può considerarsi l'intervento di Danilo Biasibetti, presente anch'esso in *Appendice*.

I capitoli, che in modo diretto si riferiscono al *Lezionario* riformato, rielaborano il materiale preparato dall'Autore quale strumento di lavoro per la Congregazione del Rito Ambrosiano nel corso degli anni che hanno visto svilupparsi l'analisi e la valutazione del "Progetto di nuovo Lezionario", fino alla sua definitiva redazione, ora promulgata ed entrata in uso dalla I Domenica d'Avvento (16 novembre 2008).

3. L'Autore, prof. Cesare Alzati

La fatica attorno ad una simile ricerca è stata portata avanti negli anni da un grande esperto di liturgia e tradizione ambrosiana. Il prof. Cesare Alzati è Ordinario di Storia del Cristianesimo e delle Chiese. In questo ruolo ha tenuto dal 1980 al 2005 l'insegnamento di Storia della Liturgia nella Facoltà di Lettere e Filosofia dell'Università di Pisa.

Attento al mondo cristiano orientale, cui ha dedicato numerosi studi (tra essi: *Tradizione bizantina e tradizione latina nella* Liturgia Sancti Petri [1982]; *L'Ortodossia,* nella *Storia del Cristianesimo* edita da Laterza [1997]; *L'Illirico nella tarda antichità cristiana*, in *Storia religiosa di Serbia e Bulgaria* [2008]), per le sue ricerche sulle relazioni interconfessionali nell'area carpato-danubiana (tra le pubblicazioni al riguardo: *Terra romena tra Oriente e Occidente. Chiese ed etnie nel tardo '500* [1982]; *Lo spazio romeno tra frontiera e integrazione in età medioevale e moderna* [2002], ed. romena: *În inima Europei. Studii de istorie religioasă a spaţiului românesc* [1998]) è stato insignito del titolo di *Doctor honoris causa* dall'Università di Cluj (Romania). In tale Ateneo, erede della fondazione gesuitica transilvana del 1581, è anche Direttore onorario dell'Istituto di Studi Ecclesiastici, struttura cui afferiscono, oltre alla Facoltà di Storia e Filosofia, le quattro Facoltà Teologiche di quell'Università: Ortodossa, Greco-cattolica, Riformata, Romano-cattolica.

In quanto attivo ed essenziale componente della Congregazione del Rito Ambrosiano, ha dedicato molteplici contributi alla storia della Chiesa milanese e alla sua tradizione liturgica, tra i quali: *Ambrosiana Ecclesia. Studi su la Chiesa milanese e l'ecumene cristiana fra tarda antichità e medioevo* (1993); *Ambrosianum Mysterium. La Chiesa di Milano e la sua tradizione liturgica* (2000, trad. ingl.: *Ambrosianum Mysterium: The Church of Milan and its liturgical tradition,* 1999-2000); *Epiclesi eucaristica e ministero ecclesiastico nella tradizione ambrosiana*, in *L'Eucaristia nella tradizione orientale e occidentale* (2007).

Attualmente insegna presso la Facoltà di Scienze della Formazione nell'Università Cattolica di Milano, e offre la sua indiscussa competenza come membro del Comitato scientifico della presente Collana oltre che come ricercato collaboratore della *Rivista Liturgica*.

4. Conclusione… e premessa!

La coincidenza tra la presente pubblicazione e l'entrata in vigore del rinnovato *Lezionario Ambrosiano* offre a quest'opera un orizzonte di forte attualità e l'auspicio di una capillare diffusione.

Attualità e diffusione vengono a costituire due elementi portanti allo scopo di facilitare l'accesso più diretto ad una *traditio*, quale nel caso specifico quella ambrosiana, la cui conoscenza non si chiude nell'ambito di una Diocesi qual è quella di Milano, ma si allarga fino a coinvolgere il percorso teologico e pedagogico di ogni Chiesa e di ogni Rito, sia per l'Occidente (con gli altri tre Riti: Romano, Italo-albanese e Mozarabico) che per l'Oriente (con le sue varie tradizioni: alessandrina, antiochena, armena, caldea o siro orientale, e costantinopolitana o bizantina).

Nei numerosi capitoli si possono trovare condensati i principi ispiratori del *Lezionario*, le modalità del suo radicarsi nella tradizione e la sua attenzione all'attualità pastorale, il suo orizzonte ecclesiale e i suoi intendimenti ecumenici.

È da questo orizzonte che l'accostamento all'opera – superato il momento della *curiositas* – permette l'immersione in un'esperienza di Chiesa che aiuta a cogliere le tante dimensioni che la caratterizzano e di rilanciarne la lezione per tutte le altre Chiese. Si pensi alla pedagogia racchiusa nel *Lezionario* rinnovato che assicura una *novitas* radicata nella *traditio*; si pensi al rapporto tra questa pedagogia essenzialmente biblica e i contenuti del Messale; si pensi alla struttura dell'anno liturgico, con lo specifico dei suoi ritmi e la ricchezza delle sue memorie; si pensi alle pagine di teologia liturgica che si potranno continuare a scrivere proprio a partire dalla teologia biblica proclamata e pregata quale traspare dal rinnovato *Lezionario*; si pensi, infine, alla spiritualità che domenica dopo domenica – a cominciare dalla ricchezza del sabato – si continuerà a scrivere come una pagina sempre nuova di quella *traditio vivens* che la Chiesa ambrosiana custodisce con meritato orgoglio, e sviluppa nel tempo anche con un'opera come questa!

Manlio Sodi

Roma, Sollemnitas in Epiphania Domini 2009

PARTE INTRODUTTIVA

UNA CHIESA NELL'ECUMENE

LA TRADIZIONE AMBROSIANA
NELLA COMUNIONE DELLE CHIESE

In un contributo, apparso nel 1992, Marco Mauri ha efficacemente documentato quanto fosse viva nell'Ottocento, tra il clero delle parrocchie ambrosiane della diocesi di Bergamo, la consapevolezza della propria specifica identità ecclesiale.[1] Si trattava – e si tratta – di una specificità espressa essenzialmente nella dimensione liturgica; e tuttavia – a ben vedere – il significato di tale specificità va ben oltre la dimensione rituale, per assumere (in quel caso, come sempre quando sia implicato il concreto vivere storico della Chiesa) una precisa valenza istituzionale ed ecclesiologica, nella quale le stesse peculiarità cultuali trovano il loro vero contesto.

"Ambrosiani" sono chiamati i fedeli di tali parrocchie.[2] E già questo appellativo s'impone alla nostra attenzione: non "Milanesi" in parallelo a "Romani" essi sono definiti e si autodefiniscono, ma "Ambrosiani", in quanto seguaci dell'ordinamento e della disciplina rituale che traggono il nome da quel grande vescovo, di cui le Chiese, in Occidente come in Oriente, annualmente celebrano a preferenza del *dies natalis*, il giorno della morte che lo ha fatto nascere al cielo, come avviene comunemente per gli altri santi, il giorno dell'ordinazione episcopale: quel 7 Dicembre che nel lontano 374 inaugurò un ministero accolto dall'intera comunione dei fedeli – e ben lo mostra l'orientale Basilio[3] – quale segno del volere divi-

---

[1]   M. MAURI, *I Serenissimi Ambrosiani*, in *Archivi di Lecco* 15 (1992) 107-178; cf altresì il suo saggio in *Appendice* al presente volume.

[2]   Cf, ad esempio, le *Osservazioni intorno al Rito Ambrosiano, trattandosi di aggiungervi vari Santi*, doc. C 2 della silloge edita dal MAURI: *I Serenissimi*, pp. 145-147.

[3]   BASILIUS Caesariensis, *Epistula CXCVII*, ed. Y. COURTONNE, II, Les belles lettres, Paris 1957 [Collection des Universités de France], pp. 149 ss. Per i problemi di autenticità della seconda sezione dell'epistola: C. PASINI, *Le fonti greche su sant'Ambrogio*, Biblioteca Ambrosiana - Città Nuova Editrice, Milano-Roma 1990 [Tutte le Opere di Sant'Ambrogio. Sussidi, 24], pp. 35-54.

no.[4] Tale patrimonio di vita ecclesiale nello scritto del cosiddetto Landolfo Seniore, autorevole interprete della *scientia Ambrosiana* alto medioevale, troviamo designato col termine di *ordo Ambrosianus*.[5]

---

[4] Per la fortuna del "Vescovo di Milano" in Oriente: G. GALBIATI, *Della fortuna letteraria e di una gloria orientale di sant'Ambrogio*, in *Ambrosiana. Scritti di storia, archeologia ed arte pubblicati nel XVI centenario della nascita di Sant'Ambrogio. CCCXL-MCMXL*, Biblioteca Ambrosiana, Milano 1942, pp. 45-95; con specifico riferimento all'ambito costantinopolitano: J. IRMSCHER, *Ambrosius in Byzanz*, in *Ambrosius Episcopus. Atti del Congresso internazionale di studi ambrosiani nel XVI centenario della elevazione di sant'Ambrogio alla cattedra episcopale. Milano, 2-7 dicembre 1974*, II, a cura di G. LAZZATI, Milano 1976 [Studia Patristica Mediolanensia, 7], pp. 298-311; F. TRISOGLIO, *Sant'Ambrogio negli storici e nei cronisti bizantini, Ibidem*, pp. 345-377; cf successivamente C. PASINI, *La figura di Ambrogio nell'Oriente bizantino*, in *La Scuola Cattolica* 109 (1981) 417-459; ID., *Ambrogio nella teologia posteriore greca: un'indagine nei secoli V e VI*, in Nec timeo mori. *Atti del Congresso internazionale di studi ambrosiani nel XVI centenario della morte di sant'Ambrogio. Milano, 4-11 aprile 1997*, a cura di L. F. PIZZOLATO – M. RIZZI, Vita e Pensiero, Milano 1998 [Studia Patristica Mediolanensia, 21], pp. 365-404; nonchè i contributi presenti al convegno *Ambrogio tra Occidente e Oriente*, in *Un ponte tra Occidente e Oriente*, Centro Ambrosiano, Milano 1988. Quanto all'area latina: A. RIMOLDI, *La figura di Ambrogio nella tradizione occidentale dei secoli IV-X*, in *La Scuola Cattolica* 109 (1981) 375-416.

[5] L(ANDULFUS), *Historia Mediolanensis* [= L(ANDULFUS)], *Epistola ystoriografi*, edd. L. C. BETHMANN - W. WATTENBACH, Hahn, Hannoverae 1848 [Monumenta Germaniae Historica (= MGH), Scriptores (= SS), 8], p. 36; cf, con carenze critiche, ma migliore base testuale, ed. A. CUTOLO, Zanichelli, Bologna 1942 [Rerum Italicarum Scriptores, editio altera (= RRIISS, e. a.), 4/2), p. 4. Per la problematicità del nome Landulfus: J. W. BUSCH, *"Landulfi senioris Historia Mediolanensis" – Überlieferung, Datierung und Intention*, in *Deutsches Archiv* 45 (1989) 11-12. Quanto alla datazione dello scritto in questione, mentre lo stesso Busch, distinguendo gli ultimi (e per lui successivi) quattro capitoli, propende per un anno di composizione non lontano dal 1075, personalmente ritengo oltremodo plausibile collocare poco dopo il 1100 la redazione complessiva di un variegato materiale, in gran parte anteriore e di varia provenienza: C. ALZATI, *Chiesa ambrosiana, mondo cristiano greco e spedizione in Oriente* [in *Verso Gerusalemme. II Convegno internazionale nel IX Centenario della I Crociata (1099-1999). Bari, 11-13 gennaio 1999*], in *Civiltà Ambrosiana* 17 (2000), 32-35, 40-41, 44-45. A conclusioni cronologiche non dissimili sembra giungere, seppure per altra via, P. CARMASSI, *Basiliche episcopali e ordinamento liturgico a Milano nei secoli XI-XIII tra continuità e trasformazioni*, in *Civiltà Ambrosiana* 17 (2000) 268-291. Per un quadro delle proposte di datazione formulate nell'ambito della tradizione storiografica, si potrà vedere anche C. ALZATI., *Tradizione e disciplina ecclesiastica nel dibattito tra Ambrosiani e Patarini a Milano nell'età di Gregorio VII*, in *La Riforma Gregoriana e l'Europa. Atti del Congresso Internazionale promosso in occasione del IX centenario della morte di Gregorio VII (1085-1985). Salerno, 20-25 maggio 1985*, II, Libreria Ateneo Salesiano, Roma 1991 [Studi Gregoriani, 14], nota 4; ID., *A proposito di clero coniugato e uso del matrimonio nella Milano alto medioevale*, in *Società, istituzioni, spiritualità. Studi in onore di Cinzio Violante*, I, Centro Italiano di Studi sull'Alto Medioevo, Spoleto

1. "Ordo Ambrosianus" e "Ambrosiana ecclesia"

Peraltro ben sappiamo come tale *ordo* non sia l'eredità di una singola, pur eccezionale persona, ma riassuma l'esperienza storica di un'intera Chiesa, esprimendone la complessa tradizione accumulatasi lungo i secoli. E ciò nonostante con piena legittimità *Ambrosianus*, ossia di Ambrogio, quest'*ordo* può essere detto in quanto è patrimonio germinatosi all'interno di quella Chiesa che, avendo riconosciuto nello stesso Ambrogio il proprio "apostolo"[6] e "il primo, ossia il più grande tra quanti ne hanno retto la cattedra metropolitica"[7], da lui ha amato denominarsi e alla sua figura è venuta attribuendo la propria specifica identità, come ebbe a esprimersi la biografia legata all'età dell'arcivescovo Angilberto II (824-859): "per mezzo dell'Evangelo egli ci ha generati in Cristo Gesù. Tutto ciò che di virtù e di grazia vi possa essere in questa Chiesa milanese, senza alcun dubbio è derivato per intervento di Dio dal suo magistero".[8]

1994, nota 20: ora in Id., *Ambrosiana Ecclesia. Studi su la Chiesa milanese e l'ecumene cristiana fra tarda antichità e medioevo*, NED-Nuove Edizioni Duomo, Milano 1993 [Archivio Ambrosiano, 65], pp. 187-188, 212-214. La datazione di Jörg Busch è stata pacificamente assunta dalla storiografia tedesca: cf Ch. Dartmann, *Wunder als Argumente: die Wunderberichte in der* Historia Mediolenenesis *des sogenannten Landulf Senior und in der* Vita Arialdi *des Andrea von Strumi*, Lang, Frankfurt am Main 2000 [Gesellschaft, Kultur und Schrift, 10], si veda in particolare nota 168, pp. 120-121; O. Zumhagen, *Religiöse Konflikte und kommunale Entwicklung: Mailand, Cremona, Piacenza und Florenz zur Zeit der Pataria*, Bohlau, Köln 2002 [Städteforschung, 58], p. 29. Quanto al concetto di *scientia Ambrosiana*: L(andulfus), II, 35; MGH, SS, 8, p. 70. 15; RRIISS, e. a., 4/2, p. 75. 13; cf C. Alzati, *La scientia Ambrosiana di fronte alla Chiesa greca nella Cristianità latina del secolo XI*, in *Cristianità d'Occidente e Cristianità d'Oriente (secoli VI-XI)*, II, Spoleto 2004 [Settimane di Studio della Fondazione Centro Italiano di Studi sull'Alto Medioevo, 51: 24-30 aprile 2003], pp. 1161-1190.

6   "*Apostulum nostrum Ambrosium sanctum*": L(andulfus), III, 24 [23]: MGH, SS, p. 91. 18; RRIISS, e. a., 4/2, p. 111. 31.

7   "*Primus id est maximus, metropolitanam regens cathedram*": L(andulfus), I, 1: MGH, SS, p. 37. 50-31; RRIISS, e. a., 4/2, p. 5. 20-21.

8   "*In Christo enim Ihesu per euangelium ille non genuit. Quicquid namque in hac Mediolanensi ecclesia potest esse uirtutum uel gratiae, ex eius magisterio per Deum processisse non dubitatur*": *De vita et meritis Ambrosii*, ed. P. Courcelle, *Recherches sur saint Ambroise. Vies anciennes, culture, iconographie*, Paris 1973 [Études Augustiniennes. Série 'Antiquité', 52], p. 121. Sulla datazione si veda ultimamente P. Tomea, *Ambrogio e i suoi fratelli. Note di agiografia milanese altomedioevale*, in *Filologia mediolatina* 5 (1998) 149-201, che – approfondendo un'indicazione offerta a suo tempo da Lellia Cracco Ruggini – ha accostato in modo convincente la composizione dell'opera all'arcivescovo Angilberto II.

Siffatto legame tra la Chiesa di Milano e il suo grande vescovo, che anche il testo appena citato manifesta, è un aspetto profondamente radicato nella vicenda ecclesiastica milanese e che l'ha intimamente segnata. Si tratta di un fenomeno le cui origini vanno ricercate in un'età ben anteriore a quella stagione carolingia, in cui la biografia menzionata si situa e che pur risulta essere stata tanto rilevante nella storia di questa Chiesa e della sua tradizione. Se in effetti il termine *Ambrosiana ecclesia* trova attestazione per la prima volta a livello cancelleresco nell'881 (ma a quella data era definizione ormai ampiamente consolidata nell'uso milanese, come già la citata biografia angilbertiana positivamente attesta)[9], è pur vero che già nella fase successiva al concilio Efesino del 431 il metropolita milanese Martiniano, nei suoi rapporti con l'episcopato antiocheno e con l'imperatore in merito alla questione nestoriana, all'autorità d'Ambrogio s'era appellato, trasmettendo a Teodosio II il *De dominicae incarnationis sacramento*[10]; non diversamente, pochi anni dopo, anche il metropolita di origine greca Eusebio, recependo con il suo episcopato comprovinciale il *Tomo a Flaviano* di Leone, lo avrebbe riconosciuto ortodosso sulla base del criterio che "in tutti i suoi intendimenti esso coincide con quanto il beato Ambrogio, mosso dallo Spirito Santo, introdusse nei suoi libri sul mistero dell'Incarnazione del Signore".[11]

2. IL PRESULE MILANESE "VICARIUS AMBROSII"

Alla fine del secolo successivo questo costante rinvio ad Ambrogio potè spingere Gregorio a rivolgersi agli ecclesiastici milanesi come ai "mi-

---

[9] Per la lettera del romano Giovanni VIII nel Febbraio 881: *Registrum Iohannis VIII. Papae* ed. E. CASPAR, Weidmann, Berolini 1928 [MGH, Epistolae, 7: Epistolae Karolini Aevi, 5], n° 269, p. 237. Quanto alla presenza del sintagma nel *De vita et meritis Ambrosii*, 67: ed. COURCELLE, p. 99.

[10] Cf in merito la lettera del presule antiocheno Giovanni, e dei vescovi con lui solidali, al collega Rufo di Tessalonica: *Acta Conciliorum Oecumenicorum*, I: *Concilium Vniuersale Ephesenum*, 1, 3, ed. E. SCHWARTZ, de Gruyter, Berolini-Lipsiae 1927, pp. 41-42.

[11] "*Omnibus sensibus convenire, quo beatus Ambrosius, de Incarnatione Dominicae mysterio, suis libris, Spiritu Sancto excitatus inseruit*": PL, LIV, c. 946; cf C. ALZATI, *Metropoli e sedi episcopali fra tarda antichità e alto medioevo*, in *Chiesa e società. Appunti per una storia delle diocesi lombarde*, a cura di A. CAPRIOLI - A. RIMOLDI - L. VACCARO, Editrice La Scuola - Fondazione Ambrosiana Paolo VI, Brescia - Gazzada 1986 [Storia religiosa della Lombardia, 1], p. 71.

nistri di sant'Ambrogio" e definire il metropolita milanese come il "vicario di Ambrogio".[12]

Quest'ultima espressione merita in particolare il nostro interesse, giacché in essa si riflette una concezione analoga a quella con cui i papi romani proclamavano la permanente presenza, viva e operante, di Pietro nella Chiesa di Roma, e venivano configurando il proprio ministero episcopale come "mistica unione personale" e come vicariato nei confronti della persona vivente di lui.[13] Si tratta di una concezione che, in ambito milanese, ancora è emersa con l'arcivescovo Giovanni Colombo, nell'ultima omelia ch'egli ha tenuto nella basilica ambrosiana – suo vero congedo dall'Archidiocesi – in occasione della festività dell'ordinazione di Ambrogio (7 Dicembre 1979). Ricordando, sulla scia del biografo Paolino,[14] come dopo la morte dello stesso Ambrogio quanti appena battezzati, entrando nella basilica, avessero visto di nuovo il loro presule sedere vivo sulla cattedra, l'arcivescovo osservò: "Gli occhi dei bimbi appena risaliti dal fonte della

---

[12] "*Sancto Ambrosio servientes clerici*"; "*vicarius Ambrosii*": S. Gregorii Magni *Registrum Epistularum*, XI, 6, ed. D. Norberg, II, Brepols, Turnholti 1982 [Corpus Christianorum, Series Latina (= CCL), 140, A], p. 868: testo non a caso ripreso da L(andulfus), II, 9: MGH, SS, 8, p. 49. 12-14; RRIISS, e. a., 4/2, p. 36. 27-30. Ma cf anche Humbertus a Silvacandida, *Adversus Simoniacos*, III, 9, ed. F. Thaner, Hahn, Hannoverae 1891 [MGH, Libelli de lite (= Ldl), 1], p. 210. Quanto alla fortuna della definizione *vicarius Ambrosii*, rende testimonianza anche la *Commemoratio superbiae Ravennatis archiepiscopi*, ed. L. C. Bethmann, Hahn, Hannoverae 1848 [MGH, SS, 8], p. 12. 57; cf al riguardo E. Cattaneo, *La tradizione e il rito ambrosiani nell'ambiente lombardo medioevale*, Appendice: *La questione del primato d'onore fra Milano e Ravenna*, in *Ambrosius Episcopus. Atti del Congresso internazionale di studi ambrosiani nel XVI centenario della elevazione di sant'Ambrogio alla cattedra episcopale. Milano, 2-7 dicembre 1974*, II, cur. G. Lazzati, Vita e Pensiero, Milano 1976 [Studia Patristica Mediolanensia, 7], pp. 41-47 (successivamente in Id., *La Chiesa di Ambrogio. Studi di storia e di liturgia*, Vita e Pensiero, Milano 1984 [Pubblicazioni dell'Università Cattolica. Scienze Storiche, 34], pp. 153-159); per la datazione tra 1027 e 1070 c.: P. Tomea, *Tradizione apostolica e coscienza cittadina a Milano nel medioevo. La leggenda di san Barnaba*, Vita e Pensiero, Milano 1993 [Bibliotheca erudita, 2], pp. 34-43. Ma si veda altresì Arnulfus, *Liber gestorum recentium* (= Arnulfus), I, 2, ed. I. Scaravelli, Zanichelli, Bologna 1996 [Fonti per la storia dell'Italia medievale ad uso delle scuole, 1], p. 60. 22-23.

[13] Su questa "mystische Personalunion" (E. L. E. Caspar, *Geschichte des Papsttums*, I, Mohr, Tübingen 1930, p. 264), cf G. Corti. *Il papa vicario di Pietro. Contributo alla storia dell'ideale papale*, Morcelliana, Brescia 1966, cap. III; M. Maccarrone, *Apostolicità, episcopato e primato di Pietro. Ricerche e testimonianze dal II al V secolo*, Pontificia Università Lateranense, Roma 1976 [Lateranum, 42/2], cap. III.

[14] Paulinus, *Vita Ambrosii*, XLVIII, 1, ed. A. A. R. Bastiaensen, Fondazione Lorenzo Valla - Mondadori, 1975 [Scrittori greci e latini. Vite di Santi, 3], p. 114.

rigenerazione potevano percepire il mistero che rende questa Chiesa di Milano così vitale e così giovane nei secoli: i suoi Vescovi passano, logorati dalle fatiche e dall'usura degli anni, ma sotto i vari e cangianti aspetti del loro servizio, Ambrogio, padre forte e dolcissimo, maestro saggio e animoso, pastore impareggiabile, continua a restare con noi".[15]

Del resto anche il biografo d'età carolingia, come "ultimo tra i servi nati nella casa di Ambrogio", di lui aveva attestato: "in modo permanente egli con i suoi ammonimenti ci forma e ci plasma, con i suoi nutrimenti ci alimenta e ci rinfranca".[16]

3. COLLEGIALITÀ EPISCOPALE E ANTICA UNITÀ RITUALE NELLA PROVINCIA ECCLESIASTICA MILANESE

Se le ricordate iniziative di Martiniano e la sinodo di Eusebio si erano collocate sul piano dottrinale, additando nella tradizione di Ambrogio, di cui la Chiesa milanese era depositaria, il criterio sicuro d'ortodossia in riferimento al quale verificare le posizioni emerse nel dibattito ecclesiale, il *Versum de Mediolano civitate* d'età liutprandea ci indica come nella prima parte del secolo VIII tale tradizione assumesse anche precise connotazioni di carattere istituzionale e disciplinare: si configurasse cioè nei termini globali e organici dell'*ordo*. In tale composizione, collocabile tra il 732 e il 744 e che nella sua evidente continuità rispetto a modelli culturali tardo romani ben rappresenta l'ultima luminosa fase della civiltà longobarda, Milano appare come "la madre della Patria, che metropoli con peculiare nome è chiamata, alla quale tutti venendo i presuli d'Ausonia, secondo la norma ricevono istruzioni dai canoni che la sinodo stabilisce (*iuxta normam instrountur senotali canone*)".[17]

---

[15] In *Rivista Diocesana Milanese* 71 (1980) 87. Sul card. Colombo quale testimone e interprete della tradizione ambrosiana del Novecento, cf recentemente G. Biffi, *Memorie e digressioni di un italiano cardinale*, Cantagalli, Siena 2007, pp. 277-278.

[16] "*Nos iugiter suis monitis informat et recreat, suis nutrimentis fouet atque corroborat*": *De vita et meritis Ambrosii*, 96-97, ed. Courcelle, p. 121; cfr. L(Andulfus), II, 18: MGH, SS, p. 56. 25-27; RRIISS, e. a., 4/2, p. 53. 4-6. .

[17] *Versum de Mediolano civitate*, in *Versus de Verona* etc., ed. G. B. Pighi, Zanichelli, Bologna 1960 [Studi pubblicati dall'Istituto di Filologia Classica dell'Università di Bologna, 7], pp. 90, 146. Sugli echi tardo-antichi presenti in tale composizione: G. Fasoli, *La coscienza civica nelle "laudes civitatum"*, in *La coscienza cittadina nei Comuni italiani del Duecento*, Accademia Tudertina, Todi 1972 [Convegni del Centro di Studi sulla Spiritualità Medievale, 11], pp. 11-44 (ried. in Ead., *Scritti di storia medievale*, a cura di F. Bocchi - A. Carile - A. I. Pini, La Fotocromo Emiliana, Bologna 1974, pp. 293-318); nonchè J. C. Picard, *Conscience urbaine et culte des saints. De Milan sous Liutprand à Vérone sous Pépin Ier d'Italie*, in *Hagiographie, cultures et*

Com'è ben noto, la fine di quello stesso secolo VIII avrebbe assistito con il re franco Carlo alla prima grande iniziativa volta a eliminare dall'Occidente latino le tradizioni rituali non romane. L'intervento regio si sarebbe appuntato anche sul *mysterium Ambrosianum*, secondo l'espressione di Landolfo,[18] ossia sulle forme cultuali che della specifica identità ecclesiale milanese costituivano (e tuttora costituiscono) l'espressione più immediatamente tangibile.[19]

sociétés. IV-XII siècles. Actes du Colloque organisé à Nanterre et à Paris, 1979, Paris 1981 [Études Augustiniennes. Série 'Antiquité', 87], pp. 455-469; G. Tabacco, *Milano in età longobarda*, in *Atti del 10° Congresso Internazionale di studi sull'Alto Medioevo: Milano e i milanesi prima del Mille (VIII-X secolo). Milano, 26-30 settembre 1983*, I, Centro Italiano di Studi sull'Alto Medioevo, Spoleto 1986, pp. 36-37. Quanto all'attività normativa della sinodo provinciale milanese in quel periodo, una testimonianza ci è offerta da un canone promulgato alla metà del secolo VIII dal metropolita Leto: G. Picasso, *Si quis nefandum crimen (Ambr. 2, 375). Un canone penitenziale milanese nell'alto medioevo*, in *Contributi dell'Istituto di Storia Medioevale*, III, a cura di P. Zerbi, Vita e Pensiero, Milano 1975 [Pubblicazioni dell'Università Cattolica. Scienze storiche, 12], pp. 213-222.

18 Cf C. Alzati, *Appunti di lessico medioevale ambrosiano.* Mysterium *nella* Historia *di Landolfo seniore*, in *Ambrosiana Ecclesia*, cit. nota 5, pp. 249-254.

19 L'eco al riguardo in ambito milanese è tramandata dal *Sermo beati Thome episcopi Mediolani*, trasmesso e fors'anche rielaborato nella silloge del cosiddetto Landolfo: edd. A. Colombo - G. Colombo, in *Libellus de situ civitatis Mediolani, de adventu Barnabae Apostoli et de vitis priorum pontificum Mediolanensium*, Zanichelli, Bologna 1942 (RRIISS, e. a., 1/2), pp. 90-95. Un parallelo relativo al canto ambrosiano è delineato nella composizione metrica edita da A. Amelli, *Paolo Diacono, Carlo Magno e Paolino d'Aquileia in un epigramma inedito intorno al canto gregoriano ed ambrosiano*, in *Memorie Storiche Forogiuliesi* 9 (1913) 153 ss. Sul *Sermo* e la misteriosa figura del "*transmontanus episcopus*" Eugenio, "*amator et quasi pater ambrosiani misterii nec non et protector*": E. Cattaneo, *Sant'Eugenio Vescovo e il rito ambrosiano*, in *Ricerche storiche sulla Chiesa Ambrosiana*, I, Milano 1970 (Archivio Ambrosiano, 18), pp. 30-43; C. Milani, *Osservazioni linguistiche sul "sermo beati Thome episcopi Mediolani"*, in *Aevum* 45 (1971) 87-129; C. Alzati, *Eugenio, Vescovo, Santo*, in *Dizionario della Chiesa ambrosiana*, II, NED-Nuove Edizioni Duomo, Milano 1988, pp. 1149-1151; P. Tomea, *L'agiografia milanese nei secoli XI e XII. Linee di tendenza e problemi. I*, in *Atti dell'11° Congresso internazionale di Studi sull'Alto Medioevo: Milano e il suo territorio in età comunale. Milano 26-30 ottobre 1987*, Centro Italiano di Studi sull'Alto Medioevo, Spoleto 1989, I, pp. 648-651. Vanno rimarcate le consonanze con i testi ambrosiani riscontrabili nelle composizioni d'ambito ispanico relative alla soppressione dell'antica tradizione cultuale ispano-visigotica, soppressione propugnata dei monarchi di Castiglia e Leon (Alfonso VI e la sua seconda moglie, la borgognona Costanza: "*Quo volunt reges vadunt leges*") e fattivamente perseguita dal papa romano Gregorio VII. Tali consonanze s'estendono dal *Liber Chronicorum* di Pelayo de Oviedo nella prima parte del secolo XII, testo in cui si ritrova l'uso del termine *mysterium* nell'accezione di tradizione rituale (ed. B. Sánchez Alonso, *Crónica del Obispo*

Se, quanto alla sede arcivescovile milanese e al suo territorio diocesano, il disegno di Carlo fallì, ottenne comunque il risultato anomalo di restringere entro i soli confini milanesi quella tradizione ecclesiale, ch'era stata fino ad allora – in conformità ai canoni – patrimonio condiviso dalle Chiese e dai presuli dell'intera provincia.[20]

Sicché mentre il *Versum* aveva parlato di tutti i *praesules Ausoniae* consonanti nella disciplina che da Milano promanava,[21] il carolingio Valafrido Strabone poteva affermare che ormai l'ordinamento cultuale dato

---

Don Pelayo, Imprenta de los Sucesores de Hernando, Madrid 1924 [Textos latinos de la Edad Media española, 3]; nel *Chronicon Sancti Maxentii* è il termine *lex* ad assumere analogo valore semantico: *"legem Romanam voluit introducere et Toletanam mutare"*: in I. PINIUS, *Tractatus historico-chronologicus de liturgia antiqua hispanica*, in *Acta Sanctorum Iulii*, VI, edd. J. B. SOLLERIUS - J. PINIUS - G. CUPERUS - P. BOSCHIUS, ried. a cura di J. CARNANDET, Palmé, Parisiis-Romae 1868, p. 49), alla dugentesca *Historia de rebus Hispanie, sive Historia Gothica* (VI, 25), in cui l'autore, ossia il primate toletano Rodrigo Ximénes de Rada, ripropone il tema dell'ordalia quale criterio risolutivo anche per le dispute d'ambito rituale (ed. J. FERNÁNDEZ VALVERDE, Brepols, Turnholti 1987 [Corpus Christianorum, Continuatio Mediaevalis (= CCM), 72], pp. 207-209).

20 La convergenza delle singole sedi episcopali con la propria metropoli quanto all'ordinamento cultuale era stato principio a più riprese ribadito nell'Occidente d'età tardo antica. In tal senso s'espresse, già tra il 416 e il 418, una sinodo bizacena riproposta nella prima metà del VI secolo dalla *Breviatio canonum* di Ferrando (*"Vt una sit in sacramentis per omne Byzacium disciplina"* [220]: *Concilia Africae. A. 345 - A. 525*, ed. Ch. MUNIER, Brepols, Turnholti 1974 [CCL, 149], pp. XXXVII, 305); analogamente si pronunciarono nelle Gallie la sinodo di Vannes tra il 461 e il 491 (*"Vt uel intra prouinciam nostram sacrorum ordo et psallendi una sit consuetudo"* [can. 15]: *Concilia Galliae. A. 314 - A. 506*, ed. Ch. MUNIER, Turnholti 1963 [CCL, 148], p. 155), e quella di Yenne del 517 (*"Ad celebranda divina officia ordenem, quem metropolitani tenent, provincialis eorum observare debebunt"* (can. 27): *Concilia Galliae. A. 511 - A. 695*, ed. Ch. DE CLERCQ, Brepols, Turnholti 1963 [CCL, 148/A], p. 30); in quello stesso 517 in modo consonante avrebbe deliberato la sinodo tarraconense di Gerona (*"De institutione missarum, ut quomodo in metropolitana ecclesia fiunt, ita in Dei nomine in omne Terraconense prouincia tam ipsius missæ ordo quam psallendi uel ministrandi consuetudo seruetur"* [can. 1]: ed. J. VIVES [- T. M. MARÍN MARTÍNEZ - G. MARTÍNEZ DÍEZ], *Concilios Visigóticos e Hispano-Romanos*, Consejo Superior de Investigaciones Científicas, Instituto Enrique Flórez, Barcelona-Madrid 1963, p. 39) e nel 633 la IV sinodo Toletana (*"Hoc enim et antiqui canones decreuerunt ut unaquaeque prouincia et psallendi et ministrandi parem consuetudinem teneat"* [can. 2]: *Concilios Visigóticos*, ed. VIVES, p. 188). Cf P. CARMASSI, *Libri liturgici e istituzioni ecclesiastiche a Milano in età medioevale. Studio sulla formazione del lezionario ambrosiano*, Aschendorff, Münster 2001 [Liturgiewissenschaftliche Quellen und Forschungen, 85: Corpus ambrosiano-liturgicum, 4], nota 58, pp. 34-35.

21 *Versum de Mediolano civitate*, ed. PIGHI, pp. 90, 146.

un tempo da Ambrogio a tutti i "Liguri" soltanto in *Mediolanensi tenetur ecclesia.*[22]

Veniva così avviato il processo di crescente riduzione dell'identità ambrosiana, che non solo ne avrebbe circoscritto l'estensione territoriale, ma ne avrebbe progressivamente limitato gli ambiti d'espressione giungendo da ultimo a configurarla come mera forma liturgica.

4. CATTEDRA DELLA RESIDENZA IMPERIALE E COMUNIONE DELLE CHIESE

Percepito, dunque, come derivato da Ambrogio, l'*ordo Ambrosianus* è in realtà – e già lo si è osservato – patrimonio ecclesiale delineato in alcuni suoi aspetti ancor prima di Ambrogio[23] e successivamente sviluppatosi, dopo di lui, indipendentemente dalla sua figura.[24] Sicché diviene imme-

---

[22] WALAFRIDUS STRABO, *Libellus de exordiis et incrementis quarundam in observationibus ecclesiasticis rerum*, 23, ed. V. KRAUSE, Hahn, Hannoverae 1897 [MGH, Leges, Sect. II: Capitularia, 2], p. 497.

[23] Ad esempio, quanto al patrimonio cultuale, l'ordinamento delle letture scritturistiche per le celebrazioni connesse alla Pasqua dovette raggiungere una sua stabilità anteriormente al grande vescovo: così almeno parrebbe per il *Libro di Giona* proclamato nella feria V e in merito al quale lo stesso Ambrogio afferma *"Lectus est de more"* (*Epistula LXXVI* [Maur.: *XX*], 25, ed. M. ZELZER, Hoelder-Pichler-Tempsky, Vindobonae 1982 [Corpus Scriptorum Ecclesiasticorum Latinorum (= CSEL), 82/3], p. 123); per *Giobbe* (di cui *Ibidem*, 14: p. 115) cf. ZENO Veronensis, *Tractatus*, I, XV: *De Job*, ed. B. LÖFSTEDT, Brepols, Turnholti 1971 [CCL, 22], pp. 60-62. Analogamente la lavanda dei piedi battesimale e l'ordinamento delle letture per le riunioni di carattere mistagogico dell'ottava pasquale sembrano configurarsi anch'essi come elementi ormai tradizionali: AMBROSIUS, *De Mysteriis*, ed. B. BOTTE, Éd. du Cerf, Paris 1994² (2a rist.) [Sources Chrétiennes (= SCh), 25 bis]. Segnatamente sull'elemento rituale della lavanda dei piedi nell'ambito dei riti battesimali, cf. P. F. BEATRICE, *La lavanda dei piedi. Contributo alla storia delle antiche liturgie cristiane*, C. L. V. - Edizioni Liturgiche, Roma 1983 [Bibliotheca "Ephemerides liturgicae". Subsidia, 28]. Quanto ai caratteri della liturgia milanese attestati negli scritti santambrosiani, tema di cui già s'era occupato M. MAGISTRETTI, *La liturgia della Chiesa milanese nel sec. IV*, Tipografia Pontificia San Giuseppe, Milano 1899, si rinvia ad A. PAREDI, *La liturgia di S. Ambrogio*, in *S. Ambrogio nel XVI centenario della nascita*, Vita e Pensiero, Milano 1940, pp. 71-157; J. SCHMITZ, *Gottesdienst im altchristlichen Mailand*, Hanstein, Köln-Bonn 1975 [Theophaneia, 25]; cf altresì le indicazioni bibliografiche al riguardo contenute in K. GAMBER, *Codices Liturgici Latini Antiquiores. Supplementum*, a cura di B. BAROFFIO - F. DELL'ORO - A. HÄNGGI - J. JANINI - A. M. TRIACCA, Universitätsverlag, Freiburg Schweiz 1988 [Spicilegii Friburgensis Subsidia, 1/A], pp. 13-14.

[24] Basterebbe pensare alla caduta nei libri liturgici della Chiesa milanese dello *spiritale signaculum* (di cui *De Mysteriis*, 42) quale *confirmatio* dei rituali d'iniziazione (cf C. ALZATI, *"Baptizatus et confirmatus". Considerazioni sull'iniziazione cristiana a Milano tra tarda antichità e medioevo*, in *Studi in onore di Mons. Angelo Majo per il suo*

diato il chiedersi quali condizioni abbiano portato col tempo la Chiesa milanese a collegare la propria tradizione religiosa e istituzionale, nella sua interezza, alla figura del santo vescovo.

Va rilevato a questo proposito come di fatto il pontificato di Ambrogio abbia coinciso con il momento in cui la realtà ecclesiale milanese potè esprimere nella forma più piena la propria specificità e fattivamente e dinamicamente inserire la propria voce nel dialogo in atto all'interno dell'ecumene cristiana.

Da allora, tra l'altro, alle funzioni metropolitiche del presule milanese danno conferma l'ordinazione per sua mano dei vescovi comprovinciali,[25]

70° compleanno, a cura di F. RUGGERI, NED-Nuove Edizioni Duomo, Milano 1996 [Archivio Ambrosiano, 73], pp. 23-37), all'assenza fino all'età tridentina di uno specifico rito ecclesiastico per la celebrazione del matrimonio, per il quale ai tempi di Ambrogio era pur prevista la benedizione episcopale (cf E. CATTANEO, *La celebrazione delle nozze a Milano*, in *Ricerche Storiche sulla Chiesa Ambrosiana*, VI, Centro Ambrosiano di documentazione e studi religiosi, Milano 1976 [Archivio Ambrosiano, 29], pp. 142-180; ried. in *La Chiesa di Ambrogio*, cit. nota 12, pp. 268-306); e si pensi altresì alla specifica disciplina canonica sullo stato coniugale del clero attestata nel secolo XI, certamente in sé coerente, ma non conforme alla situazione d'età santambrosiana (cf C. ALZATI, *Tradizione e disciplina ecclesiastica nel dibattito tra Ambrosiani e Patarini a Milano nell'età di Gregorio VII*, in *La Riforma Gregoriana e l'Europa. Atti del Congresso Internazionale promosso in occasione del IX Centenario della morte di Gregorio VII. 1085-1985. Salerno, 20-25 maggio 1985*, II, LAS, Roma 1992 [Studi Gregoriani, 14], pp. 175-194; ID., *A proposito di clero coniugato e uso del matrimonio nella Milano alto medioevale*, in *Società, Istituzioni, Spiritualità. Studi in onore di Cinzio Violante*, I, Centro Italiano di Studi sull'Alto Medioevo, Spoleto 1994, pp. 79-92: ora in *Ambrosiana Ecclesia*, cit. nota 5, pp. 187-220).

[25] In occasione della propria ordinazione Gaudenzio di Brescia si rivolse ad Ambrogio, invitandolo a prendere la parola nel contesto del collegio sinodale, "*tanquam Petri successor apostoli*": "*Nunc vero, quoniam sanctarum lectionum puteus altus est et ego hauritorium verbi non habens aquam vivam sitientibus vobis interim ministrare non possum, obsecrabo communem patrem Ambrosium, ut post exiguum rorem sermonis mei ipse inriget corda vestra divinarum mysteriis litterarum. Loquetur enim Spiritu Sancto, quo plenus est, et flumina de ventre eius fluent aquae vivae et tamquam Petri successor apostoli ipse erit os universorum circumstantium sacerdotum*": GAUDENTIUS Brixiensis, *Tractatus XVI*, 9, ed. A. GLUECK, Hoelder-Pichler-Tempsky - Akademische Verlagsgesellschaft, Vindobonae-Lipsiae 1936 [CSEL, 68], p. 139; cf *Tractatus XX*, 1, p. 181. Cf H. F. VON CAMPENHAUSEN, *Ambrosius von Mailand als Kirchenpolitiker*, de Gruyter, Berlin-Leipzig 1929 (Arbeiten zur Kirchengeschichte, 12), pp. 114 ss.; M. BETTELLI BERGAMASCHI, *Brescia e Milano alla fine del IV secolo. Rapporti tra Ambrogio e Gaudenzio*, in *Ambrosius Episcopus. Atti del Congresso Internazionale di Studi Ambrosiani nel XVI Centenario della elevazione di sant'Ambrogio alla cattedra episcopale. Milano, 2-7 dicembre 1974*, II, Vita e Pensiero, Milano 1976 [Studia Patristica Mediolanensia, 7], pp. 157 ss.; A. ZANI, "*Ambrosius ... tamquam Petri successor apo-*

il giudizio sinodalmente espresso sul loro operato,[26] le deleghe conferite a singoli comprovinciali in riferimento a specifiche situazioni ecclesiastiche determinatesi nell'ambito della provincia,[27] le encicliche dirette ai colleghi

stoli". *Il riconoscimento di Gaudenzio di Brescia ad Ambrogio di Milano*, in *Pastor bonus in populo. Figura, ruolo e funzioni del vescovo nella Chiesa*, a cura di A. AUTIERO - O. CARENA, Città Nuova, Roma 1990, pp. 21-42. L'espressione *"communis pater"*, usata allora da Gaudenzio, ha corrispettivo nel termine *"filius"* con cui Ambrogio s'era precedentemente indirizzato al comprovinciale Costanzo [AMBROSIUS, *Epistula XXXVI ad Constantium* (Maur.: *II*), 27, ed., post O. FALLER, M. ZELZER, Hoelder-Pichler-Tempsky, Vindobonae 1990 (CSEL, 82/2), p. 18] e trova puntuale parallelo nell'appellativo *"venerabilis pater"* riservato al successore di Ambrogio, Simpliciano, da un altro comprovinciale, Vigilio di Trento, che allorquando si rivolse – con trepidante rispetto – al presule dell'imperiale Costantinopoli, Giovanni Crisostomo, non si allontanò dall'appellativo comunemente usato per un collega nell'episcopato: *"frater carissime"*: VIGILIUS Tridentinus, *Epistola ad Simplicianum*: *"Domino sancto ac venerabili patri bonis omnibus praeferendo Simpliciano Vigilius episcopus Tridentinae ecclesiae"*; *Epistola ad Iohannem Chrisostomum*: *"Ad sanctas aures novus caritatis hospes non aliter applicarem, aut verecundiam primatus non provocatus impellerem vel imbuerem ignotus alloquium, nisi provocaret et praemium. A nomine itaque apostolico, frater carissime, petentis tenor atque epistolae incipiet plenitudo, ut facili confinio intelligas quod martyrum praemia subsequantur"*: ed. E. M. SIRONI, *Dall'Oriente in Occidente: i santi Sisinio, Martirio e Alessandro martiri in Anaunia*, Edizioni della Basilica, Sanzeno 1989, pp. 78, 92. Com'è noto, Vigilio all'avvio del proprio episcopato aveva sollecitato ad Ambrogio direttive che ne orientassero il ministero, ricevendo in effetti dal presule milanese *institutionis insignia*: AMBROSIUS, *Epistula LXII ad Vigilium* (Maur.: *XIX*), CSEL, 82/2, pp. 121-142; cf R. LIZZI, *Vescovi e strutture ecclesiastiche nella città tardoantica. L'Italia Annonaria nel IV-V secolo*, New Press, Como 1989 [Biblioteca di Athenaeum, 9], pp. 53-55. Il diretto intervento del presule milanese per l'ordinazione di comprovinciali è positivamente attestato anche nei casi di Felice di Como [*"Ordinatio ... quam accepisti ... per inpositionem manuum mearum et benedictionem in nomine Domini Iesu"*: AMBROSIUS, *Epistula V ad Felicem* (Maur.: *IV*), 6, ed. O. FALLER, Hoelder-Pichler-Tempsky, Vindobonae 1968 (CSEL, 82/1), pp. 37-38] e di Profuturo di Pavia [*"Ordinato sacerdote ecclesiae Ticinensi, incidit in infirmitatem"*: PAULINUS, *Vita Ambrosii*, XLV, 1, ed. BASTIAENSEN, p. 110].

26 È il caso del presule veronese Siagrio: *"Hoc iudicium nostrum cum fratribus et consacerdotibus nostris participatum"*: AMBROSIUS, *Epistulae ad Syagrium: LVI, LVII* (Maur.: *V, VI*), CSEL, 82/2, pp. 84 ss. Cf. F. MARTROYE, *L'affaire Indicia. Une sentence de saint Ambroise*, in *Mélanges Paul Fournier*, Recueil Sirey, Paris 1929, pp. 503-510; V. BUSEK, *Der Prozess der Indicia*, in *Zeitschrift der Savigny-Stiftung für Rechtsgeschichte. Kanonistische Abteilung* 29 (1940) 447-461; A. GRAZIOLI, *La giurisdizione metropolitana di Milano a Verona all'epoca di S. Ambrogio*, in *La Scuola Cattolica* 68 (1940) 373-379.

27 Risale probabilmente al 379 la delega al comprovinciale Costanzo (si è pensato di Claterna) perché in luogo dello stesso Ambrogio, trattenuto a Milano dagli impegni quaresimali, visitasse la Chiesa di Imola, allora in vacanza di sede: *"Commendo tibi, fili, ecclesiam quae est ad Forum Corneli, quo eam de proximo intervisas frequentius,*

nell'episcopato (come quella del 386 per ribadire la fedeltà al computo pasquale alessandrino in contrapposizione al dissonante calendario della Chiesa romana[28]).

Peraltro l'*episcopus Italiae*[29] allora godette di una singolare e riconosciuta autorevolezza anche nel più generale contesto dell'*intemerata fidelium atque una communio*.[30] Il concilio del 381 ad Aquileia fu ben altra cosa rispetto a un'assemblea a carattere provinciale: si era raccolto su convocazione imperiale[31]; vi avevano partecipato legati delle Gallie[32] e

---

    donec ei ordinetur episcopus. Occupatus diebus ingruentibus Quadragesimae tam longe non possum excurrere": AMBROSIUS, *Epistula XXXVI ad Constantium* (Maur.: *II*), 27, CSEL, 82/2, p. 18.

[28] La lettera è indirizzata "*dominis fratribus dilectissimis episcopis per Aemiliam constitutis*": AMBROSIUS, *Epistula e. c. XIII* (Maur.: *XXIII*), CSEL, 82/3, pp. 222-234; cf M. ZELZER, *Zum Osterfestbrief des hl. Ambrosius und zur römischen Osterfestberechnung des 4. Jh.*, in *Wiener Studien* 91 (1978) 187-204. Quanto ai destinatari, merita segnalare che fino agli ultimissimi anni del IV secolo Emilia e Liguria paiono sottoposte a un'unica autorità civile, la cui titolatura si presenta talvolta nella forma abbreviata "*consularis Aemiliae*": cf J. MARQUARDT, *L'administration romaine*, II: *Organisation de l'Empire Romain*, II, tradd. P. L. Lucas - A. Weiss, Thorin, Paris 1892 [Th. MOMMSEN - J. MARQUARDT, *Manuel des Antiquités Romaines*, 9], pp. 32-33. In ogni caso non si può non osservare che la dissonanza di calendario in questione, per tutti imbarazzante, diveniva particolarmente spinosa segnatamente per i vescovi dell'Emilia confinanti con sedi episcopali della Flaminia, d'obbedienza romana.

[29] Così, con accezione non perfettamente definibile, s'esprime AUGUSTINUS, *Contra secundam Iuliani responsionem imperfectum opus*, I, 59, ed., post E. KALINKA, M. ZELZER, Hoelder-Pichler-Tempsky, Vindobonae 1974 [CSEL, 85/1], pp. 56. 26, 57. 49.

[30] AMBROSIUS, *Epistula e. c. VI* (Maur.: *XIII*), 3, CSEL, 82/3, p. 188.

[31] "*Iuxta mansuetudins vestrae statuta convenimus*": Gesta episcoporum Aquileiae adversum haereticos Arrianos. *Epistula II: Imperatoribus clementissimis et Christianis beatissimisque principibus Gratiano et Valentiniano et Theodosio sanctum concilium quod convenit Aquileiae* (Maur.: *X*), 2, CSEL, 82/3, p. 317. Al riguardo importanti le considerazioni di H. J. SIEBEN, *Die Konzilsidee der Alten Kirche*, Schöningh, Paderborn 1979 [Konziliengeschichte. B: Untersuchungen, 1], pp. 482-492.

[32] Per la lettera sinodale ai vescovi che avevano inviato quali propri legati Costanzo di Orange e Proculo di Marsiglia: *Gesta episcoporum Aquileiae adversum haereticos Arrianos. Epistula I: Concilium quod convenit Aquileiae dilectissimis fratribus episcopis provinciae Viennensium et Narbonensium primae et secundae* (Maur.: *IX*), CSEL, 82/3, pp. 315-316. Per la partecipazione di Costanzo al dibattito sinodale: *Gesta episcoporum Aquileiae adversum haereticos Arrianos. <Acta concilii>*, 15, CSEL, 82/3, p. 335; la sua dichiarazione di condanna nei confronti di Palladio di Ratiaria: *Ibidem*, 55, p. 359; l'analogo pronunciamento di Proculo: *Ibidem*, 63, p. 363. Al loro fianco quale ulteriore legato, segnatamente dalla *dioecesis Galliarum*, figura Giusto di Lione: anch'egli, sollecitato da Ambrogio, intervenne nel dibattito e con gli altri vescovi espresse la sua condanna di Palladio: *Ibidem*, 15, 56, pp. 335, 360. Ma dalle Sette Provincie era

dell'Africa;[33] vi furono presenti vescovi dell'Illirico, di cui due sottoposti a giudizio;[34] la sollecitudine collegiale dei partecipanti si era estesa anche

---

giunto pure Donnino di Grenoble (*Ibidem*, 62, p. 363) e dalla *dioecesis Galliarum* si era reso presente il vescovo di Octodurum (Martigny), Teodoro (*Ibidem*, 62, p. 362).

[33] Si tratta dei vescovi Felice e Numidio: il primo intervenne nel dibattito quale portavoce delle Chiese africane e, con Numidio, pronunciò successivamente la condanna di Palladio: *Ibidem*, 16, 58, pp. 335, 361. Sulla partecipazione africana ai dibattiti triadologici del IV secolo cf, tra gli altri, G. FOLLIET, *L'épiscopat africain et la crise arienne au IVe siècle*, in *Revue des Études Byzantines*, XXIV (1966) (= *Mélanges Venance Grumel*, I); per l'episodio aquileiese: pp. 221-222.

[34] L'*altercatio*, che contrappose in particolare Ambrogio e Palladio di Ratiaria (capoluogo della *Dacia Ripensis*, attualmente Arčar in Bulgaria), uno degli inquisiti, è efficacemente riproposta dai *Gesta episcoporum Aquileiae adversum haereticos Arrianos*. <*Acta concilii*>, CSEL, 82/3, pp. 329 ss.; in merito si tenga comunque presente l'edizione di R. GRYSON, in *Scholies ariennes sur le Concile d'Aquilée*, Éd. du Cerf, Paris 1980 (SCh, 257), pp. 332 ss. In quest'ultimo volume è inoltre riproposta la lettura che degli eventi condusse il condannato Palladio nella sua apologia, trasmessa con la MAXIMINI *Dissertatio*: pp. 204 ss. Per tale documentazione, di primario interesse, si veda anche l'ulteriore edizione dello stesso GRYSON in *Scripta Arriana Latina*, I, Brepols, Turnholti 1982 (CCL, 87), pp. 149 ss. Cf N. MCLYNN, *The 'Apology' of Palladius: Nature and Purpose*, in *Journal of Theological Studies* 42 (1991) 52-77; D. H. WILLIAMS, *Ambrose of Milan and the End of the Arian-Nicene Conflicts*, Clarendon Press, Oxford 1995 (Oxford Early Christian Studies), pp. 169-184. Al concilio condivise la sorte di Palladio il suo collega, analogamente proveniente dalla diocesi dacica, Secondiano di Singidunum (città della *Moesia I*: l'attuale Belgrado), nonché il prete Attalo discepolo del vescovo Giuliano Valente di Poetovium (Ptuj) nel *Noricum Mediterraneum* (*Gesta episcoporum Aquileiae ... <Acta concilii>*, 44-45, CSEL, 82/3, pp. 353-354; su Giuliano Valente non presentatosi al concilio: *Gesta episcoporum Aquileiae ... Epistula II: Imperatoribus ... sanctum concilium quod convenit Aquileiae*, 9, CSEL, 82/3, pp. 322-323; sui turbamenti che tale vescovo aveva arrecato unitamente al romano Ursino alla vita ecclesiale milanese: AMBROSIUS, *Epistula e. c. V: Imperatoribus clementissimis et principibus Christianis gloriosissimis ac beatissimis Gratiano, Valentiniano et Theodosio sanctum concilium quod convenit Aquileiae*, 3, CSEL, 82/3, p. 184). Ma provenienti dall'area illiriciana presenziarono al concilio anche il vescovo Anemio di Sirmium, *caput Illyrici* (ossia, città vertice civile dell'intero territorio) (per il suo intervento nei lavori sinodali: *Gesta episcoporum Aquileiae ... <Acta concilii>*, 16, CSEL, 82/3, p. 335; per la condanna di Palladio: *Ibidem*, 55, p. 359) e i suoi colleghi Costanzo di Sciscia (capoluogo della Saviense, attuale Sisak), Amanzio di Iovia e Felice, vescovo della dalmata Zara (probabilmente del vescovo di Sciscia l'intervento di cui *Ibidem*, 9, p. 330; per la sua condanna di Palladio: *Ibidem*, 61, p. 362; per l'analoga condanna emessa da Felice di Zara e Amanzio di Iovia: *Ibidem*, 62, 64, pp. 362, 363). Quanto all'altro antiniceno Leonzio, egli già vescovo della metropoli civile di Dalmazia, Salona, e precedentemente deposto, non fu ammesso ai lavori del concilio (PALLADIUS Ratiariensis, in MAXIMINI *Dissertatio*, 82, CCL, 87, pp. 188-189).

alla Chiesa romana, non rappresentata in assemblea;[35] gli orizzonti sinodali si erano inoltre dilatati a abbracciare l'intera ecumene cristiana, fino a chiedere agli imperatori la convocazione di un concilio, comune a occidentali e orientali, nell'egiziana Alessandria.[36]

Ambrogio, dopo aver operato in concilio con il fattivo supporto del suo episcopato comprovinciale,[37] chiuso il concilio, aveva radunato questi 'suoi' vescovi[38] e con loro era intervenuto presso gli imperatori, rivendicando il diritto – in nome del *"consortium communis arbitrii"*[39] – di pren-

---

[35] Damaso non si fece rappresentare e ne diede ragione in tre lettere non pervenute (PALLADIUS Ratiariensis, in MAXIMINI *Dissertatio*, 81, CCL, 87, pp. 187-188). Il legame del concilio nei confronti dello stesso Damaso fu comunque saldissimo, tanto che una sinodale agli imperatori volle, a favore del collega romano, espressamente richiamare l'attenzione degli augusti sulla contestazione che a lui muoveva il rivale Ursino (AMBROSIUS, *Epistula e. c. V: Imperatoribus ... sanctum concilium quod convenit Aquileiae* [Maur.: *XI*], 2-6, CSEL, 82/3, pp. 182-185). È significativo il fatto che il condannato Palladio abbia ritenuto di dover inserire proprio il legame con Damaso tra gli argomenti della sua contestazione al concilio e ad Ambrogio ("*Sed forte sedes beatissimi Petri praerogatibam uestra<m> familiarium et clientulorum adsensione uindicat sibi ... Sed non miru(m) uos ... humanam pacem in iniuria religionis tueri*": PALLADIUS Ratiariensis, in MAXIMINI *Dissertatio*, 81, 83, CCL, 87, pp. 188, 189).

[36] AMBROSIUS, *Epistula e. c. VI: Imperatoribus clementissimis Christianisque et gloriosis beatissimisque principibus Gratiano, Valentiniano et Theodosio sanctum concilium quod convenit Aquileiae* (Maur.: *XII*), 5-6, CSEL, 82/3, pp. 189-190.

[37] Il sostegno più energico ai dibattiti conciliari risulta essere stato offerto ad Ambrogio da Eusebio di Bologna (*Gesta episcoporum Aquileiae ... <Acta concilii>*, 9, 11-14, 19, 21, 23, 27-29, 33-35, 38, 40, 50, 66, 69, 73, CSEL, 82/3, pp. 331-334, 337-339, 342-344, 346-347, 349-351, 356, 364, 366-367) e da Sabino di Piacenza (*Ibidem*, 10, 37-39, 42-43, 45, 48-49, 51, pp. 331, 349-357). D'ambito italiciano figurano aver emesso la condanna di Palladio, su invito di Ambrogio, il presule aquileiese Valeriano (che non è annoverabile tra i comprovinciali), nonché Evenzio di Pavia, Abbondanzio di Trento, i già ricordati Eusebio di Bologna e Sabino di Piacenza, Limenio di Vercelli, Massimo di Emona (Ljubljana: per la connessione tra Emona e l'Italia Annonaria: Th. MOMMSEN, in *Corpus Inscriptionum Latinarum*, III, 1, p. 489), Esuperanzio di Tortona, Bassiano di Lodi, Filastrio di Brescia, Eliodoro d'Altino, Diogene di Genova (*Gesta episcoporum Aquileiae ... <Acta concilii>*, 54-64, CSEL, 82/3, pp. 359-363).

[38] Essi sono designati con l'espressione "*episcopi Italiae*", che bene delinea l'ampiezza della provincia ecclesiastica allora raccolta attorno alla cattedra milanese. Peraltro l'ordinamento territoriale ecclesiastico non si presentava come l'esatto equivalente, per estensione, della diocesi imperiale italiana. Degli "*episcopi Italiae*" infatti non fecero mai parte i vescovi di Flaminia e Piceno Annonario, provincie amministrativamente apparteneti all'Italia Annonaria, ma il cui episcopato fu sempre inquadrato nel sistema ecclesiastico 'suburbicario': LANZONI F., *Le antiche diocesi d'Italia dalle origini al principio del secolo VII [a. 604]*, II, Lega, Faenza 1927 [ried. an.: 1963] [Studi e Testi, XXXV], pp. 1016-1017.

[39] AMBROSIUS, *Epistula e. c. IX* (Maur.: *XIII*), 4, CSEL, 82/3, p. 203.

dere posizione sinodalmente sulle questioni che travagliavano le massime sedi ecclesiastiche dell'Oriente: Antiochia, lacerata dal perpetuarsi della contrapposizione tra le diverse comunità con i relativi vescovi,[40] e Costantinopoli, attraversata dalle tensioni per la contestata traslazione del Nazianzeno, cui era seguita l'ordinazione 'privata' di Massimo su mandato di Pietro d'Alessandria e l'insediamento, in un quadro conciliare, di Nettario.[41] A questi pronunciamenti i vescovi italiciani associarono pure l'esplicita condanna delle dottrine di Apollinare di Laodicea.[42]

È tuttavia nei confronti delle Chiese d'Occidente che il prestigio del vescovo milanese venne allora assumendo ben precisi contorni istituzionali.

Al suo arbitrato infatti ripetutamente si ricorse in quegli anni per questioni disciplinari e di dottrina: dalla Spagna, agitata dal movimento priscillianista,[43] dalle Gallie dilaniate dallo scisma feliciano,[44] dalle provincie illiriciane, dappri-

---

[40] AMBROSIUS, *Epistula e. c. IX: Beatissimo imperatori et clementissimo principi Theodosio Ambrosius et ceteri episcopi Italiae* (Maur.: *XIII*), 2, CSEL, 82/3, pp. 201-202; cf la successiva (a. 392) *Epistula LXX: Ambrosius Theophilo* (Maur.: *LVI*), CSEL, 82/3, pp. 3-6. Per la comunione con i paoliniani d'Antiochia dichiarata a suo tempo dal concilio d'Aquileia, si veda la lettera sinodale AMBROSIUS, *Epistula e. c. VI: Imperatoribus clementissimis Christianisque et gloriosis beatissimisque principibus Gratiano, Valentiniano et Theodosio sanctum concilium quod convenit Aquileiae* (Maur.: *XII*), 5-6, CSEL, 82/3, pp. 189-190. La parte assunta da Ambrogio in questa questione è stata oggetto di una tradizione ormai secolare di studi, da F. CAVALLERA, *Le schisme d'Antioche (IVe-Ve siècle)*, Picard, Paris 1905, pp. 257-265, 270, 283-286, a VON CAMPENHAUSEN, *Ambrosius von Mailand als Kirchenpolitiker*, pp. 129-160, a T. M. GREEN, *Ambrose, Aquileia and Antioch. A Study in Early East-West Disaffection*, in *Eastern Churches Quarterly* 15 (1963) 65-80, a W. H. C. FREND, *St. Ambrose and other Churches (except Rome)*, in Nec timeo mori. *Atti del Congresso internazionale di studi ambrosiani nel XVI centenario della morte di sant'Ambrogio. Milano, 4-11 Aprile 1997*, a cura di L. F. PIZZOLATO - M. RIZZI, Vita e Pensiero, Milano 1998 [Studia Patristica Mediolanensia, 21], pp. 167-168.

[41] AMBROSIUS, *Epistula e. c. IX: Beatissimo ... Theodosio Ambrosius et ceteri episcopi Italiae* (Maur.: *XIII*), CSEL, 82/3, pp. 201-204; cf *Epistula e. c. VIII: Beatissimo ... Theodosio Ambrosius et ceteri episcopi Italiae* [Maur.: *XIV*], CSEL, 82/3, pp. 198-200, e le considerazioni in merito della ZELZER: Ibidem, pp. XCVI-XCVII.

[42] AMBROSIUS, *Epistula e. c. VIII: Beatissimo ... Theodosio Ambrosius et ceteri episcopi Italiae* (Maur.: *XIV*), 4, CSEL, 82/3, p. 199.

[43] Per la condanna di Igino di Cordova: PRISCILLIANUS, *Liber ad Damasum* (*Tractatus II*), 50-51, ed. G. SCHEPSS, Tempsky-Freytag, Vindobonae-Pragae-Lipsiae 1889 [CSEL, 18], pp. 40-41. Forse non senza rapporto con l'atteggiamento assunto da Ambrogio deve considerarsi l'esilio sancito per gli "eretici" da Graziano: *Ibidem*, ivi. Cf anche SULPICIUS SEVERUS, *Chronica*, II, 47. 5, ed. C. HALM, Gerold, Vindobonae 1866 [CSEL, 1], pp. 100-101.

[44] AMBROSIUS, *Epistula e. c. XI* (Maur.: *LI*), 6: CSEL, 82/3, p. 214; ID., *De obitu Valentiniani*, 25, ed. O. FALLER, Hoelder, Vindobonae 1955 [CSEL, 72], p. 342.

ma preoccupate d'eliminare la resistenza antinicena[45] e poi turbate dall'eresia di Bonoso.[46] Su sollecitazione della sede romana nell'Inverno 392/393 si ebbe la condanna milanese delle dottrine antiascetiche e mariologiche di Giovinia-no.[47] E se le decisioni formulate da Ambrogio vennero recepite come criterio di permanente autorevolezza nella prassi canonica delle Chiese di Spagna,[48] Bonoso e analogamente i vescovi illiriciani, guidati dal presule tessalonicese, al suo tribunale risultano essere ricorsi quale sede d'appello, addirittura dopo la sentenza di una sinodo dell'episcopato suburbicario romano.[49]

In merito a questa *sollicitudo omnium ecclesiarum* esercitata dal ve-scovo milanese,[50] va osservato che, se ai tempi di Ambrogio se ne ebbero diverse ed evidenti manifestazioni, non è impossibile scorgerne un qual-che preannuncio già in vicende a lui anteriori e verificarne la continuità negli anni a lui successivi: non si trattava pertanto di fenomeno connesso alla sua, comunque singolare, personalità. E del resto, nel caso stesso di

---

[45] Per l'ordinazione del niceno Anemio quale vescovo della metropoli civile Sirmium e per la forse contemporanea deposizione sinodale dei vescovi antiniceni della regione: PAULINUS, *Vita Ambrosii*, XI, 12. 1, ed. BASTIAENSEN, pp. 66-68; THEODORETUS, *Historia Ecclesiastica*, IV: 7. 6 - 9. 9, ed., post L. PARMENTIER, G. C. HANSEN, Akademie Verlag, Berlin 1998 [Die griechischen christlichen Schriftsteller (= GCS), n. F., 5], pp. 219-227; sui problemi di datazione: GRYSON, *Scolies ariennes*, pp. 107-120. Quanto agli antiniceni illiriciani condannati ad Aquileia nel 381, si veda nota 34.

[46] AMBROSIUS, *Epistula LXXI* (Maur.: *LVI*): CSEL, 82/3, p. 7; per i rapporti con la sede tessalonicese cfr. anche *Epistula LI* (Maur.: *XV*); *Epistula LII* (Maur.: *XVI*): CSEL, 82/2, pp. 60-70.

[47] AMBROSIUS, *Epistula e. c. XV: Domino dilectissimo fratri Siricio Ambrosius, Sabinus, Bassiano et ceteri* (Maur.: *XLII*), CSEL, 82/3, pp. 302-311; chi fossero i *"ceteri"* è chiaramente indicato dalle sottoscrizioni, dove figurano nell'ordine: Evenzio [di Pavia], Massimo [di Ljubljana], Felice [di Como], Bassiano [di Lodi], Teodoro [di Octodurum (Martigny): vescovo pertanto gallicano, che la situazione ecclesiastica della *dioece-sis Galliarum* faceva gravitare su Milano], il prete Aper su mandato del pur presente Geminiano [di Modena], Eustasio [vescovo menzionato anche nel protocollo degli Atti sinodali aquileiesi], Costanzo [di Claterna] e Sabino [di Piacenza]. Per la precedente missiva romana: SIRICII Romani *Epistula* [Maur.: *XLIa*], CSEL, 82/3, pp. 296-301.

[48] In risposta al concilio di Saragozza del 380, fu Ambrogio a fissare con una propria lettera le condizioni per la riammissione alla comunione dei priscillianisti pentiti; e con riferimento a tali disposizioni e al magistero di lui si mossero i vescovi del conci-lio Toletano riunitosi probabilmente nell'anno 400: *Exemplar sententiae*, in *Concilios Visigóticos e Hispano-Romanos*, ed. VIVES, pp. 30-33.

[49] AMBROSIUS, *Epistula LXX* (Maur.: *LVI*), CSEL, 82/3, pp. 182-185. Per i complessi problemi di datazione: Ch. PIETRI, *Roma Christiana. Recherches sur l'Église de Rome, son organisation, sa politique, son idéologie de Miltiade à Sixte III (311-440)*, II, Roma 1976 [Bibliothèque des Écoles Françaises d'Athènes et de Rome, 224], pp. 900-901.

[50] PAULINUS, *Vita Ambrosii*, XXXVIII, 2, ed. BASTIAENSEN, p. 102.

Ambrogio, siffatti appelli a lui rivolti e la sicurezza dei suoi interventi sarebbero stati assolutamente inconcepibili se non fosse esistito un preciso e diffuso convincimento che a lui competesse intervenire, con la sua sinodo, nelle questioni che allora si agitavano nella comunione cristiana.

In effetti Milano era stata sede di importanti assise episcopali già prima di Ambrogio nell'ambito delle dispute postnicene,[51] e quanto ai suc-

---

[51] Così avvenne nel 345 (LIBERIUS Romanus, *Ep. "Obsecro"*, in HILARIUS Pictaviensis, *Fragmenta Historica*, A, VII, ed. A. FEDER, Tempsky, Vindobonae-Lipsiae 1916 [CSEL, 65], p. 91. 19), quando si verificò lo scontro con i quattro vescovi orientali della sinodo Antiochena dell'anno precedente, che recavano all'imperatore occidentale Costante e ai colleghi d'area latina l'*Ekthesis Makrostichos* (per tale Simbolo, di cui ATHANASIUS, *De Synodis*, 26, in *Athanasius Werke*, II, I, ed. H. G. OPITZ, de Gruyter, Berlin 1935-1941, pp. 251 ss.; SOCRATES, *Historia Ecclesiastica*, II, 19, ed. G. Ch. HANSEN, Akademie Verlag, Berlin 1995 [GCS, n. F., 1], p. 112, cf J. N. D. KELLY, *Early Christian Creeds*, Longmans, London 1960², pp. 279-283; M. SIMONETTI, *La crisi ariana nel IV secolo*, Institutum Patristicum "Augustinianum", Roma 1975 [Studia Ephemeridis *Augustinianum*, 11], pp. 190-198). Un'ulteriore sinodo sembra essere seguita due anni dopo. Quanto alle condanne del vescovo di Sirmium, il discepolo di Marcello d'Ancira Fotino, in entrambe tali occasioni pronunciate: HILARIUS Pictaviensis, *Fragmenta Historica*, B, II, 5. 4, CSEL, 65, p. 142. Le affermazioni non sempre lineari di Ilario al riguardo (cf *Ibidem*, B, II, 9. 1, p. 146) hanno resa alquanto difficoltosa l'identificazione della seconda assemblea (cf M. MESLIN, *Les Ariens d'Occident. 335-430*, Éd. du Seuil, Paris 1967 [Patristica Sorbonensia, 8], pp. 264-268; SIMONETTI, *La crisi ariana*, p. 202). Parrebbe comunque collegabile ad essa la riammissione di Ursacio di Singidunum e Valente di Mursa alla comunione dell'episcopato allora radunatosi (cf la sinodica riminese *Iubente Deo* a Costanzo, in HILARIUS, *Fragmenta Historica*, A, V, 1. 2, CSEL, 65, p. 80): atto di pacificazione cui si direbbe vadano connesse anche la *professio* presentata dai due a Giulio di Roma e l'epistola indirizzata ad Atanasio (*Ibidem*, B, II, 6; B, II, 8: pp. 143-144; 145; in apparato la traduzione atanasiana in greco). Nel 355 seguì infine la rilevante assemblea convocata da Costanzo su istanza del romano Liberio: una sinodo che nell'intenzione dell'imperatore avrebbe dovuto assumere particolare autorevolezza per l'intera comunione cristiana, chiudendo definitivamente il problema atanasiano e le altre polemiche ancora irrisolte, ma che in realtà diede avvio alla fase più agitata della questione "ariana" in Occidente, con notevoli ripercussioni sulla cattedra milanese. La singolare importanza di queste ultime assise, tenutesi durante la presenza a Milano di Costanzo, è ben comprovata dall'attenzione che vi dedicarono gli antichi scrittori ecclesiastici: da Lucifero di Cagliari che, presente quale legato di Liberio di Roma, più volte vi fece riferimento nei suoi scritti (accurata segnalazione negli indici dell'edizione di G. HARTEL, Gerold, Vindobonae 1886 [CSEL, 14]); ad Atanasio, la cui situazione canonica fu al centro dei dibattiti (*Historia Arianorum*, 31 ss., 79, ed. H. G. OPITZ, *Athanasius Werke*, II, de Gruyter, Berlin 1941, pp. 199 ss. 225), a Ilario (*Fragmenta Historica*, B, II, 8, CSEL, 65, pp. 186-187) e Sulpicio Severo (*Chronica*, II, 39, CSEL, 1, pp. 92-93), ai continuatori di Eusebio: Socrate (*Historia Ecclesiastica*, II, 36, ed. G. Ch. HANSEN, Akademie Verlag, Berlin 1995 [GCS, n. F., 1], pp. 151-152), Sozomeno (*Historia Ecclesiastica*,

cessori, Simpliciano e Venerio, analogamente ad Ambrogio essi avrebbero continuato a esercitare, congiuntamente al Papa romano, le funzioni di superiore riferimento istituzionale, sia per le Chiese delle Gallie,[52] come per quelle d'Africa e di Spagna, che a questi due supremi vertici della comunione ecclesiale in Occidente seguitarono a rimettere per la ratifica le proprie deliberazioni sinodali.[53]

Un concilio Cartaginese del 404 ci lascia intravedere le ragioni di tale peculiare condizione del vescovo milanese, condizione a quella data già peraltro non più attuale. Dovendo inviare, come di norma, i propri deliberati alla Chiesa transmarina, l'assemblea africana dichiarava infatti: "Lettere d'accreditamento dei (nostri) legati devono essere trasmesse al vescovo della Chiesa romana e agli altri vescovi delle sedi dove si trovi l'imperatore".[54] Una decisione che potrebbe commentarsi con le parole dei padri calcedonesi a proposito della cattedra costantinopolitana: "La città onorata dalla presenza dell'autorità imperiale... anche nelle questioni ecclesiastiche sia resa grande al pari di Roma, e sia seconda dopo di essa".[55] La crescita vissuta senza soluzione di continuità dalla cattedra di Costantinopoli in Oriente[56] e in Occidente l'ascesa in onore e dignità della sede

---

IV, 9. 1-5, ed., post J. Bidez, G. Ch. Hansen, Akademie Verlag, Berlin 1995 [GCS, n. F., 4], p. 148) e Teodoreto (*Historia Ecclesiastica*, II, 15, GCS, n. F., 5, pp. 128 ss.). Cf Simonetti, *La crisi ariana*, pp. 211 ss.

[52] Cf concilio di Torino (398 o 399): *Concilia Galliae*, CCL., 148, pp. 54-56; quanto alla datazione: R. Savarino, *Il concilio di Torino*, in *Atti del Convegno Internazionale di Studi su Massimo di Torino nel XVI Centenario del Concilio di Torino (398). Torino 13-14 marzo 1998*, LDC, Torino-Leumann 1999 [= *Archivio Teologico Torinese* 4/2 (1998)], pp. 208-216; per l'estensibilità della collocazione cronologica al 399: Pietri, *Roma Christiana*, II, p. 973.

[53] Cf al riguardo la sinodo africana dell'agosto 397: *Concilia Africae*, CCL, 149, p. 186; per la sinodo Cartaginese del 16 agosto 401: *Ibidem*, p. 194. Segnatamente sull'appello africano alla "*transmarina ecclesia*": W. Marschal, *Kartago und Rom*, Hiersemann, Stuttgart 1971 [Päpste und Papsttum, 1], pp. 113-126; 161-166; cf Pietri, *Roma Christiana*, II, pp. 1151 ss. Quanto alle Chiese di Spagna, cf quanto segnalato alla nota 48.

[54] "*Litterae etiam ad episcopum Romanae ecclesiae de commendatione legatorum mittendae sunt, uel ad alios ubi fuerit imperator*": *Concilia Africae*, CCL, p. 213.

[55] "*Quae regno ... honorificatur civitas et in ecclesiasticis causis magnificam eam esse, sicut et Romam, et secundam post eam esse*": *Discipline Générale Antique. IVᵉ-IXᵉ s.*, I, 1: *Les Canons des Conciles Oecuméniques* (= *CCO*), ed. P. P. Joannou, Grottaferrata 1962 [Pontificia Commissione per la redazione del Codice di Diritto Canonico Orientale. Fonti, 9], pp. 91-92.

[56] Si noti che è solo con Teodosio che la residenza imperiale si venne stabilizzando sulle rive del Bosforo (G. Dagron, *Naissance d'une capitale. Constantinople et ses institutions de 330 à 451*, Presses Universitaires de France, Paris 1974 [Bibliothèque

ravennate (il cui presule, dopo l'abbandono di Milano da parte della Corte nel 402 e il suo definitivo stabilirsi nella città adriatica, venne esaltato fino all'autocefalia e alla recezione del pallio direttamente dall'imperatore Costante II ai tempi dell'arcivescovo Mauro)[57] stanno a indicare la continuità nello spazio e nel tempo di tale modo articolato di concepire la comunione delle Chiese e la forma dei suoi vertici. Una forma che, parallelamente al ricorso in appello alla sede romana, il concilio di Serdica aveva autorevolmente sancito già dal 343 nel suo can. 9b/9a, in cui s'indicava nel vescovo della città di residenza degli imperatori il normale tramite per i colleghi che avessero istanze da trasmettere o questioni da affrontare presso la Corte.[58]

Byzantine, Etudes, VIII], pp. 40 ss.); e non a caso proprio sotto Teodosio il concilio ivi tenutosi nel 381, tramite il suo can. 3, avrebbe riconosciuto la città quale nuova Roma e proclamato il presule locale secondo in onore al solo collega dell'Antica Roma: *CCO*, pp. 47-48.

[57] Il *typus* imperiale d'autocefalia: ed. O. HOLDER EGGER, in AGNELLI *Liber Pontificalis Ecclesiae Ravennatis*, Hahn, Hannoverae 1878 [MGH, Scriptores Rerum Langobardicarum et Italicarum], pp. 350-351; cf F. DOELGER, *Regesten der Kaiserurkunden des oströmischen Reiches (565-1453)*, I, Oldenbourg, München-Berlin 1924, nn. 232-233, p. 27, che pone il testo tra i documenti sospetti. Sui problemi del *typus* potranno vedersi: P. CONTE, *Chiesa e Primato nelle lettere dei papi del secolo VII*, Vita e Pensiero, Milano 1971, p. 332; G. ORIOLI, *L'autocefalia della Chiesa ravennate*, in *Bollettino della Badia greca di Grottaferrata*, n. s., 30 (1976) 11-12; con specifiche sfumature A. GUILLOU, *Régionalisme et indépendance dans l'Empire byzantin au VIIe siècle*, Istituto Storico Italiano per il Medio Evo, Roma 1969 [Studi Storici, 75-76], pp. 163-172. Si noti che l'indipendenza da un'autorità patriarcale (*non subiacere pro quolibet modo patriarche antique urbis Rome*) e la libera ordinazione ad opera dei suffraganei (*sicut reliqui metropolite per diversas rei publice manentes provincias, qui et a propriis consecrantur episcopis*) costituivano gli elementi fondamentali di un regime autocefalico, come evidenziava il modello cipriota (cf concilio Efesino, can. 8: *CCO*, pp. 61-62). Quanto alla rinuncia alle prerogative autocefaliche imposta alla Chiesa ravennate dalla Sede Apostolica: *Liber Pontificalis*, ed. L. DUCHESNE, I, De Boccard, Paris 1955 [Bibliothèque des Écoles Françaises d'Athènes et de Rome], p. 350; AGNELLI *Liber Pontificalis Ecclesiae Ravennatis*, ed. D. MAUSKOPF DELIYANNIS, Brepols, Turnhout 2006 [CCM, 199], pp. 298-299. In merito si vedano le dense osservazioni di A. M. ORSELLI, *La Chiesa di Ravenna tra coscienza dell'istituzione e tradizione cittadina*, in *Storia di Ravenna*, II, 1: *Dall'età bizantina all'età ottoniana. Ecclesiologia, cultura e arte*, a cura di A. CARILE, Comune di Ravenna - Marsilio, Ravenna-Venezia 1992, pp. 414-416.

[58] *Discipline Générale Antique (IV-IX s.)*, I, 2: *Les Canons des Synodes Particuliers* (= *CSP*), ed. P. P. JOANNOU, Grottaferrata 1962 [Pontificia Commissione per la redazione del Codice di Diritto Canonico Orientale. Fonti, 9], p. 171. Il vescovo della residenza imperiale si veniva così affiancando in questa funzione al vescovo romano: cf can. 10a/9b (*Ibidem*, p. 172). Quanto alla facoltà di ricorso in appello a quest'ultimo presule in considerazione dell'onore dovuto all'apostolo Pietro: cann. 3-5: *Ibidem*, pp. 162-

Sarebbe inesatto configurare la situazione istituzionale qui delineata come frutto di una contaminazione della vita ecclesiastica ad opera di poteri esterni: essa non era altro in realtà che la logica conseguenza di quella dimensione ecclesiale che costitutivamente caratterizzava l'autorità dell'imperatore cristiano. Una figura già in qualche modo presentita (o fors'anche postulata) da Origene,[59] e che nella riflessione di Eusebio, con riferimento alla concreta persona di Costantino, avrebbe trovato compiuta delineazione.[60] Si tratta di una figura istituzionale pienamente riconosciuta nelle sue prerogative dallo stesso Ambrogio, che pure tanto energicamente avrebbe rivendicato la distinzione di ambiti in occasione della crisi per le basiliche del 386.[61] Fu in effetti all'autorità di Graziano che il vescovo di Milano ricorse per la convocazione del concilio Aquileiese,[62] e fu agli imperatori che vennero affidate le decisioni sinodali relative alle grandi sedi della comunione cristiana.[63]

---

165. Per la continuità nel tempo delle funzioni da Serdica assegnate al vescovo della residenza imperiale: IUSTINIANUS, *Nov. 6*, III, in *Corpus Iuris Civilis*, III: *Novellae*, ed. R. SCHOLL - G. (W.) KROLL, Weidmann, Berolini 1954[6], pp. 41-42. Quanto alla numerazione dei canoni: H. HESS, *The Canons of the Council of Sardica. A. D. 343*, Clarendon Press, Oxford 1958, p. 137. Per la datazione al 343: V. C. DE CLERCQ, *Ossius of Cordova. A Contributionto the History of the Constantinian Period*, The Catholic University of America Press, Washington 1954 [Studies in Christian Antiquity, 13], pp. 313-324; L. W. BARNARD, *The Council of Serdica: some problems reassessed*, in *Annuarium Historiae Conciliorum* 12 (1980) 1-19. La datazione dello Schwartz al 342 è stata riproposta da H. Ch. BRENNECKE, *Hilarius von Poitiers und die Bischofsopposition gegen Konstantius II.*, de Gruyter, Berlin-New York 1984 [Patristische Texte und Studien, 26], pp. 25-29. Cf anche M. WOJTOWYTSCH, *Papsttum und Konzile von den Anfänge bis zu Leo I. (440-461)*, Hiersemann, Stuttgart 1981 [Päpste und Papsttum, 16], p. 427.

59   ORIGENES, *Contra Celsum*, VIII, 68-70, 72, ed. M. BORRET, Ed. du Cerf, Paris 1969 (SCh, 150), pp. 330-338, 340-344.

60   Cf R. FARINA, *L'Impero e l'imperatore cristiano in Eusebio di Cesarea*, PAS Verlag, Zurich 1966 [Bibliotheca Theologica Salesiana, S. I: Fontes, 2]. Sull'episcopia "*tôn ektós*" in particolare, cf anche D. DE DECKER, *L'"épiscopat" de l'empereur Costantin*, in *Byzantion* 50 (1980) 118-157.

61   "*Noli te gravare, imperator, ut putes te in ea quae divina sunt imperiale aliquod ius habere. ... Scriptum est: Quae Dei Deo, quae Caesaris Caesari. Ad imperatorem palatia pertinent, ad sacerdotem ecclesiae*": AMBROSIUS, *Epistula LXXVI* (Maur.: *XX*), 19, CSEL, 82/3, p. 119.

62   Si veda al riguardo la contestazione di Palladio di Ratiaria in MAXIMINI *Dissertatio*, 89, SCh, 267, p. 274. Non dissimilmente del resto si esprimono gli Atti conciliari: "*disceptationes nostrae ex rescripto imperiali firmandae sunt*"; "*iuxta imperatoris praeceptum*"; ...: *Gesta episcoporum Aquileiae adversum haereticos Arrianos*, 2-3; 7, CSEL, 82/3, pp. 327-330; cfr. SCh, 267, pp. 330-334.

63   Cf note 40 e 41.

Stante tale decisiva rilevanza, comunemente riconosciuta all'autorità imperiale nell'ambito della comunione cristiana (rilevanza cui i cann. 11 e 12 di una sinodo Antiochena di poco successiva a Nicea avevano dato espressa ratifica con riferimento ai ricorsi degli ecclesiastici[64]), è naturale che il vescovo della città residenza dell'imperatore divenisse egli stesso fondamentale polo di gravitazione per la vita ecclesiale. Non a caso i vescovi orientali, che nel 382 indirizzarono la loro sinodica ai colleghi raccolti in concilio a Roma, volendo designare complessivamente l'Occidente ecclesiastico, menzionarono il papa romano Damaso e subito dopo Ambrogio, seguiti dagli altri vescovi delle sedi che erano, o erano state, luoghi di residenza degli Augusti: Aquileia, Treviri, Sirmium.[65] Del resto, significativamente, lo stesso Ambrogio, volendo ottenere la deposizione del proprio diacono Geronzio, da lui sottoposto a censura ma ordinato metropolita di Nicomedia da Elladio di Cesarea, non a questo primo presule della "diocesi" pontica ritenne di doversi rivolgere, bensì al pur osteggiato collega della residenza imperiale costantinopolitana, Nettario; e grazie al successore di questi, Giovanni Crisostomo, il problema sarebbe stato in effetti risolto.[66]

Si tratta evidentemente di comportamenti istituzionali ispirati a una visione ecclesiologica fortemente articolata, che, sebbene anticamente condivisa dall'intera ecumene cristiana, non potè in talune occasioni non entrare in tensione con la più unitaria e compatta concezione della comunione ecclesiale propria della Chiesa romana, i cui principi ispiratori risultano chiaramente formulati nelle lettere papali tra la fine del IV e gli inizi del V secolo.[67] Un eloquente esempio al riguardo possiamo cogliere nelle

---

[64] In *CSP*, pp. 113-114. Al riguardo cf le osservazioni di K. M. GIRARDET, *Kaisergericht und Bischofsgericht*, Habelt, Bonn 1975 [Antiquitas, 1/21], pp. 133 ss. Per la datazione presumibile dell'assemblea antiochena al 327: SIMONETTI, *La crisi ariana*, p. 28.

[65] THEODORETUS, *Historia Ecclesiastica*, V, 9, GCS, n. F., 5, pp. 289-294.

[66] SOZOMENUS, *Historia Ecclesiastica*, VIII, 6, ed., post J. BIDEZ, G. CH. HANSEN, Akademie Verlag, Berlin 1995 [GCS, n. F., 4], pp. 358-359.

[67] Si pensi ad esempio, al cosidetto *Decretum Gelasianum* uscito probabilmente da sinodo damasiana del 382: "*sancta tamen Romana ecclesia nullis synodicis constitutis ceteris ecclesiis praelata est, sed evangelica voce Domini et Salvatoris nostri primatum obtenuit: Tu es Petrus, inquiens, ...*": ed. E. VON DOBSCHÜTZ, *Das Decretum Gelasianum*, Hinrichs, Leipzig 1912 [TU, 38/4], p. 7. Per una sintesi sull'elaborazione ecclesiologica romana tra IV e V secolo, si potrà vedere PIETRI, *Roma Christiana*, II, pp. 1413 ss. Quanto, in particolare, alla fortuna del *Decretum Gelasianum* nei secoli successivi: M. MACCARRONE, *La teologia del primato romano del secolo XI*, in *Le istituzioni ecclesiastiche della "societas christiana" dei secoli XI-XII. Papato, Cardinalato ed Episcopato. Atti della quinta Settimana internazionale di studio. Mendola, 26-31 agosto 1971*, Vita e Pensiero, Milano 1974, pp. 21 ss.

affermazioni del romano Zosimo che, istituendo nel 417 la primazia di Arles, in riferimento al concilio di Torino del 398 (o 399) e alle deliberazioni in esso adottate con riferimento alla vita ecclesiastica delle Gallie, non si astenne dal parlare di *indebita synodus*.[68]

5. MILANO DA RESIDENZA IMPERIALE A "CIVITAS AMBROSIANA"

Com'è ben risaputo, le successive vicende politiche ed ecclesiastiche dell'Occidente latino avrebbero creato le condizioni per il progressivo affermarsi in quest'area della sede romana quale sempre più esclusivo riferimento istituzionale per le restanti Chiese. Proprio alla luce di tali ulteriori sviluppi non pare quindi senza interesse osservare come tra X e XI secolo nel *De situ civitatis Mediolani*, e ancora un secolo dopo con L(andolfo), la coscienza ecclesiale milanese manifestasse lucida consapevolezza che in realtà il fondamento della dignità gerarchica e della preminenza istituzionale della cattedra ambrosiana fosse da ricercare non nella persona dell'antico grande vescovo, padre riconosciuto delle istituzioni ecclesiastiche milanesi,[69] bensì nella singolare condizione vissuta dalla città allorchè quale seconda, dopo l'inclita Roma, detenne la dignità e il potere del grande Impero e ne condivise gli orizzonti ecumenici.[70]

Tale fondazione dell'autorità del presule milanese risulta significativa sotto diversi aspetti: il legame tra le due convergenti realtà, *ecclesia* e *civitas*, vi si configura infatti nei termini di una compenetrazione così profonda e organica da determinare tra loro una singolare forma di *communicatio idiomatum*. In effetti se, come s'è visto, è la città a porsi quale supporto primo della dignità della propria Chiesa e a fondarne la vasta irradiazione

[68] ZOSIMUS Papa, *Epistola V*; *Epistola VII*, ed. W. GUNDLACH, Weidmann, Berolini 1892 [MGH, Epistolae, 2: Epistolae Merowingici et Karolini Aevi, 1], pp. 11, 10. A Torino i padri sinodali erano, tra l'altro, intervenuti sullo spinoso contrasto de *honore primatus* sorto tra i vescovi di Vienne e di Arles, e si era formulata una norma, in verità molto equilibrata e saggia, riguardo all'autorità metropolitica di Marsiglia nei confronti delle sedi episcopali della Narbonensis II, provincia civile in quel periodo costituita. Per i relativi canoni, cf nota 52.

[69] Cf. in particolare L(ANDULFUS), I, 1-11: MGH, SS, 8, pp. 37-42; RRIISS, e. a., 4/2, pp. 5-19.

[70] "*Altera post inclitam Romam magnii imperii dignitate ac dicione potita est*": *Libellus de situ*, RRIISS, e. a., 1/2, p. 7; cf L(ANDULFUS), II, 15: MGH, SS, 8, p. 52; RRIISS, e. a., 4/2, p. 45. Si veda al riguardo: C. ALZATI, *Chiesa Ambrosiana e tradizione liturgica a Milano tra XI e XII secolo*, in *Atti dell'11° Congresso internazionale di Studi sull'Alto Medioevo: Milano e il suo territorio in età comunale*. *Milano 26-30 ottobre 1987*, I, Centro Italiano di Studi sull'Alto Medioevo, Spoleto 1989, pp. 405 ss. Per la datazione del *De situ*, si rinvia allo studio di TOMEA, *Tradizione apostolica e coscienza cittadina*.

nella comunione cristiana, è d'altra parte la specifica tradizione ecclesiale ambrosiana ad essere assunta come patrimonio proprio dalla città, che a tal punto venne a identificarvisi da essere definita essa stessa *civitas Ambrosiana*.[71]

6. "ORDO" E "MYSTERIUM"

Già si è osservato come l'identità ambrosiana della Chiesa milanese, sebbene nel "mistero cultuale" trovasse la sua più evidente manifestazione, in realtà non fosse originariamente disgiungibile da una tradizione di carattere dottrinale (diretto riflesso del magistero di Ambrogio) e da precisi ordinamenti canonici e forme di vita ecclesiale (le cui radici sono da cercare nella concreta vicenda storica della Chiesa di Ambrogio).

Questo nesso tra *"mysterium"* ed *"ordo"* era, del resto, un aspetto costitutivo (e lucidamente percepito) dell'esperienza ecclesiale antica.

Lo evidenzia esemplarmente il *De Sacramentis*, il cui autore – probabilmente non milanese, ma sensibile al magistero di Ambrogio e legato a prassi cultuali presenti anche nella Chiesa di Milano[72] – nella difesa del rito iniziatico della lavanda dei piedi ai neofiti si sentì in dovere di giustificare con riferimento all'osservanza del *typum* romano la ritualità della propria Chiesa, che su questo punto da quel *typum* dissonava.[73]

---

[71] Cfr. L(ANDULFUS), III, 1: MGH, SS, 8, p. 74. 11; RRIISS, e. a., 4/2, p. 83. 2.

[72] Sul *De Sacramentis* già i riformatori del XVI secolo e, nel secolo XVII, il card. Giovanni Bona, come successivamente i Benedettini della Congregazione francese di San Mauro nella loro tormentata edizione, avevano avanzato dubbi sulla tradizionale attribuzione ad Ambrogio (cf B. BOTTE, nell'Introduzione alla sua edizione: Éd. du Cerf, Paris 1994[2. 2a rist.] [SCh, 25 bis], pp. 8-12). Tale paternità è stata decisamente negata nel XX secolo da Anton BAUMSTARK (*Liturgia romana e liturgia dell'Esarcato. Il rito detto in seguito patriarchino e le origini del* Canon missae *romano*, Pustet, Roma 1904) e da Klaus Gamber. Ribadita nuovamente dalla Mohrmann nel 1974 (Ch. MOHRMANN, *Observations sur le "De Sacramentis" et le "De Mysteris" de saint Ambroise*, in *Ambrosius Episcopus. Atti del Congresso internazionale di studi ambrosiani nel XVI centenario della elevazione di sant'Ambrogio alla cattedra episcopale. Milano, 2-7 dicembre 1974*, I, a cura di G. LAZZATI, Vita e Pensiero, Milano 1976 [Studia Patristica Mediolanensia, 7], pp. 103-123), l'attribuzione ad Ambrogio è stata posta ancora una volta in discussione nel *Thesaurus sancti Ambrosii* (Brepols, Turnhout 1994 [CC, Thesaurus Patrum Latinorum, Seres A: Formae, 8], p. XV) e nel *CETEDOC Library of Christian Latin Texts* (a cura di P. TOMBEUR, Brepols, Turnhout 2005), nei quali, sotto la guida di Hervé Savon, il trattatello è stato collocato tra i *dubia*. Cf anche H. SAVON, *Ambroise prédicateur*, in *La Prédication* [= *Connaissance des Pères de l'Église*, fsc. 74, juin 1999], pp. 33-34

[73] *De Sacramentis*, III, 4-7, 92-96.

Sarebbe stata peraltro l'età carolingia a porre il tema delle forme cultuali al centro della riflessione ecclesiale. Lo fece secondo una prospettiva ben evidenziata negli anni '80 dell'VIII secolo dall'autore dell'*Ordo XIX*,[74] il quale, con dirompente e rivoluzionaria coerenza nei confronti del principio ecclesiologico romano, venne teorizzando che le varie Chiese d'Occidente, nonostante potessero appellarsi a Padri, da tutti venerati, quali fondatori delle rispettive specifiche forme cultuali, avrebbero comunque dovuto abbandonare le tradizioni, fino a quel momento osservate, e uniformarsi al modello della Chiesa di Roma "*ut teneant et ipse unitatem catholicae fidei, amen*".[75]

Connessione non meno organica tra *mysterium* e *ordo* è percepibile in ambito milanese all'interno della *scientia Ambrosiana*, di cui il cosiddetto Landolfo Seniore appare essere stato interprete oltremodo consapevole, ovviamente secondo una prospettiva tutt'affatto diversa rispetto a quella delineata in area franca dall'intellettualità d'età carolingia.

Nello scritto l(andolfiano) la percezione del culto come momento esemplarmente manifestativo della specifica forma istituzionale della Chiesa è aspetto immediatamente avvertibile: i dieci *ordines*, in cui l'*ecclesia Ambrosiana* viene vista strutturarsi, costituiscono infatti una sistematizzazione concettuale alla cui base sta chiaramente l'immagine unitaria ed organica che la comunità ecclesiale milanese offriva di sè nella celebrazione del suo *mysterium*, quando i chierici dispiegavano i loro ministeri sotto le ferule dei rispettivi presidi, e i laici, *extra corum manentes*, si raccoglievano anch'essi nella *beati Ambrosii schola*, cui competeva offrire il pane e il vino: *ordo* nono, e sotto la ferula del *vicecomes*, cui era affidata la presidenza dei *saeculares viri*: *ordo* decimo.[76]

Si tratta di una visione che, riproposta ancora dal Beroldo nella prima parte del secolo XII, tutto accomuna il corpo ecclesiale nella condivisione del medesimo *mysterium*,[77] configurando pertanto una posizione chiara-

---

[74] M. ANDRIEU, *Les Ordines romani du haut Moyen-Age*, III, Université Catholique, Louvain 1951 [Spicilegium Sacrum Lovaniense, 24], pp. 6-21.

[75] *Ibidem*, pp. 224-225.

[76] L(ANDULFUS), II, 35: MGH, SS, 8, pp. 70 ss.; RRIISS, e. a., 4/2, pp. 75 ss.

[77] BEROLDUS, *Ordo et caeremoniae ecclesiae Ambrosianae Mediolanensis* (= BEROLDUS), ed. M. MAGISTRETTI, Boniardi-Pogliani (Giovanola), Mediolani 1894, pp. 35-36. Cf ALZATI, *Chiesa ambrosiana e tradizione liturgica*, pp. 412 ss. Per la datazione attorno al 1140 del testimone più antico pervenutoci (Ambr. *I 152 Inf.*): M. FERRARI, *Valutazione paleografica del codice ambrosiano di Beroldo*, in *Il Duomo cuore e simbolo di Milano. IV Centenario della Dedicazione (1577-1977)*, Centro Ambrosiano di documentazione e studi religiosi - Veneranda Fabbrica del Duomo di Milano, Milano 1977 [Archivio Ambrosiano, 32], pp. 302-307; per la composizione dell'*Ordo*, pochi anni prima, at-

mente antitetica rispetto a quella rigida tripartizione della Chiesa tra chierici, monaci e laici, che, già presente nella tradizione ecclesiastica,[78] venne assunta dai riformatori del secolo XI e piegata ad esprimere i propri ideali ecclesiologici.[79] E non è senza rilevanza il fatto che, di fronte al muro progressivamente consolidatosi nella società ecclesiale tra clero e fedeli proprio sotto la spinta del movimento riformatore, la tradizione ambrosiana, attraverso la voce di Landolfo e del Beroldo, andasse così accoratamente riaffermando il valore di un'esperienza di Chiesa caratterizzata da profonda e organica unità, in forza del principio "Quanti sono figli della Chiesa, tutti, laici e chierici, sono sacerdoti".[80]

Va altresì notato come tale concezione ecclesiologica spinga L(andolfo), non soltanto a configurare una Chiesa unitariamente compaginata al suo interno, ma anche fattivamente inserita nel vitale interscambio della comunione cristiana. In siffatta prospettiva autenticamente "cattolica" egli interpretava lo stesso stato coniugale del clero presente tra gli ambrosiani (non concubinato nicolaitico, come sostenevano gli avversari celibatari di parte patarinica, ma matrimonio: contratto in conformità ai canoni della Chiesa antica anteriormente all'ordinazione, con una fanciulla vergine, avendo ottenuto l'assenso dell'arcivescovo, nonché vissuto con scrupoloso rispetto dell'astinenza rituale in occasione dell'esercizio del culto):[81] si trattava in effetti di disciplina – e L(andolfo) non tralascia di rimarcarlo – strettamen-

---

torno al 1130: G. FORZATTI GOLIA, *Le raccolte di Beroldo*, *Ibidem*, pp. 308-402; per la nuova redazione del 1269, con integrazione dell'*Ordo* stesso all'interno di un *Manuale*: *Ibidem*, pp. 330 ss.

[78] Cf R. SAVIGNI, *Giona di Orléans: una eclesiologica carolingia*, Pàtron, Bologna 1989 [Cristianesimo antico e medioevale, 2].

[79] Cf ANDREAS Strumensis, *Vita et Passio sancti Arialdi*, 10, ed. F. BAETHGEN, Hannoverae 1934, rist. an.: Hiersemann-Kraus, Stuttgart - New York 1964 [MGH, SS, 30/2], p. 1056. 29-30. Per la contestazione di tale tripartizione in ambiente antiriformatore extrambrosiano: *Rescriptio beati Udalrici*, ed. L. DE HEINEMANN, Hahn, Hannoverae 1891 [MGH, Ldl, 1], p. 256. 8; su questo scritto: G. FORNASARI, *Il sinodo guibertista del 1089 e il problema del celibato ecclesiastico*, in *Studi Medievali* 16 (1975) 273 ss.

[80] L(ANDULFUS), III, 23 (22): MGH, SS, 8, p. 90. 9 ss.; RRIISS, e. a., 4/2, p. 108. 34 ss.: da AMBROSIUS, *Expositio euangelii secundum Lucam*, V, 33, ed. M. ANDRIEU, Brepols, Thurholti 1957 [CCL, 14], p. 147 (in cui riecheggia *II Cor* 1, 21b, e *IPt* 2, 5 c-d). Cf C. ALZATI, *I motivi ideali della polemica antipatarina. Matrimonio, ministero e comunione ecclesiale secondo la tradizione ambrosiana nella* Historia *di Landolfo seniore*, in *Nobiltà e Chiese nel Medioevo. Miscellanea in onore di Gerd G. Tellenbach*, a cura di C. VIOLANTE, Jouvance, Roma 1993 [Pubblicazioni del Dipartimento di Medievistica dell'Università di Pisa, 3], pp. 217-222; e ora in *Ambrosiana Ecclesia*, pp. 241-246.

[81] Sulla disciplina canonica del matrimonio presso gli ecclesiastici ambrosiani: ALZATI, *A proposito di clero coniugato e uso del matrimonio*; ID., *Tradizione e disciplina ecclesiastica* (già citati alla nota 5).

te consonante con la tradizione conservatasi nell'Oriente cristiano e segno di convergenza con esso.[82] Analoga consonanza era vista riproporsi anche nella prassi cultuale, giacchè come i Greci ["la cui Chiesa – osservava L(andolfo) - il beato Ambrogio con venerazione ha imitato in numerose cerimonie"[83]] anche gli Ambrosiani non disdegnavano di usare nell'Eucaristia il pane fermentato.[84]

Annotazione quest'ultima che appare di non poco conto anche in rapporto alla più generale visione di comunione cristiana elaborata nella Chiesa milanese altomedioevale, visto che proprio in quel secolo XI la questione degli azimi era stata occasione per aspre e reciproche censure tra Greci e Latini.[85]

---

[82]   L(ANDULFUS), I, 11: MGH, SS, 8, p. 42; RRIISS, e. a., 4/2, pp. 18-19.

[83]   L(ANDULFUS), I, 11: MGH, SS, 8, p. 42. 38-39; RRIISS, e. a., 4/2, p. 19. 5-6.

[84]   L(ANDULFUS), I, 11: MGH, SS, 8, p. 42. 39 ss.; RRIISS, e. a., 4/2, p. 19. 6 ss. Positiva attestazione in merito offre BEROLDUS, p. 103.

[85]   Dopo la lettera di Leone d'Ochrida a Giovanni di Trani del 1053 (ed. C. WILL, *Acta et Scripta quae de controversis ecclesiae Graecae et Latinae saec. XI composita extant*, Lipsiae-Marpugi 1861 [ried. an.: Minerva GMBH, Frankfurt am Main 1963], pp. 56-58; cf A. MICHEL, *Humbert und Kerullarius*, II, Schöning, Paderborn 1930, pp. 282-291) e la risposta di Leone IX su ispirazione di Umberto di Silvacandida (ed. WILL, *Acta et Scripta*, pp. 76b - 91a-b), prese avvio una cospicua produzione libellistica, sicché di fronte agli scritti di Niceta Stethatos (cf A. MICHEL, *Die vier Schriften des Niketas Stethatos über die Azymen*, in *Byzantinische Zeitschrift* 35 [1935] 308-336) venne ponendosi il *Dialogus* del cardinale di Silvacandida (ed. WILL, *Acta et Scripta*, pp. 94 ss.). Corrispettivamente all'atteggiamento testimoniato da L(andolfo) in ambito ambrosiano è certamente significativo rilevare in anni assi vicini, se non identici, la presenza di una particolare attenzione da parte costantinopolitana nei confronti dei presuli milanesi: lo evidenziano sia l'azione svolta nel 1100 da Anselmo IV tra il *basileus* e i crociati nella Nuova Roma, dove, tra l'altro, l'arcivescovo avrebbe trovato sepoltura (ALBERTUS Aquensis, *Historia Hierosolymitana*, VIII, in *Recueil des Historiens des Croisades. Historiens Occidentaux*, IV, Imprimerie Nationale, Paris 1879 [ried. an.: Gregg, Farnborough 1967], pp. 561-562; per l'inumazione nel monastero di San Nicola: *Catalogus Episcoporum Mediolanesium*, ed. G. COLOMBO, Zanichelli, Bologna 1942 [RRIISS, e.a., 1/2], p. 102. 9-13), sia soprattutto, la peregrinazione nel 1112 di Pietro Grosolano (per il trattatello di costui – d'impostazione tipicamente latina – sul problema del *Filioque*: A. AMELLI, *Due sermoni inediti di Pietro Grosolano*, Olschki, Firenze 1933 [Fontes Ambrosiani, 6], pp. 14-35; cf V. GRUMEL, *Autour du voyage de Pierre Grossolanus archeveque de Milan à Constantinople en 1112*, in *Echos d'Orient* 32 [1933] 22-23; J. SPITERIS, *La critica bizantina al primato romano nel secolo XII*, Pontificium Institutum Orientalium Studiorum, Roma 1979 [Orientalia Christiana Anacleta, 207], pp. 61 ss.). Del resto, in merito alla considerazione conservatasi in ambito greco per la cattedra milanese anche successivamente ad Ambrogio, un indice non poco eloquente alla fine del VII, o più probabilmente agli inizi dell'VIII secolo, è costituito dall'apparizione del catalogo dei "Discepoli del Signore" posto sotto il nome

7. Il "Mysterium"

E LA CONTINUITÀ DELLA TRADIZIONE ECCLESIALE AMBROSIANA

Con il recupero, travagliato e drammatico, della Chiesa milanese al programma dei riformatori del secolo XI, si avviò anche per essa la progressiva omologazione sul piano canonico e disciplinare al modello romano.[86] Ma nonostante tale adesione agli orientamenti del papato riformatore, il *mysterium Ambrosianum*, ossia la specifica tradizione cultuale della Chiesa milanese, si salvò. La "codificazione" cerimoniale del Beroldo attorno al 1130 testimonia il qualificato impegno allora profuso per tutelare questa preziosa eredità della Chiesa di Ambrogio: un'eredità tuttavia sempre più marcatamente avulsa da quel complesso di forme istituzionali e di principi ecclesiologici che ne avevano sostanziato la vita nei secoli di piena fioritura.[87]

Chiaramente emarginato, quell'antico organico e più vasto patrimonio non cessa peraltro di riecheggiare ancor oggi nelle forme cultuali ambrosiane e di rendersi percepibile a chi lo voglia intendere, ed abbia occhi per vedere e orecchie per sentire.

Non a caso Carlo Borromeo, espressione esemplare del rinnovamento su base episcopale del concilio di Trento, alla tradizione cultuale am-

---

di Epifanio, in cui quale protovescovo milanese veniva designato l'apostolo Barnaba, tradizionalmente indicato quale fondatore della Chiesa autocefala di Cipro (ed. Th. SCHERMANN, *Prophetarum vitae fabulosae. Indices Apostolorum Discipulorumque Domini...*, Teubner, Lipsiae 1907 [Bibliotheca Teubneriana (= BT)], p. 118; per la datazione: F. DVORNIK, *The Idea of Apostolicity in Byzantium and the Legend of the Apostle Andrew*, Harvard University Press, Cambridge Mass. 1958, pp. 173-180; cfr. con riferimento a Milano: ALZATI, *Metropoli e sedi episcopali* [cit. nota 11], pp. 53, 70-71). L'affermazione, com'è noto, sarebbe stata più tardi recepita anche in ambito ambrosiano, come attesta alla fine del X o, meglio, agli inizi dell'XI secolo il *Libellus de situ civitatis Mediolani, de adventu Barnabae Apostoli et de vitis priorum pontificum Mediolanensium* (per i problemi di datazione, cf nota 70).

[86] Risale al 1088 l'ingresso dell'arcivescovo Anselmo III nella comunione di Urbano II: cf P. ZERBI, *"Cum mutatu habitu in coenobio sanctissime vixisset ...": Anselmo III o Arnolfo II* [III], in *Archivio Storico Lombardo* 90 (1963) 509-526; ID., *Alcuni risultati e prospettive di ricerca sulla storia religiosa di Milano dalla fine del secolo XI al 1144*, in *Problemi di storia religiosa lombarda. Tavola rotonda sulla storia religiosa lombarda. Villa Monastero di Varenna, 2-4 settembre 1969*, Cairoli, Como 1972, pp. 18-21; A. LUCIONI, *L'età della Pataria*, in *Diocesi di Milano*, I, La Scuola - Fondazione Ambrosiana Paolo VI, Brescia-Gazzada 1990 [Storia religiosa della Lombardia, 9], pp. 188-190.

[87] Per il ripensamento della *scientia Ambrosiana* comportato dalla nuova situazione e per l'evoluzione della tradizione ecclesiale milanese in termini sempre più cultuali, cf ALZATI, *La* scientia Ambrosiana *di fronte alla Chiesa greca* (cit. nota 5).

brosiana avrebbe guardato come al patrimonio irrinunciabile della propria Chiesa, di cui venne parallelamente riscoprendo ed esaltando l'eminente contributo offerto anticamente alla vita della comunione cristiana (contributo che con lui in qualche modo si ripropose).[88]

E nuovamente non a caso l'arcivescovo Luigi Nazari di Calabiana, dopo aver profondamente vissuto il travaglio ecclesiologico del concilio Vaticano I, in punto di morte avrebbe affidato al Capitolo Metropolitano tale tradizione cultuale come prezioso retaggio da custodire e gelosamente salvaguardare.[89]

Se pertanto noi oggi siamo di fronte a una tradizione ambrosiana ridotta essenzialmente a forma rituale, resta pur vero che tramite un attento ascolto degli echi in essa conservatisi diviene possibile recuperare aspetti di un patrimonio che va ben oltre lo stretto ambito del culto.

La matrice di questa forma rituale (che non è riconducibile all'alveo romano ma, come ben vide Louis Duchesne[90] e le ricerche di Matthieu Smyth hanno nuovamente indicato,[91] è espressione della grande koinè gallicana tardo antica[92]), ci rinvia a una comunione di Chiese di carattere nient'affatto uniforme. Gli stessi ricchi apporti orientali – in particolare gerosolimitani – assimilati a partire da un'età estremamente precoce ci aprono anch'essi a una vastità d'orizzonti veramente ecumenici.[93]

---

[88] Cf C. ALZATI, *Carlo Borromeo e la tradizione liturgica della Chiesa milanese (1980)*, ried. in *Carlo Borromeo e l'opera della "grande riforma". Cultura, religione e arti del governo nella Milano del pieno Cinquecento*, a cura di F. BUZZI - D. ZARDIN, Credito Artigiano, Milano 1997, pp. 37a-46b.

[89] Cf M. MAGISTRETTI, *Cenni sul rito ambrosiano*, Cogliati, Milano 1895, p. 54. Sul ruolo del Calabiana nel I concilio Vaticano: M. PANIZZA, *Mons. Luigi Nazari di Calabiana e Mons. Paolo Angelo Ballerini al concilio Vaticano I*, in *La Scuola Cattolica* 99 (1971) 27-47. Per l'ispirazione ecclesiologica presente nell'opera dell'arcivescovo Calabiana (in merito al quale ampia documentazione offre l'accurato volume di E. APECITI, *Alcuni aspetti dell'episcopato di Luigi Nazari di Calabiana arcivescovo di Milano [1867-1893]: vicende della Chiesa ambrosiana nella seconda metà dell'800*, Ned-Nuove Edizioni Duomo, Milano 1992 [Archivio Ambrosiano, 66]), si vedano i saggi di G. TORNELLI: *L'attività civile e parlamentare (1848-1855) di Mons. Luigi Nazari di Calabiana*, in *Civiltà Ambrosiana* 4 (1987), 446-465; *L'episcopato milanese (1867 -1893) di Mons. Luigi Nazari di Calabiana*, Ibidem 5 (1988) 48-59.

[90] L. DUCHESNE, *Origines du cult chrétien*, De Boccard, Paris 1925[5], pp. 31 ss. e cap. III.

[91] M. SMYTH, *La liturgie oubliée. La prière eucharistique en Gaule antique et dans l'Occident non romain*, Éd. du Cerf, Paris 2003, pp. 98-104.

[92] Un ulteriore indizio in tal senso sembrerebbe potersi desumere anche dal già citato *Ordo XIX*, come ha segnalato ANDRIEU, *Les Ordines*, III, pp. 20-21.

[93] Per la presenza del modello gerosolimitano in diversi qualificanti aspetti della celebrazione pasquale: C. ALZATI, *Il Triduo pasquale nei nuovi libri liturgici della Chiesa ambrosiana*, in *Rivista Liturgica* 66 (1979) 61-83. Quanto all'elemento cerimoniale

Considerato in tale prospettiva, il *mysterium* ambrosiano si configura quale tradizione ecclesiale, il cui significato risulta ampiamente trascendere l'ambito locale milanese.

Ben lo aveva compreso già nel XIV secolo Carlo, marchese di Moravia, re di Boemia e poi imperatore, che, oltre a un monastero slavo-glagolitico, volle presente a Praga una comunità di monaci ambrosiani, perchè anche in terra boema si potesse partecipare alle ricchezze della loro tradizione.[94]

Questo trascendimento di valore rispetto alla fors'anche ragguardevole, ma pur sempre circoscritta, realtà milanese ben giustifica la stessa conservazione delle isole ambrosiane al di fuori dell'archidiocesi di Milano. Il loro secolare radicamento nella tradizione ambrosiana è certamente per esse un segno forte di continuità storica ed efficacemente esprime il loro vivo ricordo della Chiesa, che è stata loro madre e dalla quale la "ragion di stato" le ha separate o – per usare le parole degli Ambrosiani ticinesi – le ha "strappate tra le lacrime".[95] Ma il permanere del Rito presso di loro, all'interno di contesti diocesani diversi, è per tali comunità anche, e – direi – soprattutto, testimonianza resa al patrimonio ecclesiale, che qui si è cercato di rievocare, e sua manifestazione nella comunione delle Chiese.

---

dell'*Antiphona ad Crucem*: M. NAVONI. "*Antiphona ad Crucem*". *Contributo alla storia e alla liturgia della Chiesa milanese nei secoli V-VII*, in *Ricerche Storiche sulla Chiesa Ambrosiana*, XII, NED-Nuove Edizioni Duomo, Milano 1983 [Archivio Ambrosiano, 51], pp. 49-226.

[94] Ed è proprio la scelta in favore di tale fondazione ambrosiana ad offrire la corretta prospettiva ecclesiologica, nient'affatto particolaristica, entro cui inserire la stessa istituzione del monastero slavo (per la quale: *Monumenta Vaticana Res Gestas Bohemicas Illustrantia*, I: *Acta Clementis VI (1342-1352)*, ed. L. KLICMAN, Typis Gregerianis, Pragae 1903: n° 653, pp. 389-390; n° 1028, pp. 576-577; n° 1224, pp. 657-658; n° 1225. p. 658. Quanto alla fondazione del monastero ambrosiano, si veda *Ibid.*, II: *Acta Innocentii VI (1352-1362)*, ed. J. F. NOVÁK, Typis Gregerianis, Pragae 1907: n° 19, pp. 9-10; n° 21, p. 10. Per l'esplicita congiunzione ideale delle due fondazioni: *Ibid.*, n° 1018, pp. 406-407; n° 1019, p. 407. Cf C. ALZATI, *Dalla Slavia all'ecumene. Glagoliti e Ambrosiani nella Praga di Carlo* IV, in *Umanità e nazioni nel diritto e nella spiritualità. Da Roma a Costantinopoli a Mosca. XII Seminario Internazionale di Studi Storici "Da Roma alla Terza Roma". Campidoglio 21-23 aprile 1992*, Herder, Roma 1994, pp. 73-84.

[95] *TICINENSES A DIOECES(I) MEDIOL(ANENSI) EXCISI MOERENTES OFFERUNT*: così l'iscrizione posta sul calice donato nel 1885 al Capitolo Metropolitano. Esso è tuttora conservato nella Sacrestia Capitolare: *Inventario dei paramenti e delle suppellettili sacre del Duomo di Milano*, Centro Ambrosiano di documentazione e studi religiosi, Milano 1976 [Archivio Ambrosiano, 30], pp. 45-46 [a cura di G. MELLERA, NED-Nuove Edizioni Duomo, Milano 1983², p. 43].

In questo la fedeltà al *mysterium* celebrato si configura per tali comunità (come per l'intera *Ambrosiana Ecclesia*) quale precisa responsabilità di dimensioni ecumeniche, costituendo tale *mysterium* la loro specifica ricchezza, da presentare ai fratelli nel mutuo scambio di doni tra le Chiese.

8. L'ARCIVESCOVO DI MILANO "CAPUT RITUS AMBROSIANI"

Fondamento della specificità ecclesiale delle comunità ambrosiane, il *mysterium* che le connota è dunque 'talento' loro consegnato, che ne sollecita l'impegno e la missione.

Iscritto nella secolare, viva esperienza di un popolo[96], affidato alla responsabilità di un presbiterio: i *sancto Ambrosio servientes clerici*[97], tale patrimonio, tanto ecclesiologicamente significativo ed ecumenicamente attuale, ha nel *vicarius Ambrosii*, ossia nel successore dell'antico vescovo sulla cattedra milanese, il proprio custode. Ne ebbe acuta consapevolezza il Borromeo che, pubblicando nel 1582 il *Breviarium Ambrosianum* parlò di *"Ritum praecipuum, atque eum quidem antiquissimum ... quem a sancto Ambrosio Patre Patronoque nostro institutum, et a beato Simpliciano auctum, deinceps Archiepiscopi, qui ordine successerunt, tamquam amplam sibi haereditatem relictam, religiose conservarunt"*[98].

Lo stesso san Carlo, per essere validamente assistito nel compito di conservazione e trasmissione del patrimonio cultuale ricevuto dai suoi predecessori, istituì la *"Caeremoniarum ac Rituum et rerum huiusmodi Congregatio"*[99].

---

[96] In merito all'identificazione storicamente determinatasi tra il popolo ambrosiano e il suo Rito, un'efficace attestazione è offerta dallo stesso san Carlo in una lettera a Cesare Speciano del 12 Novembre 1578, nella quale l'arcivescovo venne segnalando come, avendo egli accordato "per devotione di un religioso" la concessione di celebrare alla romana "in Sant'Ambrogio di Milano, in luogo pur occulto e secreto, cioè nel scurolo, ... ne fu fatto tanto strepito et contradittione, che io fui forzato revocarla subito, et non lasciarla haver effetto": ed. P. MAZZUCCHELLI, *Osservazioni intorno al saggio storico-critico sopra il Rito Ambrosiano contenuto nella Dissertazione vigesimaquinta dell'Antichità Longobardico-Milanesi illustrate dai monaci della Congregazione Cistercense di Lombardia*, Pirotta, Milano 1828, doc. 33, p. 395.

[97] Cf C. ALZATI, *Sancto Ambrosio servientes clerici. Una Chiesa, un presbiterio, l'ecumene*, in *La Scuola Cattolica*, 134 (2006) 19-33.

[98] Il testo in *Acta Ecclesiae Mediolanensis*, ed. A. RATTI, II, Typographia Pontificia Sancti Iosephi, Mediolani 1890, cc. 1146-1147.

[99] *Instructiones ad Fori Archiepiscopalis reformandi usum pertinentes, Ibidem*, cc. 1634; 1636-1637. Cf M. NAVONI, *Congregazione del Rito Ambrosiano*, in *Dizionario della Chiesa ambrosiana*, II, NED-Nuove Edizioni Duomo, Milano 1988, pp. 896-897.

L'eminente e specifico compito, che a tale riguardo compete all'arcivescovo milanese, aveva spinto già nel 1288 Bonvesin de la Riva a dire di lui: *"Hic ... officii Ambrosiani est caput"*.[100] E *"caput ritus Ambrosiani"* l'arcivescovo di Milano Dionigi II (card. Tettamanzi) è stato formalmente proclamato nei documenti con cui la Congregazione per il Culto Divino e la Disciplina dei Sacramenti ha comunicato l'avvenuta *recognitio* della Sede Apostolica ai libri liturgici dallo stesso arcivescovo promulgati nel Duomo di Milano il 20 Marzo 2008 (Giovedì nella Settimana Autentica).[101]

In queste enunciazioni della Congregazione romana ancora una volta il *mysterium Ambrosianum* appare trascendere la pura sfera rituale per assumere significati più latamente istituzionali e di non piccolo rilievo in riferimento alla comunione delle Chiese e ai modi della sua concreta realizzazione. Proprio alla luce di siffatte implicazioni tale *mysterium* si conferma come il vero carisma dell'*Ambrosiana Ecclesia*, carisma che sostanzia il proiettarsi di questa stessa Chiesa verso il futuro, nel contesto di un'ecumene cristiana, che vede sempre più marcatamente ridursi la lontananza tra le sue sparse membra, ma che ancora faticosamente è alla ricerca della forma per una loro piena e pur non uniforme comunione.

---

[100] BONVICINUS de Ripa, *De magnalibus Mediolani*, capitulum VIII, distinctio V, ed. P. CHIESA, Scheiwiller, Milano 1997, p. 178.

[101] *"Archiepiscopus Mediolanensis ... officium Capitis Ritus Ambrosiani agens"*: Card. Franciscus ARINZE - Archiep. a Secr. Albertus Malcolmus RANJITH, Decreto del 22 Febbraio 2008 (Prot. n° 289/08/L) relativo alle *Normae universales de Anno Liturgico et de Calendario*.
"Caput Ritus Ambrosiani ... Archiepiscopus Mediolanensis, ad indolem eidem Ritui propriam recte tuendam": Card. Franciscus ARINZE - Archiep. a Secr. Albertus Malcolmus RANJITH, Decreto del 24 Febbraio 2008 (Prot. n° 288/08/L) relativo al Calendario;
"Haec Congregatio de Cultu Divino et Disciplina Sacramentorum ... vota praelaudati Archiepiscopi Capitis Ritus Ambrosiani excipiens": Card. Franciscus ARINZE - Archiep. a Secr. Albertus Malcolmus RANJITH, Decreto del 16 Marzo 2008 (Prot. n° 1515/06/L) relativo al Lezionario.
"Il Dicastero ... acclude alla presente i relativi decreti di conferma, così che Vostra Eminenza, nella Sua autorità di Capo del Rito Ambrosiano, proceda alla promulgazione del Lezionario": Card. Francis ARINZE - Arciv. Don Malcolm RANJITH, Lettera del 17 Marzo 2008 (Prot. n° 1515/06/L; Prot. n° 288/08/L; Prot. n° 289/08/L) per la trasmissione dei Decreti.
Cf in *Promulgazione del Lezionario Ambrosiano*, Supplemento a *Rivista Dioclesiana Milanese* 99 (3) (2008) 9-10,11,13.

PARTE PRIMA

UNA COMUNITÀ CULTUALE
NELLA STORIA

CAPITOLO I

ECCLESIA E *MYSTERIUM*
CHIESA, CELEBRAZIONE E LUOGO DI CULTO
NELLA TRADIZIONE AMBROSIANA

"La Liturgia è il culmine verso cui tende l'azione della Chiesa e, insieme, la fonte da cui promana tutta la sua virtù. Poiché il lavoro apostolico è ordinato a che tutti, diventati figli di Dio mediante la fede e il Battesimo, *in unum conveniant*, lodino Dio nella Chiesa, prendano parte al sacrificio e alla mensa del Signore".[1]

Questo enunciato, estremamente qualificante in rapporto alla generale ispirazione ecclesiologica dell'ultimo grande concilio dell'episcopato cattolico, in realtà non faceva che riproporre un principio radicato nella più antica tradizione della Chiesa. La comunità cristiana, in effetti, nei suoi primi secoli si percepiva, ed era a sua volta percepita dall'ambiente circostante, in termini essenzialmente cultuali.[2]

1. L' "EKKLESÍA" COME COMUNITÀ CULTUALE

Già gli *Atti degli Apostoli*, presentando i credenti di Gerusalemme, così li descrivono: "Erano perseveranti nell'insegnamento degli apostoli e nella comunione (*koinonía*: si è pensato all'equivalente dell'ebraico *chaburah*, designante la comunità cultuale), nello spezzare il pane e nelle preghiere".[3]

---

[1] Concilio Vaticano II, Constitutio de Sacra Liturgia *Sacrosanctum Concilium* (4 Dicembre 1963), 10.

[2] Cf S. MARSILI, *Continuità ebraica e novità cristiana*, in *Anamnesis*, 2: *La liturgia. Panorama storico generale*, Marietti, Casale 1978, p. 28. Per l'esperienza dell'assemblea comunitaria quale origine dello stesso uso cristiano del termine *ekklesía* si veda, ad esempio, J. CAMPBELL, *The Origin and Meaning of the Christian Use of the Word Ekklesía*, in *The Journal of Theological Studies* 49 (1948) 130 ss.

[3] *Ac* 2, 42, in *Novum Testamentum graece*, edd., post Eb. NESTLE - Er. NESTLE, K. ALAND - B. ALAND, Deutsche Bibelstiftung, Stuttgart 1981, p. 326: trad. it. da *La Sacra Bibbia*, Libreria Editrice Vaticana, Città del Vaticano 2008.

Non molto diversa è l'immagine che della comunità offre la *Didaché* (ossia l'*Insegnamento degli apostoli*), collocabile probabilmente alla fine del I secolo o poco dopo. Il testo appare infatti articolato in una catechesi morale, strettamente connessa alla recezione del Battesimo, in una serie di disposizioni per l'amministrazione di quest'ultimo, nonché in formule e precetti legati più o meno direttamente alla restante vita cultuale.[4]

Anche Giustino, alla metà del II secolo, volendo spiegare nella *I Apologia* cosa fosse il Cristianesimo, non avrebbe dubitato di delinearne quale espressione qualificante i riti di iniziazione e la celebrazione domenicale (da cui la stessa attività assistenziale era indicata promanare);[5] e più tardi

---

[4] I-VI, 1 + VI, 2-3 (catechesi prebattesimale delle due vie: cfr. VII, 1b); VII (il battesimo); VIII, 1 (il digiuno); VIII, 2-3 (la preghiera giornaliera del "Padre nostro"); IX, 1-X, 5 (il rendimento di grazie per la coppa e per il pane); X, 6 (invito cultuale del ministro); X, 7 (disposizione sul rendimento di grazie dei profeti); XI (disposizioni su dottori, apostoli e profeti, e per il loro riconoscimento); XII (l'ospite e il suo riconoscimento); XIII (l'offerta delle primizie ai profeti); XIV (il sacrificio della *fractio panis* domenicale); XV, 1-2 (vescovi e diaconi); XV, 3 (la correzione fraterna); XVI (l'attesa escatologica). Per la datazione del testo alla fine del I secolo / inizio del II, cf l'Introduzione all'edizione di W. RORDORF - A. TUILIER, Éd. du Cerf, Paris 1978 [Sources Chrétiennes (= SCh), 248], pp. 91 ss.

[5] "Spiegheremo ora in che modo ci siamo consacrati a Dio, rinnovati da Cristo, perché, se lasciassimo da parte questo aspetto, non sembri che la nostra esposizione sia lacunosa. Coloro che si sono convertiti e che credono alla verità delle nostre dottrine e del nostro messaggio, e che si impegnano a sforzarsi di vivere coerentemente, vengono educati alla preghiera e alla richiesta, nel digiuno e al cospetto di Dio, della remissione di tutti i loro peccati precedenti, mentre noi ci associamo alla loro preghiera e al loro digiuno. In seguito vengono condotti da noi in un luogo in cui c'è l'acqua, e rinascono a vita nuova nello stesso modo in cui noi stessi siamo rinati: infatti si sottopongono ad un bagno lustrale nell'acqua, nel nome di Dio Padre e Signore dell'universo, di Gesù Cristo nostro Salvatore, e dello Spirito Santo ... Dopo aver purificato chi si è convertito e ha abbracciato la fede, lo portiamo da quelli che chiamiamo fratelli, nel luogo in cui ci riuniamo, per pregare in comune con fervore, sia per noi stessi, sia per l'illuminato, sia per tutti gli altri, ovunque siano, al fine di essere resi degni di conoscere la verità, di meritare di essere riconosciuti nei fatti buoni cittadini e custodi dei comandamenti, e di essere ammessi all'eterna salvezza. Terminate le preghiere, ci scambiamo vicendevolmente un bacio di pace. Poi, a colui che presiede l'assemblea dei fratelli, si portano un pane e un calice d'acqua e vino, che questi prende in mano, rendendo lode e gloria al Padre dell'universo, nel nome del Figlio e dello Spirito Santo, e compiendo a lungo un ringraziamento per questi beni che Lui, per Sua grazia, ci ha donato; quando ha terminato le preghiere e il ringraziamento, tutto il popolo presente acclama, rispondendo: 'Amen'. La parola 'amen' significa, in lingua ebraica, 'così sia'. Dopo che l'officiante ha concluso il ringraziamento e tutto il popolo ha risposto, quelli che noi chiamiamo diaconi distribuiscono ad ognuno dei presenti, perché ne prendano parte, il pane eucaristico e il vino unito all'acqua, e li portano anche agli assenti ...

la problematica *Traditio Apostolica* (abitualmente associata al nome di Ippolito), dovendo esporre "la tradizione finora conservata ... su cui la Chiesa deve basarsi", sarebbe venuta senz'altro inserendo nell'insegnamento degli apostoli l'insieme delle forme e degli ordinamenti cultuali, dall'istituzione dei ministri, all'amministrazione del Battesimo, fino alla benedizione delle primizie.[6]

D'altra parte, se in questi termini la Chiesa si comprendeva, non diversa risulta essere stata la percezione che dei cristiani ebbe anche il mon-

---

E in quel giorno, che viene detto 'giorno del Sole', tutti gli abitanti delle città e delle campagne si radunano in uno stesso luogo, per leggere le memorie degli apostoli o i libri dei profeti, per tutto il tempo disponibile. Subito dopo, appena il lettore ha finito, l'officiante fa un'omelia in cui ci dà alcuni consigli e ci esorta ad imitare questi buoni insegnamenti. Poi ci alziamo tutti in piedi e preghiamo insieme ad alta voce; e, come dicevamo prima, dopo che tutti abbiamo concluso la preghiera, vengono portati il pane, il vino e acqua; quindi l'officiante, in modo analogo, pronunzia preghiere e rendimenti di grazie ... Quelli che sono più benestanti e che lo desiderano fanno un'offerta, per libera scelta e dell'entità che ognuno vuole, e quello che si raccoglie viene depositato presso l'officiante; e costui provvede ad aiutare gli orfani, le vedove, i poveri per malattia o per qualunque altra causa, coloro che sono in carcere, gli ospiti stranieri: per dirla in breve, si prende cura di tutti i bisognosi": Iustinus, *Apologia I*, 61. 1-4, 65, 67. 3-5. 6-7, ed. A. Wartelle, Paris 1987 [Études Augustiniennes, 94], pp. 182, 188-192; trad. it.: G. Girgenti, *Giustino. Apologie*, Rusconi, Milano 1995, pp. 155-157, 167, 169-171.

6   Ecco i titoli delle sezioni che compongono l'opera nell'edizione di B. Botte, Aschendorff, Münster Westfalen 1963 [Liturgiewissenschaftliche Quellen und Forschungen, 39]: 1. *Prologus*. 2. *De episcopis*. 3. *Oratio consecrationis episcopi*. 4. *De oblatione* (preghiera eucaristica). 5. *De oblatione olei*. 6. *De oblatione casei et olivarum*. 7. *De presbyteris*. 8. *De diaconis*. 9. *De confessoribus*. 10. *De viduis*. 11. *De lectore*. 12. *De virgine*. 13. *De subdiacono*. 14. *De gratiis curationum*. 15. *De novis qui accedunt ad fidem*. 16. *De operibus et occupationibus*. 17. *De tempore audiendi verbum post opera et occupationes*. 18. *De oratione eorum qui audiunt verbum*. 19. *De impositione manus super catechumenos*. 20. *De iis qui accipiunt baptismum*. 21. *De traditione baptismi sancti*. 22. *De communione*. 23. *De ieiunio*. 24. *De donis ad infirmos*. 25. *De introductione lucernae in cena communitatis*. 26. *De cena communi*. 27. *Quod non oportet ut catechumeni edant cum fidelibus*. 28. *Quod oportet ut comedant cum disciplina et sufficientia*. 29. *Quod oportet comedere cum gratiarum actione*. 30. *De cena viduarum*. 31. *De fructibus quos oportet offerre*. 32. *Benedictio fructuum*. 33. *Quod non oportet ut quis gustet aliquid in Pascha ante horam qua convenit comedere*. 34. *Quod oportet diaconos ad episcopum instare*. 35. *De tempore quo oportet orare*. 36. *Quod oportet percipere ex eucharistia primum, quotiescumque offertur, antequam aliquid aliud gustetur*. 37. *Quod oportet custodire diligenter eucharistiam*. 38. *Quod non oportet aliquid cadere ex calice*. 39. *De diaconis et presbyteris*. 40. *De loci sepulturae*. 41. *De tempore quo oportet orare*. 42. *De signo crucis*. 43. *Conclusio*. Le complesse questioni legate a questo scritto possono trovarsi efficacemente sintetizzate nell'*Introduzione* di E. Peretto a Pseudo-Ippolito, *Tradizione Apostolica*, Città Nuova, Roma 1996 [Collana di Testi Patristici, 133], pp. 5-99.

do pagano: una percezione, pertanto, di tipo cultuale misterico, come ben attesta, attorno all'anno 112, la relazione inviata all'imperatore Traiano dal magistrato Plinio (nella quale il riflesso del pensiero ecclesiale è particolarmente percepibile),[7] e come ribadisce, alcuni decenni più tardi, l'assai meno sereno (ma nella sua volgarità polemica e distorta non meno significativo) intervento oratorio di Marco Cornelio Frontone.[8]

---

[7] *"Adfirmabant autem hanc fuisse summam uel culpae suae uel erroris, quod essent soliti stato die ante lucem conuenire carmenque Christo quasi deo dicere secum inuicem seque sacramento non in scelus aliquod obstringere, sed ne furta, ne latrocinia, ne adulteria committerent, ne fidem fallerent, ne depositum appellati abnegarent. Quibus peractis morem sibi discedendi fuisse rursusque coeundi ad capiendum cibum, promiscuum tamen et innoxium"*: C. PLINIUS CAECILIUS SECUNDUS, *Epistolae*, X, 96. 7, ed. R. A. B. MYNORS, Clarendon, Oxonii 1966 (Bibliotheca Oxoniensis. Scriptores Latini), p. 339. Cf M. SORDI, *Sacramentum in Plin. ep. X, 96, 7*, in *Vetera Christianorum* 19 (1982) 97 ss; EAD., *Da mysterion a* sacramentum, in *il mistero della carne. Contributi su* mysterion e sacramentum *nei primi secoli cristiani*, a cura di A. M. MAZZANTI, Itaca, Castel Bolognese 2003, pp. 65-74; ora in M. SORDI, *Impero Romano e Cristianesimo. Scritti scelti*, Institutum Patristicum Augustinianum, Roma 2006 (Studia Ephemeridis Augustinianum, 99), pp. 307 ss., 313-321.

[8] Così lo echeggia M. MINUCIUS FELIX, *Octavius*, IX, 1-7: "*Ac iam, ut fecundius nequiora proveniunt, serpentibus in dies perditis moribus per universum orbem sacraria ista taeterrima inpiae coitionis adolescunt. Eruenda prorsus haec et execranda consensio. Occultis se notis et insignibus noscunt et amant mutuo paene antequam noverint: passim etiam inter eos velut quaedam libidinum religio miscetur, ac se promisce appellant fratres et sorores, ut etiam non insolens stuprum intercessione sacri nominis fiat incestum. Ita eorum vana et demens superstitio sceleribus gloriatur ... Audio eos turpissime pecudis caput asini consecratum inepta nescio qua persuasione venerari: digna et nata religio talibus moribus! Alii eos ferunt ipsius antistitis ac sacerdotis colere genitalia et quasi parentis sui adorare naturam: nescio an falsa, certe occultis ac nocturnis sacris adposita suspicio. Et qui hominem summo supplicio pro facinore punitum et crucis ligna feralia eorum caerimonias fabulatur, congruentia perditis sceleratisque tribuit altaria, ut id colant quod merentur. Iam de initiandis tirunculis fabula tam detestanda quam nota est. Infans farre contectus, ut decipiat incautos, adponitur ei qui sacris inbuatur; is infans a tirunculo farris superficie quasi ad innoxios ictus provocato caecis occultisque vulneribus occiditur; huius, pro nefas! sitienter sanguinem lambunt, huius certatim membra dispertiunt, hac foederantur hostia, hac conscientia sceleris ad silentium mutuum pignerantur! Haec sacra sacrilegiis omnibus taetriora. Et de convivio notum est; passim omnes loquuntur, id etiam Cirtensis nostri testatur oratio. Ad epulas sollemni die coeunt cum omnibus liberis, sororibus, matribus, sexus omnis homines et omnis aetatis. Illic post multas epulas, ubi convivium caluit et incestae libidinis ebrietatis fervor exarsit, canis, qui candelabro nexus est, iactu offulae ultra spatium lineae, qua victus est, ad impetum et saltum provocatur. Sic, everso et extincto conscio lumine inpudentibus tenebris nexus infandae cupiditatis involvunt per incertum sortis, etsi non omnes opera, conscientia tamen pariter incesti, quoniam voto universorum adpetitur*

Questo nesso primario sussistente tra la comunità cristiana e il suo culto avrebbe trovato espressione anche a livello linguistico. Nelle fonti più antiche il luogo delle celebrazioni (e le strutture architettoniche non furono certamente estranee a tale fenomeno) risulta non di rado indicato con riferimento al termine "casa":[9] già per tempo, tuttavia, vediamo tale edificio assumere quale propria denominazione anche l'appellativo specifico della congregazione dei credenti, divenendo esso stesso la "chiesa"; si tratta di una coincidenza terminologica che riveste non piccolo significato in rapporto all'aspetto del primitivo cristianesimo che stiamo esaminando.[10]

---

quicquid accidere potest in actu singulorum": edd., post M. PELLEGRINO, P. SINISCALCO - M. RIZZI, SEI, Torino 2000 [Corona Patrum, 16], pp. 126-130.

[9] *Domus Dei* troviamo in effetti in TERTULLIANO (*De idolatria*, 7), cui corrisponde l'*oíkos toû Theoû* (casa di Dio) di IPPOLITO (*Commentarii in Danielem*, I, XX, 3) e il similare *oíkos kyriakós* (casa del Signore) di CLEMENTE Alessandrino (*Stromata*, III, XVIII, 108. 2), risolto spesso nel semplice *dominicum* (CYPRIANUS, *De opere et elemosynis*, 15), grecamente *kyriakón* (così, ormai in pieno secolo IV, CYRILLUS Hierosolymitanus, *Catechesis XVIII ad illuminandos*, 26). Ancor più evidente tale richiamo agli edifici di carattere abitativo appare in quei testi nei quali, come in *Didascalia*, II, 57. 3 (trad. A. SOCIN, ed. F. X. VON FUNK, *Didascalia et Constitutiones Apostolorum*, Schoeningh, Paderbornae 1905, p. 160), il luogo cultuale viene designato semplicemente col termine "casa", senza ulteriori specificazioni: uso che ci è dato ritrovare in un prezioso testimone del comune lessico colloquiale (P. W. HOOGTERP, *Deux procès-verbaux donatistes. Quelques aspects du latin parlé en Afrique au commencement du quatrième siècle*, in *Archivum Latinitatis Medii Aevi* 15/1 [1940] 39-112), quale può considerarsi la verbalizzazione degli interrogatori durante la persecuzione dioclezianea a Cirta (*Gesta apud Zenophilum*, ed. C. ZIWSA, in OPTATUS Milevitanus, *Contra Parmenianum Donatistam*, Appendix, Tempsky-Freytag, Vindobonae-Pragae-Lipsiae 1893 [Corpus Scriptorum Ecclesiasticorum Latinorum (= CSEL), 26], p. 186. 20). Ma in questa linea si pone del resto anche il pagano PORPHYRIUS, che designa i luoghi di culto cristiani come *megístous oíkous* (frammento in A. VON HARNACK, *PORPHYRIUS. Gegen die Christen*, Verlag der königl. Akademie der Wissenschaften, Berlin 1916 [Abhandlungen der königlich-preussischen Akademie der Wissenschaften. Philosophisch- historische Klasse, 1], n° 76, p. 93; cf anche EUSEBIUS, *De laudibus Constantini*, IX, 16); analogamente si esprime anche l'*Editto di Galerio* del 311 nella redazione eusebiana (EUSEBIUS, *Historia Ecclesiastica*, VIII, XVII, 9). Quanto alle espressioni *oíkos tês ekklesías, oíkos toû proseukteríou* [*proseuktérion*] ecc., presenti in Eusebio, cf A. NESTORI, *Eusebio e il luogo di culto cristiano*, in *I Cristiani e l'Impero nel IV secolo. Atti del Convegno. Macerata 17-18 Dicembre 1987*, a cura di G. BONAMENTE - A. NESTORI, Macerata 1988 [Università degli Studi di Macerata. Pubblicazioni della Facoltà di Lettere e Filosofia, 47: Atti di Convegni, 9], pp. 55-61.

[10] Così per l'Africa sembrerebbe suggerire già TERTULLIANO (*De pudicitia*, XIII, 7) e in tal modo, verso la metà di quello stesso secolo III, si esprime anche il clero romano nell'epistola al cartaginese Cipriano (in CYPRIANUS, *Epistulae*, XXX, 6); non diversamente troviamo in area siriaca nella *Didascalia*, II, 57 (trad. SOCIN, ed. VON FUNK, p. 158). Ma è dalla fine del III secolo che tale accezione del termine "chiesa" si sarebbe

Non si può non rilevare come la sensibilità religiosa che soggiace a una tale identificazione tra comunità cultuale e luogo di culto non sia assolutamente venuta meno con l'inserimento della Chiesa nella realtà sociale e istituzionale dell'Impero. Non a caso, una volta realizzatasi tale esperienza, nell'Illyricum, ma non soltanto in tale area, si venne sviluppando un fenomeno di trasposizione terminologica, inverso a quello considerato ma di analogo significato, per cui i credenti finirono col designare collettivamente se stessi utilizzando il termine che specificatamente indicava i loro luoghi di culto. Sicché, dal latino *basilica*[11] venne derivato il collettivo tuttora perpetuatosi nel romeno *Biserică*;[12] mentre con analogo processo dal greco *kyriakòn* si sarebbe generato in area germanica il collettivo di cui è testimone il tedesco *Kirche*.[13]

---

venuta sempre più affermando, come indica, oltre al palestinese Eusebio, l'africano e contemporaneo LATTANZIO nel *De mortibus persecutorum*, XII, 3 (opera composta presso la Corte di Costantino a Treviri, dopo il lungo e tormentato soggiorno orientale in Bitinia). Tale valenza semantica si sarebbe venuta sempre più affermando, come attestano i successivi autori, in area latina non meno che greca; in tal senso cf anche il can. 36 di Elvira (ed. J. VIVES [- T. M. MARÍN MARTÍNEZ - G. MARTÍNEZ DÍEZ], *Concilios Visigóticos e Hispano-Romanos*, Consejo Superior de Investigaciones Científicas, Instituto Enrique Flórez, Barcelona-Madrid 1963, p. 8), da collocare peraltro nell'ultima parte del secolo IV (M. MEIGNE, *Concile au collection d'Elvire*, in *Revue d'Histoire Ecclésiastique* 70 [1975] 361-387).

[11] In merito cfr. A. SCHIAFFINI, *Intorno al nome e alla storia delle chiese parrocchiali nel Medioevo. A proposito del toponimo "basilica"*, in *Archivio Storico Italiano* 81 (1923) 25-64; A. FERRUA, *I più antichi esempi di basilica per "aedes sacra"*, in *Archivio Glottologico Italiano* 25 (1933) 142-146; C. BATTISTI, *Il problema linguistico di basilica*, in *Le Chiese nei Regni dell'Europa occidentale e i loro rapporti con Roma sino all'800*, II, Centro Italiano di Studi sull'Alto Medioevo, Spoleto 1960 (Settimane di Studio del Centro Italiano di Studi sull'Alto Medioevo, VII: 7-13 aprile 1959), pp. 805-847; C. TAGLIAVINI, *Storia di parole pagane e cristiane attraverso i tempi*, Brescia 1963, pp. 271-278.

[12] Cfr. O. DENSUȘIANU, *Histoire de la langue roumaine*, I, Paris 1901, p. 261; ed. rom.: *Istoria limbii romîne*, I, a cura di J. BUYCK, Editura Știinţifică, Bucureşti 1961, p. 173; H. MIHAESCU, *Langue latine dans le Sud-Est de l'Europe*, Editura Academiei - Les Belles Lettres, Bucureşti-Paris 1978, pp. 310-311. Per l'ipotesi di un'incidenza del termine tardo-latino illiriciano nella formazione dello slavo *Cr'kvy*: G. O. I. GUNNARSSON, *Das slavische Wort für Kirche*, Uppsala 1937 [Uppsala Universitets Årsskrift, 7].

[13] A. POMPEN, *De oorsprong van het woord kerk*, in *Donum natalicium Schrijnen*, Dekker - Van de Vegt, Nijmegen 1929, pp. 516-532. Il fenomeno si sarebbe del resto riproposto anche nella cristianizzazione dei Boemi e dei Polacchi, come evidenzia presso questi ultimi il termine *Kościół*, Chiesa, ripreso dal ceco *Kostel*, a sua volta derivato dal latino *castellum* (cfr. TAGLIAVINI, *Storia di parole...*, pp. 276-277, 539): genesi ben chiara nel suo significato qualora si pensi all'ubicazione della cattedrale praghese di San Vito o all'analoga situazione presente sulla gloriosa collina del Wawel a Cracovia.

Del resto la rigorosa organizzazione dei riti di iniziazione cristiana nella fase successiva alla pace costantiniana e l'importanza attribuita in tale contesto alla catechesi postbattesimale (in cui venivano svelati ai neofiti i contenuti salvifici e i significati simbolici presenti nelle "arcane" cerimonie celebrate nella Veglia Pasquale e culminanti nell'Eucaristia[14]) testimoniano inequivocabilmente come pure in tale fase l'aspetto misterico avesse continuato a caratterizzare profondamente la comunità cristiana e l'immagine che di sé essa possedeva e di sé offriva.

Di tutto ciò gli edifici di culto costituiscono un'ulteriore conferma.

2. L'EDIFICIO DI CULTO COME STRUTTURA MISTAGOGICA

Non soltanto con riferimento alle palestinestinesi arcaiche "grotte dei misteri",[15] ma anche in rapporto alle *domus*, la destinazione esclusiva degli ambienti adibiti alla celebrazione del culto, e quindi la loro "santità", emerge chiaramente dalle pur scarse fonti letterarie ed archeologiche di cui disponiamo. Di fatto, già in età primitiva lo "spezzare il pane nelle loro case", di cui parlano gli *Atti*,[16] si era concretizzato in celebrazioni compiute nella sala superiore di rappresentanza,[17] di cui l'esempio più illustre è offerto dal Cenacolo gerosolimitano.[18] Si tratta di un ambiente che, messo a disposizione dai rispettivi proprietari, già nelle epistole paoline mostra la tendenza ad assumere il carattere di luogo stabile e abituale di riunione.[19]

Non è forse inutile puntualizzare che quest'uso di un locale d'abitazione privata per la celebrazione dei riti cristiani non significava affatto un venir meno del carattere di santità di questi ultimi; tale consuetudine aveva un diretto e autorevole modello nel banchetto pasquale ebraico, rito domestico per eccellenza anch'esso, il cui carattere sacrale era ben presente alla

---

[14] Un esempio di siffatta catechesi ancora in pieno secolo VI, quando il battesimo era ormai amministrato in forma generalizzata in tenera età, è offerto in territorio italiciano dalle tre omelie (*De eo quod neofitis ex oleo sancto aures a sacerdotibus et nares inliniantur; De mysterio et sanctitate baptismatis; De unctione capitis et de pedibus lavandis*) edite da G. SOBRERO, *ANONIMO VERONESE. Omelie mistagogiche e catechetiche*, CVL - Edizioni Liturgiche, Roma 1992 [Bibliotheca "Ephemerides Liturgicae". Subsidia, 66: Monumenta Italiae Liturgica, 1].

[15] "*Ántra mystiká*": EUSEBIUS, *De laudibus Constantini*, IX, 17, ed. I. A. HEIKEL, Hinrichs, Leipzig 1902 [Die griechischen christlichen Schriftsteller (= GCS), 7], p. 221. Cf B. BAGATTI, *Alle origini della Chiesa*, I, Libreria Editrice Vaticana, Città del Vaticano 1981, pp. 136 ss.

[16] *Ac* 2, 46.

[17] *Ac* 20, 7.

[18] *Lc* 22, 12; *Ac* 1, 13.

[19] *1Cor* 16, 19; *Rm* 16, 3-5; *Col* 4, 15; *Phl* 4, 22.

coscienza d'Israele e si esprimeva nella speciale preparazione richiesta per l'ambiente e nella purificazione cui erano tenuti i partecipanti. Del resto, battezzare, spezzare il pane, imporre le mani appaiono chiaramente intesi, sia nelle fonti neotestamentarie, sia in quelle immediatamente successive, come azioni salvifiche nelle quali opera la potenza di Dio: esse sono pertanto azioni sacre e, in forza di questa loro sacralità, sante, cioè distinte, separate dalla comune mondanità profana.[20] "Chi è santo s'avanzi, chi non lo è si penta"; questa affermazione del ministro nella *Didachè*[21] potrà forse risultare oscura quanto al concreto significato cerimoniale, ma quanto alla dimensione di santità da cui la celebrazione cultuale era circondata appare essere testimonianza assolutamente inequivocabile.

La collocazione dei penitenti *in vestibulo*, attestata nel *De paenitentia* di Tertulliano (opera risalente alla fase cattolica del suo autore, protrattasi fino al 207/208),[22] ed ancora l'esistenza del ministero dell'ostiariato per la custodia delle porte d'accesso al luogo di culto (esistenza documentata alla metà del III secolo dal vescovo romano Cornelio),[23] ma altresì il dato

---

[20] "Non avete forse le vostre case per mangiare e per bere? O volete gettare il disprezzo sulla Chiesa di Dio ... chi mangia e beve senza riconoscere il corpo del Signore, mangia e beve la propria condanna" dichiara *ICor* 11, 22. 29; e quanto al Battesimo, in *Rm* 6, 3 ss. viene sottolineata fortemente la sua natura di partecipazione alla Morte e alla Resurrezione del Cristo (cf anche *Col* 2, 12). Analogamente in *IITm* 1, 6, si presenta il ministero come "dono di Dio mediante l'imposizione delle mani" (cf anche *I Tm* 4, 14). Non diversamente la *Didachè*, IX, 5, a proposito della "eucarestia" (che probabilmente non è la *fractio panis*, della quale espressamente si parla in XIV, 1-3), esplicitamente dichiara: "Nessuno però mangi né beva della nostra eucarestia se non i battezzati nel nome del Signore, perché riguardo a ciò il Signore ha detto: Non date ciò che è santo ai cani" (trad. it. di U. Mattioli, Edizioni Paoline, Alba 1976², pp. 145-146). L'esemplificazione potrebbe proseguire.

[21] *Didachè*, X, 6: *Ibidem*, p. 148.

[22] TERTULLIANUS, *De paenitentia*, VII, 10, ed. Ch. MUNIER, Ed. du Cerf, Paris 1984 [SCh, 316], p. 174: "*[Deus] collocauit in uestibulo paenitentiam secundam, quae pulsantibus patefaciat*". Al riguardo cf anche CYPRIANUS, *Epistula XXX*, VI, 3 (ed. G. F. DIERCKS, Brepols, Turnholti 1994 [Corpus Christianorum, Series Latina (= CCL), 3B], p. 147). In area orientale, stante il carattere spurio del can. 11 dell'*Epistula canonica* di Gregorio il Taumaturgo (cf *Clavis Patrum Greacorum*, I, cur. M. GEERARD, Brepols, Turnhout 1983, n. 1765), la prassi penitenziale trova la sua più ampia attestazione nella *Didascalia*, che peraltro, pur non parlando di collocazione dei penitenti alle porte dell'aula, li segnala posti dal vescovo "*extra ecclesiam*" e "*segregati ex ecclesia*": cf R. H. CONNOLLY, *Didascalia Apostolorum*, Clarendon Press, Oxford 1929 (ried. an.: 1969), pp. LIV-LVI, 52. 13, 53. 10.

[23] In EUSEBIUS, *Historia Ecclesiastica*, VI, XLIII, 11, ed. E. SCHWARTZ, *Eusebius Werke*, II, 1, Hinrichs, Leipzig 1903 [GCS, 9/2], p. 618.

concreto offerto dall'aula battisteriale di Dura Europos (anteriore al 256)[24] suppongono indubitabilmente già un'articolazione della *domus* in una pluralità di spazi cultuali ben distinti, inseriti in un insieme di significato marcatamente mistagogico, la cui *klimax* simbologica culminava nell'ambiente per il "sacrificio puro" della *fractio panis*.[25]

Qualora da queste testimonianze[26] si passi a considerare attentamente i nuovi, talvolta monumentali, edifici di culto cristiani apparsi in età costantiniana, non sarà difficile ritrovare al loro interno una vita cultuale, che non muta i propri caratteri di fondo: se lo schema basilicale adottato riprendeva chiaramente la generale tipologia degli edifici assembleari di carattere civile,[27] le modalità di fruizione continuavano a qualificarli nettamente come i luoghi dei santi misteri. In effetti, non soltanto venivano dedicati solennemente a Dio,[28] ma continuarono ad essere espressamente strutturati al loro interno come un grande spazio mistagogico, finalizzato cioè alla celebrazione dei misteri e alla iniziazione ad essi dei credenti.

---

[24] C. H. KRAELING, *The Excavations at Dura Europos. Final Report*, II: *The Christian Building*, Dura-Europos Publications, New Haven 1967.

[25] La definizione della *fractio panis* quale *thysía* (sacrificio), la cui santità non tollera profanazioni (per quest'ultimo aspetto cf *ICor* 11, 27-31), è già in *Didachè*, XIV, 1-2, SCh, 248, p. 192.

[26] In merito cf anche A. QUACQUARELLI, *Note sugli edifici di culto prima di Costantino*, in *Vetera Christianorum* 14 (1977) 239-251.

[27] Per un sintetico bilancio storiografico in merito alle premesse architettoniche alla basilica cristiana, può vedersi N. DUVAL, *Les origines de la basilique chrétienne. Etat de la question*, in *L'Information d'Histoire de l'Art* 7 (1962) 1-19; un ragguaglio sulla più significativa bibliografia successiva è offerto ancora da Duval al termine della voce *Edificio di culto*, in *Dizionario Patristico e di Antichità Cristiane*, I, Marietti, Casale Monferrato 1983, c. 1095.

[28] EUSEBIUS, *Historia Ecclesiastica*, X, III-IV, GCS, 9/2, pp. 860-883, ricorda espressamente, tra le altre, la dedicazione della basilica di Tiro svoltasi negli anni immediatamente successivi alla pace costantiniana. Sappiamo quale rilevanza assumesse nel IV secolo tale rito della dedicazione (dalle modalità cerimoniali a noi ignote), soprattutto qualora si trattasse di edificio cultuale di fondazione imperiale; basti ricordare la solenne dedicazione del complesso gerosolimitano del Santo Sepolcro, che nel 335 diede occasione alla sinodo episcopale in cui il prete Ario venne riammesso alla comunione della Chiesa: ATHANASIUS, *De Synodis*, 21, ed. H. G. OPITZ, de Gruyter, Berlin 1941 [*Athanasius Werke*, 2/1], p. 251; ID., *Apologia II*, 84, ed. H. G. OPITZ, de Gruyter, Berlin 1941 [*Athanasius Werke*, 2/1], pp. 162-163. Sulla necessità di tale dedicazione ci offre eloquente testimonianza lo stesso Atanasio: *Apologia ad Constantium*, 17-18, edd. H. Ch. BRENNECKE - U. HEIL - A. VON STOCKHAUSEN, de Gruyter, Berlin-New York 2006 [*Athanasius Werke*, 2/8], pp. 291-293. Quanto alla permanente memoria dell'evento, in ambito antiocheno e milanese fissata quale momento marcante del ciclo cultuale dell'anno cristiano, cf nella Parte terza, il cap. XVII: Io sono con voi fino alla fine dei tempi. *La Chiesa tra storia ed eschaton*.

Alle loro porte continuavano a presidiare gli ostiari,[29] e la partecipazione al rito restava assolutamente preclusa a chi non appartenesse alla comunità cristiana. Il luogo del sacrificio era interdetto anche a quanti tra i battezzati fossero tenuti a espiare pubblicamente le proprie colpe, almeno nella fase che precedeva la loro riammissione all'interno dall'aula nello spazio che Agostino chiama appunto *poenitentiae locus*.[30] Anche i catecumeni, com'è ben noto, allorché ci si apprestava a celebrare l'Eucaristia, erano fatti uscire dall'aula. Al termine della sezione iniziale della celebrazione eucaristica, sezione incentrata sulla lettura delle Scritture apostoliche ed evangeliche, le Chiese di tradizione "greca" hanno tuttora conservato l'intimazione: "Catecumeni uscite. Quanti siete catecumeni uscite. Nessuno dei catecumeni si trattenga. Catecumeni uscite";[31] e dopo l'offertorio, prima della professione di fede e dell'anafora, presso tali Chiese ancora risuona il comando "Le porte, le porte":[32] era l'ordine ai ministri a ciò deputati di chiudere l'aula perché il santo mistero stava per compiersi in essa e qualsiasi contatto con il mondo profano esterno doveva cessare.

Ma anche la strutturazione interna dell'edificio rifletteva questa sua natura di luogo dei misteri.

Gli accessi, con l'eccezione di alcune aree particolari,[33] s'aprivano di norma sulla facciata e immettevano nelle navate, che testimonianze più tar-

---

[29] In Oriente, sulla scia della *Didascalia*, II, 57. 6-7, le *Constitutiones Apostolorum*, II, 57. 9-11, assegnano le funzioni di vigilanza sull'ordine dell'assemblea agli stessi diaconi: *Didascalia et Constitutiones Apostolorum*, I, ed. F. X. von Funk, Schoeningh, Paderbornae 1905, pp. 162, 163.

[30] Augustinus, *Sermo CCXXXII*, 8, PL, 38, c. 4111; accenno ai diversi gradi della condizione penitenziale anche in Ambrosius, *De paenitentia*, II, 7. 54 ss., ed. R. Gryson, Ed. du Cerf, Paris 1971 [SCh, 179], pp. 166 ss.; sulla progressione dell'iter penitenziale, cf più tardi i cosiddetti *Dicta Gelasii*: ed. A. Thiel, *Epistolae Romanorum pontificum genuinae*, Peter, Brunsbergae 1867, ried. an.: Olms, Hildesheim - New York 1974, pp. 509-510. Un caso concreto di estromissione dall'aula sacra ci è descritto per Roma da Girolamo con riferimento alla matrona Fabiola, che in occasione della Pasqua *"non est ingressa ecclesiam Domini"* (*Epistola LXXVII*, 5). Siffatta interdizione dello spazio cultuale al momento dell'offerta eucaristica in area gallicana sarebbe stata ribadita ancora nella sinodo di Yenne del 517 (can. 29: ed. Ch. de Clercq, *Concilia Galliae. A. 511 - A. 695*, Brepols, Turnholti 1963 [CCL, 148/A], p. 31). È sulla scia di tale disciplina che la *Regula Benedicti*, XLIII, venne delineando la prassi penitenziale da seguirsi nei monasteri: ed. J. Neufville, adn. A. de Vogüé, 2, Éd. du Cerf, Paris 1971 [SCh., 182], pp. 586 ss.

[31] Cf *Euchologion, sive Rituale Graecorum*, ed. J. Goar, Javarina, Venetiis 1730; ried. an.: Akademische Druck- und Verlagsanstalt, Graz 1960, p. 57.

[32] *Ibidem*, p. 60.

[33] Per il Settentrione della Siria e i suoi edifici dotati di nartece e di porte laterali, cfr. J. Lassus, *Sanctuaires chrétiens de Syrie*, Geuthner, Paris 1947, pp. 188 ss.

de farebbero supporre distinte nella utilizzazione tra uomini e donne (destra/sinistra; avanti/dietro); le porte al centro erano destinate all'ingresso solenne del vescovo e del clero, ed erano designate col termine di *regiae*: *pýlai basilikaí*, ossia le porte imperiali.

L'esistenza in alcuni luoghi di transenne e cancelli parrebbe confermare che di norma i fedeli si limitassero ad occupare unicamente le navate laterali:[34] nella navata centrale si collocavano, secondo i particolari usi locali, strutture quali il podio sopraelevato per la proclamazione delle letture (cui in alcune aree si aggiungeva uno speciale podio per la predicazione); la piattaforma allungata, cui si suole dare in ambito italiano il nome di *solea*[35]. Nella Siria settentrionale era situato in tale spazio centrale il *bema* con i seggi per il vescovo e per il clero ed altresì il piccolo ripiano con ciborio (Golgota) dove era conservata la Croce;[36] analogamente al clero era riservato in ambito romano – seppure con funzioni diverse e in un contesto rituale diverso – il recinto della *schola*.

Al termine delle navate (con eccezione dell'area africana) si trovava il santuario con l'altare.[37]

Quest'ultimo era il luogo dei divini misteri per eccellenza e per questo lo copriva un ciborio: elemento che ne sottolineava la santità, analogamente ai veli che dal ciborio pendevano e che richiamavano simbolicamente l'antico velo da cui era caratterizzato il Santo dei Santi.[38] "Questo altare è mirabile – dichiarava il Crisostomo – poiché per natura è solo pietra, ma diventa santo dopo che ha accolto il Corpo di Cristo";[39] e il Nisseno proseguiva "poiché è stato consacrato al culto di Dio ed ha ricevuto la benedizione è una tavola santa, un altare immacolato che non da tutti può essere toccato, ma dai soli sacerdoti e da questi con religiosa riverenza";[40] nulla

---

[34] Cf P. TESTINI, *Archeologia cristiana*, Edipuglia, Bari 1980, pp. 737-738.

[35] Per l'esempio della S. Sofia giustinianea a Costantinopoli: M. L. FOBELLI, *Un tempio per Giustiniano. Santa Sofia di Costantinopoli e la* Descrizione *di Paolo Silenziario*, Viella, Roma 2005, p. 175.

[36] Cfr. G. TCHALENKO, *Eglises syriennes à Bêma*, Geuthner, Paris 1990; R. TAFT, *Some Notes on the Bema in the East and West Syrian Traditions*, in *Orientalia Christiana Periodica* 34 (1968) 326-359, ripreso in R. TAFT, *Liturgy in Byzantium and beyond*, Ashgate, Aldershot 1995 [Collected Studies Series, 493].

[37] Sull'altare cristiano classica resta l'ampia documentazione offerta da J. BRAUN, *Der christliche Altar*, 2 voll., Koch, Münster 1924.

[38] Cf *Ex* 26, 31-33.

[39] IOANNES CHRYSOSTOMUS, *Homilia XX in II ad Corinthios Epistolam*, 3, PG, 61, c. 540.

[40] GREGORIUS NYSSENUS, *In diem luminum*: PG XLVI, c. 581 C; cf ed. E. GEBHARDT, Brill, Leiden 1967 [Gregorii Nisseni Opera, 9: Sermones, 1], p. 225.

pertanto poteva esservi depositato, tranne i santi doni: lumi, ornamenti, ecc. ... ne avrebbero offesa la santità.[41]

Di tale santità sono segno anche le transenne, che ne delimitavano lo spazio e che si svilupparono nella pergula; al riguardo è particolarmente eloquente la struttura delle chiese nella Siria settentrionale dove, *collocati nella navata i seggi per il clero*, nel santuario, oltre i cancelli, veniva a trovarsi unicamente l'altare, presso il quale stavano i soli officianti (è lo schema riproposto tuttora nelle chiese di tradizione 'greca'). Non diverso significato presentava del resto anche la transennatura in alcune tra le più antiche chiese d'area africana, nelle quali la santa mensa col ciborio si trovava nella navata, in uno spazio distinto e separato rispetto al presbiterio collocato nella zona absidale, come ben mostra anche il mosaico di Thabarca.[42]

In area gallicano-milanese tutti i fedeli accedevano abitualmente oltre i cancelli dell'altare al momento di ricevere l'Eucaristia,[43] mentre era consuetudine diffusa che nel santuario trovassero stabile collocazione i neofiti nell'ottava pasquale,[44] aspetto quest'ultimo di cui si conserva ancora un riflesso nel rito armeno e presso le Chiese sire occidentali, nel cui ambito il neo battezzato viene introdotto nel santuario dove, all'altare, gli è impartita la comunione.[45]

È quindi evidente quanto questo edificio cultuale cristiano, pure in età costantiniana, continuasse ad essere direttamente plasmato nei suoi ele-

---

[41] Si vedano al riguardo, con riferimento tra l'altro ai due testi sopra riportati, le considerazioni di M. RIGHETTI, *Manuale di Storia Liturgica*, I, Àncora, Milano 1964³, pp. 502-504. Cf altresì F. I. DÖLGER, *La sainteté de l'autel chez les Chrétiens des premiers siècles*, in *Les Questions Liturgiques et Paroissiales* 20 (1935) 131-141.

[42] Cf G. LAPEYRE, *La basilique chrétienne de Tunisie*, in *Atti del IV Congresso Internazionale di Archeologia cristiana. Città del Vaticano, 1938* (il Congresso fu dedicato al tema della basilica), Roma 1940, I, pp. 169 ss.

[43] "*Nicetius quidam ... cum ad altare adcessisset ut sacramenta perciperet*": PAULINUS, *Vita Ambrosii*, XLIV, 1, ed. A. A. R. BASTIAENSEN, Fondazione Lorenzo Valla - Mondadori, 1975 (Scrittori greci e latini. Vite di Santi, III), p. 110. Per le Gallie del secolo VI, cf concilio di Tours (567), can. 4: "*Vt laici secus altare, quo sancta misteria celebrantur, inter clericos tam ad uigiliis quam ad missas stare penitus non praesumant, sed pars illa, quae a cancellis uersus altare diuiditur, choris tantum psallentium pateat clericorum. Ad orandum et communicandum laicis et foeminis, sicut mos est, pateant sancta sanctorum*" [CCL, 148/A, p. 178].

[44] Cf AUGUSTINUS, *Sermo Mai XCIV. De Dominico die octavarum Sanctae Paschae*, 7, ed. G. MORIN, in *Miscellanea Agostiniana*, I, Tipografia Poliglotta Vaticana, Romae 1930, p. 338. 25-28.

[45] Cf A. RAES, *Introductio in liturgiam orientalem*, Pontificia Universitas Gregoriana, Romae 1947, pp. 147-153.

menti dalle forme celebrative di quei misteri che al suo interno si compivano, e ne riproponesse strettamente il linguaggio.

In questo senso mi pare non irrilevante rimarcare come fosse assolutamente estranea la preoccupazione che durante la celebrazione il singolo fedele, in senso quasi teatrale, fosse posto nella condizione di vedere tutto e bene. Era ritenuto necessario che accedendo all'edificio di culto si cogliesse immediatamente il suo articolarsi nelle varie parti e chiaro fosse il rapporto di tipo simbolico sussistente tra queste e la specifica collocazione del credente.

Pure in merito ai seggi di quanti (preti e vescovi) avevano tra i ministri facoltà di sedere nel corso delle celebrazioni, non sembra di poco rilievo il messaggio, che gli antichi edifici offrivano con immediata eloquenza.

Al riguardo può essere utile ricordare come tuttora nelle chiese di tradizione costantinopolitana sia di norma presente la cattedra episcopale, in cui viene posta un'icona di Cristo: si affermano così ad un tempo l'imprescindibile funzione apostolica del ministero episcopale ed altresì il principio che nella Chiesa è il Signore colui che presiede. Sono elementi simbolici che richiamano ogni singola comunità locale alla sua non autosufficienza e l'aiutano a percepire la sua appartenenza a una comunione più vasta, garantita dal sigillo apostolico dell'episcopato.

Anche in ambito occidentale, seppure con altre sottolineature, in riferimento ai seggi del clero non mancavano richiami a precisi significati ecclesiologici.

Specifico dei preti era significativamente il sedile comune (che si suole indicare col termine greco di *sýnthronos*), ossia un seggio di carattere collegiale, il cui significato in età moderna fu riproposto dal cosiddetto "presbiterio", ossia il seggio unitario per il prete celebrante e per gli eventuali ministri assistenti, seggio di norma addossato alla parete a lato dell'altare.

La cattedra monarchica, unica e distinta, segno tipico del ministero esclusivo del vescovo, era a lui riservata e immediatamente ne evidenziava la peculiare autorità, radicata nella successione apostolica: sede preminente degli apostoli (*proedría tôn Apostólōn*) la definisce Basilio con riferimento all'insediamento di Ambrogio su di essa.[46]

---

[46] BASILIUS Caesariensis, *Epistula CXCVII*, ed. Y. COURTONNE, II, Les belles lettres, Paris 1957 [Collection des Universités de France], pp. 150. 29. Cf C. PASINI, *Le fonti greche su sant'Ambrogio*, Biblioteca Ambrosiana - Città Nuova Editrice, Milano-Roma 1990 [Tutte le Opere di Sant'Ambrogio. Sussidi, 24], pp. 35-54.

3. "Marana tha":
ORIENTAMENTO NELLA CELEBRAZIONE E ATTESA DELLA *PAROUSÍA*

Riflesso della permanente percezione cultuale e misterica della Chiesa, il carattere di struttura mistagogica, proprio degli ambienti di culto cristiani, non si attenuò, dunque, nemmeno con l'apparire delle monumentali basiliche edificate a partire dal IV secolo.

Un elemento oltremodo espressivo di tale connotazione è indubbiamente l'orientamento, da cui gli edifici di culto appaiono immediatamente contraddistinti.

Per valutare adeguatamente tale aspetto merita ricordare come già nella tradizione ebraica risulti essere procedura ben radicata l'assunzione di elementi della comune simbologia antropologico-religiosa, ridefinendone la significazione in prospettiva rigorosamente biblica. L'esempio paradigmatico in tal senso è rappresentato dalla cerimonialità di Pesah, in cui rituali propiziatori connessi al ciclico riproporsi della Primavera sono stati trasformati in memoriale[47] della liberazione dall'Egitto, ossia dell'evento salvifico dal quale scaturirono l'Alleanza e la Legge e nel quale la presenza di Dio si rese tangibile nella storia del popolo d'Israele.

Considerazioni analoghe possono svilupparsi in merito alla ripresa in ambito cristiano dell'uso dell'orientamento nelle celebrazioni cultuali.[48] Antropologicamente connesso al ciclo quotidiano della luce e del sole, questo elemento rituale, riletto dai cristiani attraverso gli enunciati scritturistici, si trasformò per loro in un segno squisitamente cristologico.[49]

---

[47] *Zikkaròn – mnēmósynon* (*Ex*, 12, 14): cf *Biblia Hebraica Stuttgartensia,* edd. K. ELLIGER - W. RUDOLPH, adiuvv. H. P. RÜGER - J. ZIEGLER, Deutsche Bibelstiftung, Stuttgart 1977, p. 104; *Exodus,* ed. J. W. WEVERS, adiuv. U. QUAST, Göttingen 1991 [Septuaginta. Vetus Testamentum Graecum. Auctoritate Academiae Scientiarum Gottingensis editum, II, 1], p. 168.

[48] Sulla comune diffusione di tale elemento, cui offre testimonianza anche MARCUS VITRUVIUS, *De Architectura,* IV, 5, 1, ed. P. GROS, IV, Les Belles Lettres, Paris 1992 [Collection des Universités de France (= CUF)], p. 22, cf le osservazioni dello stesso Gros, pp. 152-157.

[49] Al riguardo, oltre al classico F. J. DÖLGER, *Sol salutis. Gebet und Gesang im christlichen Altertum. Mit besonderer Rücksicht auf die Ostung in Gebet und Liturgie,* Aschendorff, Münster 1925[2] [Liturgiegeschichtliche Forschungen, 4-5], basti qui segnalare: K. GAMBER, *Liturgie und Kirchenbau. Studien zur Geschichte der Meßfeier und des Gotteshauses in der Frühzeit,* Pustet, Regensburg 1976 [Studia Patristica et Liturgica, VI]; ID., *Zum Herrn hin!,* Synaxis, Berching 1987; trad. fr.: *Tournés vers le Seigneur!,* Éd. Sainte-Madeleine, Le Barroux 1993; U. M. LANG, *Turning towards the Lord,* praef. J. RATZINGER, Ignatius Press, San Francisco 2004; trad. it.: *Rivolti al Signore. L'orientamento nella preghiera liturgica,* Cantagalli, Siena 2006.

"*Psallite Deo, qui ascendit super coelum coelorum,* ad orientem": così il salmista aveva cantato, secondo le versioni latine tratte dalla *Septuaginta*;[50] e nel libro di Zaccaria il profeta aveva annunciato: "In quel giorno i suoi piedi si poseranno sopra il monte degli Ulivi, che sta di fronte a Gerusalemme, *verso oriente*".[51] Quanto a Gesù, il *Vangelo secondo Luca* così si conclude: "Li condusse fuori verso Betània e ... mentre li benediceva, si staccò da loro e veniva portato su, in cielo".[52] La scena, negli *Atti degli Apostoli*, è riproposta con le seguenti parole: "Fu elevato in alto e una nube lo sottrasse ai loro occhi. Essi stavano fissando il cielo mentre egli se ne andava, quand'ecco due uomini in bianche vesti si presentarono a loro e dissero: Uomini di Galilea, perché state a guardare il cielo? Questo Gesù, che di mezzo a voi è stato assunto in cielo, *verrà allo stesso modo* in cui l'avete visto andare in cielo".[53] In merito, poi, a tale ritorno e alle sue modalità, il *Vangelo secondo Matteo* riporta le parole dello stesso Signore: "Come la folgore *viene da oriente* e brilla fino a occidente, così sarà la venuta (*parousía*) del Figlio dell'uomo".[54]

Dunque: a oriente il Signore è asceso e da oriente tornerà. Conseguentemente è con l'occhio teso verso oriente che la Sposa vive la sua ardente attesa, testimoniata da Paolo e dichiarata a conclusione del libro dell'*Apocalisse*: *Marana tha!*[55] Vieni, Signore Gesù![56]

Di qui l'uso cristiano di "pregare rivolti al luogo d'onde sorge il sole", come si esprime l'africano Tertulliano alla fine del II secolo;[57] del resto, già prima di lui ad Alessandria Clemente aveva parlato di "preghiere fatte verso il sorgere del sole ad oriente".[58] Di tale uso, quale elemento caratterizzante la stessa prassi celebrativa delle Chiese, troviamo attestazione nella prima metà del III secolo nella siriaca *Didascalia Apostolorum*, testo in cui

---

[50] *Ps* 67, 33-34: *Psalmi cum Odis*, ed. A. Rahlfs, Vandenhoeck-Ruprecht, Göttingen 1967 [Septuaginta. Vetus Testamentum Graecum. Auctoritate Academiae Scientiarum Gottingensis editum, 10], pp. 191-192; un quadro sintetico delle varianti latine in *Bibliorum Sacrorum Latinae Versionis Antiquae*, II, a cura di P. Sabatier, Florentain, Reims 1743, pp. 134-135.

[51] *Zc* 14, 4.

[52] *Lc* 24, 50-51.

[53] *Ac* 1, 9-11.

[54] *Mt* 24, 27.

[55] *ICor* 16, 22.

[56] *Ap* 22, 20.

[57] "*Alii ... solem credunt deum nostrum... Denique inde suspicio, quod innotuerit nos ad orientem regionem precari*": Tertullianus, *Apologeticum*, XVI, 9-10, ed. P. Frassinetti, Paravia, Torino 1965 [Corpus Scriptorum Latinorum Parvianum], p. 44.

[58] Clemens Alexandrinus, *Stromata*, VII, VII, 43. 6-7, post O. Stählin et L. Früchtel, ed. U. Treu, Akademie-Verlag, Berlin, 1985 [GCS, 15 bis], pp. 32-33.

esplicitamente si prescrive che, nella preghiera, tutti i presenti debbano disporsi rivolti a oriente.[59] È l'uso continuatosi di generazione in generazione in tutta l'ecumene cristiana e che ha improntato gli edifici di culto di tutte le Chiese di tradizione apostolica. È altresì la ragione del movimento rituale dei ministri attorno all'altare: in senso antiorario, così da andare incontro a Colui che viene da oriente, percorrendone a ritroso il cammino.

Il Damasceno, nella sua grande sintesi dogmatica, sintetizza con estrema efficacia questo tratto della spiritualità ecclesiale: "Quando il Signore fu assunto in cielo, fu portato verso oriente. E gli Apostoli, mentre così lo vedevano, si prostrarono a lui; e così, nel modo in cui lo videro entrare nel cielo, egli ritornerà; lo stesso Signore lo ha detto: 'Come la folgore *viene da oriente* e brilla fino a occidente, così sarà la venuta del Figlio dell'uomo'. Essendo, dunque, noi in sua attesa, ci prostriamo verso oriente. È questa una tradizione non scritta degli Apostoli; molte cose, infatti, essi ci hanno trasmesso senza porle per iscritto".[60]

Va segnalato come tale patrimonio simbolico, che si lega alla più antica vita ecclesiale, venga tuttora riproponendosi non soltanto nelle Chiese orientali, ma pure in quelle occidentali appartenenti alla Confessione luterana, presso le quali l'orientamento degli altari – in conformità al magistero dello stesso Lutero[61] – è prassi diffusa.[62]

"Lo Spirito e la Sposa dicono: 'Vieni!'. E chi ascolta, ripeta: 'Vieni!'. Chi ha sete, venga; chi vuole, prenda gratuitamente l'acqua della vita":[63] così il veggente di Patmos pone termine al suo scritto; ed è difficile trovare parole che più efficacemente possano esprimere il modo di essere della Chiesa nella storia e ne delineino l'esperienza spirituale, in cui dimensione misterica (*Prenda l'acqua della vita*) e tensione escatologica (*Vieni!*) orga-

---

[59] *Didascalia*, II, 57. 5, trad. Socin, ed. von Funk, *Didascalia et Constitutiones Apostolorum*, pp. 160-162. Va segnalato che nella *domus* di Dura Europos il secondo degli ambienti raggiungibili partendo dal battistero, ambiente rettangolare di più vaste dimensioni, appare disposto sull'asse Est-Ovest: Kraeling, *The Excavations at Dura Europos. Final Report*, II: *The Christian Building*, pp. 141-145.

[60] Ioannes Damascenus, *De fide orthodoxa*, IV, 12, PG, 94, c. 1136, a-b.

[61] *Formula Missae et Communionis* (1523), in Martin Luthers *Werke*, XII, Böhlaus - Akademische Druck- und Verlagsanstalt, Weimar-Graz 1966 [Weimarer Ausgabe: Weimar 1891], pp. 211-213. Precisa è la sua raccomandazione perché "Pax Domini etce., *quae est publica quaedam absolutio a peccatis communicantium ... nunciari verso ad populum vultu*"; tale raccomandazione presuppone che il ministro nelle rimanenti parti della celebrazione conservasse una posizione rigorosamente orientata.

[62] Per il consapevole richiamo all'orientamento negli artefici oxoniensi del rinnovamento ecclesiologico e sacramentale anglicano del secolo XIX: A. Härdelin, *The Tractarian Understanding of the Eucharist*, Uppsala University Press, Uppsala 1965, pp. 309-312.

[63] *Ap* 22, 17.

nicamente si fondono. L'immagine che ne emerge è quella di una comunità cultuale per nulla ripiegata su se stessa e i propri riti[64], ma intimamente proiettata verso Colui, della cui Morte e Resurrezione essa compie fedelmente memoria nel mistero. Di tale immagine l'edificio di culto orientato costituisce rappresentazione simbolica, d'immediata eloquenza per chi ne sappia intendere il linguaggio.[65]

4. GERUSALEMME E I SUOI SANTUARI

Se anche successivamente alla pace accordata ai cristiani nell'ambito dell'Impero l'articolazione degli spazi interni dei loro luoghi di culto conservò una stretta continuità di carattere misterico, l'immagine esterna degli edifici conobbe un'evoluzione, in cui è possibile cogliere il diretto riflesso del nuovo status giuridico acquisito dalla Chiesa nell'ecumene romana.

In effetti, se a Dura Europos l'aspetto della *domus* la configurava come edificio del tutto anonimo nella trama del reticolo urbano (stridente è a tale riguardo il contrasto con l'imponente sinagoga e il mitreo, entrambi poco distanti),[66] situazione ben diversa si evidenzia nella mappa palestinese del pavimento musivo di Madaba sul Monte Nebo. Qui infatti nella raffigurazione di Gerusalemme il complesso monumentale costantiniano del Santo Sepolcro – ossia il *Martyrion*, il grande quadrilatero del Golgota, e l'*Anastasis* – è indicato quale asse e baricentro della città, affacciato sul suo cardo massimo, al centro di esso.[67]

Da "case", quand'anche imponenti, le *domus* cultuali cristiane, pur non mutando la propria identità misterica, si trasformarono dunque in basiliche, talvolta grandiose, che venivano connotando le città e vi annunciavano con la loro stessa presenza il credo cristiano; in questo esse, inalterate nel loro significato ecclesiale, costituivano il segno a tutti evidente

---

[64] Su questa possibile valenza simbolica della celebrazione cultuale sociologicamente analizzata: P. L. BERGER, *A Far Glory. The Quest for Faith in an Age of Credulity*, Free Press, New York 1992, pp. 95-97; citato in LANG, *Turning towards the Lord*; trad. it.: *Rivolti al Signore*, cap. III, note 29-30; in prospettiva più squisitamente ecclesiologico-liturgica: M. THURIAN, *La liturgie, contemplation du mystère*, in *Notitiae* 32 (1996) 692-694.

[65] Al riguardo cf anche J. RATZINGER, *Das fest des Glaubens*, Johannes, Einsiedeln 1981; trad. it.: *La festa della fede*, Jaca Book, Milano 1983, pp. 129-135.

[66] Cf A. GRABAR, *Le premier art chrétien*, Gallimard, Paris 1966; trad. it.: *L'arte paleocristiana*, Feltrinelli, Milano 1967, pp. 59 ss.

[67] M. AVI-YONAH, *The Madaba Mosaic Map, with Introduction and Commentary*, The Israel Exploration Society, Jerusalem 1954.

del nuovo cammino su cui l'Impero e la società romana s'erano ormai irreversibilmente avviati.

A Costantino si lega, dunque, la formazione della basilica cristiana, trasposizione monumentale dello spazio mistagogico delle precedenti *domus ecclesiae*. Ma alla volontà di Costantino si connette in particolare l'edificazione di una basilica, sulla quale si sarebbero appuntati gli sguardi dell'intera ecumene cristiana. Così ne parla la biografia dell'imperatore: "L'imperatore caro a Dio compì un'altra impresa memorabile ... Ritenne essere suo dovere rendere illustre e venerabile agli occhi di tutti il beatissimo luogo della Resurrezione del Salvatore. Subito dunque, non senza ispirazione divina, ed anzi spinto nell'animo dallo stesso Salvatore, comandò che vi si edificasse una casa di preghiera ... Questa verosimilmente è la nuova Gerusalemme annunciata dagli oracoli dei profeti, in merito alla quale i gloriosi testi, vaticinando per opera del divino Spirito, innalzano innumerevoli canti di lode".[68]

Di fatto la struttura e gli spazi del santuario edificato nel luogo stesso della Morte e Resurrezione del Signore, nel luogo cioè dove trovò compimento il mistero della redenzione, non soltanto concorsero a determinarne le forme celebrative, ma unitamente a queste ultime assunsero per le Chiese sparse nel mondo, seppure in misura diversa, un valore esemplare. Il caso forse più emblematico al riguardo si può vedere sull'altopiano etiopico nella regione del Lastà, dove negli anni a cavallo tra XII e XIII secolo, uno degli ultimi monarchi della dinastia degli Zagwe, Lalibelà, diede vita a Roha (località che successivamente da lui prese il nome) a una nuova piccola Gerusalemme cristiana con i suoi santuari, riproposti attraverso edifici monolitici scavati nel tufo, tra i quali spicca la grande basilica del Salvatore del mondo (*Medhané Além*), il più vasto edificio medioevale etiopico, cui si lega a occidente un ampio atrio avente su un lato il santuario della Croce.[69]

Ma anche senza giungere a così puntuale riproposizione, il richiamo alla grande basilica gerosolimitana, o a elementi di essa (in particolare il Santo Sepolcro e l'edicola poligonale che lo proteggeva), divenne oltremodo familiare ai fedeli (anche grazie alle riproduzioni sulle ampolle d'olio

68 [EUSEBIUS], *De vita Constantini*, III: 25; 33, 2, ed. F. WINKELMANN, Akademie-Verlag, Berlin 1991 [GCS, 7 ter], pp. 94-95, 99.
69 Ampia documentazione fotografica in G. GERSTER, *Una Nuova Gerusalemme tra i monti: il prodigio unico delle chiese di Lalibäla*, in *L'arte etiopica. Chiese nella roccia*, con Prefazione di AILÉ SELASSIÉ, IMPERATORE D'ETIOPIA, Alfieri e Lacroix, Settimo Milanese 1970 (ed. ted.: *Kirchen im Fels*, Kohlhammer, Stuttgart 1968), pp. 85 ss.; W. RAUNIG, *Etiopia. Storia, arte, Cristianesimo*, a cura di R. SALVARANI, Jaca Book, Milano 2005, pp. 86 ss.

portate in tutta l'ecumene), dando luogo a una serie di copie locali: si pensi al Sepolcro di Aquileia, dove l'Eucaristia veniva deposta al Venerdì Santo per essere tratta alla mattina di Pasqua nel rito del *Resurrexit*[70].

Il *Martyrion* costantiniano di Gerusalemme si presentava rigorosamente orientato[71] ma, diversamente dalla successiva basilica che ne avrebbe preso il posto nella prima metà del secolo XI in seguito alla distruzione dell'antico santuario operata nel 1009 dal califfo fatimita Al-Hakim,[72] si caratterizzava per la collocazione a oriente dell'accesso all'aula. Tale elemento strutturale concorreva a configurare compiutamente l'edificio quale "nuova Gerusalemme annunciata dagli oracoli dei profeti". In effetti Ezechiele così aveva descritto il nuovo Tempio da lui contemplato in visione: "Mi condusse allora verso la porta che guarda a oriente ed ecco che la gloria del Dio d'Israele giungeva dalla via orientale e il suo rumore era come il rumore delle grandi acque e la terra risplendeva della sua gloria... Io caddi con la faccia a terra. La gloria del Signore entrò nel tempio per la porta che guarda a oriente".[73]

È la stessa situazione riscontrabile nelle basiliche romane di fondazione costantiniana: Lateranense e Vaticana.[74]

---

[70] Cf E. Dyggve, *Aquileia e la Pasqua*, in *Studi Aquileiesi offerti a Giovanni Brusin nel suo 70° compleanno*, Tipografia Antoniana, Padova 1953, pp. 385-397.

[71] Cf V. Corbo, *Il Santo Sepolcro di Gerusalemme. Aspetti archeologici dalle origini al periodo crociato*, 3 voll., Franciscan Printing Press, Jerusalem 1981-1982 [Publications of the Studium Biblicum Franciscanum. Collectio maior, 29].

[72] A tale nuovo edificio risultano ispirate alcune imitazioni medioevali della Città Santa sparse nell'ecumene cristiana, quali la citata Lalibelà o il complesso bolognese di S. Stefano nella configurazione attualmente constatabile (cf G. Fasoli, *Storiografia stefaniana tra XII e XVIII secolo*, in *Stefaniana*, Bologna 1985 [Deputazione di Storia Patria per le Province di Romagna. Documenti e Studi, 17], pp. 27-49; F. Cardini, *La devozione al Santo Sepolcro, le sue riproduzioni occidentali e il complesso stefaniano. Alcuni casi italici*, in *7 colonne e 7 chiese. La vicenda ultramillenaria del complesso di Santo Stefano in Bologna*, Museo Civico Archeologico - Complesso Stefaniano, Bologna 1986, pp. 18-49).

[73] *Ez* 43, 1-4.

[74] Cf S. de Blaauw, *Cultus et decor. Liturgia e architettura nella Roma tardoantica e medievale: Basilica Salvatoris, Sanctae Mariae, Sancti Petri*, 2 voll., Biblioteca Apostolica Vaticana, Città del Vaticano 1994 [Studi e Testi, 355-356]. Ancora alla metà del V secolo la prassi consuetudinaria comportava per i fedeli compiere un inchino verso oriente prima di entrare in tali basiliche. Fa peraltro riflettere la circostanza che le motivazioni e il significato spirituale di tale gesto già a quella data non fossero più percepiti con la necessaria chiarezza, nemmeno dal vescovo dell'Urbe Leone, che in un'omelia natalizia relativa alla celebrazione matutinale in S. Pietro censurava quell'inchino, vedendo in esso un disdicevole atto di venerazione al disco solare: "*Nonnulli etiam Christiani adeo se religiose facere putant, ut priusquam ad beati Petri apostoli basilicam, quae uni Deo uivo et uero est dedicata, peruemant, superatis gradibus*

5. LE BASILICHE CRISTIANE MILANESI

Gli aspetti strutturali e i significati mistagogici fin qui considerati informano ovviamente anche gli antichi edifici di culto milanesi, che si presentano peraltro tutti con abside orientale, così da garantire a ministri e fedeli un comune e univoco orientamento nella celebrazione.[75]

Attorno all'età di Costantino si colloca il primo cantiere di edificio cultuale cristiano entro le mura urbane. Di quell'antica costruzione nulla ci resta, in quanto venne riedificata in età carolingia e poi sostituita dal Duomo. Posta nei pressi della residenza episcopale, era affiancata da un battistero, detto successivamente di Santo Stefano alle fonti. La struttura di quest'ultimo sembra essere stata rettangolare, ma la vasca era già ottagonale. Si tratta del primo e più antico battistero di Milano: l'unico in funzione quando Ambrogio il 30 novembre 374, sette giorni prima della sua ordinazione episcopale, fu battezzato. Il fonte, rimaneggiato in età tardo antica (forse agli inizi del secolo VI) è visibile ancor oggi, essendo stato reso fruibile l'ambiente in cui esso si trova, con accesso dalla zona perimetrale nord-orientale del Duomo.

L'ubicazione a Milano del *Vicarius Italiae*, con l'apparato amministrativo connesso, e soprattutto la presenza in città del palazzo imperiale, dove spesso risiedeva la Corte, stimolarono l'edificazione di un ulteriore e più imponente luogo di culto. In anni difficilmente precisabili, nel corso del IV secolo, nelle immediate vicinanze della precedente aula e a occidente di essa, venne pertanto innalzata una nuova monumentale basilica a cinque navate. E' presumibilmente la *basilica nova, hoc est intramurana, quae maior est*, dell'epistolario santambrosiano.[76]

---

quibus ad suggestum areae superioris ascenditur, conuerso corpore ad nascentem se solem reflectant, et curvatis ceruicibus, in honorem se splendidi orbis inclinent": LEO I Romanus, *Tractatus XXVII: de Natale Domini VII* (451), 4, ed. A. CHAVASSE, Brepols, Turnholti 1973 [CCL, 138], p. 135.

[75] Sull'attenzione rivolta in area italiciana al simbolo del sole nel IV secolo, si veda la testimonianza offerta dall'omiletica di Zeno, l'africano vescovo di Verona: ZENO Veronensis, *Tractatus*, II, 12 (PL: II, 9): *De Nativitate Domini et maiestate*, ed. B. LÖFSTEDT, Brepols, Turnholti 1971 [CCL, 22], pp. 185-186; cf F. J. DÖLGER, *Sonnengleichnis in einer Weinachtpredigt des Bischofs Zeno von Verona. Christus als Wahre und ewige Sonne*, in *Antike und Christentum*, VI, Aschendorff, Münster 1950, pp. 1-56. In età borromaica è peraltro contemplata anche l'alternativa di edificio con porta a oriente e conseguente celebrazione "*versa ad populum facie*": *Instructione fabricae*, ed. A. Ratti, *Acta Ecclesiae Mediolanensis*, II, Typographia Pontificia Santi Iosephi, Mediolani 1890, c. 1422.

[76] AMBROSIUS, *Epistula LXXVI* (Maur.: *XX*), 1, ed. M. ZELZER, Hoelder-Pichler-Tempsky, Vindobonae 1982 (CSEL, 82/3), p. 108.

È questa l'area ecclesiale dove nel 374 il consolare della provincia di Liguria, Ambrogio, recatosi per sedare i tumulti scoppiati nell'assemblea convocata per eleggere il nuovo vescovo, si trovò, in modo del tutto inatteso e con improvvisa e mirabile unanimità, acclamato successore di Aussenzio.[77] In questi spazi Ambrogio ricevette l'ordinazione episcopale (che ogni anno si festeggia il 7 Dicembre). Qui egli ebbe la sua dimora, in un'area dove i suoi 'vicari' attraverso i secoli e fino ad oggi hanno conservato la propria residenza.[78]

Alla *Basilica Nova* Ambrogio associò un nuovo battistero, la cui ubicazione nei confronti della chiesa richiama – nel quadro, ovviamente, dell'inversione d'orientamento precedentemente segnalata – il battistero lateranense.[79]

Già era invalso l'uso di utilizzare vasche ottagonali per l'immersione battesimale. A ciò portava la simbologia dell'ogdoade.[80] Un'epigrafe inserita nel nuovo battistero, e tradizionalmente associata al nome di Ambrogio, dichiarava la validità della edificazione di una struttura architettonica ottagonale per custodire un fonte di analoga forma, tra le cui acque, nella luce del Cristo risorto, all'uomo è dato partecipare al Regno di Dio. Un'ispirazione a utilizzare la struttura ottagonale (già peraltro presente anche nel battistero lateranense) poté venire al suo committente dall'architettura funeraria, e più esattamente dal mausoleo imperiale nei pressi di

---

[77]   Sulla plausibilità della narrazione di Paolino: R. GRYSON, *Les élection épiscopales en Occident au IV siècle*, in *Revue d'Histoire Ecclésiastique* 75 (1980) 269-270. Quanto al predecessore di Ambrogio e al suo radicamento in precisi filoni del cristianesimo orientale: C. ALZATI, *Un cappadoce in Occidente durante le dispute trinitarie del IV secolo: Aussenzio di Milano*, in *Politica, cultura e religione nell'Impero romano (secoli IV-VI) tra Oriente e Occidente. Atti del Secondo Convegno dell'Associazione di Studi Tardoantichi. Milano, 11-13 ottobre 1990*, a cura di. F. CONCA - I. GUALANDRI - G. LOZZA, D'Auria, Napoli 1993, pp. 59-76 (ried. con completo apparato di note in *Ambrosiana Ecclesia. Studi su la Chiesa milanese e l'ecumene cristiana fra tarda antichità e medioevo*, NED-Nuove Edizioni Duomo, Milano 1993 [Archivio Ambrosiano, 65], pp. 45-95).

[78]   Cf A. BURATTI MAZZOTTA et Alii, *Domus Ambrosii: il complesso monumentale dell'Arcivescovado*, Silvana, Cinisello Balsamo (Milano) 1994.

[79]   Su tale monumento, si veda ora S. LUSUARDI SIENA - F. SACCHI, *Gli edifici battesimali di Milano e di Albenga*, in *Albenga città episcopale. Tempi e dinamiche della cristianizzazione tra Liguria di Ponente e Provenza*, II, cur. M. MARCENARO, Istituto Internazionale di Studi Liguri - Diocesi di Albenga, Genova-Albenga 2007 [Atti di Convegni, 12], pp. 677-704.

[80]   Cf J. DANIELOU, *Bibbia e liturgia*, Vita e Pensiero, Milano 1958, pp. 105-107; A. QUACQUARELLI, *L'ogdoade patristica e i suoi riflessi nella liturgia e nei monumenti*, Adriatica, Bari 1973 [Quaderni di "Vetera Christianorum", 7], pp. 9-110.

San Vittore ad Corpus, forse edificato da Massimiano e che probabilmente accolse le spoglie di Graziano e la tomba porfiterica di Valentiniano II. Essendo il Battesimo, secondo le parole di Paolo (*Rm* 6, 3 ss.), seppellimento con Cristo nella morte per risorgere con lui alla vita, la vasca battesimale presentava un diretto richiamo al sepolcro di Cristo, evocandone ad un tempo la Morte e la Resurrezione.

Di fatto la tipologia del battistero ottagonale conobbe enorme successo, riproponendosi nella provincia ecclesiastica milanese, ma non solo.[81] Le fondazioni del battistero santambrosiano sono tuttora visibili sotto il sagrato del Duomo, con l'incavo del grande fonte, dove nella Pasqua del 387 (24 Aprile) Agostino ricevette il Battesimo.[82]

L'una vicino all'altra, le due basiliche milanesi venivano a costituire quella tipologia (variamente configurata) di "chiesa doppia", che non soltanto troviamo diffusa tra tarda antichità e medio evo in tutta l'Italia settentrionale (in particolare per le chiese episcopali), ma che si ripropone in modo più o meno consistente nella diocesi imperiale gallicana (a cominciare da Treviri), nelle Cinque/Sette Provincie e nella diocesi africana, nella prefettura dell'Illirico fino alle isole dell'Egeo e al Dodecanneso, nonché nell'area siro-palestinese.[83] Non senza ragione si è pensato alla forza attrattiva del modello culturale gerosolimitano e alla diffusa aspirazione a riproporne in qualche modo alcuni dei tratti salienti.[84] Colpisce, in ogni caso, la scarsa attestazione di chiese doppie nella diocesi suburbicaria.

La *Vetus* e la *Nova*, coi rispettivi battisteri, rimasero congiuntamente, attraverso i secoli, le chiese episcopali di Milano.

Fu in tale articolato sistema di spazi cultuali che l'ordinamento rituale ambrosiano si plasmò e si venne sviluppando.[85]

Poiché nel lessico tardo antico d'area italiana (e non solo) il termine *basilica* fu usato anche per piccoli edifici di culto funerari, mentre il luogo di culto episcopale veniva indicato solitamente con *ecclesia*, nelle fonti li-

---

[81]   Cf M. Sannazzaro, *L'edificio battesimale nella metropoli milanese e delle diocesi suffraganee lombarde*, in *Albenga città episcopale* (cit. nota 77), pp. 705-740.

[82]   Cf *Agostino a Milano. Il Battesimo. Atti del Convegno "Agostino nelle Terre di Ambrogio". Milano, 22-24 aprile 1987*, Augustinus, Palermo 1988 [Augustiniana. Testi e Studi, 3].

[83]   Ampia documentazione al riguardo, con specifici contributi dedicati anche al caso milanese, in *Antiquité Tardive* 4 (1996) [= *Les églises doubles et les familles d'églises*].

[84]   Cf P. Piva, *L'Anastasis: chiesa minor di una cattedrale: Ibidem* 78-81.

[85]   Lo *status quaestionis* in merito a tale complesso di edifici fu delineato nel 1997 da S. Lusuardi Siena - M. P. Rossignani - M. Sannazzaro, in occasione della mostra per il XVI Centenario della morte di Ambrogio: *La città e la sua memoria. Milano e la tradizione di sant'Ambrogio*, coord. M. Rizzi, Electa, Milano 1997.

turgiche dell'alto e pieno medioevo la *Vetus*, che il cosiddetto Landolfo definisce *huius archiepiscopatus caput*,[86] appare denominata, con riferimento alle sue dimensioni, *ecclesia minor*[87] o, per le modalità di utilizzazione, *ecclesia hyemalis*.[88] Nell'ultimo quarto del secolo XI il cronista Arnolfo la ricorda come "*ecclesiam maiorem Sancte Theothocos*":[89] denominazione che nella successiva età medioevale divenne "*ecclesia Sanctae Mariae Maioris*"[90] e tale si conservò fino alla definitiva demolizione, comportata dalla costruzione del nuovo Duomo. Quanto alla *Basilica Nova*, conosciuta nelle fonti liturgiche alto medioevali e medioevali come *ecclesia maior*[91] o *aestiva*,[92] essa assunse il titolo di Santa Tecla, attualmente continuato dall'istituzione parrocchiale connessa al Duomo.[93]

Non pochi elementi del patrimonio cultuale ambrosiano sono strettamente connessi e si spiegano alla luce di questo complesso di edifici: è il caso delle processioni dalle *ecclesiae* agli edifici battisteriali, con le rispettive *psallendae*, al termine dei Vesperi e delle Lodi. Se la vasca battesimale

---

[86] L(ANDULFUS), *Historia Mediolanensis* [= L(ANDULFUS)], II, 35, edd. L. C. BETHMANN - W. WATTENBACH, Hahn, Hannoverae 1848 [Monumenta Germaniae Historica (= MGH), Scriptores (= SS), 8], p. 70. 12-13; cf ed. A. CUTOLO, Zanichelli, Bologna 1942 [Rerum Italicarum Scriptores, editio altera (= RRIISS, e. a.), 4/2), p. 75. 10.

[87] Cf, ad esempio, *Messale di Biasca* (fine IX o prima metà del X secolo), ed. O. HEIMING, *Das ambrosianische Sakramentar von Biasca. Die Handschrift Mailand Ambrosiana 24 bis inf.*, Aschendorff, Münster 1969 [Liturgiewissenschaftliche Quellen und Forschungen, 51: Corpus Ambrosiano-liturgicum, 2], XCIIII, p. 101.

[88] Cf, ad esempio, BEROLDUS, *Ordo et caeremoniae ecclesiae Ambrosianae Mediolanensis* (= BEROLDUS), ed. M. MAGISTRETTI, Boniardi-Pogliani (Giovanola), Mediolani 1894, p. 127. 23-26.

[89] ARNULFUS, *Liber gestorum recentium* (= ARNULFUS), I, 19, ed. I. SCARAVELLI, Zanichelli, Bologna 1996 [Fonti per la storia dell'Italia medievale ad uso delle scuole, I], p. 78. 24-25.

[90] Cf *Annales Mediolanenses Minores*, ed. Ph. JAFFÉ, [Monumenta Germaniae Historica (= MGH), Scriptores (= SS), 18], p. 392. Cf *Gesta Federici I. imperatoris in Lombardia (Annales Mediolanenses Maiores)*, a cura di O. HOLDER EGGER, Hannoverae 1892 [Monumenta Germaniae Historica (= MGH), Scriptores rerum Germanicarum in usum scholarum, 27], p. 34.

[91] Cf *Messale di Biasca*, ed. HEIMING, nn. 507, 522, 538, 550, 562, 575, 590, 602 ecc., pp. 74, 76, 78, 80, 81, 82, 84, 85 ecc. Si noti che Egeria con riferimento al complesso gerosolimitano del Santo Sepolcro designa il *Martyrion* come *ecclesia maior*: EGERIA, *Itinerarium*, XLV, 2, ed. P. MARAVAL, Éd. du Cerf, Paris 2002² [Sources Chrétiennes (= SCh), 296], p. 306.

[92] Cf BEROLDUS, p. 127. 23-26.

[93] F. RUGGERI, *Parrocchia di S. Tecla*, in *Il Duomo di Milano. Dizionario storico, artistico e religioso*, a cura di A. MAJO, NED - Nuove Edizioni Duomo, Milano 1986, pp. 430-434.

poteva simboleggiare la tomba di Cristo, è evidente che la struttura in cui essa era custodita, nonché l'area circostante con i relativi edifici venivano configurandosi come eco del modello gerosolimitano. A Gerusalemme le quotidiane officiature vespertine all'*Anastasis*, analogamente alla domenicale officiatura *ad galli cantum* sempre all'*Anastasis* e alla celebrazione eucaristica *cum luce* al *Martyrion*, si concludevano con processioni da un polo devozionale all'altro.[94] Non diversamente a Milano, al termine delle quotidiane officiature vespertine e matutinali, dalla *ecclesia* sede della celebrazione si sviluppava la processione al relativo *baptisterium* con stazione al suo interno; nelle Domeniche la processione si estendeva ad entrambi i *baptisteria*.[95]

6. LE RIFORME PATARINICHE E LA TRADIZIONE AMBROSIANA

L'attuale piazza del Duomo costituiva pertanto un ampio spazio sacro, dove l'intera Chiesa ambrosiana si raccoglieva nella celebrazione del culto. Qui il ministero ecclesiastico splendeva in tutta la sua dignità, ma anche manifestava la propria costitutiva unità con quel popolo, che lo circondava nelle processioni (*psallentia*) e che assisteva partecipe alle officiature. Non a caso sul finire del secolo XI il cosiddetto Landolfo, riprendendo le parole di Ambrogio, poteva affermare: "Quanti sono figli della Chiesa, tutti, ecclesiastici e laici, sono sacerdoti".[96]

---

[94] Cf EGERIA, *Itinerarium*: XXIV, 7. 11; XXV, 2, SCh, 296, pp. 240, 244, 246.

[95] Cf *Manuale Ambrosianum ex codice saec. XI olim in usum canonicae Vallis Travaliae* [= *Manuale Ambrosianum*], II, ed. M. MAGISTRETTI, Hoepli, Mediolani 1904, passim. Per la datazione al s. XII: O. HEIMING, in *Colligere fragmenta. Festschrift Alban Dold*, Erzabtei Beuron, 1952, pp. 214-215.

[96] L(ANDULFUS), III, 23 (22): MGH, SS, VIII, p. 90. 9 ss. [RRIISS, e. a., 4/2, p. 108. 34-35 ss.], da AMBROSIUS, *Expositio euangelii secundum Lucam*, V, 33, ed. M. ADRIAEN, Brepols, Turnholti 1957 [CCL, 14], p. 147. Sull'esperienza cultuale quale momento fondante l'autoconsapevolezza della società milanese in età medioevale: C. ALZATI, *Chiesa ambrosiana e tradizione liturgica a Milano tra XI e XII secolo*, in *Atti dell'11° Congresso Internazionale di Studi sull'Alto Medioevo: Milano e il suo territorio in età comunale (XI-XII secolo). Milano, 26-30 ottobre 1987*, I, Centro Italiano di Studi sull'Alto Medioevo, Spoleto 1989, pp. 395-423; per la sensibilità ecclesiologica suscitata dalla tradizione ambrosiana nella Milano medioevale: ID., *1 motivi ideali della polemica antipatarina. Matrimonio, ministero e comunione ecclesiale secondo la tradizione ambrosiana nella* Historia *di Landolfo seniore*, in *Nobiltà e Chiese nel Medioevo e altri saggi. Scritti in onore di Gerd G. Tellenbach*, a cura di C. VIOLANTE, Jouvence, Roma 1993 [Pubblicazioni del Dipartimento di Medievistica dell'Università di Pisa, 3], pp. 199-222; entrambi i contributi sono riproposti in *Ambrosiana Ecclesia* (cit. nota 75), pp. 255-280, 221-247. Cf. altresì P. CARMASSI, *Libri liturgici e istituzioni ecclesia-*

Si può quindi comprendere quale traumatica frattura abbia rappresentato in un mondo siffatto l'apparire del movimento patarino, portatore degli orientamenti di riforma ecclesiastica poi di fatto affermatisi nell'Occidente latino. Si ricordi a tale proposito che Andrea di Strumi, seguace e biografo del capo della Pataria, il diacono Arialdo, venne esaltando quale segno del nuovo tipo di vita ecclesiale, che si intendeva imporre anche a Milano, l'edificio di culto voluto dallo stesso Arialdo. In tale chiesa lo spazio dell'altare risultava strettamente inglobato nel settore riservato al clero, determinando la situazione strutturale ben espressa dall'accezione che il termine 'presbiterio' è venuto assumendo ed ha conservato nel lessico italiano fino ad oggi. Inoltre quella stessa area dell'altare, il *chorus*, veniva rinchiusa entro un'alta parete in muratura affinché la *visio*, che negli edifici tradizionali milanesi *una erat et communis*, non potesse più sussistere, e tra clero e fedeli s'instaurasse una netta separazione.[97] "... *duo populi sunt – avrebbe detto un secolo più tardi Stefano di Tournai – et secundum duos populos duae vitae, secundum duas vitas duo principatus, duplex iurisdictionis ordo*".[98]

La riforma architettonica introdotta da Arialdo nella comunità patarina milanese avrebbe conosciuto notevole successo nell'ambito della Cristianità latina: si pensi ai 'presbiteri' sopraelevati e chiusi di alcune chiese

---

stiche a Milano in età medioevale. Studio sulla formazione del lezionario ambrosiano, Aschendorff, Münster 2001 [Liturgiewissenschaftliche Quellen und Forschungen, 85: Corpus ambrosiano-liturgicum, 4], pp. 197- 202.

[97] "*Agitur denique res nova et pene ab eodem loco hactenus inscia. Chorus namque alti circumdatione muri concluditur, in quo ostium ponitur; visio clericorum laicorumque ac mulierum, quae una erat et communis, dividitur*": Andreas Strumensis, *Vita et passio sancti Arialdi*, 12, ed. F. Baethgen, Hannoverae 1934; rist. an.: Hiersemann-Kraus, Stuttgart - New York 1964 [MGH, SS, 30/2], p. 1058. 11-15.

[98] Stephanus Tornacensis, *Summa*, Proemium, ed. J. F. von Schulte, *Die Summa des Stephanus Tornacensis über das Decretum Gratiani*, Roth, Giessen 1891; ried an: Scientia Verlag, Aalen 1965. Anche alla luce delle affermazioni del Tornacense va segnalata la radicale differenza sussistente tra il *murus* patarinico e l'iconostasi greca. Il primo, infatti, è segno strettamente ecclesiologico, in quanto barriera posta a dividere i *duo ordines: clericorum et laicorum*, le *duae vitae: spiritualis et carnalis*, i *duo principatus: sacerdotium er regnum*, la *duplex iurisdictio: divinum et humanum*. Al contrario l'iconostasi (sviluppo posticonoclasta dell'antica pergula) costituisce un segno di carattere squisitamente mistagogico, volto a rimarcare la santità dei divini misteri, donati ai credenti attraverso il ministero di uomini, ma nei quali opera lo Spirito di Dio. Non a caso in ambito greco i seggi per il clero, a cominciare dalla cattedra episcopale, sono ubicati nella navata, analogamente ai fedeli, ed oltre l'iconostasi accedono esclusivamente gli officianti per recare il dono di Dio all'intero corpo ecclesiale.

romaniche (come San Miniato a Firenze) e, più tardi, al *cantatorium* (o *jubé*) tanto diffuso nelle chiese gotiche transalpine.

Quanto a Milano, sebbene anche la Chiesa ambrosiana col 1088 venisse recuperata alla riforma,[99] la forza della precedente tradizione impedì che si determinassero in essa le evoluzioni altrove segnalate.

Il rifacimento della Basilica Ambrosiana ben lo evidenzia. Vi è nell'abside il *tribunal*,[100] dove nelle solennità siedono il *"vicarius Ambrosii"*[101] con i *"sancto Ambrosio servientes clerici"*[102]. Tale piattaforma insiste sopra la cripta e si colloca a un livello superiore rispetto alla navata, occupata dagli *ordines* laici, ma dalla navata non è – anche visivamente – separata. Ed anzi, analogamente alla navata e in un rapporto di simmetria rispetto ad essa, il *tribunal* si proietta verso il *chorus*, ossia verso il santuario vero e proprio, posto ad altezza intermedia (come mostra anche quanto rimane della *ecclesia maior*) e dove è ubicato l'altare. Quest'ultimo, sormontato dal ciborio, costituisce – architettonicamente e spiritualmente – l'asse e il centro focale dell'intero edificio; esso è il punto di approdo verso cui convergono e dove si incontrano le distinte componenti del corpo ecclesiale: i dieci *ordines* dell'*Ambrosiana Ecclesia*.[103]

Soltanto tenendo conto di tale articolata struttura, e del lessico connesso, si possono intendere correttamente elementi rituali e rispettive denominazioni come *"Antiphona/Responsorium in choro"*[104] o indicazioni cerimoniali come *"intrando chorum in gyrum"*[105].

Va altresì notato come in ambito ambrosiano non vi sia traccia di un secondo particolare podio per la predicazione, ma esista esclusivamente

---

99 Cf Parte introduttiva, nota 86.

100 Cf BEROLDUS, p. 36. 9.

101 Cf Parte introduttiva, nota 12.

102 Cf Ibidem.

103 Sugli *ordines* in ambito ambrosiano [L(ANDULFUS), I, 3-11; II, 35, pp. 39-42, 70 ss. (RRIISS, e. a., 4/2, pp. 10-19, 75 ss.); BEROLDUS, pp. 35-36] e sul significato ecclesiologico della loro articolata unità, cf ALZATI, *Chiesa ambrosiana e tradizione liturgica*, cit. nota 96.

104 Elementi propri dei riti lucernari: al riguardo si potrà vedere, a mo' d'esempio, il *Commune Dominicarum* del *Manuale Ambrosianum*, II, p. 411.

105 Così per l'esecuzione del *Post Evangelium* "Coenae tuae" nella celebrazione *in Coena Domini*: BEROLDUS, p. 103.

– avanzato nella navata – il *pulpitum*, quale struttura deputata alla proclamazione solenne delle letture[106] e a particolari interventi dei cantori[107].

In età medioevale a settentrione di Santa Maria Maggiore sorse un'ulteriore struttura architettonica connessa alla dimensione cultuale: un'altissima e famosa torre campanaria. Essa entrava a pieno titolo nei ritmi liturgici delle *ecclesiae* del complesso episcopale, tanto che nei giorni in cui officiava l'arcivescovo, sebbene le celebrazioni fossero ad orari stabiliti dall'ordinamento rituale, doveva partire dallo stesso arcivescovo l'ordine di dare con le campane alcuni dei segnali previsti. Attorno al 1130 l'*Ordo* del Beroldo è esplicito al riguardo.[108]

---

[106] Si noti che in Beroldo l'*ambo* è un ripiano di disimpegno nell'ambito del *chorus*: "*lector terminarius* [ossia, dei rimanenti lettori non *clavicularii*] *ebdomadarius, qui secundam legerat in matutinis, accepta lectione vel de ambone, aut de altari, quae per clavicularium septimanarium ante posita fuerat, revestitus cum camisio ascendit pulpitum et legit lectionem*"[BEROLDUS, p. 49. 20-23].

[107] Cf, ad esempio: "*Finita lectione puer magistri scholarum, acceptis tabulis eburneis de altari vel ambone, positis per clavicularium ebdomadarium, vestitus camisiolo ascendit pulpitum, ut canat psalmellum*" [BEROLDUS, p. 49. 37 - 50. 3].

[108] Cf BEROLDUS, p. 47. 17-18; 53. 25-26; e passim. Sulla torre campanaria del complesso episcopale milanese, cf A. PRACCHI, *La cattedrale antica di Milano*, Laterza, Roma-Bari 1996, pp. 362-364. A commento delle antiche consuetudini campanarie milanesi fissate nell'*Ordo* beroldiano, mi è caro riproporre qui parole recenti con cui Giovanni Paolo II è venuto presentando ai fedeli il significato religioso delle campane: "Non vi succeda mai di dimenticare che tutto è dono nella vostra esistenza. La salvezza viene dall'alto: 'Verrà a visitarci dall'alto un sole che sorge' (*Lc* 1,78). Ci ricorda questa soprannaturale realtà il campanile che si innalza verso il cielo luminoso al di sopra dei tetti delle case. Anche questo è un simbolo e il suo significato è preciso: viene dall'alto il suono delle campane, un suono capace di farsi intendere e che raggiunge anche l'orecchio distratto. Esso rende sacro lo spazio, scandisce il tempo, salutando l'alba nel suo sorgere e benedicendo le prime ombre della sera, quando il riposo chiede di interrompere la fatica. È un suono che dà senso alla festa, che piange quando la morte entra nelle case; che benedice Iddio in ogni circostanza. È la voce che obbliga a guardare in alto non per dimenticare la terra, ma per cogliere in Dio il senso ultimo della storia. La nuova evangelizzazione è recupero e riaffermazione di questa dimensione verticale della vita in un mondo sempre più dominato da interessi e da attese terrene. È riconoscimento del primato della Parola che viene dal cielo per recare un messaggio di speranza. La voce del Signore, pur fra tanti rumori, continua a risuonare nitida e sicura. Se ascoltata, essa raggiunge la mente e la illumina, tocca il cuore e lo commuove, nobilitando il desiderio, santificando il sentimento, orientando l'azione perché porti frutti abbondanti" [*Discorso ai fedeli di Crema*, 20 Giugno 1992, in *Il Santo Padre a Crema*, Il Nuovo Torrazzo, Crema 1992, pp. 69-72].

Le forme cultuali ambrosiane ebbero, dunque, quale supporto uno spazio variamente articolato, segnato da una molteplicità di elementi, ricchi di significato e di richiami simbolici.[109]

Non sarà mai sufficientemente rimarcata la ferita inferta alla vitalità di questa prassi rituale dalla edificazione del Duomo, che cancellò l'antica pluralità di riferimenti spaziali attraverso cui la celebrazione si era venuta costruendo e sviluppando. In particolare le *psallendae* matutinali e vespertine perdettero il carattere processionale e la liturgia quotidiana al battistero si ridusse a un semplice formulario, in cui diveniva quasi impossibile recuperare le tracce dell'antica ecumene cristiana, di cui pure portavano l'eco.

7. LE ISTRUZIONI BORROMAICHE E IL RINNOVAMENTO DELLA TRADIZIONE

La riforma borromaica, ispirata agli ideali tridentini, e conseguentemente permeata da una percezione della Chiesa estremamente attenta alla dimensione sacramentale e caratterizzata da grande venerazione per la tradizione (che a Milano si configurava quale tradizione ambrosiana),[110] avrebbe inciso non poco nella struttura dei luoghi di culto dell'archidiocesi milanese. E non solo di essa, visto che le *Instructiones fabricae et supellectilis ecclesiasticae*, pubblicate nel 1577 e alle quali collaborò fattivamente Carlo Bascapè, ebbero una vastissima eco anche oltre la provincia ecclesiastica milanese, cui erano anzitutto dirette. Tali *Istruzioni*, entrate negli *Acta Ecclesiae Mediolanensis*, affrontavano il tema del luogo di culto con norme che scendevano fino ai dettagli: dalle misure degli altari alla forma dei cassetti, al numero degli strofinacci.[111] Alcuni enunciati in par-

---

[109] A tale riguardo si deve segnalare anche la presenza di quattro cappelle medioevali, collocate quasi a presidio delle quattro estremità del complesso episcopale e dedicate agli arcangeli (Michele, Gabriele, Raffaele, Michele *ad murum ruptum*; di quest'ultima, sulla base di documentazione oltremodo tardiva, si è voluta ipotizzare un'originaria dedicazione a Uriele). Una proposta d'interpretazione simbolica di questo insieme di edifici è stata elaborata da PRACCHI, *La cattedrale antica*, pp. 336-398,

[110] Sull'ispirazione ecclesiologica, con specifica attenzione alla "Chiesa particolare", da cui fu animato l'impegno pastorale di Carlo Borromeo, cf C. ALZATI, *Carlo Borromeo e la tradizione liturgica della Chiesa milanese*, in Accademia di San Carlo, *Inaugurazione del 3° Anno Accademico*, Milano, 8 novembre 1980, pp. 83-99 [ried. in *Carlo Borromeo e l'opera della "grande riforma". Cultura, religione e arti del governo nella Milano del pieno Cinquecento*, a cura di F. BUZZI - D. ZARDIN, Milano 1997, pp. 37a-46b].

[111] *Acta Ecclesiae Mediolanensi*, ed. A. RATTI, II, Typographia Pontificia Sancti Joseph, Mediolani 1890, cc. 1409-1588; cf *Instructionum fabricae et supellectilis ecclesiasticae libri II Caroli Borromei (1577)*, edd. et tradd. S. DELLA TORRE - M. MARINELLI, LEV - Axios Group, Città del Vaticano 2001 [Monumenta Studia Instrumenta Liturgica, 8]. Le *Regulae et Instructiones de nitore et munditia ecclesiarum, altarium, sacrorum*

ticolare ebbero un'importanza decisiva nel contesto della ripresa del culto cattolico in età postridentina. L'altare maggiore, elevato sui gradini, ben visibile, staccato dalla parete così da potervi girare attorno; i due pulpiti, per la proclamazione delle letture sacre (in sede distinta il Vangelo) e per la predicazione; il battistero, con il fonte sormontato dal conopeo violaceo, posto all'ingresso dell'edificio, a segnare l'avvio dell'itinerario mistagogico culminante nell'Eucaristia, celebrata all'altare ed ivi solennemente conservata nei monumentali tabernacoli verso i quali si focalizzava immediatamente l'attenzione e l'adorazione dei fedeli; il grande padiglione increspato alla sommità e con le falde pendenti ai lati del tabernacolo, attorno al quale veniva avvolto al Venerdì Santo, per essere poi dischiuso in tutta la sua ampiezza dopo il *"Christus Dominus resurrexit"*; il baldacchino o *capocielo*, quale succedaneo del ciborio, posto sopra l'altare: sono tutti segni forti ed eloquenti fissati dal magistero borromaico e che hanno alimentato l'esperienza di fede di decine di generazioni di credenti fino alla prima parte del XX secolo.

8. Dopo il concilio Vaticano II: verso una tradizione ambrosiana rivissuta con consapevolezza e offerta come dono

Vorrei qui segnalare un aspetto del momento borromaico. Allora – anche sulla base della specifica tradizione della sua "Chiesa particolare" (l'espressione è di Carlo)[112] – il Borromeo promulgò disposizioni rispettose della continuità ambrosiana e che furono recepite in vaste aree del mondo cattolico. Dopo il concilio Vaticano II, che stimolò una rinnovata consapevolezza nelle Chiese locali, quanto alle disposizioni per i luoghi di culto e la suppellettile liturgica, Milano si è sostanzialmente limitata a recepire ciò che a Roma e in ambito rituale romano veniva elaborato.

Il consolidamento e la sedimentazione della riforma postconciliare avvenuta anche nelle comunità ambrosiane sembra permettere ora un più coerente rinnovamento anche della loro specifica tradizione, che ne ripensi aspetti e sensibilità e, in fedeltà al magistero del concilio Vaticano II, li venga riproponendo nella vita ecclesiale, facendo di tale patrimonio il proprio contributo allo scambio di doni tra le Chiese.

---

locorum, et supellectilis ecclesiasticae: in *Acta Ecclesiae Mediolanensis*, II, cc. 1589-1598.

[112] Lettera a Giovanni Francesco Bonomi, 20 Novembre 1566, in C. Marcora, *I primi anni dell'episcopato di san Carlo. 1566-1567*, in *Memorie Storiche della Diocesi di Milano* 10 (1963) 533.

CAPITOLO II

"POLLENS ORDO LECTIONUM"
PROCLAMAZIONE DELLE SCRITTURE
E CELEBRAZIONE MISTERICA
NELL'ESPERIENZA STORICA DELLA CHIESA MILANESE

Il patrimonio ecclesiale ambrosiano fu nei secoli medioevali l'alveo in cui venne sviluppandosi e, ad un tempo, l'oggetto specifico cui indirizzò le proprie indagini la *scientia Ambrosiana*, ossia quell'insieme di saperi, consuetudini e spiritualità, che nelle scuole annesse alla chiesa episcopale di Santa Maria ebbe il suo luogo precipuo di elaborazione e di trasmissione.[1]

La centralità che il momento cultuale assumeva nella vita ecclesiale milanese, contro cui si mosse la contestazione patarina, trova un singolare riflesso a livello lessicale nel termine con cui la *scientia Ambrosiana* allora definiva la propria tardizione cultuale: *Ambrosianum mysterium*. È la terminologia che segna lo scritto di L(andolfo) e, in particolare, il *Sermo beati Thome episcopi Mediolani*, testo agiografico in esso inserito e nel quale è riproposta con i caratteri del meraviglioso la salvaguardia dello stesso *Ambrosianum mysterium* di fronte ai tentativi di romanizzazione del re dei Franchi, Carlo, dopo la sua conquista del regno longobardo. Significativamente *mysterium* è lo stesso termine con cui nel XII secolo Pelayo di Oviedo venne designando nel suo *Liber Chronicorum* il patrimonio rituale, allorché la forma cultuale ispano-visigotica venne cancellata – dalla Spa-

---

[1] L(ANDULFUS), *Historia Mediolanensis* [= L(ANDULFUS)], II, 35, edd. L. C. BETHMANN - W. WATTENBACH, Hahn, Hannoverae 1848 [Monumenta Germaniae Historica (= MGH), Scriptores (= SS), 8], pp. 70 ss.; cf ed. A. CUTOLO, Zanichelli, Bologna 1942 [Rerum Italicarum Scriptores, editio altera (= RRIISS, e. a.), 4/2), pp. 75 ss. Sull'orientamento che caratterizzò tali scuole nel secolo XI: A. VISCARDI, *La cultura milanese nei secoli VII-XII*, in *Storia di Milano*, III, Fondazione Treccani degli Alfieri, Milano 1954, p. 721 ss.; T. SCHMIDT, *Alexander II. (1061-1073) und die römische Reformgruppe seiner Zeit*, Hiersemann, Stuttgart 1977 [Päpste und Papsttum, XI], pp. 8-10.

gna cristiana e riconquistata – ad opera dei monarchi di Castiglia e Leon, col deciso supporto di Gregorio VII.[2]

Nell'autocoscienza ambrosiana, di cui L(andolfo) è testimone, una componente costitutiva dell'*Ambrosianum mysterium* era il suo *ordo lectionum*: percezione oltremodo fondata, vista la stabilità e la continuità da cui tale ordinamento è carattrizzato.

1. ORDINAMENTO DELLE LETTURE
E STRUTTURE PREAMBROSIANE DELL'*"AMBROSIANUM MYSTERIUM"*

Forme celebrative e strutture rituali ormai consolidate, anche per quanto riguarda l'uso cultuale e catechetico della Scrittura, già esistevano nella Chiesa milanese nell'ultimo quarto del IV secolo se Ambrogio nel 386 poté definire *"de more"* la lettura di Giona alla feria V di quella che sarebbe stata chiamata la Settimana Autentica.[3] Anche la pericope *Io* 5, 1 ss. (la piscina probatica), presente nella catechesi santambrosiana ai neofiti fissata nel *De Mysteriis*,[4] ricompare nel problematico *De Sacramentis*[5] con la precisazione *"lectum est heri"*, che sembrerebbe suggerire l'esistenza di un ordinamento di testi ormai definito, cui l'omileta doveva attenersi nonostante non corrispondesse esattamente al proprio programma espositivo.[6] Analoghe considerazioni potrebbero svilupparsi per *II Cor* 1, 21-22.[7] Resta ovviamente aperto il problema di quando sia stato stabilito un ordinamento di letture, che già Ambrogio poteva additare quale *mos* nella Chiesa milanese.

---

2   Cf sopra: *La tradizione ambrosiana nella comunione delle Chiese*, note 18 e 19.

3   *"Lectus est de more liber Ionae. Quo completo ..."*: AMBROSIUS, *Epistula LXXVI* (Maur.: XX), 25-26, ed. M. ZELZER, Hoelder-Pichler-Tempsky, Vindobonae 1982 [Corpus Scriptorum Ecclesiasticorum Latinorum (= CSEL), 82/3], p. 123.

4   AMBROSIUS, *De Mysteriis*, IV, 22-24, ed. B. BOTTE, Éd. du Cerf, Paris 1994[2. 2a rist.] [Sources Chrétiennes (= SCh), 25 bis], pp. 166-168.

5   *De Sacramentis*, II, 2, ed. B. BOTTE, Éd. du Cerf, Paris 1994[2. 2a rist.] [SCh, 25 bis], pp. 74-78.

6   Cf *Ibidem*, VI, 2. 9, SCh, 25 bis, p. 140: *"lectum est nudius tertius"* con riferimento a *ICor* 12, 4-6. Quanto ai problemi di attribuzione del *De Sacramentis*: cf *La tradizione ambrosiana nella comunione delle Chiese*, nota 72.

7   AMBROSIUS, *De Mysteriis*, VII, 42, SCh, 25 bis, p. 178; cf *De Sacramentis*, VI, 2. 6, SCh, 25 bis, p. 140 .

2. Ordinamento delle letture e catechesi nell'età di Ambrogio

Josef Schmitz, analizzando i testi omiletici di Ambrogio, ha accuratamente censito le pericopi scritturistiche che in essi vennero commentate dal vescovo. Come già s'è osservato, in alcuni casi tali pericopi appaiono elementi di un ordinamento di letture ormai stabilmente fissato e, analogamente al connesso programma catechetico, riguardato quale parte della tradizione ecclesiale. Le testimonianze in merito si riferiscono all'ampio ciclo di settimane gravitante attorno alla Pasqua.

"Abbiamo ascoltato e letto che il Signore digiunò, che ebbe sete, che pianse": così l'*Expositio euangelii secundum Lucam*, con evidente riferimento alle pericopi delle Tentazioni, della Samaritana, di Lazzaro, pericopi proprie (non solo a Milano) delle Domeniche quaresimali.[8] Quanto alla lettura in tale contesto della pericope del Cieco nato, ne troviamo chiara documentazione nell'*Epistula LXVII* (Maur.: *LXXX*).[9] Va ricordato che nelle Domeniche quaresimali, ai tempi di Ambrogio, si svolgevano anche i riti preparatori all'iniziazione (questo almeno era il caso della *traditio Symboli*).[10]

L'intensa catechesi feriale ai *competentes*, nella sua prima parte di carattere essenzialmente morale, si sviluppava sulla base dei libri di Genesi e di Proverbi.[11] Tale combinazione è presente anche nell'ordinamento costantinopolitano e in quello ispanico; si ritrova, ma nei primi tre giorni della Grande Settimana, anche nell'ordinamento di Gerusalemme degli inizi

---

[8] *"Cum audimus et legimus ieieunasse Dominum, sitisse Dominum, lacrimasse Dominum"*: Ambrosius, *Expositio euangelii secundum Lucam*, VII, 182, ed. M. Adriaen, Brepols, Turnholti 1957 [Corpus Christianorum. Series Latina (= CCL), 14], p. 277. Il testo peraltro prosegue: *"uapulasse Dominum, dicentem Dominum sub tempore passionis: 'Vigilate et orate, ne intretis in tentationem'"*, echeggiando – si direbbe – ulteriori letture connesse alla celebrazione del Triduo Pasquale.

[9] *"Audisti, fili, lectionem euangelii, in qua decursum est quod 'praeteriens Dominus Iesus vidit a generatione caecum' ... Veni ad baptismum, tempus ipsum adest ... Accede et tu ad Siloam"*: Ambrosius, *Epistula LXVII* (Maur.: *LXXX*), 1, 6, ed., post O. Faller, M. Zelzer, Hoelder-Pichler-Tempsky, Vindobonae 1980, [CSEL, 82/2], pp. 165, 167. In merito a queste letture, cf. V. Martín Pindado, *Los sistemas de lecturas de la Cuaresma hispanica. Investigación desde la perspectiva de una comparación de liturgias*, Instituto Superior de Pastoral, Madrid 1977. Merita ricordare che la Samaritana appare presente nel patrimonio iconografico battesimale già prima della metà del III secolo, com'è attestato dalla decorazione parietale del battistero di Dura Europos.

[10] Ambrosius, *Epistula LXXVI* (Maur.: *XX*), 4, CSEL, 82/3, pp. 109-110.

[11] Ambrosius, *De Mysteriis*, I, 1, SCh, 25 bis, p. 156. Cf Id, *De Abraham*, I, ed. C. Schenkl, Tempsky-Freytag, Vindobonae-Pragae-Lipsiae 1896 [CSEL, 32/1]. Ma anche altri scritti omiletici santambrosiani potrebbero far pensare a un'origine legata a specifiche esigenze catechetiche, poi trascese nella rielaborazione letteraria.

del V secolo ripreso dai Lezionari armeni. Quanto alla lettura di Proverbi in Quaresima, essa è rintracciabile sempre a Gerusalemme nell'arcaico ordinamento della seconda settimana di Quaresima, mentre la lettura quaresimale di Genesi sembra ritrovarsi nell'Antiochia del Crisostomo[12] ed è tuttora presente nell'ordinamento delle pericopi della Chiesa sira orientale.[13]

Nella Milano di Ambrogio nei giorni iniziali della Settimana Santa si collocava la lettura del libro di Giobbe,[14] prevista "nei giorni della Passione" anche da un anonimo omileta antiniceno latino[15] e presente nella Quaresima anche in Egitto e a Gerusalemme.

Meno perspicuo il contesto rituale dei riferimenti santambrosiani a Tobia.[16]

A proposito di Gerusalemme, Egeria ricorda che nella *Septimana Maior* non vi è più tempo per istruire i *competentes*, essendo le celebrazioni e la predicazione incentrate sui contenuti religiosi propri di quei giorni.[17] Per la Milano di Ambrogio sembra di poter cogliere il riflesso di un'analoga situazione negli *Exameron libri sex*, raccolta di sermoni tenuti nella settimana antecedente la solennità pasquale (forse del 387) e modellati

---

12 Cf Ioannes Chrysostomus, *Homiliae VII-XIII ad populum Antiochenum*, PG, 49, cc. 91-144.

13 Cf A. Baumstark, *Liturgie comparée*, Monastère d'Amay à Chevetogne 1953³, p. 132; per l'antica tradizione agiopolita: A. Renoux, *Le Codex Arménien Jérusalem 121*, II, Brepols, Turnhout 1971 [Patrologia Orientalis (= PO), 36/2, n° 168], pp. 184 [46] - 185 [47].

14 "*Audistis, filii, librum legi Iob, qui sollemni munere est decursus et tempore*": Ambrosius, *Epistula LXXVI* (Maur.: *XX*), 14, CSEL, 82/3, p. 115; cf Zeno Veronensis, *Tractatus*, I, XV: *De Iob*, ed. B. Loefstedt, Brepols, Turnholti 1971 [CCL, 22], pp. 60-62.

15 "*Similiter autem et in conventu ecclesiae in diebus sanctis legitur passio Iob, in diebus ieiunii, in diebus abstinentiae, in diebus in quibus tamquam compatiuntur hi qui ieiunant et abstinent admirabili illo Iob, in diebus in quibus in ieiunio et abstinentia sanctam Domini nostri Iesu Christi passionem sectamur ut terribilem eius passionem transeuntes ad beatam eius resurrectionem venire mereamur*": *In Iob Commentarius*, I, 3, ed. K. B. Steinhauser (- H. Müller - D. Weber), Verlag der österreichischen Akademie der Wissenschaften, Wien 2006 [CSEL, 96], p. 91. Cf M. Meslin, *Les Ariens d'Occident*, Éd. du Seuil, Paris 1967, pp. 201-226; D. Hagedorn, *Der Hiobkommentar des arianers Julian*, de Gruyter, Berlin - New York 1973 [Patristische Texte und Studien, 14], pp. LXXIV-LXXV.

16 Ambrosius: *De Tobia*, I, 1, ed. C. Schenkl, Tempsky-Freytag, Vindobonae-Pragae-Lipsiae 1897 [CSEL, 32/2], p. 519: "*Lecto prophetico libro, qui inscribitur Tobis*"; cf anche *Exameron libri*, VI, 4. 17, ed. C. Schenkl, Tempsky-Freytag, Vindobonae-Pragae-Lipsiae 1896 [CSEL, 32/1], pp. 213-214.

17 Egeria, *Itinerarium*, XLVI, 4, ed. P. Maraval, Éd. du Cerf, Paris 2002² [Sources Chrétiennes (= SCh), 296], p. 310.

sull'esempio omiletico di Basilio. L'idea – già presente in ambito ebraico – della Pasqua quale nuova Creazione e la concezione cristiana del giorno della Resurrezione quale Ottavo Giorno, simbolo del giorno eterno senza tramonto, portavano naturalmente a configurare quella che in ambito milanese, ad Aquileia, e analogamente nelle Gallie, assumerà il nome di *Ebdomada Authentica*, come riproposizione dei sei giorni primordiali. Sulla base di tale prospettiva simbolica la *Feria VI* si configurava come il giorno in cui la redenzione dell'uomo veniva congiungendosi alla sua creazione.

Nell'omelia del libro V Ambrogio ricorda che, nel giorno in cui tale omelia fu tenuta, si compiva la riconciliazione dei penitenti, si leggeva il libro di Giona, si proclamava un testo evangelico in cui era narrato il rinnegamento di Pietro e, infine, si celebrava l'Eucaristia;[18] è lo stesso quadro liturgico delineato, con riferimento al 386, dall'*Epistula ad Marcellinam*, cui si è già fatto riferimento: "Il giorno seguente venne letto, *secondo l'usanza*, il libro di Giona ... era quello il giorno nel quale il Signore si consegnò per noi, giorno in cui nella Chiesa si sciolgono i peccatori dalla penitenza".[19] Non si fa qui cenno all'Eucaristia, ma la sua celebrazione in occasione della riconciliazione dei penitenti sembrerebbe suggerita dal *De paenitentia*.[20]

Come già s'è osservato a più riprese, a proposito della lettura di *Giona* Ambrogio usa l'espressione "*de more*". Non sembra indebito ritenere che la rispondenza a un ordinamento ormai consolidato fosse, nella celebrazione di quel giorno, aspetto che andava oltre il semplice testo di quella lettura.

È pressoché certo che un preciso programma di pericopi scritturistiche soggiacesse anche alla catechesi mistagogica della Settimana in Albis.[21] Al riguardo si è più sopra segnalato come il meno sicuro *De Sacramentis*, nella sua immediatezza, offra significativi indizi in merito al fatto che la successione di letture si configurasse per l'omileta come un ordinamento precostituito. Del resto lo stesso Agostino attesta come la celebrazione della "solennità dei santi giorni" comporti "la proclamazione nella Chiesa di precise letture evangeliche".[22]

---

18 AMBROSIUS, *Exameron libri*, V, 11:35. 88-92, CSEL, 32/1, pp. 168-169, 202-203.

19 AMBROSIUS, *Epistula LXXVI ad Marcellinam* (Maur.: *XX*), 25-26, CSEL, 82/3, p. 123.

20 AMBROSIUS, *De paenitentia*, II, 3. 18, ed. O. FALLER, Hoelder-Pichler-Tempsky, Vindobonae 1955, [CSEL, 73], p. 171.

21 Cf AMBROSIUS, *De Mysteriis*: III, 16; IV, 22; VII, 42; VIII, 45: SCh, 25 bis, pp. 164, 166, 178, 180.

22 AUGUSTINUS, *In epistulam Ioannis ad Parthos*, Prologus, ed. P. AGAESSE, Éd. du Cerf, Paris 1994⁴ [SCh, 75], p. 104. Le pericopi evangeliche delle principali solennità nell'omiletica agostiniana possono vedersi anche in W. ROETZER, *Des heiligen*

3. Tradizione ambrosiana e "ordo lectionum" tra tarda antichità e alto medioevo

I dibattiti sulla genesi della tradizione cultuale della Chiesa di Milano hanno per lo più focalizzato la propria attenzione sul patrimonio eucologico, cercando di individuarne le fasi di redazione e gli imprestiti da altre tradizioni ecclesiali, in particolare quelle di matrice romana. Si è parlato dunque di una redazione alla metà del V secolo, e di una successiva nel secolo VII (durante il periodo travagliato della crisi dei Tre Capitoli), prima del sistematico lavoro d'età carolingia, inizialmente articolato – secondo la Frei – in una pluralità di momenti.[23]

In realtà la tradizione di una Chiesa, e della Chiesa di Milano in particolare, sembra nei secoli tardo antichi e pre medioevali meno legata ai singoli testi dei formulari eucologici (in quell'età, tra l'altro, ancora in fase di elaborazione) di quanto non lo fosse alla catechesi ecclesiale. Quest'ultima trovava il suo momento più qualificato nell'ambito dei riti d'iniziazione ed era connessa a un ormai definito sistema di letture scritturistiche (in alcuni elementi stabilizzato – come si è visto – già ai tempi di Ambrogio) che, oltre all'iniziazione, caratterizzava il ciclo annuale nel suo complesso.

Il valore qualificante dell'ordinamento liturgico delle pericopi bibliche in rapporto alla specifica identità ecclesiale milanese appare lucidamente percepito già in età longobarda. Il *Versum de Mediolano civitate*, composto in forme ancora pienamente tardo antiche tra il 732 e il 744 (vi campeggiano la figura di re Liutprando e soprattutto il grande Teodoro, primo longobardo, *de regali germine natus*, asceso sulla cattedra del *consularis* romano Ambrogio), volendo tessere le lodi della città e della sua sede metropolitica, punto di convergenza dei presuli d'Ausonia, che

---

Augustinus Schriften als liturgiegeschichtliche Quelle, Hüber, München 1930. Sul sistema di letture utilizzato da Ambrogio nella Chiesa milanese, si potranno vedere: A. PAREDI, *La liturgia di sant'Ambrogio*, in *Sant'Ambrogio nel XVI centenario della nascita*, Vita e Pensiero, Milano 1940, n° 3, passim; H. FRANK, *Das mailändische Kirchenjahr in den Werken hl. Ambrosius*, in *Pastor bonus*: 51 (1940) 40-48, 79-90, 120-127; 52 (1941) 11-17; e, naturalmente, il menzionato J. SCHMITZ, *Gottesdienst im altchristlichen Mailand: eine liturgiewissenschaftliche Untersuchung über Initiation und Messfeier während des Jahres zur Zeit des Bischofs Ambrosius*, Hanstein, Köln-Bonn 1975 [Theophaneia, 25].

[23] Ma su quest'ultimo punto si tenga presente quanto emerso dalle ricerche sul monastico Messale di Armio, premessa al Messale di San Simpliciano edito dalla Frei: G. VERITÀ, *Il Messale di Armio. Edizione e commento*, in *Ricerche Storiche sulla Chiesa Ambrosiana*, XXI, Centro Ambrosiano, Milano 2003 [Archivio Ambrosiano, 88], pp. 5-197.

in essa ricevono istruzioni dai canoni stabiliti dalla sinodo,[24] dello specifico patrimonio rituale di tale Chiesa anzitutto menziona il *pollens ordo lectionum*, anteposto alle stesse composizioni musicali, che pure, quanto all'innologia, potevano rivendicare ascendenze santambrosiane.[25]

A questo testo avrebbe fatto eco tra XI e XII secolo il cosiddetto Landolfo, che nella sua apologia della Chiesa milanese venne additando nel Lezionario l'espressione emblematica dell'*Ambrosianum mysterium*, cui – egli dice – lo stesso *Gregorius Dialogorum* avrebbe attinto per la redazione dei libri di culto della Chiesa di Roma.[26]

Già nell'omiletica e più in generale negli scritti di Ambrogio era possibile cogliere il riflesso di un ciclo annuale di celebrazioni, il cui pilastro fondamentale era la Pasqua, ma che pure conosceva la festa della manifestazione del Verbo divino nella carne e un certo numero di ricorrenze in onore di specifici santi. Si è a suo luogo segnalato come nel Triduo pasquale, nella Grande Settimana, nella Settimana *in albis*, già allora alcuni giorni fossero caratterizzati da specifiche letture, che da Ambrogio stesso erano ritenute "*de more*". Anche la Quaresima, ormai compiutamente strutturata, presentava un ciclo catechetico, almeno nei suoi riferimenti generali, stabilmente definito.

Nell'età successiva non soltanto quell'antico nucleo trovò sistematica conferma, ma attorno ad esso – e in qualche modo sul suo modello – l'intero ciclo dell'anno si venne definendo.

La fonte più preziosa per noi al riguardo è costituita dal *Codice di Busto* (*Capitolare* ed *Evangelistario*), trascritto in età carolingia, ma testimone dell'ordinamento precarolingio. Esso offre un quadro compiuto del ciclo dell'anno, in cui trovano organica conferma testimonianze singole provenienti dai secoli precedenti: è il caso, ad esempio, di alcune letture

---

[24] "*Hec est urbium regina, mater adque patrie / que precipuo uocatur nomine metropolis ... ad quam cuncti uenientes presules Ausonie / iuxta normam instruontur senotali canone*": Versum de Mediolano ciuitate, in *Versus de Verona* etc., ed. G. B. PIGHI, Zanichelli, Bologna 1960 [Università degli Studi di Bologna. Facoltà di Lettere e Filosofia. Studi pubblicati dall'Istituto di Filologia Classica, VII], pp. 91, 147.

[25] "*Pollens ordo leccionum, cantilene, organum,/ modolata psalmorumque conlaudantur*": *Ibidem*.

[26] "*Librum aperiens, et curiose per omnia, qualiter beatus Ambrosius libros Veteris Testamenti et Novi ad legendum Ecclesiae suae disposuisset, et qualiter evangelia et Pauli epistolas atque prophetias ... ordinasset, supervidit. Quo cognito, quasi de amoenissimo prato multos flores lucidissime serie illius libri attrahens, Romano cultui quasi bonam olivam atque fructiferam in oleastro inseruit*": L(ANDULFUS), *Historia Mediolanensis*, II, 6, MGH, SS, 8, p. 48 (RRIISS, 4/2, p. 34); per il nome *Gregorius Dialogorum*, con cui l'*apostolicus* è designato: *Ibidem*, II, 5, p. 47. 55 (p. 33. 10).

vetero e neotestamentarie presenti nel perduto evangeliario *F. VI. 1*, della nazionale di Torino, risalente al secolo VI, o le pericopi evangeliche trascritte nel *libellus missarum* del secolo VII confluito nel ben noto palinsesto di San Gallo: Stiftsbibliothek, *908*.

Il significato di questi arcaici testimoni per la storia dell'ordinamento delle letture ambrosiano è una delle molteplici acquisizione apportate nel 2001 dallo straordinario lavoro di Patrizia Carmassi, apparso nelle Liturgiewisseschaftliche Quellen und Forschungen e vera pietra miliare nel cammino della ricerca storico-liturgica ambrosiana.[27]

Il ciclo dell'anno, come si delinea nel *Capitolare* e nell'*Evangelistario di Busto*, si presenta quale struttura ormai ampiamente consolidata.

Anche a Milano assai per tempo (l'inno *Illuminans Altissimus* è comunque successivo ad Ambrogio)[28] la manifestazione del Verbo nella carne si era venuta articolando in una duplice celebrazione (25 Dicembre e 6 Gennaio). In seguito, sull'esempio pasquale, si era avvertita l'esigenza di preparare tale solenne commemorazione annuale dell'Incarnazione, premettendole un tempo ad essa orientato e di più intensa preghiera e raccoglimento: un ciclo di 6 settimane che, iniziando con la Domenica dopo l'11 Novembre, nel linguaggio comune medioevale fu denominato *Quadragesima sancti Martini*.[29]

Quanto poi al periodo di preparazione alla Pasqua, fu recepita l'estensione già attestata nella Gerusalemme del IV secolo e diffusasi progressivamente in tutto l'Oriente. Giacché nella "Settimana Maggiore", per usare il lessico gerosolimitano di Egeria, lo sviluppo delle celebrazioni non lasciava più spazio per la catechesi ai *competentes*, onde non pregiudicare l'organicità della loro istruzione, alle 6 settimane nella Città Santa se ne era aggiunta una settima (*Quinquagesima*), mentre un'ottava (*Sexagesima*) era stata inserita, sotto influsso monastico, al fine di totalizzare – a immagine del Cristo nel deserto – effettivi 40 giorni di digiuno (va ricordato a tale proposito che, analogamente a quanto praticato in Oriente, anche a Milano era proibito digiunare non soltanto alla Domenica, ma altresì al Sabato).

---

[27] P. CARMASSI, *Libri liturgici e istituzioni ecclesiastiche a Milano in età medioevale. Studio sulla formazione del lezionario ambrosiano*, Aschendorff, Münster 2001 [Liturgiewissenschaftliche Quellen und Forschungen, 85: Corpus ambrosiano-liturgicum, 4].

[28] AMBROISE de Milan, *Hymnes*. Texte établi, traduit et annoté sous la direction de J. FONTAINE, Éd. du Cerf, Paris 1992, pp. 100-101, 337-343.

[29] Cf il falso *Praeceptum* del re longobardo Astolfo datato 18 Febbraio 752, redatto sulla base di materiale precedente verso la metà dell'XI secolo: ed. C. BRÜHL, *Codice Diplomatico Longobardo*, III, 1, Roma 1973 [Istituto Storico Italiano per il Medio Evo. Fonti per la Storia d'Italia, 64], p. 164; nonché l'ulteriore falso *Praeceptum* di Desiderio datato 16 Febbraio 759: *Ibidem*, p. 201, r. 25.

Oltre a ciò, nel tempo pasquale, assunse precisi lineamenti la festa dell'Ascensione (priva di vigilia, stante il carattere assolutamente festivo della quarantina pasquale), cui fu associato assai precocemente l'importante triduo delle *Letaniae*.[30]

Anche il tempo dopo Pentecoste appare nell'*Evangelistario di Busto* precarolingio già organicamente strutturato, con i due capisaldi della *Decollatio sancti Iohannis* (29 Agosto; cui segue la *Dominica post Decollatione*) e della *Dedicatio ecclesiae* (III Domenica d'Ottobre; preceduta da una specifica Domenica (*ante Transmigratione*, ossia precedente il passaggio, che nel giorno della Dedicazione si compiva, dalla chiesa 'estiva' a quella 'invernale').

In merito a questi due momenti marcanti del ciclo di settimane dopo Pentecoste sembrano opportune alcune considerazioni.

Il 29 Agosto costituisce una data particolarmente significativa per il computo cronologico in età tardo antica. In quel giorno infatti aveva preso avvio l'era dioclezianea (detta più tardi *Era dei Martiri*), osservata anche nella Milano di Ambrogio.[31] Al 29 Agosto venne successivamente collo-

---

[30] Su queste ultime cf ora P. CARMASSI, *Processioni a Milano nel Medioevo*, in *Art, cérémonial et liturgie au Moyen Age. Actes du Colloque de 3ᵉ Cycle Romand de Lettres. Lausanne - Fribourg, 24-25 mars, 14-15 avril, 12-13 mai 2000*, a cura di N. BOCK - P. KURMANN - S. ROMANO - J. M. SPIESER, Viella, Roma 2001 [Études Lausannoies d'Histoire de l'Art, 1], pp. 397-414. Per le pericopi scritturistiche proclamate nelle chiese visitate: N. VALLI, *L'ordo evangeliorum a Milano in età alto medievale. Edizione dell'evangelisario A 28 inf. della Biblioteca Ambrosiana*, Libreria Editrice Vaticana, Città del Vaticano 2008 [Monumenta, Studia, Instrumenta Liturgica, 51], pp. 166-177. In merito alla presenza delle *Letaniae* nell'area ecclesiastica gravitante su Milano merita segnalare quanto affermato nel *De haeresibus*, giuntoci sotto il nome di Filastrio di Brescia: "*Nam per annum quattuor ieiunia in ecclesia celebrantur, in Natale primum, deinde in Pascha, tertio in Ascensione, quarto in Pentecosten. Nam in Natale Salvatoris Domini ieiunandum est, deinde in Pascha Quadragesimae aeque, in Ascensione itidem in caelum post Pascham die quadragesimo, inde usque ad Pentecosten diebus decem aut postea: quod fecerunt beati apostoli post Ascensionem ieiuniis et orationibus insistentes, ut scriptum est quod meruerunt pro Pentecosten plenitudinem diuini Spiritus et perfectionem consequi potestatis*" (PHILASTRIUS Brixiensis, *De haeresibus*, CXLIX, 3, ed. F. HEYLEN, Biblioteca Ambrosiana - Città Nuova, Milano-Roma 1991 [Scriptores circa Ambrosium, 2], pp. 204-206. La testimonianza sembrerebbe tuttavia da collocare nella prima parte del V secolo: "*Nam quadringentos iam et plus annos transisse cognoscimus ex quo uenit Dominus, atque completos* " (CVI, 2, p. 124); cf il cap. XII: "Ecco il momento favorevole". *Il cammino verso la Pasqua*, nota 103.

[31] Cf F. K. GINZEL, *Handbuch der mathematischen und technischen Chronologie*, Leipzig 1906; ried.: Ullmann, Zwickau 1958: I, pp. 229-231; III, pp. 321-327. Per il riferimento a tale computo del tempo ad opera di Ambrogio: AMBROSIUS, *Epistula e. c. XIII* (Maur.: *XXIII*), 14-15, CSEL, 82/3, pp. 228-229.

candosi la memoria del martirio del Precursore, ma l'originario significato 'cronologico' del giorno si è conservato sia nelle Chiese di tradizione alessandrina, per le quali tuttora il 1° *Tût* (29 Agosto, giuliano) segna l'inizio dell'anno ecclesiastico, sia indirettamente nelle Chiese che seguono la tradizione della Nuova Roma, per le quali il medesimo inizio si colloca al 1° Settembre, ossia nelle prime Calende dopo il 29 Agosto.

Quanto alla Domenica della Dedicazione, va anzitutto segnalato come a Gerusalemme si celebrassero annualmente, il 13 Settembre, le *Encaeniae* dell'*Anastasis* e del *Martyrion*: era una festa che si prolungava per otto giorni e nella quale alla fine del IV secolo, secondo la testimonianza di Egeria, le chiese venivano ornate come per Pasqua e per l'Epifania/ Natale.[32] Quanto alla pericope evangelica caratterizzante la celebrazione, sappiamo dal Lezionario armeno che agli inizi del V secolo essa era *Io* 10, 22 ss.: "Ricorreva allora a Gerusalemme la festa della Dedicazione. Era inverno ...".[33] Ma a ciò deve aggiungersi che una solenne festa autunnale della Dedicazione fu propria anche della Chiesa d'Antiochia, come attesta Severo nel 517,[34] e quale elemento marcante nel ciclo dell'anno si ritrova presso tutte le Chiese, che in area orientale dalla tradizione di Antiochia hanno attinto gli elementi costitutivi delle proprie tradizioni cultuali, portandoli in tutta l'Asia e ancor oggi assicurandone la continuità dal Libano maronita fino all'India malabarese.[35]

In merito all'insieme delle Domeniche dopo Pentecoste nella Milano tardo antica, è certamente significativo il fatto che le pericopi per tali celebrazioni (come del resto le pericopi relative alle ferie quaresimali) non compaiano nel *Capitolare*, e che nell'*Evangelistario* costituiscano un blocco a sé sotto la dicitura "*de cottidianis diebus*", sviluppandosi sostanzialmente come una lettura semi-continua e in successione da Matteo, Marco e

---

[32] Egeria, *Itinerarium*, XLVIII-XLIX, SCh, 296, pp. 316-318; cf J. Schwartz, *The Encenie of the Church of the Holy Sepulchre*, in *Theologische Zeitschrift* 43 (1987) 265-289.

[33] Renoux, *Le Codex Arménien Jérusalem 121*, II, pp. 362 [224], 363 [225]. La pericope fa riferimento alla festa ebraica di *Channukkah*, celebrata – con un prolungamento di otto giorni – in memoria della purificazione e consacrazione del Tempio di Gerusalemme e della costruzione del nuovo altare, avvenute per iniziativa di Giuda Maccabeo ai tempi di Antioco IV Epifane: *I Mac* 4, 36-59.

[34] Severus Antiochenus, *Homilia CXII de Encaeniis*, ed. et trad. M. Brière, Firmin-Didot, Paris 1935 [PO, 25], pp. 795-803; per la collocazione cronologica: Id., *Introduction générale*, Firmin-Didot, Paris 1960 [PO, 29], p. 61.

[35] Cf R. Janin, *Les Églises Orientales et les Rites Orientaux*, Letouzey-Ané, Paris 1955, pp. 376, 407; N. Bux, *La liturgia degli Orientali*, Centro Ecumenico "S. Nicola", Bari 1996 [Quaderni di "O Odigos"], pp. 224, 222.

Luca. In tutto ciò sembra di poter scorgere il riflesso di una fase più arcaica, in cui le Domeniche dopo Pentecoste ancora non avevano una specifica identità, sebbene già fosse fissata per loro una successione sistematica di letture. Lo suggerisce anche il *libellus missarum* del VII secolo contenuto nel palinsesto sangallese *908*, nel quale – a fianco di formule eucologiche 'comuni' – sono riproposte quattro pericopi evangeliche: tre da Matteo relative a miracoli di Gesù (*Mt*: 8, 23-26; 15, 21-28; 9, 1-8; la prima e la terza presenti anche nel codice bustese), seguite da *Io* 8, 3-11 (l'adultera: pericope commentata a suo tempo da Ambrogio in senso ecclesiologico e specifica della Domenica precedente la Dedicazione). Non dissimile la testimonianza dei fogli, risalenti al VI/VII secolo, di cui è rimasta impronta nel ms. *184 (161)* della Bibliothèque Municipale d'Orléans e nei quali si trovano registrate le seguenti pericopi: *Mt* 8, 28 - 9, 8 (cfr. nell'*Evangelistario di Busto*: *Mt* 8, 28-34 e 9, 1-8); *II Cor* 9, 10-15; *Mt* 9, 18-23 (cfr. nell'*Evangelistario di Busto*: *Mt* 9, 18-26).

Quanto al tempo dopo l'Epifania, esso nel codice di Busto appare ancora non totalmente delineato, prevedendo soltanto due specifiche pericopi nel Capitolare, salite a quattro nell'Evangelistario.

Alla riscostruzione delle diverse fasi di elaborazione di tale ordinamento delle letture liturgiche è stata dedicata la già citata ricerca di Patrizia Carmassi. Sulla base di una vasta documentazione codicologica, che dai tetraevangeli tardo antichi (il *codex Vercellensis*, con testo pregeronimiano, è datato al IV secolo) e dalle annotazioni marginali in essi vergate nei secoli VI-VIII va fino alle testimonianze tardo medioevali, la studiosa ha potuto documentare l'ininterrotta continuità nella riproposizione di alcuni testi già presenti in età santambrosiana e inoltre la consonanza su molti punti qualificanti tra le fonti sicuramente milanesi e le testimonianze relative ad altre Chiese sia dell'antica provincia ecclesiastica, sia (con riferimento ad alcuni specifici aspetti) d'area italiciana e gallicana.

La lettura di Genesi e Proverbi nelle ferie quaresimali, ricordata nel *De Mysteriis* e nuovamente documentata codicologicamente a Milano dal IX secolo, ha – ad esempio – una singolare attestazione per la fase precarolingia in un manoscritto irlandese del secolo VIII: il frammento *H. Omont, nr. 1* della Biblioteca dell'Università Cattolica di Lovanio.

Va detto che, al di là di qualche intervento nel tempo natalizio e nelle Domeniche dopo Pasqua, l'ordinamento documentato – dalla prima Domenica d'Avvento a Pentecoste – dal manoscritto di Busto fu sostanzialmente confermato dai riordinatori carolingi; ai quali è invece dovuto il completamento dei testi per il tempo postepifanico e il nuovo e ben definito ordinamento delle pericopi per le Domeniche dopo Pentecoste e dopo la Decollazione.

L'ordinamento delle letture nelle grandi solennità e nei periodi caratterizzanti il ciclo annuale (ma altresì nelle maggiori feste dei santi, come
suggeriscono le pericopi vetero e neotestamentarie poste nel VI secolo in
appendice al perduto Evangeliario *F. VI. 1*, della Biblioteca Nazionale di
Torino, nonché la presenza della *Depossitio* di s. Ambrogio nel citato palinsesto sangallese *908*, al f. 111) risultava dunque in ambito ambrosiano
già stabilmente fissato ben prima della stagione carolingia.

Nella prima parte dell'VIII secolo era dunque oltremodo appropriato
parlare di *pollens ordo lectionum*.

Le consonanze di tale ordinamento di pericopi con attestazioni provenienti da altri ambiti ecclesiali facevano sì che, alla vigilia della conquista
franca dell'Italia, nella prassi culturale della Chiesa milanese fosse possibile percepire, non soltanto la continuità e gli sviluppi della sua tradizione, ma anche il riflesso della comunione delle Chiese quale si era venuta
configurando nei secoli patristici, con i suoi ordinamenti istituzionali e con
le sue articolate modalità di realizzazione. In questo senso, la vicenda del
patrimonio culturale della Chiesa milanese, e delle Chiese in varia misura
raggiunte anticamente dal suo influsso, non fa che confermare la novità
rappresentata dalla politica ecclesiastica carolingia e il significato decisivo ch'essa ha assunto nella formazione dell'identità storica dell'Occidente
cristiano e nella sua evoluzione istituzionale ed ecclesiologica.

4. Ciclo dell'anno e ordinamento delle letture
nella sistemazione carolingia

Forse nessun aspetto della tradizione rituale ambrosiana riesce ad
esprimere, meglio dell'ordinamento delle letture nel ciclo dell'anno, la
nuova tensione intellettuale orientata verso la sistematicità e, ad un tempo,
il consapevole radicamento nella tradizione che caratterizzarono la redazione dei libri di culto milanesi in età carolingia.

Il raffronto tra l'organico sistema di pericopi elaborato lungo la tarda
antichità e i libri redatti in età carolingia rende immediatamente evidente
non soltanto la fedele continuità con cui si trasmisero gli elementi costitutivi di tale sistema (compresi particolari aspetti d'ordine testuale precedenti
la diffusione della *Vulgata*),[36] ma altresì le modalità secondo cui su tale

---

[36] Cf al riguardo anche la tesi dedicata al ms. Bibl. Ambr. *A 28 Inf.*, ossia il *Libro delle letture dei cardinali diaconi* della seconda metà del IX secolo, recentemente di-
scussa da don Norberto Valli presso il Pontificio Ateneo Sant'Anselmo e pubblicata
nei Monumenta Studia Instrumenta Liturgica della Libreria Editrice Vaticana (cf nota
30); un'anticipazione in N. VALLI, *Il testo biblico nell'Evangelistario Ambr. A 28 inf.*,

patrimonio intervenne l'intellettualità ecclesiastica operante nel clima culturale ed ecclesiologico seguito alla conquista franca.

Se poniamo a raffronto l'*Evangelistario di Busto* con il carolingio ms. *A 28 Inf.* dell'Ambrosiana (che risulta essere un vero e proprio "Libro delle letture dei cardinali diaconi"), l'aspetto strutturale nuovo e immediatamente percepibile in quest'ultimo è il fatto che le pericopi (nel codice di Busto ancora in parte accorpate per unità omogenee, probabili riflessi di precedenti libelli: *Evangelii in Letaniis*, *Item in cottidianis diebus*) nella redazione carolingia compaiano organicamente integrate in un ciclo annuale ormai concepito in termini compiutamente unitari. Vi si può vedere il riflesso della tendenza, così marcata nei nuovi tempi, verso la sistematica e ordinata razionalizzazione del materiale ricevuto dalla tradizione.

Va osservato come la documentazione precarolingia risulti puntuale quanto alle pericopi evangeliche e si faccia più saltuaria in merito alle altre letture, vetero e neo testamentarie o agiografiche. Tuttavia la continuità constatata nel caso delle prime appare non circoscrivibile ad esse soltanto. Di fatto, come già era stato percepito dagli autori medioevali, l'ordinamento dei testi scritturistici elaborato dalla Chiesa milanese presenta nell'accorpamento delle diverse componenti un carattere di organicità che, al di là della rarefatta documentazione (per la Settimana in Albis risalente peraltro allo stesso Ambrogio), appare costitutivo.

In tale prospettiva merita evidenziare il criterio di accostamento secondo cui, nella completata documentazione codicologica, le pericopi neo e vetero testamentarie appaiono tra loro intrecciate.

Il nesso che le lega non è, filologicamente, la riproposizione di forme e immagini letterarie nei diversi testi, ma il comune riferimento al contenuto salvifico dell'evento, di cui l'azione cultuale fa memoria. Lo scopo della scelta, pertanto, non è mostrare continuità testuali, e neppure trasmettere una dottrina sull'evento celebrato: il fine delle letture è rendere il credente partecipe del contenuto di salvezza di quell'evento, che la Chiesa rivive *mystikôs* nel suo culto. Un'esemplificazione assai eloquente al riguardo possiamo ricavare dalle pericopi dell'Avvento. Il testo di *Is* 40, 1-11 (*Vox clamantis in deserto: 'Parate viam Domini'*) non risulta legato a *Lc* 3, 1-18 (*Sicut scriptum est il libro sermonum Isaiae prophetae: 'Vox clamantis in deserto'*; II Domenica) o a *Io* 1, 15-28 (*Ego vox clamantis in deserto 'Dirigite viam Domini', sicut dixit Isaias propheta*; V Domenica), sibbene a *Mt* 21, 1-9 (l'ingresso del Cristo a Gerusalemme: IV Domenica): l'antico

---

in *Nuove ricerche su codici in scrittura latina dell'Ambrosiana. Atti del Convegno. Milano, 6-7 ottobre 2005*, a cura di M. Ferrari - M. Navoni, Vita e Pensiero, Milano 2007 [Bibliotheca Erudita, 31], pp. 79-98.

annuncio del profeta si attualizza e s'invera non per il calco letterale, ma per il realizzarsi della presenza del Signore in mezzo al suo popolo; e d'altra parte questa stessa presenza diviene comprensibile nei suoi contenuti proprio attraverso le parole del profeta (*Consolamini, consolamini, popule meus... Loquimini ad cor Ierusalem ... Parate viam ... revelabitur gloria Domini, et videbit omnis caro pariter ... Dic civitatibus Iudae: 'Ecce, Deus vester; ecce Dominus Deus in fortitudine veniet'*).

Come s'è accennato, due sono le sezioni dell'anno liturgico su cui i redattori carolingi hanno operato con maggiore incisività: il tempo dopo l'Epifania, ricevuto ancora incompiuto dalla fase precedente della tradizione ambrosiana, e il tempo dopo la Pentecoste, di cui precedentemente erano ben radicati e saldamente definiti i due nuclei del 29 Agosto e della Dedicazione (con le domeniche immediatamente connesse), ma non l'intero ciclo.

In età precarolingia il tempo dopo l'Epifania appare caratterizzato nel *Capitolare di Busto* da due Domeniche con pericopi evangeliche proprie. Nella prima la lettura prevista (*Io* 4, 46-54: andò di nuovo a Cana; questo fu il secondo segno) sembra presupporre la proclamazione vigiliare di *Io* 2, 1-11 (il primo segno delle nozze di Cana); mentre nella seconda la lettura fissata è *Lc* 2, 42-52 (Gesù dodicenne al Tempio e ritorno a Nazaret). L'*Evangelistario* di quello stesso codice aggiunge altre due Domeniche, per le quali fissa le letture *Mt* 4, 12-17 (nella Galilea delle genti il popolo vide una grande luce) e *Io* 3, 16-21 (la Luce è venuta nel mondo).

Con la sistemazione carolingia questo quadro fu ridisegnato e integrato fino alla V Domenica, assumendo successivamente la seguente configurazione:

I Dom.:   *Lc* 2, 42-52: Gesù dodicenne al Tempio;

II Dom.:   *Io* 2, 1-11: le nozze di Cana;

III Dom.:   *Io* 4, 46-54: andò di nuovo a Cana, questo fu il secondo segno;

IV Dom.:   *Io* 3, 16-21: la Luce è venuta nel mondo;

V Dom.:   *Lc* 9, 10-17: moltiplicazione dei pani e dei pesci;

VI Dom.   (da celebrarsi sempre come ultima Domenica dopo l'Epifania):*Mt* 17, 14-20: guarigione dell'epilettico indemoniato; preghiera e digiuno.[37]

Dopo quest'ultima Domenica fu altresì inserita la Domenica di Settuagesima, tipica istituzione a carattere locale della Chiesa di Roma, che i redattori carolingi, guardando ai modelli romano-franchi, trasposero in ambito milanese con i relativi testi (ovviamente integrati).

---

[37] Per un quadro su base codicologica dell'evoluzione redazionale, posta a confronto con le testimonianze romane, si rinvia alla tabella offerta dalla CARMASSI nel citato volume *Libri liturgici e istituzioni ecclesiastiche*, pp. 95-96.

Va segnalata, riguardo alle Domeniche prequaresimali, una certa incongruenza tra i testi eucologici (di matrice romana) e la disciplina rituale di fatto vigente nella Chiesa milanese che, pur recependo l'uso orientale di un periodo preparatorio alla Pasqua di otto settimane, mai rimarcò Quinquagesima e Sessagesima (dall'età carolingia: anche Settuagesima) con particolare enfasi. In esse, in effetti, a Milano si continuava il canto dell'*Alleluia* e del *Gloria*, e non venne introdotto alcun particolare rituale penitenziale. Non a caso Beroldo nel suo *Ordo* non ritenne necessario dedicare a queste settimane prequaresimali alcuna specifica attenzione.

Quanto al tempo dopo Pentecoste, si è osservato come per le Domeniche di tale periodo esistesse una serie ben identificata di pericopi evangeliche, testimoniata dall'*Evangelistario di Busto*, ma che pure il *libellus missarum* palinsesto di San Gallo, del secolo VII, si direbbe presupporre, e la stessa testimonianza del manoscritto di Orléans, risalente al VI/VII secolo, sembra preannunciare. Si trattava di pericopi che in lettura consecutiva, se non continua, percorrevano gli *Evangeli* di Matteo, di Marco e di Luca, presentando gli interventi di Gesù per soccorrere l'uomo sofferente e bisognoso. A questa lettura in successione facevano eccezione, ovviamente, la Domenica della Dedicazione e le due Domeniche, *post Decollationem* e *ante Dedicationem*, dotate di speciali pericopi (queste ultime rispettivamente *Lc* 9, 7-11 e *Io* 8, 1-11), di cui la seconda appare censita già nel palinsesto di San Gallo. Fu in questo ambito che l'intellettualità ecclesiastica carolingia compì il suo intervento più consistente. In effetti si decise di elaborare un nuovo ordinamento di pericopi evangeliche, che totalmente eliminò quello precedente. Quanto alle restanti letture, l'assenza di un'adeguata documentazione precarolingia rende impossibile definire le modalità concrete dell'intervento. In ogni caso la sistematica strutturazione di questo tempo nel ciclo dell'anno portò alla elaborazione di precise titolature, che si sarebbero trasmesse lungo i secoli successivi: *post Pentecosten, post Decollationem, ante Dedicationem, post Dedicationem*.[38]

5. IL CONCILIO VATICANO II E IL LEZIONARIO "AD EXPERIMENTUM" (1976)

Nel clima ecclesiale determinatosi nell'immediato postconcilio a Milano, non mancarono pressioni per l'abbandono della tradizione ambrosiana, secondo un orientamento diffuso tra l'allora giovane clero, ma il cui interprete più prestigioso fu mons. Enrico Cattaneo, che venne esplicitan-

---

[38] Per una compiuta documentazione codicologica delle diverse letture dell'intero ciclo di settimane successivo alla Pentecoste si veda l'apposita Appendice: *Ibidem*, pp. 124-130.

do i propri convincimenti nell'editoriale *Una svolta*, con cui aprì l'annata 1970 di *Ambrosius*, rivista da lui diretta. A suo giudizio, avendo Roma offerto "il suo dono a tutte le Chiese d'Occidente", Milano doveva farlo proprio, sicchè "le parti proprie del rito ambrosiano" avrebbero dovuto ridursi a "pietre preziose incastonate nella corona milanese del *nuovo rito occidentale*".[39]

In tale contesto, promulgato il 14 febbraio 1969 il nuovo Calendario Romano mediante il motu proprio *Mysterii paschalis* (cui si accompagnavano le *Normae universales de anno liturgico et de Calendario*), a Milano lo si fece proprio nel *Calendario Ambrosiano per l'anno 1970*.[40] In tal modo, senza alcun esplicito pronunciamento in merito, si abolì l'Avvento ambrosiano, con la sua articolazione in sei settimane, e s'introdusse il Tempo *"per Annum"*. Quest'ultimo era quanto mai congruo all'ambito romano, dove esisteva il sistema delle 'Domeniche vaghe' e dove già nel *Missale* preconciliare questo stesso *Tempus "per Annum"* era stato delineato,[41] ma

---

[39] E. CATTANEO, *Una svolta*, in *Ambrosius* 46 (1970) 3-6. Merita ricordare che, pure in seguito alla pubblicazione dei nuovi libri liturgici romani dopo il concilio di Trento, non era mancato chi avrebbe voluto estendere l'uniformità rituale (peraltro nemmeno realizzata in ambito romano) anche alla Chiesa ambrosiana, imponendole l'abbandono della propria specifica tradizione. Ma allora tale idea era emersa in ambienti romani. In quell'occasione la risposta di Carlo Borromeo fu molto consapevole, appellandosi a "la qualità, le ragioni, i fondamenti et i misterij di questi riti" e, di fatto, chiuse la questione. La lettera indirizzata in merito il 28 Luglio 1578 a Cesare Speciano, in P. MAZZUCCHELLI, *Osservazioni intorno al saggio storico-critico sopra il Rito Ambrosiano contenuto nella dissertazione vigesimaquinta dell'Antichità Longobardico-milanesi illustrate dai monaci della Congregazione Cistercense di Lombardia*, Pirotta, Milano 1828, doc. XXXIII, pp. 392-393. Sul legame profondo con la tradizione ambrosiana vissuto da Carlo Borromeo, "*alter Ambrosius*", si potrà vedere C. ALZATI, *Carlo Borromeo e la tradizione liturgica della Chiesa milanese*, in *Carlo Borromeo e l'opera della "grande riforma". Cultura, religione e arti del governo nella Milano del pieno Cinquecento*, a cura di F. BUZZI - D. ZARDIN, Credito Artigiano, Milano 1997, pp. 37a-46b

[40] La traduzione italiana della Lettera apostolica "motu proprio" *Mysterii Paschalis* (14 Febbraio 1969) fu pubblicata, come di norma, nella *Rivista Diocesana Milanese* 57 (1969) 389-392. Il conseguente *Calendario Ambrosiano per l'anno 1970*, che costituì il vero radicale mutamento rispetto alla precedente tradizione, fu presentato da B. BORGONOVO, *Il nuovo calendario liturgico*, in *Ambrosius* 45 (1969) 417-423. È significativo che una più autorevole riflessione di Enrico Cattaneo sulla questione si concludesse di fatto equiparando il Calendario della Chiesa ambrosiana agli altri Calendari particolari delle diocesi italiane: E. CATTANEO, *Il Calendario liturgico ambrosiano*, in *Ambrosius* 47 (1971) 263-278.

[41] Cf *Missale Romanum. Editio typica, 1962*, ed. anast. a cura di M. SODI - A. TONIOLO, Libreria Editrice Vaticana, Città del Vaticano 2007 (Monumenta Liturgica Piana, 1), pp. 43 [127]: *Tempus per Annum ante Septuagesimam*; 372 [456]: *Tempus per Annum*

in ambito ambrosiano significò la cancellazione dell'organica strutturazione che il ciclo annuale aveva assunto anche nelle settimane dopo l'Epifania e che nel Tempo dopo Pentecoste poggiava sui due solidi pilastri, presenti fin dall'età tardo antica, del 29 Agosto e della festa della Dedicazione.[42]

Con riferimento a tale nuovo Calendario si strutturò il *Messale Ambrosiano ... riformato a norma dei decreti del concilio Vaticano II*.[43] È oltremodo significativo il fatto che Paolo VI, allorché prese personalmente contezza dell'avvenuta alterazione della tradizione ambrosiana in merito all'Avvento, con un proprio intervento autoritativo impose, quando ormai il Messale era già in stampa, il ripristino della durata tradizionale di sei settimane. La traccia dell'accaduto è ancor oggi evidenziata dalla iterazione dei formulari delle prime due settimane (I, II, III, I, II): espediente cui si dovette allora ricorrere per supplire al vuoto eucologico determinatosi. Il fatto importante da rilevare nell'episodio è che proprio il papa promulgatore del Calendario e delle Norme dell'anno liturgico romano abbia ritenuto, in riferimento a tali aspetti del patrimonio liturgico, essere il Rito ambrosiano portatore di caratteristiche proprie, da salvaguardare accuratamente.[44]

Al *Messale* fu *affiancato* un *Lezionario "ad experimentum"*,[45] che riproponeva la struttura tradizionale ambrosiana per Quaresima, Pasqua e Settimana in Albis (con ripresa generalizzata dell'ordinamento delle letture

---

post Pentecosten; 418-424 [502-508]: *Dominica Tertia quae superfuit post Epiphaniam* etc.; cf p. XVI [16]: *Rubricae generales*, VIII, F. *De tempore "per annum"*, n° 77.

[42] Dopo tale scelta decisiva del *Calendario Ambrosiano per l'anno 1970* risultò di fatto pleonastico parlare nel 1972 di *Progetto per il Calendario liturgico ambrosiano* [*Ambrosius* 48 (1972) 200-206]; e superflua apparve la consultazione del clero sull'argomento, come ben testimonia la risposta "molto scarsa" dei decanati, segno di una generale "mancanza d'interesse" [B. Borgonovo - G. Terraneo, *Il Calendario liturgico diocesano*, in *Ambrosius* 48 (1972) 412-422].

[43] L'atto arcivescovile di promulgazione è datato 11 Aprile 1976, Domenica delle Palme. L'entrata in vigore fu fissata al 14 Novembre successivo, I Domenica d'Avvento: cf *Rivista Diocesana Milanese*, 67 (1976) 309-311.

[44] Sul significato della tradizione ambrosiana per Giovanni Battista Montini, mi sia permesso rinviare a C. Alzati, *L'arcivescovo Montini e la pastorale liturgica*, in *Celebriamo Gesù Cristo, speranza del mondo. 57ª Settimana Liturgica Nazionale. Varese 21-25 Agosto 2006. Un contributo al IV Convegno ecclesiale di Verona*, Presentazione del Card. Dionigi Tettamanzi, CLV - Edizioni Liturgiche, Roma 2006 (Bibliotheca "Ephemerides Liturgicae". Sectio Pastoralis, 27), pp. 69-84.

[45] *Lezionario Ambrosiano. Edito per ordine del Sig. Cardinale Giovanni Colombo Arcivescovo di Milano. Ad experimentum*, Centro ambrosiano di documentazione e studi religiosi (tramite i tipi delle Grafiche Boniardi), Milano 1976.

quaresimali conservate nel rito cattedrale)[46] e, per il ciclo del Natale, inte-grava quanto a struttura (sei settimane d'Avvento), ma molto parzialmente quanto a contenuto (le letture), il *Lezionario Romano*.[47] Nelle restanti parti dell'anno il *Lezionario Romano* era direttamente assunto.

Parziale ma prezioso, tale *Lezionario "ad experimentum"* ha sostenu-to la vita cultuale ambrosiana in questo lungo periodo di transizione, ora definitivamente concluso dalla promulgazione di un compiuto *Lezionario Ambrosiano* per l'intero ciclo dell'anno, riformato in conformità alle diret-tive del concilio Vaticano II.

---

[46] Cf il cap. XII: "Ecco il momento favorevole". *Il cammino verso la Pasqua*.

[47] Le ferie delle prime due settimane d'Avvento erano, ad esempio, la semplice rideno-minazione delle ferie delle ultime due settimane *"per Annum"* romane. In ogni caso il *Lezionario* conteneva i testi (tipicamente ambrosiani o mutuati dal Lezionario Romano) a partire dalla I Domenica d'Avvento fino al Battesimo del Signore, ed ancora dal-l'inizio di Quaresima al Sabato *in Albis depositis*; seguivano le pericopi delle Feste e Solennità del Signore nel "Tempo *per Annum*", del proprio di alcuni Santi, delle Messe per varie necessità, quelle per il Funerale di un vescovo, un presbitero o un diacono e, infine, le letture agiografiche per santa Caterina da Siena, san Benedetto, san Francesco d'Assisi, san Carlo Borromeo, sant'Ambrogio.

"DITIOR MENSA VERBI DEI PARETUR FIDELIBUS" IL LEZIONARIO DELLA CHIESA AMBROSIANA LINEAMENTI DI UNO SVILUPPO IN CONFORMITÀ AL CONCILIO VATICANO II

Il nuovo Lezionario per le celebrazioni liturgiche nell'ambito della Chiesa ambrosiana, promulgato nel Duomo alla mattina del Giovedì della Settimana 'Autentica' 2008 dall'arcivescovo card. Dionigi Tettamanzi,[1] è libro liturgico pensato per una pluralità di livelli di accostamento e di lettura.

È stato dunque tenuto presente il più immediato e fondamentale livello del semplice fedele e del pastore d'anime, che vi cercano e vi possono trovare alimento per la vita spirituale e per la catechesi.

Ma è altresì possibile un livello di lettura segnato da più profonda consapevolezza; esso è strettamente correlato al carattere articolato ma coerente dell'insieme, che assicura unità e intelligibilità al messaggio catechetico delle sue diverse parti. È a tale livello che si situa una utilizzazione complessiva del Lezionario per guidare il popolo cristiano, tramite la liturgia, a una profonda e consapevole esperienza di appartenenza a Dio e di comunione nella Chiesa e con le Chiese. Non vi è chi non veda come proprio questa configurazione, ad un tempo articolata e organica, rappresenti per un Lezionario un requisito necessario per rendere possibile, e fecondo, anche il precedente tipo di fruizione.

---

[1] La lettera dell'arcivescovo al card. prefetto della Congregazione per il Culto Divino, con cui ribadiva la propria approvazione al Lezionario elaborato dalla Congregazione del Rito Ambrosiano e ne chiedeva al dicastero romano la *recognitio*, la risposta dello stesso prefetto, card. Francis Arinze, i relativi decreti romani, nonché i definitivi decreti di promulgazione ad opera dell'arcivescovo, in qualità di capo Rito, unitamente (in redazione italiana e latina) ai *Praenotanda* al Lezionario, alle *Normae* relative al Calendario e al Calendario stesso, sono raccolti nel volume *Promulgazione del Lezionario Ambrosiano*, Supplemento a *Rivista Diocesana Milanese* 99 (3) (2008).

Vi è infine un terzo livello di accostamento, imprescindibile per una Chiesa particolare quale è quella ambrosiana. Si tratta della lettura del Lezionario stesso alla luce della specifica identità storica conferita a questa Chiesa dalla sua tradizione. Tale lettura appunta l'attenzione segnatamente sulla coerenza del nuovo libro rispetto allo sviluppo storico del patrimonio liturgico milanese e alle peculiari connotazioni di quest'ultimo. Evidentemente siffatta coerenza costituisce la condizione indispensabile per rendere ancora una volta percepibile l'autentica e specifica voce di questa Chiesa nella sinfonica polifonia dell'ecumene cristiana. Ed è proprio da quest'ultimo punto (requisito ineludibile per ogni libro liturgico di Chiesa particolare) che, in una prospettiva metodologicamente corretta di analisi, la presentazione di questo Lezionario dovrà prendere avvio.

A tale riguardo va anzitutto ricordato che un Lezionario non è una semplice silloge di pericopi, che renda possibile la lettura di due o tre passi scritturistici prima di procedere alla liturgia del sacrificio. Il Lezionario è lo strumento indispensabile per l'anamnesis del mistero salvifico che nella "Cena del Signore" compiutamente si attualizza.

In modo più o meno efficace ed organico le Chiese di tradizione apostolica sono venute progressivamente configurando nel loro culto l'intero ciclo dell'anno come un'unitaria "rivelazione del mistero, avvolto nel silenzio per secoli eterni, ma ora manifestato mediante le Scritture dei Profeti e per ordine dell'eterno Dio annunciato a tutte le genti, perché giungano all'obbedienza della fede (*Rm* 16, 25-26)". E proprio "mediante le Scritture" ciascuna Chiesa è venuta delineando l'annuncio di tale mistero della salvezza in Cristo: un annuncio che nel suo nucleo è il medesimo dovunque, ma che nelle diverse Chiese si configura in termini specifici per la peculiare esperienza che di quello stesso mistero le singole Chiese, lungo la storia, hanno vissuto. In tale unità nella pluriformità sta la splendente ricchezza della Sposa e si fonda la possibilità di sviluppare tra le Chiese un autentico scambio dei doni dello Spirito.

Segnatamente nel Lezionario della Chiesa ambrosiana noi ritroviamo la forma dell'annuncio risuonato a Milano nell'era dei Martiri e plasmato nell'età dei Padri da un vitale intreccio di relazioni con le altre Chiese dell'ecumene cristiana, a cominciare da Gerusalemme. Si tratta dell'annuncio lungo i secoli fedelmente riproposto nelle sue modalità dai vescovi e dai ministri di questa Chiesa, prima di Ambrogio e dopo di lui, fino ai nostri giorni.

Se considerato in questo lungo arco di tempo, il Lezionario milanese ci permette di cogliere, sia le varie fasi del suo sviluppo, sia la profonda coerenza che ne ha caratterizzato la progressiva formazione.

Le pagine che seguono vogliono rendere conto delle modalità secondo cui il riordino del Lezionario ambrosiano, che qui si presenta, ha inteso tener conto dei molteplici aspetti ora segnalati e rispondere alle diverse esigenze, ecclesiali e individuali, presenti nei variegati fruitori di questo libro liturgico.

1. NUOVO LEZIONARIO E TRADIZIONE AMBROSIANA

L'opera di revisione e completamento sfociata nel Lezionario ora promulgato ambrosiano trae la sua prima ispirazione, com'è del resto naturale, dai dettami conciliari, segnatamente dalla Costituzione *Sacrosanctum Concilium*. Le indicazioni al riguardo sono condensate in due paragrafi che, per il loro carattere fondante, sembra opportuno riproporre qui integralmente.

Paragrafo 51:

Affinché la mensa della parola di Dio sia preparata ai fedeli con maggiore abbondanza, vengano aperti più largamente i tesori della Bibbia (thesauri biblici latius aperiantur), *in modo che, in un determinato numero di anni, si leggano al popolo le parti più importanti* (praestantior pars legatur) *della Sacra Scrittura.*

Paragrafo 4:

Il sacro Concilio, in fedele ossequio alla tradizione dichiara che la santa Madre Chiesa considera su una stessa base di diritto e di onore tutti i riti legittimamente riconosciuti, e vuole che in avvenire essi siano conservati e in ogni modo incrementati, e desidera che, ove sia necessario, vengano prudentemente e integralmente riveduti nello spirito della sana tradizione, e venga loro dato nuovo vigore come richiedono le circostanze e le necessità del nostro tempo.

Il convergere di questi due enunciati comporta che il nuovo Lezionario ambrosiano si configuri come una revisione e un arricchimento in organica coerenza con la specifica fisionomia dell'ordinamento delle letture proprio della Chiesa milanese. Al riguardo, sembra opportuno richiamare qui alcune caratteristiche tradizionali, d'ordine contenutistico e formale, sulle quali è stato necessario focalizzare l'attenzione per adeguatamente fondare un idoneo e coerente lavoro di riforma.

Va subito osservato come alcuni caratteri del Lezionario milanese risultino strettamente connessi alla particolare interazione tra Antico e Nuovo Testamento in esso presente, interazione fondata a Milano su una ininterrotta secolare esperienza, visto il permanere in ambito ambrosiano della struttura ternaria della liturgia della Parola in Domeniche, festività e

Sabati quaresimali (cui si potrebbero aggiungere le grandi ferie di Quaresima nell'*ordo* liturgico cattedrale).

Oltre a tale aspetto, si vorrebbe in questa sede segnalare una serie di elementi riguardanti l'articolazione della liturgia della Parola lungo il ciclo dell'anno e delinearne i coerenti sviluppi che, in conformità alle indicazioni conciliari, il Lezionario ora elaborato intende proporre.

Quanto al *Ciclo dell'anno* sia permesso richiamare i seguenti dati.

Il succedersi annuale dei tempi costituisce un insieme simbolico, che tende a manifestare nella sua *compiuta unità* l'intera economia di salvezza.

In tale contesto il *Sabato* presenta a Milano (diversamente da Roma e dall'Africa) carattere *festivo*, propugnato con forza già da Ambrogio.[2]

Evidente è pure la tendenza a porre uno stretto *nesso*, quasi un'identificazione (rispettata anche in caso di lectio continua), *tra alcune pericopi*, vetero e neotestamentarie, *e specifiche celebrazioni* (si pensi a tutto il ciclo gravitante sulla Pasqua, ma non solo).

Dall'età carolingia, sviluppando una tendenza già avvertibile nel precarolingio Codice di Busto, l'ordinamento delle letture per il ciclo dell'anno è un tutto organico che copre i *diversi tempi* con *letture a questi strettamente legate*.

Dopo Pentecoste, fin dall'età tardoantica, il succedersi delle Domeniche è scandito dalla festa del *29 Agosto* (Decollazione di san Giovanni), nonché dalla Domenica della *Dedicazione* (Terza d'Ottobre).

Inoltre la tradizione ambrosiana nettamente distingue, nel ciclo dell'anno, anche quanto a struttura della catechesi, i giorni di *Quaresima*.

Ferie II-V: 2 Letture da due libri veterotestamentari (un tempo in due distinte sinassi) con lectio (semi)continua di Genesi e Proverbi (e, nelle prime tre ferie in Autentica, di Giobbe e Tobia), seguite (un tempo nella seconda sinassi, quella eucaristica) dalla *pericope evangelica* con lectio continua del Sermone del monte e, dalla Domenica di Lazzaro, lettura progressiva dei Vangeli che preparano alla Passione.

Sabati: Struttura festiva, articolata in una *lettura vetrotestamentaria*, un'*epistola, un testo evangelico*.

Con riferimento a quest'ultimo caso, va rilevato come a Milano, a differenza di altri ambiti liturgici, la tradizione caratterizzi l'*epistola* non come pericope genericamente neotestamentaria, ma quale pericope tratta rigorosamente *dal corpus paolino* (si veda la festa di san Giovanni evan-

---

[2]   Cf nella Parte Terza il cap. VII: Il Sabato e la Domenica. *I tempi dell'Alleanza e la loro memoria*.

gelista, dove la I Epistola di Giovanni entra come *Lectio*, analogamente all'Apocalisse nella festa di Tutti i Santi, o agli Atti degli Apostoli nel tempo pasquale).

Analogamente radicate nella tradizione, documentabile fin dal VI secolo, risultano le *formule protocollari ambrosiane di introduzione* alle varie tipologie di pericopi, formule diverse da quelle romane e che, nelle indagini codicologiche, rendono immediatamente evidente l'eventuale appartenenza dei manoscritti all'area milanese (o gallicana).

2. RINNOVAMENTO NELLA CONTINUITÀ

Su tale base, avendo di mira le indicazioni della Costituzione conciliare, si sono potute formulare alcune indicazioni d'ordine operativo.

In generale è sembrato opportuno salvaguardare il segnalato carattere organico e in sé compiuto del ciclo annuale. Anche a tale scopo la *duplicità del ciclo feriale* è stata sostanzialmente estesa a tutti i tempi dell'anno, in modo tale che quest'ultimo, in *ciascuno dei due cicli, abbia una sua unitaria coerenza*. A tal fine ciascun libro biblico è stato proposto così da sviluppare all'interno del singolo ciclo un discorso compiuto.

Al duplice ordinamento delle letture corrisponde, peraltro (e per evidenti ragioni) una medesima pericope evangelica. Quest'ultima sviluppa in lettura semicontinua (cfr. *de cottidianis* dell'*Evangelistario di Busto*) la presentazione dei quattro *Vangeli*, in successione e secondo il seguente ordine: Matteo, Marco, Giovanni, Luca.

Il dettato santambrosiano per il rispetto del *carattere festivo del Sabato* ha avuto inoltre una coerente valorizzazione, espressa dalla presenza di uno specifico *ciclo di letture sabbatiche*.[3]

È inoltre struttura liturgica molto ben radicata nella tradizione tardo antica, con significative consonanze in Occidente e in Oriente, la forma celebrativa ambrosiana delle *Grandi Vigilie* (Natale, Epifania, celebrazione *in coena Domini*, Pentecoste). Su questa base, e tenendo conto di consuetudini d'antica origine gerosolimitana presenti nelle prassi antiche e recenti di altri ambiti ecclesiali, è parso bene proporre una forma di *celebrazione vigiliare della Domenica*, che chiaramente configuri le celebrazioni, impropriamente dette prefestive, non quale anticipato assolvimento dal precetto domenicale, ma quale solenne inizio della celebrazione del *dies Domini*.[4]

L'importanza di una chiara connotazione dell'Eucaristia vespertina del

---

[3] Cf *Ibidem*.

[4] Cf nella Parte Terza il cap.VII: *"... già splendevano le luci". Il giorno liturgico nella tradizione ambrosiana*.

Sabato quale solenne apertura della Pasqua ebdomadaria ha inoltre spinto, per le situazioni in cui non risulti possibile procedere a una compiuta celebrazione di tipo vigiliare, a elaborare una forma di *annuncio kerygmatico del Vangelo della Risurrezione* inseribile nei riti di apertura della celebrazione eucaristica.

Quanto ai singoli tempi del ciclo annuale, ci si limiterà in questa sede a semplici considerazioni di massima, rinviando per indicazioni più specifiche alle presentazioni che di ciascun tempo saranno offerte. Basti dunque qui osservare quanto segue.

L'*Avvento* era non a caso definito la *Quaresima di san Martino* (in ambito bizantino "*di san Filippo*"), essendo un periodo di preparazione alla solennità del Natale di durata analoga alla Quaresima prepasquale. Nella strutturazione della catechesi scritturistica proprio lo schema quaresimale ha fornito, sia per le ferie (due Letture veterotestamentarie e Vangelo), sia per i sabati (Lettura, Epistola, Vangelo), un preciso modello, coerente nel suo radicamento milanese e che è sembrato oltremodo opportuno per la ricchezza di materiale catechetico che permette di porre a disposizione.

Il carattere "manifestativo" del tempo *dopo l'Epifania*, embrionalmente delineato fin dalla testimonianza precarolingia del *Capitolare di Busto*, è stato adeguatamente valorizzato anche nei due cicli feriali, offrendo, attraverso i Libri sapienziali, occasioni pastoralmente interessanti di riflessione sulla storia e sulla realtà dell'uomo alla luce del Logos divino.

Discorso del tutto particolare comporta la realizzazione dell'ordinamento delle letture per il tempo *dopo Pentecoste*.

Alla luce della tradizione, il complesso delle pericopi per ogni Domenica viene configurandosi come un'organica unità catechetica in prospettiva misterica.

Articolato in tre cicli, l'ordinamento domenicale delle letture dopo Pentecoste è stato pensato per offrire una piena realizzazione dell'auspicio conciliare (*thesauri biblici latius aperiantur*) e permettere in particolare al popolo cristiano una rinnovata familiarità con il mistero dell'intervento salvifico di Dio nella storia, realizzatosi nella Pasqua del Signore Gesù.

Prezioso è apparso a tale riguardo l'auspicio, formulato a suo tempo da Achille M. Triacca, nel *Nuovo Dizionario di Liturgia*,[5] in merito alla messa a frutto della tradizionale scansione delle Domeniche con riferimento alla Decollazione e alla Dedicazione.

In effetti, in una prospettiva profondamente cristocentrica, che carat-

---

[5] *Ambrosiana, liturgia*, in *Nuovo Dizionario di Liturgia*, a cura di D. SARTORE - A. M. TRIACCA, Edizioni Paoline, Roma 1984, p. 30.

terizza l'intero ciclo concluso dalla solennità di Cristo Re, il primo arco di settimane – fino alla festa della suprema testimonianza resa dall'ultimo dei profeti – nelle varie Domeniche del Lezionario ora elaborato le Letture veterotestamentarie ripercorrono le grandi tappe dell'Antica Alleanza. Dopo il Martirio del Precursore, nel nuovo arco di settimane la catechesi si focalizza sui caratteri della comunità della Nuova Alleanza. La solennità ecclesiologica per eccellenza della Dedicazione, alla III Domenica d'Ottobre, chiude tale seconda sezione del Tempo dopo Pentecoste, e con la successiva Domenica del mandato missionario apre all'ultima sezione del ciclo segnata da una proiezione tematica sempre più marcatamente escatologica.

Questi stessi caratteri si riflettono ovviamente anche nei due cicli feriali. Fino alla settimana del Martirio di san Giovanni, essi sono strutturati sulla lectio progressiva dei Libri "storici" veterotestamentari. Dalla Domenica dopo il Martirio di san Giovanni alla Dedicazione si procede, quale espressione dell'annuncio neotestamentario, alla lettura degli scritti apostolici. Infine, dalla Domenica della Dedicazione attraverso la lettura del libro dell'Apocalisse la Chiesa e i fedeli sono sospinti alla contemplazione delle cose ultime e guidati a ravvivare la propria attesa della Parusia.

3. Il Ciclo Feriale

La tradizione ambrosiana fin dalle testimonianze precaroline attesta una concezione del ciclo annuale come unità compiuta, articolata in una pluralità di tempi distinti e ben caratterizzati.

Sulla base di tale indicazione, nella elaborazione del nuovo ordinamento di letture per i giorni feriali si è cercato di ottemperare a due precise esigenze: che il ciclo annuale conservasse il suo carattere di icona unitaria della storia della salvezza e che ogni singolo tempo, da cui l'anno è composto, presentasse una precisa caratterizzazione. Tutto questo, ovviamente, alla luce dell'esigenza primaria del dettato conciliare che *"vengano aperti più largamente i tesori della Bibbia, in modo che, in un determinato numero di anni, si leggano al popolo le parti più importanti della Sacra Scrittura"*.

Ci si è dunque anzitutto preoccupati del fatto che tutti i libri della Sacra Scrittura fossero recepiti e proposti nel Lezionario, curando peraltro che ciò avvenisse senza intaccare la compiutezza del ciclo annuale. Sicché, adottando anche per il Lezionario feriale ambrosiano l'idonea struttura binaria, si è voluto che ciascuno dei due anni, pur ricorrendo a pericopi diverse, permettesse una coerente visione d'insieme della storia della salvezza e dei libri che la documentano. Tale struttura binaria, come già s'è osservato, risulta sostanzialmente estesa all'intero corso dell'anno, Quaresima e Tempo Pasquale compresi.

Quanto alla caratterizzazione dei singoli tempi liturgici, essa si concretizza attraverso la tipologia dei libri biblici che vi trovano lettura. La connessione tra i due elementi può essere *grosso modo* così riassunta.

> Avvento: Profeti;
> Ferie "de Exceptato": Ester e Rut;
> Ferie tra Epifania e Battesimo del Signore: Cantico;
> Settimane postepifaniche: Libri sapienziali;
> Quaresima: i tradizionali Genesi e Proverbi;
> Settimana Autentica: 'de more' Giobbe, Tobia e – in coena Domini – Giona;
> Settimane di Pasqua: Atti degli Apostoli;
> Settimane dopo Pentecoste: Libri storici veterotestamentari (a partire da Esodo), la cui lettura si sviluppa in organica connessione con le pericopi veterotestamentarie domenicali; la serie delle settimane si conclude con la festa del Martirio di san Giovanni, nella cui settimana si svolge la lettura dei Libri dei Maccabei, nei quali è testimoniata la fedeltà fino al martirio resa in Israele all'Alleanza e alla Legge;
> Settimane dopo il Martirio di san Giovanni: Lettere degli Apostoli;
> Settimane dopo la Dedicazione: Apocalisse.

Quanto ai Vangeli, essi si dispongono su un ciclo, ovviamente annuale, così articolato.

> Avvento: Matteo;
> dopo l'Epifania: Marco;
> Pasqua: Giovanni;
> dopo Pentecoste: Luca.

4. Il Ciclo Domenicale

Nell'ambito di questo ciclo, che costituisce la struttura portante dell'anno liturgico, si è curato di conservare accuratamente una coerente organicità nel discorso catechetico, con riferimento sia al complessivo sviluppo di quest'ultimo lungo il corso dell'anno, sia al suo strutturarsi in ogni singola unità domenicale. In questo senso si è curato di proporre l'Antico Testamento come momento storico-salvifico teso alla pienezza della Nuova Alleanza e si è intimamente coordinata l'epistola paolina agli altri due testi, in conformità del resto alla secolare tradizione della Chiesa ambrosiana.

Rinviando alle presentazioni dei singoli tempi liturgici più dettagliate indicazioni in merito alla loro specifica strutturazione, si possono fin d'ora delineare alcuni tratti tematici che offrano un quadro dell'impianto catechetico nel suo insieme.

> Avvento: attesa del compimento della salvezza alla luce dell'attesa d'Israele;
> Natale-Epifania: il compimento dell'attesa d'Israele nel mistero luminoso dell'Incarnazione del Logos divino, Messia e Sposo celeste;
> Tempo dopo l'Epifania: la progressiva manifestazione del Messia, conclusa dall'annuncio della divina clemenza e dalla chiamata di tutti gli uomini alla conversione;
> Quaresima: il cammino dei credenti verso la propria redenzione, compimento e pienezza della redenzione d'Israele;
> Triduo Pasquale: la realizzazione della salvezza nel mistero della Morte e Resurrezione del Signore;
> Tempo di Pasqua: il mistero della Pasqua del Signore e la sua irradiazione nella Chiesa-Sposa fino al dono dello Spirito;
> Tempo dopo Pentecoste: l'irradiazione dello Spirito nella storia della salvezza fino alla Parusia escatologica.

All'interno della suddivisione del Lezionario in tre Libri (il I dedicato alla celebrazione del Mistero dell'Incarnazione del Signore, il II alla celebrazione del Mistero della Pasqua del Signore e il III alla celebrazione del Mistero della Pentecoste), è sembrato opportuno indicare i tre cicli annuali di letture con designazione alfabetica: A, B, C.

5. IL CICLO SABBATICO

In conformità alla tradizione ambrosiana, ben manifestata nel tempo quaresimale, per le settimane del Tempo dopo l'Epifania e del Tempo dopo Pentecoste, è stato previsto uno specifico ciclo di pericopi per le celebrazioni sabbatiche, ciclo che nella struttura delle sue singole unità (articolate in Lettura, Epistola e Vangelo) indicasse immediatamente il carattere festivo che questo giorno, in consonanza con l'Oriente cristiano, riveste anche a Milano.

L'officiatura sinagogale sabbatica aveva ed ha il suo momento qualificante nella lettura della *Torah* (ossia del Pentateuco) accompagnata, e quasi commentata, da apposite pericopi tratte dai testi profetici (secondo l'accezione ampia della tradizione ebraica). È prassi cui rendono testimonianza anche gli Atti degli Apostoli (13, 14-15).

Partendo da tali premesse, il ciclo sabbatico ambrosiano si articola in unità, culminanti nella proclamazione di specifiche pericopi evangeliche, ma cui fa da apertura una Lettura tratta dal Pentateuco (escluso, ovviamente, il libro della Genesi, letto sistematicamente in Quaresima), seguita da un'apposita Epistola. Nel Sabato dopo la Domenica del Battesimo del Signore, speciali Vangeli segnano l'inizio del ciclo. Specifiche Letture, relative alla consacrazione della Tenda ad opera di Mosè, sono previste per il Sabato antecedente la Domenica della Dedicazione.[6]

6. I CANTI TRA LE LETTURE

Nel nuovo Lezionario si è cercato di instaurare uno specifico legame tra prima pericope e *Salmi*, così da ridurre il più possibile la ripresa in una pluralità di occasioni degli stessi versetti.

Inoltre, nell'*Avvento*, gli *Alleluia* della V Settimana (dopo la Domenica del Precursore) attingono a versetti del *Benedictus*, mentre nelle Ferie *"de Exceptato"* (stante anche l'intonazione mariana delle letture di *Ester* e *Rut*) vengono riproponendo i temi del *Magnificat*.

Nei giorni del *Tempo di Natale* sono stati ripresi per lo più i testi del Lezionario *ad experimentum* del 1976; mentre nei giorni tra *Epifania* e *Battesimo del Signore* la lettura dal Cantico dei Cantici è stata accompagnata dal *Salmo 44*.

Nelle ferie II-V di *Quaresima*, dopo il Salmo 1 nel primo Lunedì, si sviluppa di ottonario in ottonario la lettura continua del Salmo *118*, con verso responsoriale tratto dal Lezionario romano o dal Lezionario *ad experimentum*. Da quest'ultimo sono ripresi anche i *Canti* al Vangelo.

Il Lezionario romano è altresì la fonte dei canti tra le letture dei giorni da *Pasqua* all'*Ascensione*.

7. IL NUOVO LEZIONARIO COME LIBRO DELLA PAROLA
PER LA VITA SPIRITUALE E LA CATECHESI

La struttura non casuale in ogni sua parte del nuovo Lezionario e i nessi che sorreggono l'articolazione dei suoi diversi elementi permettono, anche a quanti si accostino ai testi senza particolari consapevolezze storico-liturgiche, di percepirne con immediatezza il messaggio. Il legame che ricompone unitariamente in prospettiva misterica tutti i testi delle unità domenicali e festive, ma altresì la specifica tipologia – in rapporto ai diversi tempi liturgici – dei libri proposti nelle celebrazioni feriali, nonché l'organica progressione delineata nella lettura semicontinua di tali testi, come pure il nesso instaurato nelle Settimane dopo Pentecoste tra le letture delle ferie e quella della rispettiva Domenica

---

[6]   Per l'elenco delle pericopi, si veda nella Parte Terza l'Allegato al cap.VII: Il Sabato e la Domenica. *I tempi dell'Alleanza e la loro memoria.*

sono fattori che danno all'insieme e ai contenuti delle sue singole parti immediata evidenza.

In questo senso il Lezionario offre ai pastori d'anime un piano sistematico di catechesi chiaramente delineato e di facile utilizzazione.

Peraltro, l'articolazione dei testi proposti nelle celebrazioni domenicali e festive è strutturata al fine di rendere questi stessi testi il primo, fondamentale tramite verso l'esperienza misterica dell'evento salvifico celebrato.

Quanto poi alla coerente riproposizione delle strutture formali, che caratterizzano la liturgia della Parola nella tradizione ambrosiana, si tratta di aspetto che può offrire anch'esso un prezioso contributo sul piano "ecclesiologico", contribuendo a rendere immediatamente evidente un'identità ecclesiale e aiutando a sviluppare nel clero e nei fedeli la consapevolezza della propria appartenenza a una specifica Chiesa, con le implicazioni che questo comporta in riferimento alla comunione cattolica e all'ecumene cristiana.

Oltre a queste connotazioni liturgiche (ma non prescindendo da esse) il Lezionario, soprattutto nella composizione dei suoi due cicli feriali, è stato pensato anche quale possibile supporto per la Scuola della Parola, cui offre sistematica successione di testi, ed altresì per l'esperienza personale della Lectio divina, di cui può orientare lo sviluppo in profonda connessione con il crescere dell'anno liturgico.

8. ANTICO E NUOVO TESTAMENTO:
IL MISTERO NASCOSTO DALL'ETERNITÀ IN DIO
ED ORA NEI DIVINI MISTERI COMUNICATO AI SANTI

Nella Milano tardo antica e medioevale, fino agli interventi edilizi che portarono alla edificazione del Duomo, la *Dedicatio maioris ecclesiae*, unitamente alla Pasqua, fu caratterizzata dalla trasmigrazione del clero cardinalizio da una chiesa episcopale all'altra: "l'arcivescovo si dirige alla chiesa 'invernale' con tutto il clero secondo le stesse modalità con cui dalla chiesa 'invernale' si reca in quella 'estiva' nel giorno della Resurrezione". Queste modalità ancora una volta sono puntualmente presentate da Beroldo:

"L'arcivescovo con le sacre vesti come per celebrare la Messa, unitamente ai diaconi in dalmatica, e ai suddiaconi rivestiti di tuniche e con il turibolo e i candelabri accesi, e insieme ai cardinali preti rivestiti di piviale, così come in piviale sono il primicerio dei lettori che reca i dittici eburnei, e i quattro maestri delle scuole, e l'ostiario di settimana che porta la croce aurea, e colui che porta la copertura degli Evangeli, e colui che porta il flagello di sant'Ambrogio, tutti questi, insieme al primicerio dei preti rivestito di pianeta, precedano l'*Arca dell'Alleanza*, nella quale si trovano i libri dell'Antico e del Nuovo Testamento. Coperta da un drappo, l'Arca è trasportata da 12 preti dell'ordine decumano, rivestiti di camice e stola. E davanti all'Arca il primicerio dei preti reca il turibolo acceso, con incenso acquistato attingendo alle finanze dell'arcivescovo. E alle estremità di quest'arca due lettori portano due croci. E con quest'ordine si dirigono alla chiesa, ed ivi nel 'choro' l'arcivescovo con tutto il clero, piegando la testa con grande rispetto, passa sotto l'Arca".[7]

È questo momento rituale che Patrizia Carmassi ha posto, molto opportunamente, al termine del suo volume, quale immagine simbolica in grado di riassumere "in un unico quadro d'insieme" i molteplici e complessi contenuti presi in esame nella sua vasta ricerca.[8]

In effetti, in quelle peregrinazioni e in quell'Arca, simbolo molto eloquente della presenza di Dio in mezzo al suo popolo, possiamo scorgere un diretto riflesso dell'atteggiamento con cui la Chiesa ambrosiana nella sua storia ha guardato alle Sacre Scritture: unitariamente ricomposte e nella loro unità venerate, quali testimoni di quel mistero nascosto dall'eternità in Dio ed ora nella Chiesa comunicato ai santi.

---

[7] BEROLDUS, *Ordo et caeremoniae ecclesiae Ambrosianae Mediolanensis*, ed. M. MAGISTRETTI, Boniardi-Pogliani (Giovanola), Mediolani 1894, pp. 115. 14-24; 127-128.

[8] " Con questa cerimonia la Chiesa milanese venerava i libri dell'Antico e del Nuovo Testamento, depositari della rivelazione divina. Tra questi libri si annoveravano anche i codici liturgici, che erano utilizzati dai rispettivi ministri nelle due chiese, e in cui i due Testamenti erano accostati e trascritti secondo l'ordinamento proprio della Chiesa ambrosiana": P. CARMASSI, *Libri liturgici e istituzioni ecclesiastiche a Milano in età medioevale. Studio sulla formazione del lezionario ambrosiano*, Aschendorff, Münster 2001 [Liturgiewissenschaftliche Quellen und Forschungen, 85: Corpus ambrosiano-liturgicum, 4], pp. 364-365.

PARTE SECONDA

GLI ORDINAMENTI RITUALI
DI UNA TRADIZIONE ECCLESIALE

CAPITOLO IV

IL SALMO E L'INCENSO
ANTICHE RADICI E NUOVI SVILUPPI
NELL'OFFICIATURA ECCLESIALE

1. LA PREGHIERA QUOTIDIANA DELLA CHIESA

Gli Atti degli Apostoli ci presentano, in occasione della festa di Pentecoste, la primitiva comunità riunita all'*ora terza*, ossia alle nove del mattino;[1] di Pietro, inoltre, si dice che "verso mezzogiorno – ossia attorno all'*ora sesta* – salì sulla terrazza a pregare",[2] e che si recò con Giovanni al Tempio "per la preghiera delle tre del pomeriggio", ossia la preghiera dell'*ora nona*.[3] Paolo e Sila, a loro volta, sono descritti mentre in carcere a Filippi, attorno a *mezzanotte*, cantavano inni a Dio.[4]

Sembrerebbe forzato identificare in queste indicazioni cronologiche del libro degli Atti momenti specifici e codificati della preghiera quotidiana. E oltremodo difficile risulterebbe individuare antecedenti ebraici a una prassi siffatta, vista la scarsità delle informazioni di cui disponiamo in merito alle forme ritualizzate di preghiera praticate dagli Ebrei in quell'età.

Sembra peraltro di poter affermare che fosse comune usanza rabbinica pregare tre volte al giorno: oltre che al mattino e alla sera, anche al mezzogiorno (o, secondo alcune fonti, al pomeriggio). Un ufficio matutino, uno pomeridiano e uno serale (più un ufficio supplementare per qualsiasi ora) segnavano il culto sinagogale. Gli Esseni affiancavano alla preghiera matutina, meridiana e serale anche veglie notturne per lo studio della Legge, secondo una prassi cui si accenna pure in alcuni salmi. Sono dunque in armonia con tale quadro le testimonianze evangeliche in merito al Signore

---

[1] *Ac* 2, 15.
[2] *Ac* 10, 9.
[3] *Ac* 3, 1.
[4] *Ac* 16, 25.

Gesù, presentato in preghiera al mattino presto,[5] alla sera,[6] e durante la notte.[7]

La pietà d'Israele conosceva inoltre l'uso di associare la preghiera ai sacrifici quotidiani nel Tempio, in particolare all'offerta vespertina dell'incenso. "Nell'ora in cui nel Tempio di Dio a Gerusalemme veniva offerto l'incenso della sera, supplicò a gran voce il Signore": così si esprime in riferimento a Giuditta il libro dedicato a questa eroina d'Israele, e in termini non dissimili parlano altri testi scritturistici.[8]

Come, e in che misura, questi usi ebraici abbiano influito sull'ordinamento della preghiera nella comunità cristiana primitiva resta problema dibattuto e aperto.[9] Un influsso in ogni caso vi fu, come positivamente attesta la *Didachè*, che ripropone la triplice preghiera giornaliera con specifico riferimento ai formulari ebraici coevi, sostituendo peraltro questi ultimi con la "Preghiera del Signore": "E neppure pregate come gli ipocriti, ma come comandò il Signore nel suo Vangelo, così pregate. Padre nostro... Pregate così tre volte al giorno".[10]

In merito a questa fase arcaica della preghiera quotidiana della Chiesa, Robert Taft ha comunque un'osservazione che mi pare non trascurabile:

> "Molto più importante per la successiva storia della liturgia, al di là di qualsiasi connessione ebraica, è quanto di nuovo e genuinamente cristiano troviamo nel Nuovo Testamento: credere che il Padre ci ha salvato in Cristo Gesù, e che noi viviamo una nuova vita in lui. Il Nuovo Testamento è pieno di inni proromenti gioia e ringraziamento per la nuova creazione, e questo costituisce la base della preghiera di lode che i cristiani hanno innalzato al Padre giorno dopo giorno al mattino, alla sera e di notte, e continueranno a innalzare sino alla fine dei tempi".[11]

---

5   *Mr* 1, 35.
6   *Mr* 6, 46; *Mt* 14, 23; *Io* 6, 15-16.
7   *Lc* 6, 12.
8   *Idt* 9, 1; cf. *Ps 140*, 2; *Esd* 9, 5; e cf. altresì *Lc* 1, 10.
9   Al riguardo potrà vedersi, tra gli altri: R. T. BECKWITH, *The Daily and Weekly Worship of the Primitive Church in relation to its Jewish Antecedents*, in *Influences juives sur le culte chrétien*, Abbaye du Mont César, Louvain 1981, pp. 89-122.
10   *Didachè*, VIII, 2-3, edd. W. RORDORF - A. TUILIER, Éd. du Cerf, Paris 1978 [Sources Chrétiennes (= SCh), 248], pp. 172-174; trad. it.: U. MATTIOLI, Ed. Paoline, Alba 1969, p. 143.
11   R. TAFT, *The liturgy of the Hours in East and West*, Collegeville (USA); trad. it. con alcuni interventi: *La Liturgia delle Ore in Oriente e in Occidente*, Ed. Paoline, Cinisello Balsamo (Milano)1988 [Testi di teologia, 4], p. 30.

2. IL CICLO RITUALE DEL GIORNO

Peraltro, un aspetto dell'ordinamento cultuale ebraico perpetuatosi in ambito cristiano, e segnatamente nella Chiesa ambrosiana, è il computo del giorno da vespero a vespero.

Su tale rilevante dato strutturale si ritornerà più avanti,[12] ma non poteva esserne omessa la menzione avviando questa rapida presentazione dell'officiatura ambrosiana, che nel ciclo del giorno celebra la salvezza in Cristo: immagine ed eco della moltitudine immensa di coloro "che hanno lavato le loro vesti nel sangue dell'Agnello, e per questo stanno davanti al trono di Dio e gli prestano servizio giorno e notte nel suo tempio".[13]

3. OFFICIATURA DELLA ECCLESIA E OFFICIATURA DEI MONACI

La conoscenza delle strutture arcaiche dell'officiatura giornaliera e del loro evolversi nelle varie tradizioni cristiane ha ricevuto un fondamentale contributo dalla individuazione, dovuta ad Anton Baumstark, di due forme distinte, ma pure variamente interconnesse nei loro sviluppi, quali matrici di tutta la successiva complessa e articolata vicenda. Il grande studioso tedesco designò queste due forme fondamentali mediante i termini di "rito cattedrale" e "rito monastico".[14]

Poiché il termine "cattedrale", pur dotato di ascendenze tardo antiche,[15] è venuto assumendo in Occidente col procedere dell'età medioevale valenze non applicabili all'età antica e non estensibili all'Oriente,[16] e poi-

---

[12] Cf nella Parte Terza il cap. *"... già splendevano le luci". Il giorno liturgico nella tradizione ambrosiana.*

[13] Cf *Ap* 7, 9. 14-15.

[14] Per la fondamentale categoria storiografica di *"rite cathédral"* si veda A. BAUMSTARK, *Liturgie comparée*, Monastère d'Amay, Chevetogne 1953³ (1932¹), pp. 118 ss. In realtà lo stesso Baumstark, in *Nocturna laus. Typen frühchristlicher Vigilienfeier und ihr Fortleben vor allem im römischen und monastischen Ritus*, a cura di O. HEIMING, Münster 1956 [Litutgiewissenschaftliche Quellen und Forschungen, 32], è ricorso alla categoria più consona di *Gemeindefeier*.

[15] Per la presenza del termine nella Spagna alto medioevale, quale designazione della chiesa in cui abitualmente si svolgono le celebrazioni del vescovo, assistito dai diversi ordini del clero, cf concilio di Mérida (a. 666), can. 10: ed. J. VIVES [- T. M. MARÍN MARTÍNEZ - G. MARTÍNEZ DÍEZ], *Concilios Visigóticos e Hispano-Romanos*, Consejo Superior de Investigaciones Científicas, Instituto Enrique Flórez, Barcelona-Madrid 1963, p. 332.

[16] Per la specifica configurazione istituzionale e canonica, nonché per il significato sociale progressivamente assunti dalla 'cattedrale' nel medioevo occidentale, si possono vedere le belle pagine di MAURO RONZANI: *Da aula cultuale del vescovato a ecclesia maior del-*

ché a Milano il popolo si riuniva intorno al presule della città e al suo clero negli edifici di culto comunemente designati col nome di *ecclesia*, è sembrato opportuno derivare da questo specifico sostantivo l'aggettivazione con cui, in questa sede, definire il tipo di celebrazione che quotidianamente in forma solenne aveva luogo nelle comunità cristiane, almeno a partire dal secolo IV.[17]

Al riguardo George Guiver ha così osservato: "Sin da quando Anton Baumstark introdusse questo termine, la funzione pubblica è stata definita 'ufficio cattedrale' per distinguerla dall'ufficio delle ore dei monaci. Ma il termine crea problemi in quanto molto presto tali funzioni non furono confinate alle sole cattedrali. La parola 'ufficio' non ne riflette certo il clima celebrativo, ma è utile per indicare quelle che sono le funzioni liturgiche corrispondenti a un certo ordine nell'arco della giornata; il problema è, semmai, quello di trovare un aggettivo adatto. Le funzioni sono definite 'pubbliche', 'ecclesiali', 'comunitarie', 'parrocchiali', 'secolari'; ma forse sono soprattutto il culto del popolo, inteso sia come 'culto del popolo di Dio, dell'ecclesia', sia come 'culto per la gente comune, per la *plebs*'. Il termine più adatto sembrerebbe quindi 'ufficio del popolo'. Anche se non può ritenersi nemmeno questo del tutto soddisfacente, mi pare tuttavia che sia il più appropriato".[18]

---

la città: note sulla fisionomia istituzionale e la rilevanza pubblica del Duomo di Pisa, in *Amalfi Genova Pisa Venezia. La cattedrale e la città nel Medioevo. Aspetti religiosi istituzionali e urbanistici*, a cura di O. BANTI, Pacini, Pisa 1993, pp. 71-102 [Biblioteca del "Bollettino Storico Pisano", Collana storica, 42], pp. 71-102; ID., *"Chiesa del Comune", "cattedrale civica", "Stadtstift": San Petronio e un possibile capitolo di storia comparata della chiesa cittadina nel basso Medioevo*, in *Una Basilica per una città: sei secoli in San Petronio*, a cura di M. FANTI - D. LENZI, Tipoarte, Bologna 1994, pp. 35-50; *Dall'edificatio ecclesiae all'"Opera di S. Maria": nascita e primi sviluppi di un'istituzione nella Pisa dei secoli XI e XII*, in *Opera. Carattere e ruolo delle fabbriche cittadine fino all'inizio dell'età moderna*, a cura di M. HAINES - L. RICCETTI, Olschki, Firenze 1996, pp. 1-70.

17 Merita osservare che il futuro card. I. SCHUSTER nel 1914 aveva parlato di duplice *cursus*, secolare e monastico: *L'ufficio divino presso gli asceti e i monaci*, in *Rassegna Gregoriana* 13 (3) (1914) 219-246.

18 G. GUIVER, *Company of voices: Daily Prayer and People of God*, SPCK, London 1988, p. 53; trad. it.: *La compagnia delle voci. Liturgia delle Ore e popolo di Dio nell'esperienza storica dell'ecumene cristiana*, Jaca Book, Milano, 1991, pp. 61-62. Quest'opera di George Guiver, frutto di una vasta cultura storica e teologica, anglicanamente aperta a tutta l'ecumene cristiana, si segnala tra l'altro per aver rifiutato ogni preoccupazione erudita al fine di porre a disposizione di un vasto pubblico le acquisizioni della più aggiornata storiografia liturgica in merito all'ufficio quotidiano, in una prospettiva di riassunzione e valorizzazione pastorale della secolare esperienza delle diverse Chiese. Il ministero parrocchiale, esercitato dall'autore per quasi un decennio prima dell'ingresso

Questa forma solenne ed ecclesiale di preghiera ci riconduce ancora una volta alla fondamentale figura di Costantino.

Già dall'ultimo scorcio del II secolo abbiamo attestazioni d'ambito cristiano relative a specifici momenti di preghiera lungo la giornata. In Egitto Clemente esorta alla preghiera notturna e successivamente Origene parla – in palese sintonia con gli usi ebraici – di mattina, mezzogiorno e sera, cui si aggiunge la notte. La *Traditio Apostolica* posta sotto il nome di Ippolito conosce due peculiari momenti di preghiera notturna: alla mezzanotte e al *galli cantus*. In Africa Tertulliano e Cipriano ricordano anche la terza, la sesta e la nona ora (ossia, rispettivamente, le 9 del mattino, il mezzogiorno e le 3 pomeridiane); Tertulliano, peraltro, segnala la preminenza della preghiera matutina e serale, sentita come dovere indiscutibile (*legitimae orationes*).

È peraltro evidente come i diversi orari di preghiera segnalati da questi autori (appartenenti alla fine del II e alla prima metà del III secolo) non si riferiscano a solenni riunioni ecclesiali, ma alla preghiera che ogni credente, da solo o con altri fratelli, era tenuto ad elevare a Dio lungo la giornata.[19]

Al riguardo, va altresì segnalato che l'ora nona (le 3 pomeridiane) si connetteva in particolare alla sospensione del digiuno delle Ferie IV e VI (dal rigorismo montanista prolungato sino alla sera).[20]

Soltanto con Costantino, grazie alla definitiva recezione della religione cristiana nella realtà istituzionale dell'Impero, furono date le obiettive condizioni perché, non soltanto dai cuori dei singoli fedeli, ma dalla Chiesa come tale, venissero offerti a Dio in forma solenne nel corso della giornata l'adorazione, il rendimento di grazie, la supplice intercessione.

I momenti di tale preghiera furono sostanzialmente due: al mattino e alla sera.

---

nel monastero della Resurrezione di Mirfield, ha certamente contribuito a plasmare una sensibilità che, trasfusa in questo volume, ne fa un contributo estremamente stimolante anche per la comune vita ecclesiale.

[19] Dettagliata indicazione delle fonti in TAFT, *The liturgy of the Hours*; trad. it.: *La Liturgia delle Ore*, pp. 31-51.

[20] TERTULLIANUS, *De ieiunio*, X, 1, edd. A. REIFFERSCHEID - G. WISSOWA, Brepols, Turnholti 1964 [Corpus Christianorum. Series Latina (= CCL), 2], p. 1267. Considerazioni specifiche riguardano il pasto rituale che, celebrato talvolta alla sera, si apriva con l'introduzione della lampada e il relativo inno (la testimonianza al riguardo di *Traditio Apostolica*, 25, è preceduta da quella di TERTULLIANUS, *Apologeticum*, XXXIX, 18, ed. P. FRASSINETTI, Paravia, Augustae Taurinorum 1965 [Corpus Scriptorum Latinorum Paravianum], p. 94).

Va rimarcato come la nuova situazione abbia reso possibile alla Chiesa sviluppare una compiuta simbologia, che ne manifestasse la natura di popolo della Nuova Alleanza. Il riferimento alla prefigurazione tipologica veterotestamentaria fu il perno di tale linguaggio simbolico, espresso attraverso ben precisi elementi rituali.

In tale prospettiva divenne oltremodo naturale sentire la solenne adorazione compiuta quotidianamente dalla Chiesa all'aurora e al vespero come la riproposizione, nella nuova economia di salvezza, dell'adorazione che l'antico Israele compiva offrendo a Dio l'incenso al mattino e alla sera di ogni giorno.[21]

Si trattava dunque di una solenne celebrazione ecclesiale cui partecipava il popolo e nella quale officiava il vescovo col suo clero. "Siate molto zelanti nel giungere qui al mattino presto, per offrire suppliche e lodi al Dio dell'universo", diceva, attorno al 390, Giovanni Crisostomo ai fedeli di Antiochia.[22]

Si trattava di una celebrazione molto intensa e partecipata. Così Guiver ne sintetizza gli elementi: un piccolo numero di salmi fissi e riferiti specificamente alla celebrazione, nessuna lettura (eccettuato durante le veglie speciali), azione gerarchica dei ministeri, uso di vesti liturgiche, cerimonie, incenso, processioni.[23]

Mentre la celebrazione matutina prevedeva il Salmo *62* e il *Gloria in excelsis*, nella celebrazione vespertina, segnata dal Salmo *140*, venne integrato e solennizzato il rito, di matrice ebraica, dell'introduzione della lampada, che nella *Traditio Apostolica* era connesso alla riunione serale dell'agape (riunione per nulla assimilabile a una cena sociale, ma pasto

---

[21] "Farai un altare sul quale bruciare l'incenso ... Aronne brucerà su di esso l'incenso aromatico: lo brucerà ogni mattina, quando riordinerà le lampade, e lo brucerà anche al tramonto, quando Aronne riempirà le lampade: incenso perenne davanti al Signore di generazione in generazione": *Ex* 30: 1. 7-8. Per il quotidiano duplice sacrificio "del mattino" e "della sera", *Ex* 29, 38-42: "Ecco ciò che tu offrirai sull'altare: due agnelli di un anno ogni giorno, per sempre. Offrirai uno di questi agnelli al mattino, il secondo al tramonto. Con il primo agnello offrirai un decimo di *efa* di fior di farina, impastata con un quarto di *hin* di olio puro, e una libazione di un quarto di *hin* di vino. Offrirai il secondo agnello al tramonto con un'oblazione e una libazione come quelle del mattino: profumo gradito, offerta consumata dal fuoco in onore del Signore. Questo è l'olocausto perenne di generazione in generazione, all'ingresso della tenda del convegno, alla presenza del Signore, dove io vi darò convegno per parlarti".

[22] Ioannes Chrysostomus, *Catechesis VIII ad illuminandos*, 17, ed. A. Wenger, Éd. du Cerf, Paris 1957 [SCh, 50], p. 256.

[23] Cf Guiver, *Company of voices*, p. 56; trad. it.: *La compagnia delle voci*, p. 65.

rigorosamente rituale, riservato agli iniziati e regolato da precise norme cerimoniali).

Quanto al pregare rivolti a oriente e allo stare in piedi o in ginocchio, si trattava nell'età di Costantino di usi ormai secolari e consolidati nella Chiesa, di cui abbiamo testimonianza già in Tertulliano, ossia fin dai primi scritti cristiani in lingua latina.[24]

In quello stesso IV secolo, a fianco della solenne officiatura quotidiana della *ecclesia*, si svilupparono all'interno delle comunità monastiche (che allora erano sorte e si andavano diffondendo) particolari forme di preghiera connesse allo svolgersi della giornata.

Già nel corso del IV secolo la disciplina semianacoretica dei monaci di Scete nel Basso Egitto, pur conservando il precetto della costante preghiera, venne definendo – sulla scia della comune tradizione ecclesiale – due particolari offici giornalieri, uno al termine della giornata, l'altro al levarsi dal sonno al canto del gallo.[25] Si trattava – secondo la testimonianza relativamente tardiva e in parte orientata di Giovanni Cassiano – d'una serie di 12 salmi, l'ultimo dei quali accompagnato dall'*Alleluja* e seguito dalla Piccola Dossologia (*Gloria Patri*); nella preghiera in comune l'esecuzione era affidata al cantore e seguita dai fratelli in silenzio; dopo ogni salmo vi era una preghiera silenziosa in piedi, una prostrazione, una nuova preghiera silenziosa in piedi conclusa da chi presiedeva con una colletta. A questa struttura si erano poi aggiunte due letture: nei giorni feriali rispettivamente dall'Antico e dal Nuovo Testamento; nei Sabati, nelle Domeniche e nel tempo pasquale entrambe neotestamentarie, e la seconda evangelica. Dal Lunedì al Venerdì tale officiatura era eseguita singolarmente dal monaco nella propria cella. Soltanto al Sabato e alla Domenica vi era la celebrazione comunitaria. Alla Domenica vi era anche un'altra riunione, all'ora terza, per la celebrazione dell'Eucaristia.[26]

Il Taft riporta al riguardo un'osservazione di Friedrich Wulf, che merita tenere adeguatamente presente:

"All'inizio la liturgia non faceva parte della vita monastica. Perfino la celebrazione dell'Eucaristia non occupava alcun posto particolare all'interno di essa. Tutto ciò era affare del clero, non del monaco. Il dovere del monaco era di pregare in cuor suo senza mai fermarsi. Questo era l'*Opus Dei*, l'*Of-*

---

[24] TERTULLIANUS: *Apologeticum*, XVI; *Ad nationes*, I, 13; *De oratione*, 23; *De ieiunio*, 14.

[25] IOANNES CASSIANUS, *Institutiones*, III, 2, ed. J. C. GUY, Éd. du Cerf, Paris 1965 [SCh, 109], pp. 92-94.

[26] IOANNES CASSIANUS, *Institutiones*: II, 6-12, SCh, 109, pp. 68-80.

ficium, cioè digiunare, vegliare, lavorare, avere la contrizione del cuore e custodire il silenzio".[27]

In questo senso è del tutto fuori luogo per il primitivo monachesimo una distinzione tra preghiera "privata" e preghiera "liturgica"; come lo stesso Taft osserva, "non c'era che una sola preghiera, sempre personale, a volte fatta in comune con altri, a volte da soli, nel segreto del cuore".[28]

La situazione non mutava sostanzialmente nel caso delle comunità cenobitiche pacomiane, nelle quali le due officiature, matutina e serale, erano ascoltate comunitariamente; presso costoro tuttavia la sinassi matutina si svolgeva all'aurora, mentre la veglia notturna antecedente era lasciata all'autonoma iniziativa di ciascuno.[29]

Nella seconda metà del IV secolo s'andò diffondendo, soprattutto in Oriente, un nuovo tipo di monachesimo di carattere urbano. Proprio per la sua particolare condizione esso avvertì non poco, nei suoi ordinamenti cultuali, l'influsso della forma ecclesiale d'officiatura vespertina e matutinale, soprattutto per quanto concerne canti e intercessioni, del tutto assenti nell'austera preghiera salmodica degli anacoreti egiziani. Presso le comunità urbane si praticava la preghiera al risveglio *ad galli cantus*, come in Egitto, ma ad essa seguiva la preghiera matutinale all'aurora; vi erano poi brevi salmodie nelle ore già consacrate dalla tradizione cristiana alla preghiera (terza, sesta e nona); quanto all'officiatura vespertina, essa recepiva il rito lucernare e l'uso del Salmo 140. In Cappadocia si inserì, poi, un nuovo momento di preghiera prima di coricarsi, caratterizzato dal Salmo 90: è quello che verrà chiamato l'*Apódeipnon*, latinamente *Completorium*; nonché una preghiera alla metà della notte: il *Mesonyktikón*.[30] Dal VI secolo in Occidente e dal VII in Oriente risulta infine positivamente attestata anche la preghiera all'ora prima.[31]

Era così definita la successione oraria dell'officiatura, impostasi, con marginali varianti (anche se non sempre conservatesi), nelle diverse Chiese del mondo cristiano.

Di come officiatura della ecclesia e officiatura monastica di fatto si integrassero nella prassi ecclesiale, offre diretta testimonianza, nell'ultima parte del IV secolo, Egeria nel suo diario gerosolimitano. Ecco la sua de-

---

27 F. WULF, *Priestertum und Rätestand*, in *Geist und Leben* 33 (1960) 250; in TAFT, *La liturgia delle ore*, p. 99.

28 TAFT, *La liturgia delle ore*, p. 101.

29 Cf A. VIELLEUX, *La liturgie dans le cénobitisme pachômien au quatrième siècle*, Herder, Roma 1968 [Studia Anselmiana, 57].

30 Fonti e bibliografia al riguardo potranno vedersi in TAFT, *La liturgia delle ore*, pp. 111 ss.

31 Cf *Ibidem*, pp. 275-276.

scrizione dell'officiatura antelucana (si tenga presente che nel lessico della pia pellegrina "inni" e "salmi" sono termini usati indistintamente):

"Ogni giorno, prima del canto del gallo, si aprono tutte le porte dell'*Anastasis* e scendono tutti i *monazontes* e le *parthene*, come qui li chiamano, e non solo loro, ma anche i laici, uomini e donne, perlomeno quelli che vogliono seguire le vigilie fino all'alba. Da quest'ora fino a giorno si recitano inni, si risponde ai salmi ed anche alle antifone e ad ogni inno si fa una preghiera. Due o tre preti ed anche diaconi si avvicendano nei vari giorni con i *monazontes* e recitano le preghiere ad ogni inno o antifona".

Si tratta dunque di un'officiatura di tipo monastico, caratterizzata da una salmodia intercalata da preghiere, secondo uno schema non molto dissimile da quello seguito dai monaci egiziani. La narrazione di Egeria così prosegue:

"Quando comincia a far giorno iniziano a recitare gli inni matutini. Ed ecco che sopraggiunge il vescovo col clero, entra subito dentro la grotta [il Santo Sepolcro] e, da dentro i cancelli, per prima cosa dice una preghiera per tutti: lui stesso ricorda i nomi di quelli che vuole commemorare e benedice i catecumeni. Quindi dice una preghiera e benedice i fedeli. Dopodiché, mentre il vescovo esce dall'interno dei cancelli, tutti gli si avvicinano alla mano, e uscendo lui li benedice uno ad uno, e il congedo ha luogo ormai a giorno".[32]

È quest'altra chiaramente l'officiatura matutinale della ecclesia radunata nella pienezza dei suoi ordini ministeriali: un'officiatura profondamente comunitaria e simbolicamente ricca, in cui l'intero corpo ecclesiale si ritrova attorno al vescovo, a lui strettamente unito nell'adorazione e nella supplica.

4. IL MODELLO GEROSOLIMITANO

La testimonianza ora ricordata in merito all'ordinamento delle cerimonie matutinali a Gerusalemme non è, nel testo egeriano, annotazione estemporanea e casuale. Offrire documentazione riguardo alle forme cultuali costituiva una delle finalità specifiche che la pia pellegrina s'era prefissa redigendo le proprie memorie di viaggio: "Affinché la vostra bontà

---

[32] EGERIA, *Itinerarium*, XXIV, 1-2, ed. P. MARAVAL, Éd. du Cerf, Paris 2002² [SCh, 296], pp. 234-236; trad. it.: N. NATALUCCI, Firenze 1991 [Biblioteca Patristica, 17], pp. 157-159.

sia messa a conoscenza di ciò che quotidianamente si compie nei Luoghi Santi nei diversi giorni, mi sono sentita in dovere di darvene notizia, sapendo che vi avrebbe fatto piacere conoscere queste cose".[33]

A Gerusalemme in effetti si rivolgeva l'amorosa attenzione dell'intera comunione cristiana, dagli "estremi lidi occidentali del Mare Oceano", donde Egeria proveniva, alle regioni siriache dell'Oriente, dal Caucaso armeno alle terre axumite affacciate sul Mar Rosso.

Un aspetto dell'antica liturgia domenicale di Gerusalemme merita d'essere qui sottolineato. Eccone la presentazione nel testo egeriano:

> "Quando poi si è fatto giorno, visto che è Domenica, si va nell'*ecclesia maior*, che costruì Costantino (chiesa che si trova al Golgota, dietro la Croce), e si celebrano le funzioni come si fa dovunque la Domenica... Quando poi è stato fatto il congedo come si fa dovunque, allora dalla chiesa i *monazontes* portano in processione il vescovo fino all'*Anastasis*. Quando il vescovo sta per arrivare in processione, si aprono le porte della basilica dell'*Anastasis* ed entra tutto il popolo, ma solo i fedeli, non i catecumeni. Solo quando il popolo è entrato, entra il vescovo e subito va all'interno dei cancelli della grotta del *martyrium*. Per prima cosa si rende grazie a Dio e si fa una preghiera per tutti, in seguito il diacono interviene perché tutti chinino il capo, in piedi come si trovano, e il vescovo li benedice, stando all'interno dei cancelli interni, dopodiché esce. Mentre il vescovo esce, tutti si accostano alla sua mano. È così che il congedo si protrae quasi fino alla quinta o alla sesta ora".[34]

Se la celebrazione matutina domenicale si chiudeva con la processione al Sepolcro, la celebrazione vespertina, svolta, come le liturgie feriali, al Sepolcro, come quelle si chiudeva con la duplice processione alla Croce: *ante Crucem* e *post Crucem*.

> "Il vescovo viene accompagnato in processione dall'*Anastasis* fino alla Croce e tutto il popolo segue. Una volta giunto là, per prima cosa fa un'orazione, poi benedice i catecumeni quindi si fa un'altra preghiera e benedice i fedeli. Il vescovo e tutta la folla si recano anche dietro la Croce e lì si ripete il rito eseguito davanti alla Croce".[35]

---

[33] *Ibidem*, XXIV, 1, SCh, 296, p. 234 [trad. it.: p. 157].

[34] *Ibidem*, XXV, 1-4, SCh, 296, pp. 244-248 [trad. it.: pp. 164-167].

[35] *Ibidem*, XXIV, 7, SCh, 296, p. 240 [trad. it.: p. 161].

Al riguardo George Guiver osserva: "Questa processione si ritrova così spesso e in così tante forme che si può considerare tra gli aspetti principali dell'Ufficio divino".[36]

In effetti quale processione al battistero, o comunque come momento a carattere stazionale a conclusione dei Vesperi, era presente a Roma (dove ancora nel secolo XII ci si recava al battistero lateranense), a Costantinopoli, in Ispagna, ma altresì nell'ambito siriaco orientale sotto forma di processione con la Croce dal Golgota, dove si conservava, al santuario.

A Milano la processione al battistero fu sempre fedelmente conservata come momento conclusivo dell'officiatura serale e di quella matutina, che al battistero erano quindi indicate trovare la loro naturale conclusione. Nemmeno la costruzione del Duomo e la connessa demolizione dei battisteri, che pure impedirono la perpetuazione cerimoniale del rito, riuscirono a cancellare i testi dai libri liturgici ambrosiani, fino alla riforma postconciliare delle lodi matutine.

5. IL VESCOVO AMBROGIO

Le testimonianze relative all'officiatura sono in Ambrogio rare, ma significative.[37]

Nel *Commento al Salmo 118* il grande vescovo si sofferma sulla giornata di preghiera del cristiano e ricorda che, quando è indetto il digiuno, nella maggior parte dei giorni ci si deve astenere dal cibo e portarsi *in ecclesiam* nelle prime ore pomeridiane per salmodiare (*canendi hymni*) e celebrare l'Eucaristia (*celebranda oblatio*); e così prosegue:

> "Il *sacrificio vespertino* ti esorta anch'esso a non scordare mai il Cristo: quando raggiungi il tuo letto non puoi dimenticare quel Signore al quale, nel tramonto del sole, hai effuso la tua supplica, quel Signore che ha saziato la tua fame col cibo del suo Corpo".[38]

Questo testo è stato variamente interpretato. Mi pare che una lettura non forzata debba vedervi riflessa la prassi delle ferie quaresimali nelle quali – dice Ambrogio – si ha una salmodia pomeridiana (forse compren-

[36] GUIVER, *Company of voices*, p. 150; trad. it.: *La compagnia delle voci*, p. 172.

[37] Cf A. FRANZ, *Die Tagzeitenliturgie der Mailänder Kirche im 4. Jahrhundert. Ein Beitrag zur Geschichte des Kathedraloffiziums im Westen*, in *Archiv für Liturgiewissenschaft* 34 (1992) 23-83.

[38] AMBROSIUS, *Expositio Psalmi CXVIII*, VIII, 48, ed. M. PETSCHENIG, Tempsky-Freytag, Vindobonae-Lipsiae 1913 [Corpus Scriptorum Ecclesiasticorum Latinorum (=CSEL), 62], p. 180.

dente il *Salmo 118*) cui segue, quando il giorno ormai declina (*non longe est finis diei*), la celebrazione dell'Eucaristia; al tramonto del sole si svolgeva infine la liturgia lucernare.[39]

Il rito lucernare era detto anche *incensum lucernae*: "*Ad incensum lucernae*" è l'inno di Prudenzio;[40] e di "*hora incensi*" parla Ambrogio,[41] analogamente alla più tarda, e gelasiana, preghiera *Veniat quaesumus*, che nella Veglia Pasquale invocava la benedizione sul cereo acceso: *hoc incensum*.[42]

---

[39] La possibile utilizzazione del *Salmo 118* nella salmodia diurna sembra suggerita dal proemio al commento santambrosiano a questo salmo: "Ben a proposito, in moltissimi passi, Davide ha seminato i concetti di salmi morali, quasi fulgori di stelle, la cui luce spicca tra le altre. Ma il *Salmo 118* come un sole nel pieno della sua luminosità, ribollente nella vampa meridiana, l'ha collocato in uno stadio avanzato del Salterio, perchè gli esordi incerti dell'aurora o qualche senile imperfezione del crepuscolo non avessero a sottrarre a quella luminosità alcunché del suo perfetto splendore" (*Expositio Psalmi CXVIII*, Prologus, trad. L. F. Pizzolato, Biblioteca Ambrosiana - Città Nuova, Milano-Roma 1987 [Sancti Ambrosii Episcopi Mediolanensis Opera (= SAEMO), 9], p. 55). Cf M. Magistretti, *La liturgia della Chiesa milanese nel sec. IV*, Tipografia Pontificia di S. Giuseppe, Milano 1899, pp. 131-132; sulla sua scia anche U. Monachino, *Sant'Ambrogio e la cura pastorale a Milano nel sec. IV*, Centro Ambrosiano di Documentazione e Studi religiosi, Milano 1973, p. 142. Non mi pare comunque che, in forza del passo riportato nel testo, si possa attribuire ad Ambrogio l'affermazione dell'esistenza di celebrazioni quaresimali dell'Eucaristia, meridiane in alcuni giorni e vespertine in altri: cf in tal senso Magistretti, *La liturgia della Chiesa milanese*, pp. 130-131; E. Dekkers, *L'Eglise ancienne a-t-elle connu la messe du soir?*, in *Miscellanea liturgica in honorem L. C. Mohlberg*, I, Edizioni Liturgiche, Roma 1948, p. 253 ss. In verità il vescovo milanese parla di un'unica celebrazione eucaristica, dopo la salmodia avviata nelle ore pomeridiane, che si svolge nell'ultima parte del giorno. Distinto da questa Eucaristia, e collocato al tramonto del sole, sta poi il *sacrificium vespertinum*, termine nel quale, alla luce del *Salmo 140*, 2, e del suo classico uso nella celebrazione serale, credo debba vedersi designato il rito lucernare. A questo rito – nella visione di Ambrogio – e alla Eucaristia precedentemente ricevuta, il fedele non potrà non pensare al momento di coricarsi.

[40] Prudentius, *Liber cathemerinon*, V, ed. M. P. Cunningham, Brepols, Turnholti 1966 [CCL, 126], pp. 23-28.

[41] Ambrosius, *De Virginibus*, III, 4. 18, post E. Cazzaniga, ed. F. Gori, Biblioteca Ambrosiana - Città Nuova, Milano-Roma 1987 [SAEMO, 14], p. 222.

[42] Cf P. Bruylants, *Les oraisons du Missel Romain*, II, Abbaye de Mont César, Louvain 1952, n° 1176, p. 342. Per influsso del *Missale Romanum* (cf *Missale Romanum. 1570*, ed. anastat. a cura di M. Sodi - A. M. Triacca, Libreria Editrice Vaticana, Città del Vaticano 1998 [Monumenta Liturgica Concilii Tridentini, 2], p. 256 [198a]) anche nel *Missale Ambrosianum*, come ben mostra l'edizione settecentesca dell'arcivescovo card. Giuseppe Pozzobonelli, la formula era stata associata ai 'grani d'incenso'; cf C. Alzati, *Alcune note in margine alla celebrazione della Veglia Pasquale nella tradizione liturgica ambrosiana*, in *Ambrosius* 52 (1976) 315. L'espressione di Ambrogio

Della preghiera vespertina così parlava Ambrogio ai suoi fedeli:

"Chi, avendo un minimo d'umana sensibilità, non arrossirà per non aver chiuso il giorno senza la celebrazione dei salmi, quando gli stessi minuscoli uccelletti accompagnano la nascita del giorno e della notte con devota solennità e con canto dolcissimo?".[43]

Ambrogio, pur non dando precise indicazioni su strutture e contenuti, attesta pure l'uso delle *veglie notturne*, ricordando espressamente il caso della notte precedente la traslazione delle reliquie dei martiri Gervaso e Protaso.[44]

Quanto alla *celebrazione matutina*, merita riportare il passo dell'*Expositio Psalmi CXVIII* ricordato anche dal Monachino:

"Al mattino affrettati a recarti in chiesa, portaci le primizie del tuo cuore devoto... Oh! com'è dolce incominciare il giorno con gli inni, i cantici e le Beatitudini che leggi nel Vangelo".[45]

Al di là di questi pochi elementi (tra i quali spicca la connessione tra Beatitudini e celebrazione matutina) un dato è positivo: la composizione ad opera di Ambrogio di specifici inni per la preghiera lungo il corso della giornata: *Deus creator omnium*, per il vespero; *Aeterne rerum conditor* per la preghiera in *nocte ad galli cantum* (era questo il momento cha a Gerusalemme – come s'è visto – prendeva avvio la preghiera antelucana); *Splen-*

"*hora incensi*", precedentemente citata, non sembra quindi poter essere interpretata quale allusione all'offerta vespertina dell'incenso, come – seppure in forma dubitativa – è venuto ipotizzando il TAFT, *La liturgia delle ore*, p. 193.

43 AMBROSIUS, *Exameron*, V, 12. 36, ed. C. SCHENKL, Tempsky-Freytag, Vindobonae-Pragae-Lipsiae 1896 [CSEL, 32/1], p. 170.

44 "*Transtulimus vespere iam incumbente ad basilicam Faustae; ibi vigiliae tota nocte*":*Epistula LXXVII (XXII)*, 2, ed. M. ZELZER, Hoelder-Pichler-Tempsky, Vindobonae 1982 [CSEL, 82/3], p. 128. Nel De *Virginitate*, 125-126, ed. E. [I.] CAZZANIGA, Paravia, Torino 1954 [Corpus Scriptorum Latinorum Paravianum], pp. 59-60, si ricorda anche la veglia per la festa degli apostoli Pietro e Paolo, ma resta il problema della completa genuità del testo. Carattere ovviamente diverso aveva la Veglia pasquale, ricordata da Paolino con riferimento alla morte del vescovo: *Vita Ambrosii*, XLVIII. Analogamente diverse, per la loro occasionalità, le veglie imposte dal contrasto sulle basiliche con l'imperatrice Giustina (*Epistula LXXVI [XX]*, 24, CSEL, 82/3, p. 123), ricordate anche da AUGUSTINUS, *Confessiones*, IX, 15, ed. M. SIMONETTI, Fondazione Lorenzo Valla-Mondadori, 1994 [Scrittori Greci e Latini], pp.126-128.

45 AMBROSIUS, *Expositio Psalmi CXVIII*, XIX, 32, CSEL, 62, p. 438; cf MONACHINO, *S. Ambrogio e la cura pastorale*, p. 141.

dor paternae gloriae per la celebrazione matutina all'aurora; *Iam surgit* per l'ora terza.[46] Sono gl'inni tuttora cantati dalla Chiesa milanese.[47]

6. LA PREGHIERA DELLA CHIESA AMBROSIANA

Qualora si tenga presente la forma ambrosiana dell'officiatura giornaliera come era nella tradizione fissata con notevole fedeltà nel *Breviarium Ambrosianum*, con immediata evidenza ci appariranno, nella loro specificità e nella loro armonica confluenza, le due distinte tipologie che hanno segnato la genesi stessa dell'officiatura in ambito cristiano: il rito della ecclesia ed il rito monastico. In effetti appare immediata la differente impronta che caratterizza le lodi matutine e i vesperi (questi ultimi soprattutto nelle solennità e nelle feste dei santi) rispetto alle restanti parti della preghiera giornaliera.

Con notevoli corrispondenze rispetto allo schema visto presso gli anacoreti egiziani, a Milano i salmi nei notturni delle ferie (e l'ordinamento non veniva alterato da eventuali feste di santi) si disponevano in serie continue aventi alla fine la dossologia del *Gloria Patri*.[48]

La consonanza con gli antichi usi monastici emergeva anche dai grandi notturni della Settimana *Authentica*, nei quali dopo ogni salmo ci si levava in piedi al triplice *Kyrie*, come un tempo avveniva nelle riunioni monastiche antelucane per la recita delle orazioni che scandivano la salmodia (cf in merito anche la già riferita testimonianza – vaga, ma pur consonante – di Egeria, relativa alla Gerusalemme della fine del IV secolo). Del resto, l'antica consuetudine monastica delle orazioni ai singoli salmi si sarebbe espressamente conservata a Milano lungo tutta l'età medioevale, in occa-

---

[46] Cf AMBROISE de Milan, *Hymnes*. Texte établi, traduit et annoté sous la direction de J. FONTAINE, Éd. du Cerf, Paris 1992.

[47] Di questi inni e degli altri inni della liturgia milanese ha offerto una traduzione italiana, eseguibile sulle melodie del *Vesperale* ambrosiano, don Gino MOLON, già Prevosto di Canzo in Valassina: *Inni liturgici ambrosiani. Testo latino, traduzione ritmata, melodia ambrosiana*, NED - Nuove Edizioni Duomo, Milano 1992. Apparso con approvazione ecclesiastica, il volume può prestarsi a un uso liturgico; esso presenta testo latino, testo italiano, melodia in notazione quadrata e trascrizione in notazione moderna, a cura delle Romite Ambrosiane del Monastero della Bernaga in Perego.

[48] Cf IOANNES CASSIANUS, *Institutiones*, II, 8, SCh, 109, p. 72. Ma cf anche l'uso di concludere la salmodia con l'*Alleluia* (*Ibidem*, II, 5, p. 68), conservatosi a Milano nelle ore minori.

sione delle maggiori feste di santi,[49] quando erano prescritte le *Vigiliae* con la recita dell'intero salterio.[50]

Ma, a fianco di questi caratteri monastici, non meno nitida si stagliava la natura di celebrazione della *ecclesia* propria delle Lodi matutine e dei Vesperi: non salmodia corrente, ma testi specifici ("sempre appropriati e studiati per adattarsi alla circostanza che si celebra", per dirla con Egeria)[51], ricco cerimoniale, simbologia delle luci, uso dell'incenso, riti processionali.

Analogamente "ecclesiale" si presenta la preghiera notturna domenicale, di cui è palese la continuità di struttura rispetto al modello gerosolimitano, come attestato da Egeria alla fine del IV secolo:[52] in effetti fino ai nostri giorni tale momento celebrativo nella tradizione ambrosiana prevede una salmodia costituita da tre cantici veterotestamentari.[53]

Carattere festivo e non monastico assumeva pure la salmodia notturna sabbatica.

Analogo radicamento gerosolimitano si ripropone, nelle Domeniche e solennità, dopo la conclusione della preghiera notturna, con la processione della

---

49   BEROLDUS, *Ordo et caeremoniae ecclesiae Ambrosianae Mediolanensis* (= BEROLDUS), ed. M. MAGISTRETTI, Boniardi-Pogliani (Giovanola), Mediolani 1894, pp. 57, 58, 59, ricorda in particolare Protaso e Gervaso, Lorenzo, Ordinazione di S. Ambrogio, Stefano, Deposizione di S. Ambrogio, Nazaro e Celso, Nabore e Felice, Simpliciano, Esaltazione della Santa Croce. Quest'ultima festa era stata istituita nel 1053 sulla base di un consistente lascito del notaio Tado (Tadelberto): C. MANARESI - C. SANTORO, *Gli atti privati milanesi e comaschi del secolo XI*, III, Comune di Milano, Milano 1965, n. 366.

50   Cf. al riguardo nella Parte Terza il cap. VII: "... già splendevano le luci". *Il giorno liturgico nella tradizione ambrosiana.*

51   EGERIA, *Itinerarium*, XXV, 5, SCh, 296, p. 248.

52   "Appena il primo gallo ha cantato, subito il vescovo scende ed entra dentro la grotta, nell'*Anastasis*. Si aprono tutte le porte, e tutta la folla entra nell'*Anastasis*, dove risplendono già numerosissimi lumi, e, una volta entrato il popolo, uno dei sacerdoti recita un salmo e tutti rispondono, dopodiché si fa una preghiera. Uno dei diaconi recita un salmo, ugualmente si fa un'orazione, viene pronunciato anche un terzo salmo da uno del clero, si fanche una terza orazione e si fa memoria di tutti. Recitati i tre salmi e fatte tre orazioni, ecco che vengono portati nella grotta dell'*Anastasis* anche gli incensieri, perché tutta la basilica si riempia di profumi. E allora il vescovo, lì in piedi dove si trova, dentro i cancelli, prende il Vangelo, si avvicina alla porta e legge lui stesso la Resurrezione del Signore ... Letto il Vangelo, il vescovo esce e viene accompagnato in processione alla Croce e tutto il popolo va con lui. Lì si recita nuovamente un salmo e si fa un'orazione. Benedice i fedeli e si fa il congedo. E mentre il vescovo esce, tutti si avvicinano alla sua mano": EGERIA, *Itinerarium*, XXIV, 9-11, SCh, 296, pp. 242-244; trad. it.: pp. 163-165. Cf. J. MATEOS, *La vigile cathédrale chez Égerie*, in *Orientalia Christiana Periodica* 27 (1961) 281-312.

53   Cf M. NAVONI, *La nuova Liturgia Ambrosiana delle Ore: lettura storico-comparativa*, in *La Scuola Cattolica* 114 (1986) 241-244.

Croce, accompagnata dalla rispettiva antifona:[54] si tratta ancora una volta di un elemento rituale della liturgia "ecclesiale", sussistito un tempo pure in ambito greco[55], e oggi conservatosi nelle Chiese sire orientali[56] e a Milano[57].

Le forme celebrative puntualmente documentate a Milano dall'età mediovale evidenziano peraltro significative consonanze pure con altre aree dell'Occidente latino tardo antico.

La ricca documentazione offerta agli inizi del secolo VI da Cesario per le Gallie, e segnatamente per la Chiesa di Arles, ci attesta quotidianamente la celebrazione di un'officiatura antelucana in parte monasticizzata, immediatamente seguita dall'officiatura matutinale di tipo "ecclesiale":

> *Ps 50*;
> nelle feste il *Benedicite*;
> poi i Salmi Alleluiatici, seguiti da preghiera silenziosa in ginocchio o da una colletta;
> indi, nelle feste, *Te Deum*;
> Inno;
> versetti del *Capitellum*;
> orazione di benedizione sui fedeli inchinati[58].

Non dissimile si presenta la testimonianza di Gregorio di Tours, di poco successiva[59]. E non molto diverso risulta essere il quadro celebrativo dell'officiatura matutinale, che nei secoli VI e VII vengono delineando le fonti d'ambito ispanico[60].

---

54   Cf M. NAVONI, *"Antiphona ad Crucem"*. *Contributo alla storia e alla liturgia della Chiesa milanese nei secoli V-VII (attraverso il metodo comparativo)*, in *Ricerche Storiche sulla Chiesa Ambrosiana*, XII, NED - Nuove Edizioni Duomo, Milano 1983 [Archivio Ambrosiano], 51, pp. 49-226; ID., *Natura e funzione dell'antiphona "ad Crucem"*: *appunti per una storia dell'Ufficiatura Mattutina Ambrosiana*, in *La Scuola Cattolica* 112 (1984) 449-462.

55   SYMEON Thessalonicensis, *De sacra precatione*, 349-350, PG, 155, cc. 636-645.

56   J. MATEOS, *Lelya-Sapra. Les offices chaldéens de la nuit et du matin*, Pontificium Institutum Orientalium Studiorum, Roma 1976² (Orientalia Christiana Analecta, 156), p. 431.

57   Cf NAVONI, *La nuova Liturgia Ambrosiana delle Ore*, pp. 251-252.

58   Cf TAFT, *La Liturgia delle Ore*, p. 209.

59   Con riferimento alla morte dello zio, san Gallo di Clermont, Gregorio delinea un'officiatura matutina in cui erano previsti: il *Ps. 50*, il *Benedicite* (*Benedictio*), i *Pss. 148-150* (*Alleluiaticum*) conclusi dai versetti del *Capitellum* (GREGORIUS Turonensis, *Vitae Patrum*, VI (*De sancto Gallo episcopo*), 7, ed. B. KRUSCH, Hahn, Hannoverae [1885¹] 1969² [MGH, Scriptores Rerum Merovingicarum, 1/2], p. 235).

60   *Ps 50* con antifona e orazione;
      poi Cantico con antifona e orazione;
      nelle feste *Bendicite* con antifona e orazione;

Le convergenze con l'ordinamento dell'officiatura matutinale ambrosiana diventano oltremodo puntuali nel caso dell'irlandese *Antifonario di Bangor*, risalente agli anni 680-691.[61]

Quanto all'officiatura vespertina, che Gregorio di Tours definisce *"gratia vespertina"*,[62] sempre nelle Gallie risulta essere chiamata *Lucernarium* dalla *Vita di Cesario*:[63] una denominazione già attestata alla fine del IV secolo (nella forma *Lucernare*) dalla pellegrina Egeria.[64]

In ambito ispanico tale officiatura risulta composta da:

> *Oblatio luminis* (cerimonialmente costituita dalla collocazione di un cero acceso davanti all'altare con la formula: "Nel nome del nostro Signore Gesù Cristo, luce e pace"),
> seguita dal *Vespertinum*, ossia:
> salmo vespertino con antifona e orazione;
> Inno;
> Supplica con *Completuria* a conclusione;
> *Padre Nostro* con embolismo;
> *Psallendum* stazionale.[65]

---

quindi i *Pss 148-150* con antifona e orazione;
Inno;
Supplica con *Completuria* a conclusione;
Padre Nostro con embolismo;
Psallendum stazionale.
Cf TAFT, *La Liturgia delle Ore*, pp. 219-220.

[61] Ed. F. E. WARREN, *The Antiphonary of Bangor: An Early Irish Manuscript in the Ambrosian Library at Milan*, Harrison, London 1893-1895 [Henry Bradshaw Society, 4-5]; E. FRANCESCHINI, *L'Antifonario di Bangor*, Gregoriana, Padova 1941; cf. M. CURRAN, *The Antiphonary of Bangor and the Early Irish Monastic Liturgy*, Irish Academy Press, Dublin 1984, pp. 183-195.

[62] GREGORIUS Turonensis, *De passione et virtutibus sancti Iuliani martyris*, 20, ed. B. KRUSCH, Hahn, Hannoverae [1885¹] 1969² [MGH, Scriptores Rerum Merovingicarum, 1/2], p. 123. 9: la definizione richiama l'*epilýchnios eucharistía* della *Vita s. Macrinae* del Nisseno (GREGORIUS Nyssenus, *Vita sanctae Macrinae*, 25, ed. P. MARAVAL, Paris 1971 [SCh, 178], p. 226. 9).

[63] *Vita Caesarii episcopi Arelatensis*: I, 59; II, 16, ed. B. KRUSCH, Hahn, Hannoverae 1896 [MGH, Scriptores Rerum Merovingicarum, 3], pp. 481. 11; 490. 7.

[64] EGERIA, *Itinerarium*, XXIV, 4, SCh, 296, p. 238. Cf G. WINKLER, *Über die Kathedralvesper in den verschiedenen Riten des Ostens und Westens*, in *Archiv für Liturgiewissenschaft* 16 (1974) 58-59; per l'Occidente non romano in età successiva: 88-89, 92-95.

[65] TAFT, *La Liturgia delle Ore*, pp. 217-218; cf anche J. M. FERRER GRENESCHE, *Curso de liturgia hispano-mozárabe*, Estudio Teológico de San Ildefonso, Toledo 1995, pp. 83-93.

Gli elementi di consonanza tra questa celebrazione "ecclesiale" e le più tarde testimonianze ambrosiane sono evidenti: dall'*oblatio luminis*,[66] all'unico salmo (come nei Vesperi pasquali milanesi), al *Padre Nostro* finale, alla conclusione stazionale.[67]

La sensibilità cultuale con cui la comunità ambrosiana viveva le proprie tradizionali forme, squisitamente "ecclesiali", di officiatura quotidiana trova una testimonianza particolarmente efficace nella *Expositio Matutini Offici* a noi pervenuta sotto il nome dell'arcivescovo Teodoro.[68]

In questo scritto, dopo la presentazione dell'officiatura notturna domenicale, il commento alla celebrazione matutinale si apre parlando del *Benedictus*. In realtà tale cantico neotestamentario, più che inizio della celebrazione matutinale, sembrerebbe doversi considerare momento conclusivo dell'officiatura notturna, la cui terza lettura non era seguita da alcun responsorio. *"Nos autem huius responsorii loco antiphonam habemus, quam sequitur Canticum Zachariae"*.[69]

---

[66] *"Post lumen oblatum"* dice il can. 2 del concilio lusitano di Mérida del 666: ed. J. VIVES (- T. M. MARÍN MARTÍNEZ - G. MARTÍNEZ DÍEZ), *Concilios Visigóticos e Hispano-Romanos*, Consejo Superior de Investigaciones Científicas, Instituto Enrique Flórez, Barcelona-Madrid 1963, p. 237. Cf in ambito milanese: *"Subdiaconus revertitur in secretarium et recipit candelabra accensa a cicendelario ebdomadario; exit ante presbyterum et vadit post altare ... In principio de* Magnificat *cicendelarius ebdomadarius porrigit subdiacono, cuius septimana est, candelabra accensa in secretario, et ille ponit ante altare "*: BEROLDUS, pp. 54. 18-20; 56. 7-9.

[67] Cf già W. C. BISHOP, *The Mozarabic and Ambrosian Rites: Four Essays in Comparative Liturgiology*, cur. C. L. FELTOE, Mowbray, London 1924 [Alcuin Club Tracts, 15].

[68] *Expositio matutini officii sanctae Ambrosianae Mediolanensis ecclesiae edita a S. Theodoro archiepiscopo eiusdem ecclesiae*, ed. M. MAGISTRETTI, in *Manuale Ambrosianum*, I, Hoepli, Mediolani 1905, pp. 114-142. Il testo, che è stato datato al X-XI secolo, parrebbe una rielaborazione di materiale precedente, testimoniando la *scientia Ambrosiana* progressivamente sedimentatasi nelle scuole di Santa Maria Maggiore.

[69] *Expositio matutini officii*, p. 122. La distinzione sussistente tra il *Cantico di Zaccaria* e la successiva fase celebrativa è ben mostrata anche da un aspetto cerimoniale non poco indicativo: il luogo di intonazione delle antifone, su cui l'*Expositio* espressamente si sofferma: "Bisogna ben considerare perchè la prima antifona dopo le letture [l'antifona al *Cantico di Zaccaria*] venga iniziata dall'ultimo dai diaconi, la successiva invece è annunziata dal diacono preminente. Quella che risulta seconda in questa successione della preghiera matutinale, è in realtà la prima dopo il rito della Croce; dunque, poiché dopo la Croce, cancellata la morte, Cristo, risorgendo dai morti, si è reso ai suoi discepoli in più grande potenza, giustamente la prima antifona dopo la Croce è intonata dall'arcidiacono, che risulta avere una maggiore potenza rispetto agli altri diaconi: 'archos' è in effetti un termine designante dignità, che in latino è reso con 'princeps'. Egli dunque, salendo fin presso l'altare, da lì proclama l'antifona... Tutti, dopo quell'antifona, a somiglianza di lui, sia durante le Lodi matutine che durante i Vesperi, presso l'altare intonano le antifone,

In riferimento al *Benedictus*, l'*Expositio*, così si esprime:

"Durante il Notturno noi ci troviamo nella stessa tribolazione che segnò le tenebre dell'Antico Testamento; poi, terminate le letture, ci avviciniamo alla gioia e alla consolazione del Nuovo Testamento, nel quale ebbe compimento la profezia che dice: 'Dio stesso verrà e ci salverà; allora si apriranno gli occhi dei ciechi e si schiuderanno le orecchie dei sordi; allora tutto Israele sarà salvato'. Per questo tutti diciamo: '*Benedictus Dominus Deus Israel: quia visitavit, et fecit redemptionem plebis suae*' ... E come, in seguito all'apparire del sole sulla terra, si ha il giorno, così il Signore con la sua venuta eliminò ogni oscurità della notte e, dove non vi era luce, tutto divenne luminoso, e apparve il giorno. Il giorno, infatti, è apparso a noi privi di luce, allorché il Signore Dio d'Israele ci ha spogliati delle tenebre dell'infedeltà, visitandoci con la sua Incarnazione e liberando dalle tenebre dell'Inferno quanti sedevano nell'ombra di morte, lui che ci ha visitati mediante la sua Morte e Resurrezione".[70]

Come si è più sopra ricordato, a Gerusalemme l'officiatura notturna domenicale era seguita dalla processione alla Croce. A Milano, dopo il *Benedictus* (nelle Domeniche d'Avvento, a Natale, nella festa della Circoncisione e all'Epifania sostituito dal Cantico di Mosè: *Attende caelum*[71], la celebrazione prosegue con la processione dell'*Antiphona ad Crucem*, la cui ritualità vuole solennemente proclamare il mistero della redenzione e la sua irradiazione cosmica.

Il complesso cerimoniale medioevale, continuatosi fino all'età napoleonica (esattamente fino al Matutino dell'Epifania 1798), è solo accennato nell'*Expositio*, che vi dedica peraltro un ampio commento spirituale.

"Poiché il Signore, Dio d'Israele, ha redento il suo popolo per mezzo della Croce, le lodi della Croce si collocano opportunamente dopo il Cantico di Zaccaria.
I lettori, che per primi cantano l'antifona, si dispongono a mo' di corona affinché, lodando essi il Dio crocefisso nella carne, comprendano che Egli vive senza inizio e vivrà in eterno senza fine: il cerchio della corona è infatti privo di un inizio e di una fine...
Al canto di costoro, gli altri componenti il sacro *ordo* sono spinti a cantare anch'essi la medesima antifona e, come stimolati dall'entusiasmo e dalla proclamazione dei primi, vengono esortati alla medesima lode: quanto in-

---

mentre colui che inizia la prima antifona dopo le letture [al *Cantico di Zaccaria*] non si porta al lato dell'altare" (*Expositio matutini officii*, p. 137).

[70] *Expositio matutini officii*, pp. 117, 123.
[71] Dt 32, 1-43. Cf *Expositio matutini officii*, pp. 125-126.

fatti gli antichi profeti avevano cantato, i santi che vennero dopo di loro predicarono con libera voce, secondo quell'affermazione profetica dell'autore del salmo: 'Il popolo che nascerà annuncerà la giustizia di Lui'; e altrove lo stesso salmista dice: 'Il popolo che verrà darà lode al Signore'.

I fanciulli comunque non si recano dietro la Croce insieme agli adulti: cantano stando nella parte del *chorus* riservata ai lettori, ma non escono dalla chiesa coi lettori, perché fu *nel* tempio che al Signore, ormai avviato alla passione, essi gridarono: "Benedetto colui che viene ...".

Quest'antifona, nell'Avvento del Signore, viene cantata sette volte ... perché il numero settenario significa il Vecchio Testamento, in cui si sperava la venuta del messia: settimo giorno è infatti il Sabato, che nell'Antico Testamento assumeva specialissimo rilievo.

Nella Quaresima invece l'antifona 'ad Crucem' non viene cantata;... in quei giorni l'imminente Passione è ormai davanti ai nostri occhi e non è necessario celebrarne il ricordo ... Ma, passata la Passione, nella Resurrezione di nuovo facciamo memoria della Croce, cantando l'antifona 'ad Crucem' nella quale affermiamo: 'Attraverso il legno Adamo si perdette, e attraverso la Croce il mondo è stato redento'. Questa antifona è la prima ed anche l'unica che ricorda espressamente la Croce; le altre che seguono ne ripropongono la simbologia, ma non fanno menzione della Croce. Sia l'una che le altre successive vengono cantate cinque volte...

Le tre Croci avanzano, con le candele accese, seguendo i movimenti di coloro che cantano dinanzi alla Croce. Quanti infatti cantano per primi, quando si spostano da un luogo all'altro, sono guidati dalla Croce che li precede; quanti cantano alla fine precedono la propria Croce. Mai, in ogni caso, la Croce deve allontanarsi dal cospetto di quanti cantano, precedendola o seguendola, finché non abbiano portato a compimento il tragitto processionale avviato ... In questo elemento cerimoniale noi ricordiamo quell'antico evento, quando, per la salvezza del popolo che stava per morire a causa del morso dei serpenti, Mosè innalzò il serpente di bronzo, al cui cospetto venivano salvati quanti a lui rivolgevano lo sguardo, mentre coloro che non lo guardavano perivano. Avveniva dunque che, per mezzo del serpente, il morso dei serpenti non otteneva il sopravvento. Avviene allo stesso modo che i redenti per mezzo del legno della Croce non possano più essere toccati dal morso dell'antico legno. Così infatti il Signore dice nell'Evangelo: 'Come Mosè innalzò il serpente nel deserto, così bisogna che sia innalzato il Figlio dell'uomo affinché il popolo del riscatto sia liberato dal morso del diavolo'".[72]

La dimensione cosmica di questa redenzione commemorata dal rituale matutino della Croce è ben evidenziata dal cosiddetto Landolfo seniore,

---

[72] *Expositio matutini officii*, pp. 127, 128, 129.

che nella sua *Historia Mediolanensis* dedica un'ampia pagina al rituale dell'Antifona "*ad Crucem*", da lui sentita come "onore reso al mistero di Dio e gloriosa prerogativa della santa Chiesa ambrosiana". Con la sua penetrante sensibilità ecclesiologica, così egli si esprime:

> "Opportunamente le Croci sono tratte dal luogo segreto della sacrestia, poiché dal segreto di Dio il Cristo è apparso a noi, e noi difesi dalla sua Croce, per la protezione di lui siamo liberati da ogni spirito avverso. Le Croci sono tratte dal segreto della sacrestia, poiché dai luoghi segreti per terrore dei pagani i popoli portando la Croce di Cristo varcano devotamente la soglia della Chiesa per seguire Cristo. Per questo il Signore attraverso l'Evangelo proclama: 'Chi avrà portato la Croce di Cristo sarà salvo'. Tre sono dunque le Croci, perché tutte le tre parti del mondo, ossia l'Asia, l'Europa e l'Africa, giungendo alla conoscenza del Creatore del cielo e della terra, e credendo nel Santo Verbo concepito per opera dello Spirito Santo e nato dalla Vergine, professino pienamente l'unità nella Trinità e la Trinità nell'unità".[73]

In base all'esposizione attribuita a Teodoro, e a quelle del cosiddetto Landolfo e del Beroldo[74], sembra di poter ricostruire il seguente andamento cerimoniale, segnatamente con riferimento alla forma più articolata del rito, quando l'antifona veniva eseguita sette volte.

Alla terza lettura gli ostiari traggono dalla Sacrestia tre croci argentee. Ciascuna di esse porta alla sommità una candela accesa ed è accompagnata da due candele.[75] Incaricati di condurre processionalmente tali Croci illuminate sono gli ostiari stessi. L'*Expositio* rimarca il richiamo trinitario insito nel rito e segnala come la disposizione processionale preveda che due Croci procedano avanti appaiate, la terza si ponga dietro a esse.[76]

---

[73] L(ANDULFUS), *Historia Mediolanensis* [= L(ANDULFUS)], I, 13, edd. L. C. BETHMANN - W. WATTENBACH, Hahn, Hannoverae 1848 [Monumenta Germaniae Historica (= MGH), Scriptores (= SS), 8], p. 43; cf ed. A. CUTOLO, Zanichelli, Bologna 1942 [Rerum Italicarum Scriptores, editio altera (= RRIISS, e. a.), 4/2], pp. 21-22.

[74] BEROLDUS, pp. 40-43.

[75] L'uso di adornare con ceri accesi le Croci processionali è espressamente legato da autori costantinopolitani della prima parte del V secolo a Giovanni Crisostomo, che avrebbe introdotto tale suggestivo elemento cerimoniale in funzione 'antiariana': cf SOCRATES, *Historia Ecclesiastica*, VI, 8, ed. G. Ch. HANSEN, Akademie Verlag, Berlin 1995 [Die griechischen christlichen Schriftsteller (= GCS), n. F., 1], p. 325; SOZOMENUS, *Historia Ecclesiastica*, VIII, 8, ed., post J. BIDEZ, G. CH. HANSEN, Akademie Verlag, Berlin 1995 [GCS, n. F., 4], p. 361.

[76] *Expositio matutini officii*, p. 132.

Al termine delle letture, il prete primicerio dei lettori raccoglie questi ultimi e insieme lasciano il *chorus* passando al centro di esso in fila essendo ultimo il primicerio, e così si recano presso le Croci. Escono quindi all'esterno passando per la porta laterale (dalla porta presso la sacrestia nella chiesa hyemale; dalla porta settentrionale nella chiesa estiva) e, costeggiando in processione dietro le Croci il fianco della chiesa al canto – sottovoce – della seconda sallenda del giorno, si portano nell'atrio della chiesa e raggiungono le porte regie.[77] Varcata la soglia, compiono il solenne ingresso nella chiesa stessa e si pongono al centro della navata, a un quarto circa della sua lunghezza.

Quando termina il cantico (in Avvento: *Attende*), il primicerio, raccolti in un cerchio attorno a sé i cantori e stando presso di loro l'ostiario con la terza Croce, inizia con i suoi il canto dell'antifona. Dopo averla eseguita *una volta*, canta i tre *Kyrie*.

A questo punto le due prime Croci avanzano un poco e la terza si colloca nel luogo da loro precedentemente occupato. I lettori cantano allora per la *seconda volta* l'antifona ad alta voce con i tre *Kyrie*.

Mentre i lettori cantano l'antifona, tutto il clero scende ordinatamente dal *chorus*, disponendosi fuori dai cancelli nella navata: cardinali preti e notai a settentrione, cardinali diaconi e suddiaconi a mezzogiorno. Al cancello si pone l'arcivescovo. Terminata la seconda esecuzione dell'antifona, le due prime Croci si collocano rispettivamente davanti all'arciprete e all'arcidiacono, la terza Croce raggiunge invece il luogo dove le altre si trovavano precedentemente. A questo punto tutti gli *ordines* del clero cantano per la *terza volta* l'antifona.[78]

---

[77] "Uscendo per la processione *ad Crucem* costeggiano soltanto un fianco della chiesa. In ciò deve intendersi che lo Sposo della Chiesa, Cristo, col suo fianco trafitto santificò e rese sacro tutto il corpo della Chiesa sua Sposa; come infatti dalla costola di Adamo dormiente è stata formata Eva, così dal fianco di Cristo pendente sulla Croce si è formata la Chiesa": *Expositio matutini officii*, p. 127. Si noti che a Natale e all'Epifania anche l'arcivescovo con l'arcidiacono partecipava a questo corteo e, giunto al luogo del primo canto dell'antifona, vi recitava un'orazione, raggiungendo poi subito il suo posto: BEROLDUS, p. 42.

[78] Nel frattempo un suddiacono, rivestito di una tunica ricamata a piccoli cerchi (*alba deoculata*), avendo ricevuto in sacrestia una lampada da un cicendelario, da questi accompagnato si recava ad accendere le dodici *phialas* (lampade metalliche), riempite di vino e olio, appese ad apposite catenelle, dinanzi al *chorus*. Finito tale compito, il suddiacono si portava dietro l'altare per ricevervi le Croci al termine della processione. Cf. BEROLDUS, pp. 40. 26-33, 41. 19-25. Il tipo particolare di ricamo, che caratterizzava la tunica usata per tale incombenza dal suddiacono, trova un parallelo – peraltro in contesto del tutto diverso – in un Epigramma (*XIII*) di PAULUS SILENTIARIUS, in cui si ricorda

I lettori a loro volta raggiungono le due Croci all'ingresso del *chorus*, si dispongono a corona e cantano l'antifona per la *quarta volta*.

I cardinali si portano allora un poco all'interno del *chorus* e cantano per la *quinta volta* l'antifona.

Cantata l'antifona dai cardinali le due Croci sono portate dietro l'altare, dove il suddiacono in *alba deoculata*, ricevute le Croci stesse e tolte le candele, le consegna agli ostiari perché siano riposte.

Contemporaneamente il primicerio dei lettori, restando in mezzo ad essi, si porta con loro ai cancelli settentrionali, mentre la terza Croce si porta al cancello centrale. Il primicerio intona allora il *Gloria Patri* e subito i cantori ripetono per la *sesta volta* l'antifona. Al termine il primicerio li congeda col saluto *Pax vobis*.

La terza Croce viene allora portata dietro l'altare, per essere poi riposta tra le altre due, mentre l'arcivescovo raggiunge il suo podio (*stadium*) e i cardinali ritornano ai propri seggi nel *chorus*.

A questo punto sono i cardinali stessi a cantare *Sicut erat* e a ripetere per la *settima volta* l'antifona, seguita dai tre *Kyrie*.

Il rito è così concluso.

Nel frattempo, tuttavia, il suddiacono in *alba deoculata*, avendo presa dalla sommità della terza Croce la candela, procede all'accensione del grande cero (*columna cerea*) e dei 12 ceri minori che stanno sul presbiterio sopraelevato (*tribunal*): è il rito introduttivo al successivo *Cantico di Mosè* (*Cantemus*: *Ex* 15, 2-19).

Questo intimo nesso rituale tra i due momenti della officiatura matutina è fortemente rimarcato dalla *Expositio* che – non si dimentichi – commenta una celebrazione di tipo domenicale (nella quale, prima delle recenti riforme, si prevedeva regolarmente il *Cantico di Mosè*). Ecco al riguardo come l'*Expositio* si esprime:

> "Si accendono, quindi, i ceri luminosi. Ecco dunque: già splende la colonna di fuoco che un tempo riluceva precedendo i figli d'Israele nel transito del Mar Rosso ed ora di nuovo risplende per condurci al lavacro del battesimo, che il passaggio di quel mare prefigurava. Perciò in questa accensione dei ceri viene cantato il *Cantico dell'Esodo* che compiutamente commemora il transito del Mar Rosso ad opera dei figli d'Israele. Sono pertanto 12 i ceri che vengono accesi e davanti ad essi, quasi guida che apre la via, s'innalza la colonna ardente, giacché 12 sono le tribù d'Israele illuminate dalla co-

---

un "lino dai mille occhi" (*mítos polyōpés*): ed. et trad. G. Viansino, Loescher, Torino 1963 [Biblioteca Loescheriana], p. 28.

lonna di fuoco, che le guida traendole dalla schiavitù egiziana".[79]

L'esplicita citazione dal *Preconio* e le molteplici allusioni alle immagini tipologiche presenti in quel testo imprimono a questa officiatura matutina domenicale un marcato carattere pasquale. E in effetti l'*Expositio* si diffonde ampiamente a illustrare l'organico nesso che lega il *Cantico* al rito della Croce, spiegandone il significato ad un tempo pasquale e battesimale. Così tra l'altro, afferma:

> "Nella processione '*ad Crucem*' anche noi risultiamo incedere sulla via del Mar Rosso; non è infatti senza legame col Mar Rosso l'onda di acqua e sangue che fluisce dal fianco di Cristo pendente sulla Croce: e l'una e l'altro sono immagine del Battesimo. Ecco perciò la Croce, come colonna innalzata su cui splendono le luci, guidarci come i figli d'Israele lungo il cammino fino alla terra buona, ampia e spaziosa. Se nella realtà concreta del rito, la Croce illuminata ci conduce nel santuario, dove in più ampio spazio tutti siamo accolti, in senso spirituale la Croce della fede con lo splendore della sua luce ci introduce nella terra buona di cui il profeta nel *Salmo 26* dice: 'Credo di poter contemplare i beni del Signore nella terra dei viventi'".[80]

Merita osservare come l'orazione che accompagna i cantici veterotestamentari li precedesse, e non li seguisse come nel caso delle orazioni salmiche. In effetti si trattava di orazioni che qualificavano il momento liturgico che esse aprivano. Per l'orazione precedente il *Cantico di Mosè* così l'*Expositio* si esprime:

> "Opportunamente questa orazione viene detta prima del cantico relativo al passaggio del Mar Rosso, perché così Mosè pregò prima di liberare il popolo. Inoltre il sacerdote, dicendo questa orazione, non si avvicina all'altare come suole fare per recitare le altre orazioni, ma, tenendosi a distanza dall'altare, prega in piedi in mezzo al *chorus*; il Signore in effetti disse a Mosè: 'Non potrai vedere il mio volto; ecco, vi è un luogo nelle vicinanze: starai sulla pietra'".[81]

Analogamente avveniva per la successiva orazione, pure essa antecedente un cantico veterotestamentario.

Se *Antiphona ad Crucem* e *Canticum Moysi* si saldavano strettamente nella loro significazione, fondamentalmente pasquale, legame non meno

---

[79] *Expositio matutini officii*, pp. 129-130.
[80] *Expositio matutini officii*, p. 130.
[81] *Expositio matutini officii*, p. 133.

stretto viene dalla *Expositio* stabilito tra *Cantico di Mosè* e *Cantico dei Tre Fanciulli*:

"Quanto mai coerente risulta la collocazione, dopo il *Cantico dell'Esodo*, del *Cantico dei Tre Fanciulli*, che contiene in sé, come ben sappiamo, la testimonianza vera della Trinità. In effetti la fede, che professiamo nel Battesimo, deve essere da noi custodita inviolata nel cuore e nelle azioni; noi siamo condotti anzitutto al fonte battesimale e poi, nel battesimo, compiamo la nostra professione di fede nella Trinità. In alcuni giorni, segnatamente nelle feste dei Santi e al Sabato, questi cantici sono cantati singolarmente, l'uno senza l'altro; ma nel Giorno del Signore, nel quale per il significato del numero ottonario si designa la pienezza della vita eterna, i due cantici vengono accostati nell'officio, senza alcuna interposizione di salmi o di altri cantici, al fine di manifestare, attraverso la loro congiunzione, la pienezza della salvezza, che sta nel Battesimo e nella vera fede".[82]

Così prosegue il commento dell'*Expositio*:

"A questo punto segue un'orazione da dirsi a voce alta [le precedenti orazioni erano 'segrete'] davanti all'altare: le cose vecchie sono passate, ogni cosa è stata fatta nuova. E infatti ecco che il sacerdote si avvicina ed è presso l'altare, perché noi che siamo rinati e siamo stati resi saldi nella fede della Trinità, ci siamo avvicinati a Dio e comunichiamo al suo Corpo...
E allorché tutto il popolo risponde all'*Amen*, come ritenendo esaudita la preghiera del sacerdote, tutti sono esortati alla lode del loro Creatore e dicono: '*Laudate Dominum de caelis, laudate eum in excelsis*'.
Nella maggior parte dei codici l'orazione presenta la soprascritta *Oratio in Laudate* come per indicare che si riferisce al seguente salmo. In modo opportuno questi due aspetti vengono congiunti; ossia noi dobbiamo pregare e salmodiare; diciamo infatti salmodiare per dire lodare, come in quel passo: 'È bello dar lode al Signore e salmodiare' ...
Quattro sono i salmi che a questo punto si cantano con un unico *Gloria* e sotto un'unica antifona: in essi è racchiusa la lode di Dio che sarà celebrata nella vita eterna che i battezzati conseguiranno...
Durante il canto dei sopraddetti salmi, canto che è come l'immagine della lode che s'innalzerà nella vita futura, da noi si usa incensare l'altare e il santuario, giacché l'evangelista Giovanni nella sua visione delle realtà future vide un angelo di Dio che stava all'altare e aveva nella sua mano un turibolo d'oro, e a lui furono portati molti incensi, che sono le preghiere dei Santi, perché dalla mano del suo angelo la nube dei profumi ascendesse al cospetto di Dio.

---

[82] *Expositio matutini officii*, p. 135.

Il suddiacono poi che dalla sacrestia porta il turibolo con gli aromi ricorda le donne che prepararono gli aromi per ungere il corpo di Gesù. Dopo aver porto il turibolo al diacono che intona l'antifona in *Laudate*, si ritira; poiché infatti è inferiore al diacono, è al servizio del ministero del diacono...

Il diacono poi incensa per prima cosa sopra l'altare, mostrando così per mezzo di chi egli può propiziare a sé e agli altri il Signore, ossia per mezzo del Signore nostro Gesù Cristo, il cui corpo [simboleggiato dall'altare] viene additato dall'incenso profumato posto nel turibolo. Di quest'ultimo è scritto nell'*Esodo*: 'Perché offrano in esso incensi al Signore, così da non morire'. Si deve dunque temere la morte se qualcuno, eletto al ministero dell'altare, trascurerà di offrire a Dio l'incenso delle preghiere.

Assente dunque l'arcivescovo, è consuetudine che, in quanto eletto al ministero dell'altare, sia il diacono ad incensare l'altare. Se invece è presente l'arcivescovo, il suddiacono reca il turibolo con le sole braci, ed è l'arcivescovo a porre su di esse i profumi, perché ne sorga soave fragranza... Subito egli incensa l'altare e compie il suo ministero, giacché Dio l'ha costituito perché esercitasse il sacerdozio e offrisse a Lui un degno incenso in profumo soave. Quindi porge il turibolo al summenzionato diacono, che pure è ministro dell'altare, affinché sparga a tutti, in ogni parte del *chorus*, il buon profumo".[83]

La fase successiva della celebrazione così viene presentata dall'*Expositio*:

"Dopo tutto ciò il prete, davanti all'altare, dà il saluto e inizia il salmo che chiamiamo 'diretto' e che cantiamo senza antifona. E' detto diretto perché non è modulato secondo i toni dell'antifona, né viene cantato a versetti da cori alterni, ma tutto di seguito sicché non è possibile discernere la fine dei singoli versetti e la distinzione tra essi; è eseguito simultaneamente da tutti insieme fino al *Gloria* conclusivo alla santa Trinità.

Questo salmo appare quindi come simbolo di quell'inno celeste che è cantato senza posa, in merito al quale Giovanni nella sua *Apocalisse* dice: 'I quattro viventi non hanno sosta e dicono a Colui che siede sul Trono: Santo, Santo, Santo!'".[84]

Qui l'*Expositio matutini officii* si arresta. Il suo autore, con riferimento al *Salmo 116* (*Laudate Dominum omnes gentes*), dichiarava di volerne rinviare il commento *in vespertinali officio, si Dominus dederit*.[85] L'*Expositio* dei Vesperi non ci fu mai o, per lo meno, a noi non è giunta. Ma anche l'*Expositio matutini officii* risulta incompleta. Tuttavia già quanto ci è stato tramandato si presenta come straordinaria testimonianza di una splendida

---

[83] *Expositio matutini officii*, pp. 135-136, 136, 138, 140-141, 141, 141.

[84] *Expositio matutini officii*, p. 142.

[85] *Expositio matutini officii*, p. 140.

tradizione liturgica e attesta la spiritualità ecclesiale che a quelle specifiche forme di culto si associava.

La consonanza riscontrabile tra *Expositio*, *Landolfo* e *Beroldo* ci conferma inoltre che attraverso la presentazione dell'officiatura matutinale attribuita a Teodoro noi siamo posti in contatto col sentire comune della Chiesa ambrosiana. Ed è un sentire profondamente illuminato dal Mistero Pasquale e improntato all'esperienza che di questo Mistero la Chiesa compie nella celebrazione dei sacramenti.

E' significativo che nella *Expositio* gli stessi imprestiti dall'allegorismo carolingio, e segnatamente da Amalario, non alterino questo fondo e vengano quasi metabolizzati in esso.

7. IL PROCESSO DI RIFORMA SEGUITO AL CONCILIO VATICANO II

Ci si può chiedere come tutto ciò si sia trasfuso, e se si sia trasfuso, nella nuova *Liturgia delle Ore*.[86]

Chiunque solo apra i nuovi libri dell'officiatura ambrosiana non potrà non essere colpito dalla loro straordinaria ricchezza. Si è avuta una moltiplicazione mirabile di testi: antifone, lucernari, formulari d'intercessione applicati alle litanie matutine, orazioni. Ed è nuovo materiale che abbondantemente attinge ai testi santambrosiani, radicandosi pertanto pienamente nella tradizione ecclesiale milanese.

Sul piano strutturale qualche problema di riconoscibilità indubbiamente sussiste. In questo si possono vedere anche le conseguenze di una specifica situazione "epocale". Il postconcilio fu segnato tra il clero milanese, con riferimento al Rito, da un dibattito caratterizzato da posizionamenti ideali e iniziative di gruppo, la cui vivacità spesso s'associava a evidenti limiti di consapevolezza storica delle questioni, comunque affrontate prescindendo totalmente dalla loro dimensione ecclesiologica ed ecumenica. Ne conseguì una lunga stasi. Il sollecitato contributo di George Martimort e la forza attrattiva assunta dai nuovi libri romani portarono a un primo progetto di riforma, cui fu impedito di tradursi in atto dalla profonda sensibilità ambrosiana dell'allora vescovo ausiliare S. E. mons. Giacomo Biffi, attuale arcivescovo emerito di Bologna. Dopo un'idonea pausa di fattiva riflessione, fu suo merito, grazie anche alla collaborazione del can. mons. Inos Biffi, aver ripreso tutto il materiale già elaborato, averlo risistemato

---

[86] *Liturgia delle Ore secondo il Rito della Santa Chiesa Ambrosiana*, 5 voll., Centro Ambrosiano di Documentazione e di Studi Religiosi, Milano 1982-1984 (decreti di promulgazione in *Rivista Diocesana Milanese*: 74 (1983) 40-42 [II]; 74 (1983) 351-352 [III]; 74 (1983) 910-912 [I]; 75 (1984) 579-580 [IV]; 75 (1984) 835 [V]).

ed arricchito per quanto possibile in senso ambrosiano, e averlo portato infine a conclusione.[87]

Il difficile travaglio non rimase, ovviamente, senza conseguenze; ma anche la concreta realtà ecclesiale, cui i nuovi libri si rivolgevano, lasciò tracce non irrilevani.

A tale proposito si vorrebbe qui invitare a riflettere su un aspetto, solo apparentemente marginale.

In un contesto di laicizzazione della vita sociale e di conseguente clericalizzazione della vita ecclesiale, si è avuta una, forse inavvertita ma reale, clericalizzazione anche di quella celebrazione che originariamente, per dirla con il Guiver, era stata "officiatura del popolo". Di fatto nell'opera di riforma, al di là di enunciazioni di principio, hanno inciso in modo marcato le esigenze connesse alla recitazione privata da parte del clero, che a tale recitazione era tenuto e che non sempre si dimostrava entusiasta di tale obbligo, da cui peraltro non pareva opportuno dispensarlo. Di qui la scelta, quasi obbligata per i riformatori, di una drastica riduzione dell'officiatura stessa e la preoccupazione di riformularne l'ordinamento secondo un principio di "varietà" per evitare nel lettore qualsiasi possibile tedio. Le Lodi matutine sono state per questo aspetto la celebrazione che forse più di tutte ha risentito di siffatte preoccupazioni. Vorrei ricordare che, in fondo, lo stesso definire "Liturgia delle Ore" quello che era l'*Officium* indica un mutamento considerevole di sensibilità: dal nuovo termine non si evince con immediatezza che questa preghiera è la liturgia della *ecclesia*, poggiante sui due pilastri della celebrazione serale e della celebrazione matutina (preceduta nelle Domeniche e nei Sabati da una speciale preghiera notturna), ma si trae l'impressione di formulari di preghiera, che accompagnano lo scorrere della giornata quale sostegno della vita spirituale del prete.

La celebrazione matutina era caratterizzata nella precedente tradizione in senso marcatamente "ecclesiale": a una certa varabilità strutturale (nella presenza o meno dell'*Antiphona ad Crucem* e dei connessi rituali; nell'uso

---

[87] Le vicende che hanno portato alla nuova *Liturgia delle Ore*, unitamente a una sua sistematica presentazione, possono trovarsi nel fascicolo monografico de *La Scuola Cattolica*, 114 (1986), con contributi de G. Terraneo (*La liturgia delle ore ambrosiana: vicende, ragioni e prospettive di un cammino di riforma*, pp. 173-234), M. Navoni (*La nuova liturgia ambrosiana delle ore: struttura storico-comparativa*, pp. 235-324), C. Magnoli ("*Un Direttorio non solo per la celebrazione ma anche per la meditazione". Confronto tra la "Institutio" ambrosiana delle ore e quella romana*, pp. 325-351). Quanto ai testi che compongono la nuova officiatura, essi sono stati ampiamente illustrati da I. Biffi (che ne porta in gran parte il merito) in una serie di articoli apparsi dal 1981 su *Ambrosius* [dove fin dall'anno precedente erano stati preannunciati: 56 (1980) 199-201].

di cantici o di salmi; nei rituali stazionali) si accompagnava la stabilità dei testi caratterizzanti (Domeniche e Feste: *Cantemus* e *Benedicite*; Sabati: *Ps. 117 "Confitemini Domino quoniam bonus"*; ferie: *Ps. 50 "Miserere"*).

Quasi antiteticamente la *Liturgia delle Ore* presenta una fissità strutturale e una consistente variabilità dei testi, che cessano di essere, nella loro fissità ed esclusività, immediatamente indicativi dello specifico carattere rituale del giorno. L'attuale configurazione delle Lodi è dunque la seguente:

> *Benedictus*,
> Orazione,
> nelle principali feste e nelle Domeniche di Pasqua e di Avvento: Antifona ad Crucem con Orazione,
> Salmodia: cantico vetrotestamentario, salmo di carattere laudativo + *Ps. 116*, salmo diretto (nelle feste e solennità; nelle ferie prenatalizie e nella Settimana Santa:
> Salmi *Laudate*, ossia *Ps. 148-150 + Ps. 116*),
> Orazione,
> Inno,
> Acclamazioni a Cristo Signore,
> Padre nostro,
> Congedo.

Diversamente dalla celebrazione matutinale, quella vespertina ha conservato più fedelmente la struttura tradizionale nella sua articolazione tripartita:

> Lucernario (con inno e responsorio *in choro*),
> Salmodia
> (Domeniche e ferie: 2 salmi / Feste e Solennità: 1 salmo + *Ps. 133 + Ps. 116*, con Orazione;
> *Magnificat* con Orazione: omesso dei Venerdì di Quaresima e nella Settimana Santa[88]),

---

[88] In ambito ambrosiano il Cantico della Beata Maria Vergine sembrerebbe riflesso di influssi romani o monastici: così P. Borella, *Il Rito Ambrosiano*, Morcelliana, Brescia 1964, p. 259. Significativamente tale Cantico manca nelle celebrazioni dei Venerdì quaresimali e della Settimana Autentica, che sembrano testimoniare una forma più arcaica. Come nel caso del *Nunc dimittis*, anche per il *Magnificat* è uso ambrosiano reiterare, dopo la dossologia finale, il primo versetto. Mi sembra opportuno riportare al riguardo le considerazioni formulate da M. Navoni, *La Liturgia delle Ore. Storia e spiritualità*, Centro Ambrosiano, Milano 2003, p. 40: "Un particolare all'apparenza minimo ma non del tutto trascurabile è il fatto di aver conservato anche nella rinnovata Liturgia delle Ore l'uso di ripetere, al termine del *Magnificat*, dopo il *Gloria* e prima dell'*Antifona*, il primo versetto del cantico stesso, *L'anima mia magnifica il Signore*: tale ripetizio-

Rito stazionale (Commemorazione del Battesimo o Lode dei santi) seguito da
Intercessioni,
Padre nostro,
Congedo.

Può essere utile ricordare le modalità celebrative del rito lucernare quale si pratica attualmente in Duomo.

Chi presiede si pone davanti all'altare, volgendosi a Oriente, d'onde è atteso colui che è la Luce vera che illumina ogni uomo. Avviata la celebrazione con il saluto, prende avvio il rito lucernare: viene presentata all'officiante la lampada vespertina, con lui introdotta nella chiesa, e attingendo da questa si procede all'accensione dei cantari e delle restanti luci. Questo rito riprende l'introduzione della lucerna, attestata fin dalla *Traditio Apostolica*, e ripropone, in tono minore, il cerimoniale di apertura della Veglia pasquale, che in questo modo appare compiutamente come il Lucernare per eccellenza della liturgia cristiana.

Merita ricordare la particolare solennizzazione che caratterizzava precedentemente il Lucernare presieduto dall'arcivescovo all'Epifania, nella Domenica *in caput Quadragesimae* e a Pasqua: egli lo celebrava parato pontificalmente in pianeta ed offriva l'incenso. Normalmente, in effetti, l'offerta dell'incenso si collocava – secondo il Beroldo – all'ultimo salmo. Era questa l'ubicazione più naturale e ovvia, riflesso del *Salmo 140*, salmo vespertino per eccellenza, che la liturgia ambrosiana riproponeva nei lucernari dei Venerdì di Quaresima: "La mia preghiera stia davanti a te come incenso, le mie mani alzate come sacrificio della sera":[89] in tal modo l'offerta della preghiera serale si esprimeva nell'offerta dell'incenso e questa assumeva nella preghiera la sua vera dimensione spirituale.

E come nell'antico Tempio l'offerta dell'incenso si associava al rinnovarsi della luce, che splendeva alla presenza di Dio,[90] nella celebrazione della Chiesa essa è seguita dalla collocazione dei *candelabra*; Beroldo precisa: non sopra, ma "dinanzi all'altare",[91] come si può vedere anche nell'ingresso con l'incenso dello *Hesperinòs* greco.

---

ne ha lo scopo di riassumere sinteticamente il tema dominante del testo scritturistico appena cantato attraverso il versetto ritenuto più significativo (normalmente il primo, così da formare quasi un'inclusione), secondo un uso letterario che ritroviamo identico nello stesso Libro dei salmi: si veda ad esempio il *Salmo 103*, un grandioso inno a Dio Creatore, al termine del quale viene ripetuto proprio il versetto iniziale (*Benedici il Signore, anima mia*). analogamente all'uso ambrosiano per il cantico del *Magnificat*".

[89]   *Ps. 140*, 2.
[90]   *Ex* 30, 8.
[91]   BEROLDUS, pp. 55-56.

Quanto alla parte stazionale dei Vesperi, la sua derivazione dalla liturgia gerosolimitana è evidente. Quell'antica eco risuona ancora nella liturgia milanese, tuttavia il canonico Navoni ha evidenziato una trasposizione di significato nel rito attuale, che credo meriti d'essere segnalata. Così egli si esprime:

> "Se nella Gerusalemme del IV-V secolo l'ufficiatura vespertina non terminava mai senza ricordare il mistero della redenzione attuata da Cristo nel suo sacrificio vespertino sulla Croce (e questo avveniva con una processione al luogo stesso dove Cristo si era immolato), la tradizione ambrosiana ha costantemente attuato fino ad oggi tale intuizione, sostituendo al Golgota il battistero, ma tenendo tra di loro collegate le due cose: in questo modo infatti (anche, se non soprattutto, attraverso la processione al luogo della rinascita battesimale, ma in ogni caso attraverso l'esplicito ricordo del battesimo) il fedele ambrosiano viene quotidianamente invitato a fare memoria di quel sacramento nel quale – come dice san Paolo – siamo stati sepolti con Cristo in una morte simile alla sua, per risorgere con lui in una vita nuova (cf *Rm* 6, 5)".[92]

Come si può vedere, pur con diverse semplificazioni, specialmente nei riti stazionali, la celebrazione si presenta assai ricca nelle forme e pregnante di contenuti. Sicché, come ai tempi di Ambrogio, il popolo che ne sia stato partecipe può davvero tornare alle proprie case e ricordare, coricandosi, "quel Signore al quale, nel tramonto del sole, ha effuso la propria supplica".[93]

Se il rapporto con il precedente patrimonio cultuale è, nel caso dei Vesperi, più immediatamente evidente, resta vero per l'intera *Liturgia delle Ore* che tale patrimonio, sedimentato nei secoli e nel quale è percepibile l'eco delle Chiese dell'antica ecumene cristiana, costituisce comunque la premessa e il fondamento delle nuove forme celebrative, e con le sue ricchezze rituali e simboliche le illumina e le chiarifica nei loro significati.

Per i pastori della Chiesa ambrosiana ecco dunque riproporsi, con singolare attualità, il compito, impegnativo ma anche entusiasmante, dello scriba discepolo autentico del Regno che – secondo le parole del Signore – sa estrarre "dal suo tesoro cose nuove e cose antiche".[94] Nella consapevolezza, in ogni caso, che chi vivifica le une e le altre è lo Spirito, al cui dono le une e le altre non possono e non devono che rendere testimonianza.

---

[92] Navoni, *La Liturgia delle Ore*, pp. 62-63.
[93] Cf Ambrosius, *Expositio Psalmi CXVIII*, VIII, 48, CSEL, 62, p. 180.
[94] *Mt* 13, 52.

CapiTOLO V

DALLA PAROLA ALL'EUCARISTIA
LA CELEBRAZIONE EUCARISTICA
E LA SUA DINAMICA MISTAGOGICA

1. OFFICIATURA E CELEBRAZIONE EUCARISTICA

Se "la liturgia è il culmine verso cui tende l'azione della Chiesa e la fonte da cui promana tutta la sua virtù",[1] il mistero eucaristico è il cuore di tutta la vita liturgica, che in riferimento a questo mistero viene strutturandosi nelle sue diverse parti e in esso trova il proprio vertice.

Posta al centro del culto cristiano, l'Eucaristia non ne annulla in ogni caso l'articolata realtà, ed anzi la presuppone, ponendosi come momento culminante di un preciso itinerario, attraverso cui si viene compiendo il "sacrificio di lode" della Chiesa e l'effusione della "misericordia di pace" da parte di Dio.[2]

In questo senso l'Eucaristia si lega intimamente all'officiatura. E come nell'iniziazione cristiana la partecipazione al mistero eucaristico rappresenta il culmine del cammino di comunione con Dio donato nella Chiesa al credente, così la celebrazione eucaristica costituisce il vertice del culto di adorazione e di lode che la Chiesa nello Spirito Santo quotidianamente innalza per mezzo del Cristo Signore a Colui che è la fonte della divinità e che mediante la sua Parola vivente ha chiamato ogni cosa all'esistenza.

La consapevolezza di questa intima connessione tra preghiera del giorno e sacrificio eucaristico è tanto viva in Oriente, a cominciare dalla comunione ortodossa, che di norma anche nella prassi delle più piccole parrocchie non si dà una celebrazione dell'Eucaristia che non sia preceduta da una celebrazione dell'officiatura matutina, alla quale sono inoltre tenuti a partecipare quanti intendono ricevere la Comunione (eccettuati ovvia-

---

[1] *Sacrosanctum Concilium*, 10.
[2] Cf. J. GOAR, *Euchologion sive Rituale Graecorum*, Javarina, Venetiis 1730; ried. an.: Akademische Druck- und Verlagsanstalt, Graz 1960, n° 122, p. 60.

mente gli infanti e i bambini, condotti alla chiesa per lo più in prossimità della distribuzione eucaristica).

Questo nesso tra officiatura ed Eucaristia era strettissimo un tempo anche in ambito occidentale. Quanto in particolare alla tradizione ambrosiana, Beroldo ci attesta come pure a Milano la celebrazione della Messa si collocasse in uno preciso momento dell'officiatura giornaliera, in relazione al carattere liturgico della giornata e in rapporto alla disciplina del digiuno, essa pure rimarcata dai ritmi dell'officiatura (nelle ferie II – V di Quaresima, ad esempio, la celebrazione eucaristica si poneva successivamente al canto dell'Ora Nona, dopo che già le campane avevano dato il primo annuncio dei Vesperi e il digiuno giornaliero aveva avuto fine).[3]

2. La celebrazione eucaristica come "mystérion"

Nella dossologia che chiude l'Epistola ai Romani Paolo parla della "la rivelazione del mistero, avvolto nel silenzio per secoli eterni, ma ora manifestato mediante le scritture dei profeti, per ordine dell'eterno Dio, annunciato a tutte le genti perché giungano all'obbedienza della fede".[4] Tale mistero è il disegno di salvezza che Dio dall'eternità ha predisposto per tutte le sue creature e che nella persona del Cristo e nella sua Croce si è realizzato. È il mistero di cui Paolo è stato costituito ministro, il mistero che la Chiesa lungo la storia incessantemente testimonia, radunando tutti gli uomini che ne accolgono la predicazione e comunicando loro la salvezza da parte di Dio, attraverso i santi segni rituali, ch'essa ha ricevuto dal suo Maestro e Signore.

Connesse alla divina economia di salvezza, le celebrazioni cristiane, nelle quali la redenzione si fa presente nella storia e si attualizza per ciascun uomo, vengono ad essere assorbite anch'esse nella sfera del mistero che comunicano, ponendosi come suo momento dispensativo "in cui esso s'esprime e si realizza per noi".[5] Non può quindi stupire che nel lessico dei Padri già a partire dal II secolo sia venuta manifestandosi un'evoluzione in senso cultuale del termine *mystérion*, che portò nel secolo IV a designare

---

[3]   BEROLDUS, *Ordo et caeremoniae ecclesiae Ambrosianae Mediolanensis* (= BEROLDUS), ed. M. MAGISTRETTI, Boniardi-Pogliani (Giovanola), Mediolani 1894, pp. 47, 48, 87. Nei Venerdì, la rigorosa aliturgia s'associava a un digiuno protratto – come nelle Grandi Vigilie – fino a sera, ossia fino alla Vigilia vespertina, che si celebra quando già 'splendono le luci' del Sabato (cf il cap.VII: "... già splendevano le luci". *Il giorno liturgico nella tradizione ambrosiana*).

[4]   *Rm* 16, 25-26; cfr. *Ef* 3, 5-6.

[5]   L. BOUYER, *Mystérion*, in *La vie spirituelle. Supplément* 23 (1952) 412.

specificamente come "Santi Misteri" le azioni liturgiche celebrate dalla Chiesa (e si noti che risale a quel tempo anche l'uso – esclusivamente in area greca – del termine *"leitourgía"* in riferimento al culto ecclesiale cristiano)[6].

Come ben si sa, corrispettivo del greco *mystérion* in ambito latino, oltre a *mysterium*, *sacramentum*: vocabolo, quest'ultimo, che in Occidente finì per imporsi. Tuttavia la definizione di "segno visibile della grazia", applicata a "sacramento" dalla scolastica sulla base di Agostino,[7] fece sì che il termine latino nella sua utilizzazione medioevale non potesse più considerarsi l'esatto equivalente del vocabolo greco, cui originariamente corrispondeva: *mystérion* indicava indubbiamente qualcosa di più; in esso non soltanto era presente la convinzione che i riti della Chiesa veicolassero la grazia divina, ma si esprimeva la consapevolezza che nell'azione cultuale cristiana venisse riproponendosi quel disegno amoroso di salvezza concepito da Dio nel profondo dell'eternità e portato a compimento dall'incarnazione del Logos e dall'effusione dello Spirito Santo.

È pertanto singolare e non privo di significato il fatto che ancora alla fine del secolo XI l'apologeta ambrosiano conosciuto col nome di Landolfo Seniore sia ricorso al termine *mysterium* per designare la tradizione cultuale di ogni singola Chiesa, e segnatamente della Chiesa ambrosiana.[8]

Si deve in particolare a Odo Casel l'aver riproposto, nella prima metà del Novecento, alla coscienza ecclesiale latina l'orizzonte spirituale connesso all'accezione patristica del termine *mystérion*.[9]

---

[6]   Per la fortuna di questo vocabolo greco nel moderno movimento liturgico occidentale e per il suo rapporto con il latino *ritus*, mi permetto rinviare al rapido excursus ora in *Ambrosiana Ecclesia*, NED - Nuove Edizioni Duomo, Milano 1993 (Archivio Ambrosiano, 65), pp. 256-262.

[7]   Cf P. VISENTIN, *"Mysterion - Sacramentum" dai Padri alla Scolastica*, in *Studia Patavina* 3 (1957) 388-414.

[8]   Cf al riguardo il cap. introduttivo. *La tradizione ambrosiana nella comunione delle Chiese*, nota 19.

[9]   Johann Hermann Casel, educato negli anni liceali allo studio delle lingue classiche, dopo un'iniziale frequenza dei corsi d'orientamento antichistico presso l'Università di Bonn, nel 1905 col nome religioso di Odo aveva fatto il suo ingresso nella comunità benedettina di Maria Laach, nella quale già spiccava la figura di Ildefons Herwegen, che avrebbe fatto del monastero uno dei maggiori centri di studi liturgici. Il Casel, laureatosi in teologia nel 1913 al Collegio romano di S. Ansemo con una tesi sull'Eucaristia nell'opera di Giustino, nel 1918 conseguì la laurea in Filosofia a Bonn con una dissertazione dedicata al silenzio mistico nella classicità greca. Premiata dall'Università, tale dissertazione fu pubblicata l'anno successivo (*De philosophorum Graecorum silentio mystico*, Töpelmann, Giessen 1919). In essa possiamo vedere l'immediata premessa delle ricerche e delle riflessioni che si sarebbero condensate tre anni dopo nel

Questo recupero delle antiche valenze cristiane di *mystêrion* appare di non poco conto sia quanto alla percezione dell'azione cultuale, sia quanto alla definizione delle sue modalità celebrative.

Tra l'altro, va segnalato come al concetto di *mystêrion* risulti inscindibilmente connessa l'idea di iniziazione mistagogica, ossia la necessità di un cammino formativo, che renda consapevoli i credenti in merito a Chi nei "divini misteri" viene celebrato e che trasmetta loro il linguaggio proprio di tali celebrazioni. In effetti il culto cristiano, facendo memoria nel tempo del "mistero avvolto nel silenzio per secoli eterni", non può esprimersi che attraverso un linguaggio rigorosamente simbolico, ossia attraverso segni sensibili e immagini consuete, caricati peraltro di valenze nuove e in tal modo resi atti a significare il farsi presente della divina economia di salvezza.

Gli elementi costitutivi di tale linguaggio talvolta appaiono codificati nella loro valenza allusiva già nelle Sacre Scritture (si pensi all'agnello pasquale), in altri casi tale valenza è stata loro attribuita dalla tradizione ecclesiale (si pensi alle varie declinazioni del simbolo della luce). In ogni caso si tratta di realtà la cui forza significante è inscindibile dalla loro concretezza sensibile, che non viene annullata dalla valenza simbolica, ed anzi ne costituisce il supporto.

Si tratta, dunque, di linguaggio simbolico, non allegorico, giacchè il rapporto tra significante e significato non è astratta costruzione, intellettua-

---

volume *Die Liturgie als Mysterienfeier* (Herder, Freiburg im Breisgau 1922 [Ecclesia Orans, 9]), ora proposto anche in traduzione italiana (*Liturgia come mistero*, Edizioni Medusa, Milano 2002 [Hermes, 4]). Sarebbe seguita dieci anni più tardi la sintesi teologica *Das christliche Kultmysterium* (Pustet, Regensburg 1932) (apparsa in Italia nel 1966, e di nuovo nel 1985, sotto il titolo più stemperato *Il mistero del culto cristiano*, Borla, Roma), mentre al 1941 risale l'ampio saggio *Glaube, Gnosis und Mysterium*, pubblicato sullo *Jahrbuch für Liturgiewissenschaft*, saggio edito anch'esso in traduzione italiana a cura del cenobio patavino di S. Giustina (*Fede, gnosi e mistero*, Messaggero, Padova 2001). Per la bibliografia completa del Casel: O. SANTAGADA, in *Archiv für Liturgiewissenschaft* 10 [1967] 7 ss. Un ripensamento molto partecipato dell'opera di Casel è stato offerto da B. NEUNHEUSER, *La théologie des Mystères de Dom Casel dans la tradition catholique*, apparso previamente in *Ephemerides Liturgicae* (94 [1980] 297-310) e successivamente negli Atti della XVII Settimana di San Sergio: *L'économie du salut dans la liturgie*, a cura di A. M. TRIACCA - A. PISTOIA, C. L. V. - Edizioni Liturgiche, Roma 1982 [Conférences Saint-Serge. XVIIᵉ Semaine d'études liturgiques, 1970: Bibliotheca *Ephemerides Liturgicae*. Subsidia, 25], pp. 143-156; dello stesso autore si potrà vedere anche la voce *Mistero*, in *Nuovo Dizionario di Liturgia*, a cura di D. SARTORE - A. M. TRIACCA, Paoline, Roma 1984, pp. 863-883; cf pure A. GOZIER, *Mysterienlehre*, in *Dictionnaire de Spiritualité*, 10, Beauchesne, Paris 1980, cc. 1186-1189.

listicamente delineata, prescindendo dall'effettiva natura delle realtà poste in rapporto e da una loro obiettiva congruenza.

Nella tradizione ecclesiale l'allegoria ha avuto anch'essa un ruolo fondamentale, soprattutto in rapporto all'esegesi spirituale (e non soltanto delle Scritture). Per l'ambito culturale basti pensare alla diffusa interpretazione del rituale della Messa quale grande allegoria della Passione, proposta in età moderna e fino alla metà del Novecento nei libri di pietà per i fedeli cattolico-latini, per cui "quando il sacerdote dice quella parola *Nobis quoque peccatoribus* con la voce alquanto alta, significa quando il Ladro nella croce disse ad alta voce *Signore ricordati di me ecc.*"[10].

Tale linguaggio allegorico, pur ricco in alcuni casi di alti contenuti spirituali, non è peraltro il linguaggio simbolico dell'anamnesi misterica; ed anzi si deve osservare come, al di là di un'affinità apparente, l'allegoria possa divenire vanificazione del simbolo, e comunque rifletta un chiaro processo di estraneazione da quest'ultimo e, conseguentemente, dal linguaggio proprio del mistero cultuale.

Nell'antica tradizione ecclesiale chi di tale mistero era stato reso partecipe e soprattutto chi ne era stato costituito ministro era anche colui che aveva profonda familiarità col linguaggio simbolico proprio dei santi segni. Non a caso nella Chiesa dei Padri vertice della catechesi svolta dai pastori era la mistagogia, ossia l'introduzione dei neofiti ai divini misteri, attraverso la chiarificazione dei simboli che ne manifestavano (e ne manifestano) i contenuti.

Ma in riferimento a tali antiche catechesi mistagogiche, va osservato come la stessa ritualità in esse documentata si presenti caratterizzata da consapevole solennità e da una profonda concentrazione, quale l'azione misterica esige, ma escluda qualsiasi teatralità didascalica, tipica invece delle sacre rappresentazioni.

Concreti esempi di siffatte celebrazioni, intimamente plasmate dalla loro natura misterica, sono reperibili negli *Ordines*, ossia nelle descrizioni delle celebrazioni stesse e dei loro ordinamenti, a cominciare dai modelli (come l'*Ordo I* romano) più strettamente legati all'eredità tardo antica.

In ogni caso, si tratta di una tipologia cultuale tuttora vitalmente perpetuata dalla prassi celebrativa delle Chiese orientali.

Per la Milano medioevale ne troviamo attestazione nell'opera del *cicendelarius* Beroldo.[11] Le cerimonie, descritte attorno al 1130 nel suo *Ordo*, appaiono icasticamente solenni ed estremamente rigorose nel loro

---

[10] P. MORIGI, *Giardino spirituale*, Hieronimo Froua, Como 1597.

[11] Cf cap. introduttivo *La tradizione ambrosiana nella comunione delle Chiese*, nota 77.

linguaggio: a conferma di quanto pochi decenni prima aveva attestato il cosiddetto Landolfo, descrivendo l'incedere degli ecclesiastici ambrosiani nello *psallentium*.[12]

Del resto l'alta qualità del clero milanese e lo splendore delle sue cerimonie aveva generato in età medioevale un significativo adagio: "*Mediolanum in clericis, Papia in deliciis, Roma in aedificiis, Ravenna in ecclesiis*"[13]. Attorno al 1075 il cronista Arnolfo volle avvalorare questa tradizionale ammirazione, facendole rendere testimonianza dallo stesso legato romano Pier Damiani, il cardinale vescovo di Ostia che "*ut vidit clericorum nobilium ordinem, personarum statum cultumque vestium, perpendit etiam morum probitates ac dispertita singulis competenter officia, testatus est ad verum, nusquam se talem vidisse clerum*".[14]

---

[12] "*Si enim eos in sanctorum natalibus maxime ad psallentium, quod apud Romanos vocatur processio, supervenires, vestibus nitidos, honestate ac devotione laudabiles, magis diceres episcopos quam sacerdotes urbanos. Ordinarii vero archiepiscopum antecedentes, diacones, subdiacones, sacerdotes et quamplurimi notarii diversis ita splendebant ornatibus, quasi angelorum chori multis cum Dei virtutibus hominis formam habentes apparerent*": L(ANDULFUS), *Historia Mediolanensis* [= L(ANDULFUS)], II, 35, edd. L. C. BETHMANN - W. WATTENBACH, Hahn, Hannoverae 1848 [Monumenta Germaniae Historica (= MGH), Scriptores (= SS), 8], p. 72. 31-36; cf. ed. A. CUTOLO, Zanichelli, Bologna 1942 [Rerum Italicarum Scriptores, editio altera (= RRIISS, e. a.), 4/2), pp. 78. 33 - 79. 2.

[13] L(ANDULFUS)], III, 1, p. 74. 15-16 (p. 82. 7-8). Quanto le fonti medioevali milanesi segnalano in merito al clero ambrosiano sembra rendere plausibile anche per esso ciò che in secoli a noi più vicini tradizionalmente si affermava dei ministri della Chiesa d'Inghilterra: *clerus anglicanus stupor mundi*. In effetti "*stupor*" è il termine con cui pure la tradizione milanese aveva dato voce ai sentimenti suscitati dalle officiature dei propri ecclesiastici. Così essa faceva dire a un *quidam dux Gothorum*: "*Certe cum ego fere* totum orbem terrarum *iussu Valentiniani imperatoris circumdedi et vidi, inquirens usum et mores ipsorum maxime et religiosorum episcoporum, nunquam tanto* stupore *et tam ineffabili admiratione obrigui*": L(ANDULFUS), I, 3: p. 39. 46-50 (p. 11. 3-9). E tra il 1047 e il 1048 così in merito si esprimeva Anselmo da Besate: "*Mira quippe in illis magnificentia, mira modestia, magna dignitas; amplitudo, gloria, pietas et religio in Mediolanensi colitur clero*" (ANSELMUS PERYPATHETICUS, *Rhetorimachia*, II, 6, ed. K. MANITIUS, Weimar 1958 [MGH, Quellen zur Geistesgeschichte des Mittelalters], p. 152); su questo colto ecclesiastico milanese, cappellano alla corte di Enrico III, cf C. VIOLANTE, *L'immaginario e il reale. I 'da Besate'. Una stirpe feudale e 'vescovile' nella genealogia di Anselmo il Peripatetico e nei documenti*, in *Nobiltà e Chiese nel Medioevo e altri saggi. Scritti in onore di Gerd G. Tellenbach*, a cura di C. VIOLANTE, Jouvance, Roma 1993 [Pubblicazioni del Dipartimento di Medievistica dell'Università di Pisa, 3], pp. 97-157.

[14] ARNULFUS, *Liber gestorum recentium* (= ARNULFUS), III, 12, ed. I. SCARAVELLI, Zanichelli, Bologna 1996 [Fonti per la storia dell'Italia medievale ad uso delle scuole, 1], pp. 116-118.

"*Dispertita singulis competenter officia*": dunque nell'azione cultuale nessuna presenza era percepita come pleonastica o semplicemente decorativa, ma trovava giustificazione nell'esercizio di una specifica funzione, in cui si manifestava l'articolata pluriformità ministeriale presente nel corpo ecclesiale.

3. IL LUOGO DEI DIVINI MISTERI

Quando il Signore compì il suo sacrificio sul Golgota, una volta per sempre,[15] "il velo del tempio si squarciò in due, da cima a fondo".[16] A Gerusalemme era stata dunque compiuta l'adorazione perfetta e i tempi avevano raggiunto la loro pienezza:[17] ormai, in quell'adorazione, Dio avrebbe potuto essere adorato dovunque in spirito e verità.[18]

Il popolo della Nuova Alleanza non avrebbe più avuto un Tempio: nuovo Tempio diveniva la stessa divina persona del Verbo di Dio fatto carne,[19] e fondamento del nuovo culto sarebbe stato il mistero di salvezza, che in Cristo si era realizzato.

Di fatto i luoghi di culto cristiani furono (e sono) tutt'altro che templi, e del tutto impropria è l'applicazione ad essi di questo termine. Non a caso fin dalla fine del II secolo sono chiamati "chiesa". Essi sono i luoghi dove il nuovo popolo di Dio, ovunque nel mondo, si raccoglie per fare memoria del suo Signore. Sono, dunque, i luoghi della Chiesa, in cui essa celebra i divini misteri: i luoghi nei quali lo Spirito di Dio si effonde e attraverso umili realtà umane rinnova la presenza del Santo, comunicando la sua salvezza.

Luogo, dunque, dei santi misteri, l'edificio di culto cristiano non poteva non essere da questi stessi misteri intimamente plasmato, fino a divenire a sua volta segno misterico.

Nel 1515 a Mosca, entrando nella grande chiesa della Dormizione al Cremlino (l'*Uspenskij sobor*), dove era stata portata a compimento la decorazione delle volte e delle pareti, ricoperte ormai totalmente da splendidi affreschi, i fedeli esclamarono: "In verità i cieli sono aperti e gli splendori di Dio si sono mostrati".[20] Queste parole evidenziano assai efficacemente

---

[15]   Cf *Heb* 9, 28.

[16]   *Mr* 15, 38; cf *Mt* 27, 51; *Lc* 23, 45.

[17]   *Eph* 1, 10; cf *Gal* 4, 4.

[18]   *Io* 4, 21-24.

[19]   *Io* 2, 19-22.

[20]   Il testo antico russo è citato in P. EVDOKIMOV, *La teologia della bellezza*, Edizioni Paoline, Roma 1971, p. 228.

il compiuto assorbimento dello spazio celebrativo nella dimensione simbolica e il suo trasformarsi in prezioso strumento mistagogico. È in stretto rapporto con questa funzione di guida per i credenti al mistero cultuale che la tradizione della Chiesa indivisa ha, in effetti, concepito strutture e decorazione dei propri luoghi di culto.

Al riguardo, per l'ambito milanese, esemplari si presentano in età tardo antica le basiliche sorte progressivamente dentro e, soprattutto, fuori le mura (si pensi in particolare al San Lorenzo Maggiore)[21].

Ma, secondo un'analoga prospettiva, seppure in termini diversi, non meno significativi risultano gli edifici plasmati in età moderna dalle *Instructiones* borromaiche; edifici nei quali in particolare la dinamica relazione sussistente tra il battistero, collocato all'ingresso e da cui prende avvio il cammino verso l'altare, e l'altare stesso costituisce un segno mistagogico di immediata evidenza e di profondo e permanente significato. Le stesse balaustre erano ricomprese all'interno di tale simbologia, configurandosi non quale separazione tra spazio dei laici e spazio del clero (tra l'altro, soprattutto nelle aree rurali, per i Vesperi domenicali i laici sedevano abitualmente negli stalli situati nel retroaltare), bensì quale segno volto a marcare il luogo dove il mistero, il cui svolgimento risultava a tutti ben visibile, trovava il suo compimento.

4. I SEGNI DELL'AZIONE MISTERICA

Uno degli indici più immediati e diretti del fatto che l'antico Tempio è finito, e che una nuova economia di salvezza si è istaurata, è rappresentato dall'*incenso*. Le modalità secondo cui esso è presente nel culto cristiano manifestano in modo estremamente eloquente come la dimora di Dio non sia più un Tempio, ma che ormai, attraverso il dono dello Spirito, Dio ha posto la sua dimora in tutti "gli uomini che egli ama".[22] Il *Libro dei*

---

[21] Descritta da un anonimo agiografo franco, forse d'età carolingia, come edificio tra i più splendidi in Italia ("*Inibi Galla Placidia ... in honorem eiusdem martyris domum mirificam construxit, quae sua pulchritudine universa pene aedificia superat Italiae*": *Vita sancti Verani episcopi Cavellicensis*, 12, in *Acta Sanctorum Octobris*, VIII, edd. J. VAN HECKE et Alii, Palmé, Parisiis-Romae 1866, p. 468a), di essa tra il 732 e il 744 il *Versum de Mediolano civitate* esaltava i rivestimenti marmorei e la cupola d'oro (in *Versus de Verona* etc., ed. G. B. PIGHI, Zanichelli, Bologna 1960 [Studi pubblicati dall'Istituto di Filologia Classica dell'Università di Bologna, 7]). Per un rapido *status quaestionis* su questo straordinario edificio: M. P. ROSSIGNANI, *Il complesso laurenziano*, in *Milano capitale dell'Impero romano. Milano, Palazzo Reale, 24 gennaio-22 aprile 1990*, a cura di G. SENA CHIESA, Silvana, Milano 1990, pp. 138-148.

[22] *Lc* 2, 14.

Numeri infatti ricorda che l'incenso è "una cosa santa in onore del Signore", sicchè "chi ne farà di simile per sentirne il profumo sia eliminato dal suo popolo".[23] Ma nel culto cristiano viene incensato tutto ciò che è stato inserito nell'economia della salvezza ed è divenuto segno della presenza operante di Dio tra gli uomini: i santi misteri, i ministri, i credenti, i luoghi di culto e le immagini che li adornano, le suppellettili cultuali, ecc.

Da questo punto di vista mi paiono particolarmente espressive le modalità secondo cui le incensazioni si sviluppano nell'ambito della liturgia eucaristica secondo la tradizione ambrosiana fissata da Beroldo.

Quando l'arcivescovo e il clero escono dalla sacrestia in processione, dinanzi a tutti stanno i suddiaconi che spargono incenso lungo il cammino: il popolo circostante e l'intero edificio ne sono pervasi. Giunti dinanzi all'altare, non se ne fa l'incensazione; i suddiaconi o, nelle maggiori solennità, i diaconi unicamente "*faciunt incensum in modum crucis ante ipsum altare*", ossia concludono, con una turiferazione in forma di croce (come tuttora avviene in alcune regioni orientali), l'incensazione protrattasi fino a quel momento.

Gli stessi suddiaconi coi turiboli precederanno più avanti il diacono quando questi uscirà dalla sacrestia portando l'evangeliario. Al pulpito il diacono viene incensato prima della lettura e analogamente vengono incensati, dai suddiaconi portatisi nel *chorus*, clero e fedeli (come avviene in ambito greco, dove ministri e popolo sono analogamente incensati prima di accogliere l'annuncio evangelico).

La terza incensazione prevede la turiferazione *super altare in modum crucis* ad opera dell'arcivescovo, *circa altare* per mano del diacono, e quindi l'incensazione di clero e popolo ad opera del suddiacono *circa chorum tantum*.[24]

---

[23] *Ex* 30, 37-38.

[24] A. "*Exeunt de secretario, subdiaconibus praecedentibus usque ad altare cum thuribulo et candelabris accensis ... subdiaconi (diaconi) prius faciunt incensum in modum crucis ante ipsum altare; deinde archiepiscopus facit confessionem*".
B. "*Subdiaconi cum levita, qui legit evangelium, revertuntur in secretarium cum thuribulis et candelabris ... Deinde diaconus exit de secretario indutus vestibus sacris cum evangelio praecedentibus subdiaconibus cum thuribulis et candelabris accensis ... usque ad pulpitum, et subdiaconus praebet incensum diacono ... interea subdiaconi revertuntur in chorum, dando incensum clericis et laicis*". [Si noti che ancora la prassi corrente prevede, dopo la proclamazione del Vangelo, l'incensazione dell'arcivescovo seduto in cattedra con mitra e pastorale (cf E. CATTANEO, *La Messa nelle terre di sant'Ambrogio*, Opera diocesana per la preservazione e diffusione della fede, Milano 1964, p. 127). E' una prassi in età medioevale non soltanto milanese, ma che qui s'è

Come si vede, è un rituale che ben mette in luce il crescere progressivo dell'azione liturgica verso il suo apice: dapprima evidenzia la Chiesa convocata per la celebrazione, quindi il suo accogliere la parola della predicazione evangelica, e infine l'irradiarsi in essa della presenza misterica del Signore attraverso i santi doni.

Ma è rituale in cui si evidenzia anche un altro aspetto del mistero di salvezza realizzatosi nel Cristo: la "santità" della Chiesa. "Santità" in quanto accesso a Colui che è il Santo e altresì in quanto facoltà di partecipare alle Cose Sante. Merita a questo proposito ricordare il principio con forza ribadito dall'apologeta ambrosiano L(andolfo), sull'autorità di Ambrogio: "Quanti sono figli della Chiesa, tutti, chierici e laici, sono sacerdoti".[25] Sono parole che manifestano una profonda consapevolezza di quel sacerdozio regale da Landolfo stesso – come dagli antichi Padri – visto sacramentalmente scaturire dall'unzione che, dopo il lavacro nel fonte, consacra i battezzati e li configura a Cristo; in tale luce, segnatamente in area latina, lo stesso nome di *Christiani* è fatto derivare da *Chrisma* ed è visto proclamare l'assimilazione dei credenti ai lineamenti messianici del loro Signore.[26]

Il progressivo effondersi dell'incenso nell'assemblea in connessione all'annuncio evangelico e all'offerta dei santi doni è pertanto momento simbolico nient'affatto marginale e merita la dovuta attenzione, potendo illuminare non poco la realtà spirituale che ogni singolo credente è chiamato a vivere nella Chiesa.

---

conservata quale riaffermazione rituale della fondamentale responsabilità del vescovo nella trasmissione dell'annuncio cristiano].
C. *"Finito munere offerendae, subdiaconus porrigit diacono, et diaconus archiepiscopo vel presbytero; et facit incensum Domino super altare in modum crucis. Et statim diaconus sumit thuribulum de manu archiepiscopi vel presbyteri, et portat, et adolet circa altare. Deinde subdiaconus suscipit de manu diaconi, et portat incensum clero et plebi circa chorum tantum, et unus duorum minorum custodum ebdomadariorum suscipit de manu subdiaconi, et consignat cicendelario ebdomadario in secretario".* BEROLDUS, pp. 49-53.

[25] L(ANDULFUS), *Historia Mediolanensis*, III, 23 (22), p. 90. 9 (p. 112. 34-35); da AMBROSIUS, *Expositio euangelii secundum Lucam*, V, 33, ed. M. ADRIAEN, Brepols, Turnholti 1957 [Corpus Christianorum. Series Latina (= CCL), 14], p. 147.

[26] Cf C. ALZATI, *I motivi ideali della polemica antipatarina. Matrimonio, ministero e comunione ecclesiale secondo la tradizione ambrosiana nella Historia di Landolfo seniore*, in *Nobiltà e Chiese nel Medioevo e altri saggi. Scritti in onore di Gerd G. Tellenbach*, a cura di C. VIOLANTE, Jouvance, Roma 1993 [Pubblicazioni del Dipartimento di Medievistica dell'Università di Pisa, 3], pp. 218-219; ripreso in *Ambrosiana Ecclesia* (cit. nota 6), p. 242.

Quanto alla *luce*, è per tutti evidente l'importanza simbolica ch'essa assume nel contesto del culto cristiano. Non potrebbe essere altrimenti, visto che la Parola di Dio fatta carne di sé ha detto "Io sono la luce del mondo",[27] "la luce vera – secondo l'espressione del Prologo di Giovanni – quella che illumina ogni uomo".[28]

I santi misteri, in cui si celebra e si comunica la salvezza donata dal Verbo divino, non potranno, dunque, svilupparsi che in dinamica relazione con l'irradiarsi simbolico della sua luce.

Vorrei segnalare che fino agli anni '70 era uso nella liturgia del Duomo, quando si trattasse di celebrazione presbiterale, uscire di sacrestia con *un solo "candelabro"*. Pure in ambito di tradizione costantinopolitana i vari "ingressi" sono solitamente accompagnati da un'unica luce, interpretata – per il suo precedere il Vangelo – come l'immagine del Precursore "lampada che arde e risplende".[29]

Ai candelieri processionali si dà abitualmente il nome di *cantari*. Sono attualmente di dimensioni modeste, ma in età medioevale dovevano essere tanto alti da poter essere posti *ante altare*.[30] Proprio come la *lampàs* in ambito greco.

L'*Evangelo di Matteo* (22, 1-14) ricorda con forza che per partecipare al banchetto di nozze del Figlio sono necessarie le vesti nuziali. Questo ci fa comprendere quanto la dimensione simbolica connoti anche le *vesti* per il culto. Le formule che accompagnano il rituale di vestizione dei ministri in tutte le tradizioni liturgiche risultano quanto mai significative al riguardo. I ministri in effetti sono essi pure partecipi della dimensione simbolica dell'azione liturgica e ne condividono il carattere iconico in rapporto al mistero trascendente che la celebrazione rende presente.

Questo è particolarmente evidenziato nel cerimoniale di matrice costantinopolitana, conservato specialmente in area russa e secondo il quale il vescovo, raggiunto il proprio seggio su una pedana a lui riservata al centro della chiesa, vi viene solennemente parato, mentre il diacono a mano a mano che procede la vestizione ne accompagna i momenti incensando il vescovo stesso e proclamando la formula relativa ai vari paramenti, di cui viene in tal modo esplicitato il significato religioso e spirituale.

In ambito ambrosiano Beroldo colloca la vestizione dell'arcivescovo in sacrestia, secondo l'uso antico, attestato già dall'*Ordo I* romano; ciò

---

[27] *Io* 8, 12.

[28] *Io* 1, 9.

[29] *Io* 5, 35. Cf P. Edvokimov, *L'Orthodoxie*, Delachaux-Niestlé, Neuchâtel-Paris 1959; trad. it.: *L'Ortodossia*, Il Mulino, Bologna 1965, p. 370.

[30] Beroldus, p. 56. 9.

peraltro non attenua la solennità e il carattere rituale di tale momento della celebrazione. Beroldo segnala che a rivestire l'arcivescovo sono designati i *notarii* o *acoliti* della Chiesa milanese.[31] I suoi paramenti inoltre assumevano per la comunità ambrosiana la specifica funzione di configurare il presule quale autentico *"vicarius Ambrosii"*: ce ne offre testimonianza Guiberto di Nogent il quale, con riferimento ad Anselmo IV da Bovisio spentosi a Costantinopoli nel 1101, designa come *capella beati Ambrosii* il di lui paramento di eccezionale splendore.[32]

---

[31] BEROLDUS, p. 48. 3. "[Ambrosius] *notarios ordinavit qui acoliti usque hodie vocantur"*: L(ANDULFUS), I, 7, p. 40. 48 (p. 13. 25).

[32] GUIBERTUS de Novigento, *Gesta Dei per Francos*, in *Recueil des Historiens des Croisades. Historiens Occidentaux*, IV, Imprimerie Nationale, Paris 1879; ried. an.: Gregg, Farnborough 1969, p. 244: *"Erat in eo quidam archiepiscopus Mediolanensis exercitu, qui capellam beati Ambrosii, planetam scilicet et albam, si qua alia nescio, secum tulerat; auro tantique pretii gemmis ornatam ut nusquam terrarum repperire quis huic valeret aequandam"*. Guiberto attribuisce a insipiente vanità di Anselmo il fatto ch'egli abbia portato con sé alla Crociata vesti pontificali di tanto pregio, di fatto poi cadute in mano turca: *"Deo fatui illius praesulis, qui rem adeo sacram barbaris terris intulerat, tali damno ulciscente dementiam"*. Per valutare correttamente il comportamento del presule milanese va peraltro ricordato come la tradizione ecclesiastica ambrosiana imponesse all'arcivescovo di mostrarsi sempre rivestito delle sue specifiche insegne: solo nelle ferie quaresimali, ad esempio, egli deponeva il *pallium vel stola*, che le raffigurazioni medioevali presentano di dimensioni particolarmente marcate (si pensi all' immagine di Ambrogio testimoniateci tra la fine del X e gli inizi dell'XI secolo dalla miniatura al f. 112v del *Salterio*, cosiddetto "di Arnolfo II", ora ms. *Egerton 3763* della British Library [riproduzione in *Vita e meriti di s. Ambrogio*, ed. A. PAREDI, Ceschina, Milano 1964, tav. VIII, p. 64]). Particolarmente significativa appare al riguardo la narrazione l(andolfiana) della legazione a Costantinopoli di Arnolfo II (a. 1002); in essa l'arcivescovo viene presentato *"episcopalibus indumentis ornatus, cum stola, sine qua numquam foris aut in civitate ullis negotiis intervenientibus aut perturbationibus esse solitus fuit"*: L(ANDULFUS), II, 18, p. 56. 15-16 (p. 52. 27-29). Più in generale, quanto alle vesti dei presuli e dell'alto clero milanese, è ben noto il risentimento che Pietro Grosolano, il vicario e successore del crociato Anselmo IV, venne suscitando tra gli stessi eredi dei Patarini per il suo abbigliamento monacale, che era visto contraddire lo splendore dalla consuetudine imposto a quanti fossero posti a reggere la Chiesa ambrosiana. Non sembra inutile riportare la narrazione al riguardo di Landolfo di San Paolo: *"Interea presbiter Liprandus ipsi Grosulano, adherenti cathedre archiepiscopi, coram Andrea primicerio et quibusdam aliis sacerdotibus placide dixit, ut oridam capam exueret et convenientem tanto vicario indueret. Cui presbitero ille Grosulanus, pretium emendi non habere, respondit. Tunc presbiter Liprandus ad primicerium inquit: 'Primiceri, dives es, et potes hoc pretium bene prestare. Verumtamen, si placet, prestabo medietatem tanti pretii'. Primicerio autem presbitero: 'Hoc satis perficiam in crastino'. Et vicarius at ait, quod eam non indueret, cum de contemptu mundi vitam agere proposuisset. Hoc ut presbiter ille Liprandus audivit, sub quadam admirationis specie protulit dicens: 'Cum spernis mondum cur venisti in mondum?' En civitas ista*

5. IL PARADIGMA ARCIVESCOVILE

Il riferimento alla liturgia arcivescovile che ripetutamente è tornato nel corso di questa esposizione non è casuale. Nei manoscritti liturgici ambrosiani le rubriche, con marcata frequenza, indicavano l'arcivescovo quale liturgo, pur trattandosi di libri destinati a chiese in cui le celebrazioni erano unicamente presbiterali. La tradizione sarebbe continuata fino alla riedizione typica del *Missale* apparsa ad opera del beato Cardinal Schuster nel 1954. In questo senso il *Messale* del 1976 costituisce indubbiamente una frattura, cui ha voluto porre in qualche modo rimedio la ristampa, approvata il 18 Novembre 1990, nelle cui norme introduttive vengono espressamente delineati i *Riti propri della chiesa metropolitana nelle celebrazioni solenni presiedute dall'arcivescovo.*[33]

Il fatto che in gran parte degli antichi libri di culto ambrosiani non si mutassero le rubriche, che non si adattassero alla realtà liturgica plebana o abbaziale sta chiaramente a testimoniare come in ambito milanese si ritenesse essere nella Chiesa sempre in ogni caso l'arcivescovo il liturgo per eccellenza, e si concepissero le varie celebrazioni locali come una sostanziale riproposizione di quella liturgia, di valore paradigmatico, che l'arcivescovo celebrava con i suoi cardinali nelle chiese cattedrali.

Questa centralità della figura del vescovo e l'essenzialità della stretta comunione con lui per il costituirsi della Chiesa sono temi che nel patrimo-

---

suo more utitur pellibus variis grixis, marturinis et ceteris pretiosis ornamentis et cibis. Turpe quidem erit nobis, cum advene et peregrini viderint te hispidum et pannosum in nobis'... Pars cleri et populi ... clamavit et laudavit Grosulanum sibi in archiepiscopum ... Grosulanus vero, consentiens humane fragilitati, usus est cibis delitiosis et vestibus pretiosis, atque petit subcingulum, quo presbiter Liprandus fruebatur in officio missae secundum morem cardinalis" (LANDULFUS a Sancto Paulo, *Historia Mediolanensis*: 6, 7, 9, edd. L. BETHMANN - F. JAFFÉ, Hahn, Hannoverae 1868 [MGH, SS, 20], pp. 23-24; edizione preferibile a quella di C. CASTIGLIONI, Zanichelli, Bologna 1934 [RRIISS, e. a., 5/3]). Sulle vesti del clero ambrosiano: M. MAGISTRETTI, *Delle vesti ecclesiastiche in Milano*, in *Ambrosiana. Scritti vari pubblicati nel XV centenario della morte di s. Ambrogio*, Milano 1897, IX. Quanto alla presenza di Anselmo IV a Costantinopoli in connessione alla partecipazione milanese alla prima Crociata, cf anche F. CARDINI, *I Lombardi alla Prima Crociata*, in *Milano e la Lombardia in età comunale. Secoli XI-XIII. Catalogo della mostra. Palazzo Reale, 15 aprile - 11 luglio 1993*, Silvana, Cinisello Balsamo (milano) 1993, pp. 52-56.

[33] *Messale Ambrosiano secondo il Rito della Santa Chiesa di Milano, riformato a norma dei decreti del concilio Vaticano II, promulgato dal Signor Cardinale Giovanni Colombo, Arcivescovo di Milano* (ristampa in unico volume), Centro Ambrosiano di Documentazione e Studi Religiosi, Milano 1990, p. L: *Principi e norme per l'uso del Messale*, Capitolo IX: *Riti propri della chiesa Metropolitana nelle celebrazioni solenni presiedute dall'Arcivescovo*.

nio liturgico ambrosiano possiamo trovare sinteticamente ripresi e formulati nella *psallenda*, che ciclicamente ritorna, *Pax in coelo*.[34] In essa è detto *"pax sacerdotibus ecclesiarum Dei"*, ossia *"pace ai vescovi delle Chiese di Dio"*. Il parallelismo in tale testo risulta così costruito: cielo–terra, popoli–Chiese; tuttavia non si dice *"pax ecclesiis"*, ma *"pax sacerdotibus ecclesiarum"*. La ragione di questa variazione è evidente: "nel vescovo" è la Chiesa, così come, d'altra parte, il vescovo non sussiste separato dalla sua Chiesa.[35]

Quando dunque le comunità ambrosiane sparse nell'archidiocesi milanese si conformano nella loro celebrazione al modello cattedrale, vengono riaffermando un principio ecclesiologico di fondamentale importanza per il costituirsi di una Chiesa autenticamente apostolica. Ed è principio ecclesiologico che la tradizione ambrosiana ripropone con forza anche all'interno delle altre diocesi in cui è presente, come chiaramente attestarono gli ecclesiastici ambrosiani del Ticino al momento del loro distacco dalla cattedra di Ambrogio e del loro inserimento nella nuova circoscrizione ecclesiastica luganese: "Possa la incrollabile nostra fedeltà ai superiori da cui ci vediamo a malincuore staccati, assicurare il nuovo nostro Pastore che i figli di Ambrogio e di Carlo ebbero sempre ed avranno per divisa un

---

[34]   *"Pax in coelo, pax in terra, pax in omni populo, pax sacerdotibus ecclesiarum Dei"*: *Manuale Ambrosianum ex codice saec. XI olim in usum canonicae Vallis Travaliae* [= *Manuale Ambrosianum*], II, ed. M. Magistretti, Hoepli, Mediolani 1904, p. 413.

[35]   Di fronte a questo canto processionale il pensiero corre spontaneamente alla lettera da Cipriano indirizzata a Florenzio Puppiano: *"Scire debes episcopum in ecclesia esse et ecclesiam in episcopo et si quis cum episcopo non sit in ecclesia non esse, et frustra sibi blandiri eos qui pacem cum sacerdotibus Dei non habentes obrepunt et letanter apud quosdam communicare se credunt, quando ecclesia, quae catholica una est, scissa non sit neque divisa, sed sit utique conexa et cohaerentium sibi inuicem sacerdotum glutino copulata"* (Cyprianus, *Epistula LXVI*, 8, ed. G. (W.) Hartel, II, Gerold, Vindobonae 1871 [Corpus Scriptorum Ecclesiasticorum Latinorum (= CSEL), 3/2]; ried. an.: Johnson, New York-London 1965, p. 733). Questa percezione dell'unità inscindibile che lega il vescovo alla sua Chiesa, e viceversa, si ritrova, ed espressa con una connotazione affettiva ancor maggiore, nelle parole rivolte da Ambrogio ai fedeli di Milano nel giorno anniversario della sua ordinazione: *"Honora patrem et matrem. Pulchre mihi hodie legitur legis exordium, quando mei natalis est sacerdotii ... Bonum etiam quod legitur: Honora patrem et matrem; vos enim mihi estis parentes, qui sacerdotium detulistis, vos inquam filii vel parentes, qui verbum Dei auditis et facitis; filios, quia scriptum est: venite, filii, audite me; parentes, quia ipse Dominus dixit: Quae mihi mater aut fratres? Mater et fratres mei sunt qui audiunt verbum Dei et faciunt"* (*Expositio euangelii secundum Lucam*, VIII, 73, CCL, 14, p. 326).

attaccamento incrollabile ed una fedeltà senza ambagi ai propri legittimi Pastori".[36]

6. Popolo e ministri: il "sallenzio" e l'"ingressa"

Non è stato (e non è) infrequente assistere a interpretazioni di elementi e aspetti della prassi cultuale ambrosiana condotte alla luce dell'esempio romano (assunto, più o meno inconsciamente, come paradigmatico). Con ogni evidenza si tratta di un modo d'accostare la tradizione milanese metodologicamente non corretto e che alla fine non può che risultare riduttivo, quando non sviante.

Sarebbe ad esempio decisamente errato assimilare l'*introitus* romano (canto che accompagnava il procedere del clero verso l'altare) all'*ingressa* ambrosiana. Si tratta in effetti di canti relativi a momenti rituali diversi. Al riguardo le indicazioni cerimoniali del Beroldo offrono una testimonianza inequivocabile.

Dopo che gli accoliti hanno rivestito l'arcivescovo *in secretario,* questi saluta i ministri col *Dominus vobiscum*[37] e dà avvio in tal modo allo *psallentium*, "*quod apud Romanos vocatur processio*", come precisato da L(andolfo)[38]. Allora "*duo diaconi per manus ducentes, archiepiscopum circumdant, ex quibus primus a dextris est, qui incipit psallendam secundam, quae fuit in matutinis, et canendo exeunt de secretario ... et statim magister scholarum dicit Gloria Patri, reiterando cum pueris suis praedictam psallendam.*[39]

Dunque, il canto che accompagna il muovere del corteo verso l'altare è la sallenda, e più esattamente la sallenda già usata nella processione matutinale al secondo battistero.

Attualmente il sallenzio si conclude davanti ai cancelli dell'altare con il suggestivo canto dei *12 Kyrie*.

Terminato ormai il rito processionale, entrato tutto il clero nel santuario, ossia nel *chorus*, l'arcivescovo *facit confessionem*, "*Qua finita* - prosegue il Beroldo - *levitae statim ascendunt ad cornua altaris, et subdiaconi vadunt post altare*". Solo allora, quando l'arcivescovo è davanti all'altare, con le braccia sorrette dai due diaconi, come Mosè nella sua intercessione,

---

[36]   In E. Cattaneo, *Mirabile testimonianza ambrosiana nel Canton Ticino*, in *Ambrosius* (1956) 184-185.

[37]   Beroldus, p. 81. 30.

[38]   Cf nota 12.

[39]   Beroldus, p. 48.

e l'altare è circondato dai diaconi e suddiaconi, solo allora (*quo facto*) *magister scholarum incipit ingressam.*[40]

L'*Ingressa* non è dunque il canto processionale di accesso allo spazio dell'altare (non ha in effetti carattere antifonale), ma è il canto che viene innalzato dopo che l'intera comunità si è raccolta ordinatamente attorno all'altare.

Se ben osserviamo la disposizione che il corpo ecclesiale allora assume, vi possiamo ritrovare in qualche modo l'immagine dell'antico popolo dell'Alleanza peregrinante alla presenza di Dio, con i leviti "attorno alla Dimora della testimonianza" e gli Israeliti "ognuno vicino alla sua insegna"[41] (pensiamo ai vari *ordines* raccolti ciascuno attorno alla propria ferula).

Ecco dunque di nuovo la liturgia come specchio della Chiesa e del suo mistero di salvezza, prefigurato nell'antico Israele, compiutosi nel Cristo, e sperimentato e riproposto nel culto della Nuova Alleanza.

7. L'APOSTOLICITÀ DELL'ANNUNCIO: IL RITUALE DELLE LETTURE

Nella tradizione ambrosiana è principio consolidato che nessun ministro proceda alla proclamazione delle letture senza averne ricevuto mandato da colui che presiede. Poiché liturgo per eccellenza nella Chiesa è l'arcivescovo e i preti in qualche modo lo rappresentano nelle singole comunità, questo rituale delle letture viene a manifestare con immediata evidenza il principio dell'origine apostolica dell'annuncio, designando il ministero episcopale come il veicolo autentico della Tradizione degli Apostoli: "*Traditionem apostolicam per successionem episcoporum pervenientem usque ad nos*" secondo le parole di Ireneo.[42]

Tale aspetto fino ad anni recenti era ancor più rimarcato nella celebrazione pontificale dal fatto che il ministro, terminata la lettura, si recava alla cattedra e presentava il libro all'arcivescovo; questi vi stendeva la mano (che il ministro baciava) e benediva il ministro stesso, come tuttora è previsto in ambito greco. Consonanti, come sensibilità, con la prassi liturgica greca erano pure le ammonizioni "*Parcite fabulis - Silentium habete - Habete silentium*" che, pronunciate prima del Vangelo, trovano attestazione

---

[40] BEROLDUS, p. 49. 11, 12.

[41] *Nm* 1, 52-53.

[42] IRENAEUS, *Adversus Haereses*, III, 3: 1, 2, edd. A. ROUSSEAU - L. DOUTRELAU - Ch. MERCIER, Éd. du Cerf, Paris 1974 [Sources Chrétiennes (= SCh), 211], pp. 30-32.

nel Beroldo e si sono continuate attraverso i secoli nella prassi del Duomo fino a non molti anni or sono.[43]

8. Il 'post Evangelium' e la preparazione dell'altare

Il canto "dopo il Vangelo" era preceduto un tempo dal saluto e dal triplice *Kyrie*: segno evidente che una fase della celebrazione si era conclusa (qui in effetti avveniva un tempo la dimissione dei catecumeni) e un'altra prendeva avvio.[44] Il canto – nell'*Ordo* beroldiano – viene eseguito davanti all'altare dai cantori raccolti in cerchio attorno al loro maestro.[45] Al canto si accompagna la stesura della Sindone (il corporale) sull'altare.

L'ambrosiana *Expositio Missae Canonicae* d'età carolingia, trasmessa dallo stesso manoscritto contenente il testo di Beroldo, ricordando come la successiva preghiera sia detta *super syndonem*, così la giustifica: "perché

---

[43] Una singolare attestazione dell'uso ambrosiano di non avviare la lettura senza mandato, ossia senza la benedizione, ci è offerta nel VI secolo da un testo agiografico dedicato da Gregorio di Tours al predecessore Martino. "Era consuetudine di Ambrogio, quando nei giorni di domenica celebrava, che venendo il lettore col libro, questi non osasse leggere prima che il vescovo con un suo cenno gliene desse mandato. Accadde dunque che in quella domenica [giorno dei funerali di san Martino a Tours], dopo che la lettura veterotestamentaria già era stata proclamata, mentre colui che doveva annunciare la lettura del beato Paolo stava fisso davanti all'altare, il beato presule Ambrogio fu preso da torpore sul santo altare. Benchè molti vedessero la cosa, nessuno osava destarlo; finchè, dopo un lasso di tempo di due o tre ore, lo smossero dicendo: 'Il tempo passa voglia Vostra Signoria dare mandato al lettore perchè proclami la lettura; il popolo sta qui da tempo ed è oltremodo stanco'". Il torpore di Ambrogio – continua Gregorio – era in realtà un'estasi miracolosa, durante la quale Ambrogio fu presente a Tours e partecipò alle esequie del suo confratello Martino. Cf Gregorius Turonensis, *De virtutibus sancti Martini episcopi*, I, 5, ed. B. Krusch, Hahn, Hannoverae 1885 [MGH, SRM, 1/2], p. 591 [ried. an.: 1969, p. 141]. Il racconto leggendario – Martino, fra l'altro, morì dopo Ambrogio – si trova immortalato nel mosaico del catino absidale della basilica ambrosiana, databile grosso modo, al secolo IX: cf C. Bertelli: *Mosaici a Milano*, in *Atti del 10° Congresso internazionale di studi sull'Alto Medioevo: Milano e i Milanesi prima del Mille. Milano, 26-30 settembre 1983*, Centro Italiano di Studi sull'Alto Medioevo, Spoleto 1986, pp. 331-341; *Opere d'arte per la Chiesa ambrosiana. Il mosaico alla luce della tradizione apostolica milanese*, in *Il mosaico di Sant'Ambrogio. Storia del mosaico e dei suoi restauri (1843-1997)*, a cura di C. Capponi, Fondazione Cassa di Risparmio di Genova e Imperia, Genova 1997, pp. 9-15; *Mosaici a Milano dall'età paleocristiana ai carolingi*, in *Pittura a Milano*, I, a cura di M. Gregori, Cassa di Risparmio delle Provincie Lombarde, Milano 1997, pp. 1-27.

[44] Una riflessione spirituale sul triplice Kyrie e sulle formule di saluto ambrosiane può vedersi in G. Molon, *La nostra Messa ambrosiana*, NED - Nuove Edizioni Duomo, Milano 1982.

[45] Beroldus, p. 51. 25 ss.

il sacerdote la dice quando la Sindone, ossia il telo di lino, viene posta sull'altare perchè in essa sia consacrato il corpo e il sangue del Signore. *Syndon* infatti è termine greco, in latino si dice *lineus pannus*. La consuetudine della Chiesa ha per l'appunto stabilito che il corpo e il sangue del Signore sia consacrato esclusivamente su un telo di lino perchè Giuseppe d'Arimatea, ricevuto il permesso da Pilato, venne e, dopo aver deposto dalla croce il corpo del Signore, lo avvolse in una sindone, ossia in un telo di lino".[46]

Merita ricordare a questo punto come nella liturgia greca l'*eilētòn* rechi tradizionalmente l'immagine del Cristo deposto e sia ritualmente dispiegato prima dei riti offertoriali; e come il rito di deposizione dei santi doni su di esso sia accompagnato dal sacerdote con il *troparion*: "Il nobile Giuseppe, deposto dalla croce l'intemerato tuo corpo, involtolo in una candida sindone con aromi, e resigli i funebri onori, lo depose in un monumento nuovo".[47]

Al di là, dunque, della denominazione "dopo il Vangelo" (che indica una semplice successione di momenti nel quadro della celebrazione), il canto qui considerato costituisce in realtà il solenne saluto all'altare, che viene preparato perché su di esso possa nuovamente riproporsi – *mystikôs* (ossia: nel mistero) – il sacrificio del Signore.

9. LA SUPPLICA DELLA CHIESA

"Raccomando dunque, prima di tutto, che si facciano domande, suppliche, preghiere e ringraziamenti per tutti gli uomini, per i re e per tutti quelli che stanno al potere, perché possiamo condurre una vita calma e tranquilla, dignitosa e dedicata a Dio. Questa è cosa bella e gradita al cospetto di Dio, nostro salvatore". Così prescriveva la I Lettera a Timoteo[48]; e alla metà del II secolo Giustino, nella sua *I Apologia*, ci mostra quanto la Chiesa si fosse conservata fedele a quelle parole e come nelle riunioni domenicali,

---

[46] *"Quia tunc eam sacerdos dicit, quando sindon, id est lineus pannus, super altare ponitur, ut in eo corpus et sanguis Domini consecretur. Syndon enim grece, latine dicitur lineus pannus. Decrevit autem ecclesiastica consuetudo, ut non alibi quam in lineo panno, corpus et sanguis Domini consecretur, quia Ioseph ab Arimathia veniens, accepta a Pilato licentia, corpus Domini de cruce depositum in sindone, id est in lineo panno, involvit"*: ed. F. BROVELLI, *La "Expositio Missae Canonicae". Edizione critica e studio liturgico-teologico*, in *Studi e Ricerche sulla Chiesa Ambrosiana*, VII, Centro Ambrosiano di Documentazione e Studi Religiosi, Milano 1979 [Archivio Ambrosiano, 35], p. 45.

[47] Cf GOAR, *Euchologion*, p. 59.

[48] *ITm* 2, 1-3.

dopo le letture e il sermone e prima di offrire il pane e il vino con l'acqua, i fratelli elevassero in comune ferventi preghiere per loro stessi e per tutti gli altri ovunque sparsi.[49] Non diversamente il problematico *De Sacramentis* ricorda che prima di dar compimento al mistero eucaristico "si rivolgono preghiere e si supplica per il popolo, per i re e per tutti gli altri".[50]

La sistemazione della liturgia eucaristica ambrosiana compiuta in età carolingia ratificò, sul modello romano, la caduta di questo tradizionale momento di preghiera corale, che venne conservato soltanto in Quaresima, sotto forma di prece solenne all'inizio della celebrazione domenicale, prima dell'orazione sopra il popolo.

Una traccia dell'uso più antico si perpetuò tuttavia anche nei manoscritti carolingi. Dopo il canto *post Evangelium* e l'invito diaconale "*Pacem habete*" rimase infatti la risposta del popolo "*Ad Te, Domine*". Il senso di tale dialogo compiutamente si chiarifica nel *Messale di San Simpliciano*, che alla esclamazione del popolo antepone l'invito diaconale "*Corrigite vos ad orationem*". Questo' significa che, una volta conclusa la parte della celebrazione oggi definita 'liturgia della Parola', stesa altresì la Sindone sull'altare, i fedeli erano invitati a scambiare l'abbraccio di pace, cui seguiva la solenne preghiera d'intercessione ad opera di una comunità prostrata supplice in ginocchio; al termine di queste preci proposte dal diacono, risuonava ad opera dello stesso ministro l'invito perché tutti si levassero in piedi per unirsi alla preghiera del sacerdote, che alle preci avrebbe dato compimento.

Quello della comunità ambrosiana non era (e non è) un semplice mutare di posizione, si tratta di un atteggiamento rituale di profondo significato simbolico, atteggiamento segnato da un orientamento preciso, in cui si esprime tutta la tensione spirituale con cui la Chiesa implora il dono di Dio e attende il definitivo ritorno del suo Signore.

Forse non è un caso che Agostino concluda diversi sermoni con l'espressione "*conversi ad Dominum*".[51] "*Orationem meam ad Te Domine*" aveva detto il salmista;[52] ora è l'intera comunità a levarsi per la preghiera, rivolgendosi a Oriente, là donde il Signore è atteso. "*Corrigamus*

---

49 Iustinus, *Apologia I*: LXV, 1-3; LXVII, 4-5, ed. A. Wartelle, Paris 1987 [Études Augustiniennes], pp. 188-190, 192.

50 *De Sacramentis*, IV, 4, 14, ed. B. Botte, Éd. du Cerf, Paris 1994[2. 2 rist.] [SCh, 25 bis], p. 108. Per le questioni in merito al testo si veda al cap. introduttivo *La tradizione ambrosiana nella comunione delle Chiese*, la nota 72.

51 Cf W. Roetzer, *Des heiligen Augustinus Schriften als liturgiegeschichtliche Quelle*, Max Hüber, München 1930, p. 239.

52 *Ps. 68*, 14 .

nos ad laudem Christi; lampades sint accensae, quia excelsus Iudex venit iudicare gentes".[53]

Il valore di questo "rivolgersi al Signore", espresso attraverso l'orientamento, investe la disposizione degli edifici di culto e le stesse modalità cerimoniali delle celebrazioni giacchè, come ha sottolineato anche il cardinal Joseph Ratzinger, "la comunità non dialoga con se stessa, ma è protesa in uno sforzo collettivo verso il Signore veniente".[54]

Merita rimarcare come gli aspetti cerimoniali qui ricordati siano riproposti anche dall'attuale *Messale*, che per le comunità più preparate espressamente prevede l'esortazione diaconale "*Mettetevi in ginocchio*" all'inizio delle preci, e, al loro termine, l'invito "*Alzatevi per la preghiera del sacerdote*", seguito dall'esclamazione del popolo "*Ci eleviamo a Te, Signore*".

Quanto ai formulari delle *praeces* proposte dal diacono, la tradizione milanese ne ha conservati due, accompagnati rispettivamente dalle invocazioni del popolo "*Domine miserere / Kyrie eleison*". Si tratta di testi tardo antichi.[55] Non si può non rimarcare come tali preci si presentino libere da qualsiasi psicologismo intimistico o strumentalizzazione catechetica e non pretendano mai di prefissare l'azione di Dio definendone le modalità e i fini. Esse semplicemente affidano l'intero popolo, con le sue autorità e i relativi ministeri, al Signore, perchè usi verso tutti misericordia: un modello cui la prassi liturgica corrente potrebbe utilmente tornare a guardare.[56]

---

[53] *Transitorium* del comune domenicale: *Manuale Ambrosianum*, II, p. 410. Cf P. LEJAY, *Ambrosien (Rit)*, in *Dictionnaire d'Archéologie Chretienne et de Liturgie*, a cura di F. CABROL - H. LECLERQ, I, Letouzey-Ané, Paris 1924, c. 1405; G. LOVATTI, *La S. Messa ambrosiana*, in *Ambrosius* 9 (1933) 108; E. T. MONETA CAGLIO, *Ad Te, Domine*, in *Ambrosius* 12 (1936) 207-213 (cf ID., *Intendere la Messa*, Milano 1939, pp. 143 ss.); B. CAPELLE, *Ad Te, Domine*, in *Ambrosius* 13 (1937) 227-230.

[54] J. RATZINGER, in *Das Fest des Glaubens*, Johannes, Einsiedeln 1981; trad. it.: *La festa della fede*, Jaca Book, Milano 1983, p. 133.

[55] Se ne occupò anche B. CAPELLE, *Le Kyrie de la messe et le Pape Gélase*, in *Travaux liturgiques. Histoire. La Messe*, Centre Liturgique. Abbaye du Mont César, Louvain 1962, p. 124.

[56] Sulla forma delle preci nelle diverse tradizioni liturgiche occidentali si potrà vedere l'ampia trattazione di P. DE CLERCK, *La prière universelle dans les liturgies anciennes*, Aschendorff, Münster 1977 (Liturgiewissenchaftliche Quellen und Forschungen, 62).

10. LE PREMESSE ALLA CELEBRAZIONE DELL'EUCARISTIA: L'UNIONE FRATERNA E LA COMUNIONE CATTOLICA

Come già attestato da Giustino nel II secolo, come s'è conservato in tutte le Chiese apostoliche, anche a Milano lo scambio di pace si colloca nel contesto dei riti offertoriali. Anche quando l'influsso romano traslò il rito a prima della comunione (e la cosa è già attestata nell'età carolingia), si conservò comunque prima della presentazione delle offerte la monizione diaconale *"Pacem habete"*. Promulgato nel 1976 il nuovo *Messale* riformato,[57] si ebbe su questo punto una rapida evoluzione, che portò al ripristino dell'antico ordinamento, in cui è evidente la simbolica conformazione col precetto evangelico: "Se ... tuo fratello ha qualche cosa contro di te ... va prima a riconciliarti con il tuo fratello e poi torna a offrire il tuo dono".[58]

Ma il rituale ambrosiano della Messa non soltanto ricorda che la pace e l'unione fraterna è condizione necessaria per accostarsi all'Eucaristia; esso riafferma con forza anche il principio che nessuna Eucaristia può essere legittimamente celebrata se non nella comunione cattolica, ossia nella comunione di tutte le Chiese che conservano e condividono la vera fede trasmessa dagli Apostoli.

La professione di fede nell'ambito della liturgia eucaristica non è consuetudine appartenente alla più antica tradizione ecclesiale. Il *Credo* era

---

[57] *Messale Ambrosiano secondo il Rito della Santa Chiesa di Milano. Riformato a norma dei decreti del Concilio Vaticano II. Promulgato dal Signor Cardinale Giovanni Colombo Arcivescovo di Milano*, 2 voll., Centro Ambrosiano di Documentazione e Studi Religiosi, Milano 1976. L'atto di promulgazione porta la data 11 Aprile 1976, Domenica delle Palme. L'adozione fu fissata a partire dalla successiva I Domenica d'Avvento (14 Novembre). La presentazione ufficiale alla comunità ambrosiana ebbe luogo nel Settembre di quello stesso anno, con una prolusione dello stesso arcivescovo : *Il Nuovo Messale Ambrosiano. Atti della "3 giorni" 28-29-30 Settembre 1976*, [stampato presso il Monastero Benedettino di Viboldone, S. Giuliano Milanese] Milano 1976 (contributi di I. BIFFI, G. BIFFI, A. GANDINI, A. DUMAS, S. MAZZARELLO, E. GALBIATI, C. OGGIONI, L. MIGLIAVACCA, E. VILLA, G. SANTI, V. VIGORELLI, E. BRIVIO).

[58] *Mt* 5, 23-24; cfr. *Mr* 11, 25. Le disposizioni al riguardo furono impartite dall'arcivescovo card. Giovanni Colombo nel programma pastorale per l'anno 1978/1979: GIOVANNI card. COLOMBO, *La comunità cristiana. Programma pastorale della diocesi di Milano per l'anno 1978-1979: III. La preghiera liturgica*, in *Rivista Diocesana Milanese* 69 (1978) 681-688; cf *Introduzione* al *Calendario per l'anno 1978-1979*, Milano 1978, pp. 7-19 [il programma pastorale fu pubblicato anche in fascicolo a parte da LDC, Leumann (Torino) 1978]. Tali disposizioni sarebbero poi state definitivamente recepite nell'edizione latina del Messale del 1981 e nella ristampa dell'edizione italiana del 1986: cf. M. NAVONI, *Note per la ri-edizione del Messale Ambrosiano*, in *Ambrosius* 62 (1986) 452-466.

elemento tipico dell'iniziazione cristiana e veniva spiegato al catecumeno e da lui appreso nell'imminenza del lavacro battesimale. Ci sono giunte molte esposizioni patristiche del *Credo*, delle quali una si trova anche tra le opere catechetiche di Ambrogio. La professione di fede che in esse veniva commentata è il cosiddetto *Credo degli Apostoli*: "Io credo in Dio Padre Onnipotente...". Si tratta della professione di fede comune a tutto l'Occidente, probabilmente di origine romana, e che ogni credente è invitato a recitare frequentemente, per rinnovare nella concretezza della vita la fede del proprio battesimo.

Nella liturgia eucaristica si utilizza peraltro un testo diverso e che risponde a finalità diverse. Tra la fine del V e gli inizi del VI secolo in Oriente, nell'ambito degli infuocati dibattiti tra le diverse scuole cristologiche, fu avvertita l'esigenza di un criterio obiettivo d'ortodossia, che garantisse nella Chiesa la conformità alla retta fede, ricevuta dagli Apostoli e trasmessa dai Padri, e divenisse segno di riconoscimento (*sýmbolon*) per quanti in quella fede vivevano. La professione dottrinale formulata dai Padri di Nicea (325) e Costantinopoli (381) fu ritenuta lo strumento più idoneo a tale scopo, e da allora, prima in Oriente e poi in Occidente, fu introdotta nella celebrazione eucaristica quale segno di condivisione della retta fede e per esprimere la comunione in essa con tutte le Chiese sparse nel mondo e professanti la medesima fede ortodossa. Questo ci spiega perchè in tutte le Chiese orientali (con l'eccezione dell'armena), e pure a Milano, il Credo, ossia la professione di fede ortodossa, sia collocato poco prima della preghiera eucaristica, quasi quale premessa al suo avvio.

Non risposta, dunque, all'annuncio evangelico è il *Credo* nella Messa, in ambito ambrosiano, ma attestazione di comunione cattolica nell'unica fede, per la quale, dovunque nel mondo, possiamo pur sempre abbeverarci a un unico calice.[59]

---

[59]   Cf C. Alzati, *Simbolo Apostolico e Simbolo Niceno-Costantinopolitano nella liturgia. Una nota tra storia e spiritualità*, in Civiltà Ambrosiana 2 (1985) 431-437. Anche in questo caso il *Messale* riformato del 1976 si conformò allo schema romano, ratificando la tendenza all'omologazione propria del clima post-conciliare a Milano, manifestatasi fin dal *Messale Ambrosiano. Rito della Messa. Textus a S. Congregatione pro cultu divino adprobati et Em.mi Ioannis Card. Colombo Archiepiscopi Mediolanensis iussu ad interim editi*, Boniardi, Milano 1969. In tale *Ordo Missae* il Credo era stato posto subito dopo il Vangelo e l'omelia. Siffatta ubicazione era stata confermata anche nel successivo *Messale Ambrosiano. Rito della Messa. Edito per ordine del sig. Cardinale Giovanni Colombo Arcivescovo di Milano*, Centro Ambrosiano di Documentazione e Studi Religiosi, Milano 1972. L'*Editio typica* del messale italiano sembrò dare ratifica a tale processo: di poco conto risultava aver posposto il *Simbolo* al canto "dopo il Vangelo", facendo diventare quest'ultimo un canto al Vangelo strettamente collega-

11. La preghiera eucaristica e i suoi rituali

Un costume rituale, in età medioevale non solamente ambrosiano, ma in ambito ambrosiano conservatosi fino ad oggi, è la norma che durante l'*anamnesis*, ossia la commemorazione della Morte e Resurrezione del Signore, il celebrante stenda le braccia "*in modum crucifixi*".[60] In alcune parrocchie foranee alcuni fedeli erano soliti riproporre il gesto, e in anni non lontani l'arcivescovo Giovanni Colombo raccomandò tale uso. Si tratta evidentemente di una plastica e immediata professione di fede nella natura sacrificale dell'Eucaristia, natura sacrificale che già a cavallo tra I e II secolo la *Didachè* apertamente professava: "Nel giorno del Signore, riuniti, spezzate il pane e rendete grazie dopo aver confessato i vostri peccati, affinchè il vostro sacrificio (*thysía*) sia puro".[61]

Con riferimento ai solenni cerimoniali che accompagnano la preghiera eucaristica, Beroldo segnala che dal *Credo* i suddiaconi, posti dietro l'altare, restavano inchinati, "fino a quando l'arcivescovo affida la sua offerta

---

to (tanto da permetterne l'esecuzione subito dopo la proclamazione della pericope). Merita osservare come un'analoga evoluzione (o involuzione) in merito all'ubicazione del *Credo*, frutto della perdita di consapevolezza della propria tradizione e dei relativi contenuti, è riscontrabile nella redazione della *Liturgia Sancti Petri* trasmessa dal ms. *Ottob. Gr. 384* della Vaticana. Tarda testimonianza di questo formulario di liturgia eucaristica sorto tra i Greci e le connesse comunità monastiche presenti del Mezzogiorno d'Italia, il testo conservato nel manoscritto in questione (a. 1581) ormai non si configura più quale struttura liturgica greca in cui sono state integrate formule eucologiche romane (a cominciare dal Canone), ma di struttura liturgica romana (col *Credo* ubicato subito dopo il Vangelo), nella quale si conservano singoli elementi liturgici greci (tra i quali, caso unico nella documentazione codicologica relativa alla *Liturgia Sancti Petri*, anche l'epiclesi della *Liturgia di San Giovanni Crisostomo*): cf C. ALZATI, *Tradizione bizantina e tradizione latina nella* Liturgia Sancti Petri *attraverso il Simbolo niceno-costantinopolitano*, in *Vita religiosa, morale e sociale ed i concili di Split (Spalato) dei secc. X-XI. Atti del Symposium Internazionale di Storia Ecclesiastica. Split, 26-30 settembre 1978*, Antenore, Padova 1982 [Medioevo e Umanesimo, 49], pp. 237-269. La tradizione ambrosiana su questo punto [in merito cf ID., *La proclamazione del Simbolo niceno-costantinopolitano nella celebrazione eucaristica e la tradizione liturgica ambrosiana*, in *Ambrosius* 54 (1978) 27-48], come nel caso dello scambio di pace, riemerse grazie all'arcivescovo card. Giovanni Colombo, che dalla I Domenica d'Avvento del 1978 ripristinò la secolare consuetudine della Chiesa milanese (consonante con l'Oriente cristiano) attraverso le disposizioni del *Programma pastorale*: per la documentazione in merito si rinvia alla nota 58.

[60] PETRUS CASOLA, *Rationale caeremoniarum Missae Ambrosianae*, Ambrogio da Caponago presso Alessandro Minuziano, Mediolani 1499, f. 9v.

[61] *Didachè*, XIV, 1, edd. W. RORDORF - A. TUILIER, Éd. du Cerf, Paris 1978 [SCh, 248] p. 192; trad. it. U. MATTIOLI, Ed. Paoline, Ancona 1969, p. 154.

per mano dell'angelo".[62] Quanto ai diaconi, essi restavano inchinati fin tanto che pure l'arcivescovo lo fosse. In evidente continuità con questa prassi le norme cerimoniali a Milano prevedevano che i fedeli accompagnassero l'intera preghiera eucaristica inginocchiati. Potrebbe sembrare un aspetto trascurabile, in realtà è il riflesso di una precisa concezione del ministero e dell'azione liturgica.

Al riguardo così si espresse nel secolo XI l'occidentale Pier Damiani:

"La colomba dello Spirito Santo non aborre e non rigetta il ministero di chiunque, anche se questi sia carico di colpe, giacché Colui sul quale è completamente discesa conserva, egli solo, la prerogativa della consacrazione. L'unità della Chiesa sta precisamente nel fatto che il Cristo ha tenuto per sé il potere consacratorio e non ha trasmesso ad alcun ministro il diritto di consacrare. Se infatti la consacrazione derivasse da qualche merito o potere del sacerdote, chiaramente non sarebbe in alcun modo prerogativa del Cristo. Ma quantunque il vescovo imponga le mani e in forza del ministero a lui affidato pronunci le parole di benedizione, è con ogni evidenza il Cristo quegli che consacra e che, per l'arcana potenza della sua maestà, santifica ... E' stato scritto 'Invocheranno il mio nome sopra i figli di Israele ed io li benedirò'. Proprio dei sacerdoti è, dunque, invocare il nome del Signore su coloro che devono essere consacrati, ma a Dio stesso appartiene il benedire. Ai ministri è affidato soltanto il rito esterno, ma a Dio stesso, ed a lui solo, è riservata l'efficacia della consacrazione... Sicché con fede piena bisogna credere che il Cristo delega ai suoi ministri l'ufficio della consacrazione ecclesiastica in modo tale da conservare a sé, quale principio, il sacramento di tutti gli ordini ministeriali, e che egli attribuisce ai servi il ministero di ordinare loro conservi, ma senza trasferire in alcuno lo specifico diritto e il potere di consacrare. Sebbene infatti i vescovi appaiano consacrare per l'ufficio loro affidato, in realtà chi veramente consacra è colui che invisibilmente dona lo Spirito Santo. Altri infatti è colui che invoca, altri colui che esaudisce. Altri è colui che chiede, altri colui che acconsente alla richiesta. Chi oserebbe equipararsi a Pietro e Giovanni? E di loro tuttavia si dice che, inviati in Samaria, imponendo le mani su coloro che erano stati battezzati, *pregarono per loro*; ed essi ricevettero lo Spirito Santo. Non dunque per loro elargizione, ma per il loro servizio; non dunque essendo loro a donarlo ma, innalzando essi la loro preghiera, lo Spirito Santo è disceso sui credenti ... Come ebbe a dire anche il beato Girolamo:

---

[62] BEROLDUS, p. 53. 5 ss.

'Vescovo, prete e diacono sono termini che designano, non particolari meriti, ma un ministero'".[63]

"*Non illis donantibus, sed orantibus*". Questa concezione profondamente ministeriale del sacerdozio, patrimonio comune di tutta la Chiesa antica, in Oriente come in Occidente, si esprime liturgicamente nell'*epiclesi*, ossia nell'invocazione perchè Dio operi la consacrazione dei santi doni, e faccia di essi il Corpo e il Sangue del Signore. Quella preghiera dunque è l'espressione più propria del ministero sacerdotale. Ecco perchè durante quella preghiera il celebrante si prosta supplice e con lui tutti i ministri, mentre l'intera Chiesa li accompagna ponendosi anch'essa in ginocchio.

In ambito ambrosiano tutto questo si esprime con particolare evidenza nella celebrazione eucaristica *in coena Domini*, la cui anafora prevede l'epiclesi dopo la narrazione dell'istituzione dell'Eucaristia, secondo il modello che vediamo già nella *Traditio Apostolica* attribuita ad Ippolito e che sarebbe stato continuato in tutto l'Oriente di matrice antiochena e nelle Chiese occidentali d'area gallicano-ispanica.

Si è posto il problema se gli elementi di tipo 'gallicano' conservati dalla tradizione ambrosiana per la celebrazione *in coena Domini* (e per il Sabato Santo) – sui quali sono state costruite anche le anafore previste per quei giorni dal Messale riformato del 1976[64] – dovessero ritenersi interpolazioni o, invece, reperti della tradizione più antica, conservatisi in quelle celebrazioni solenni.

Tra i libri gallicani il *Missale Bobiense*, testimone di una fase relativamente tarda della liturgia delle Gallie e il cui luogo di elaborazione resta problematico, quanto alla preghiera eucaristica, documenta l'introduzione pure in ambito gallicano dell'unitaria formula fissa del *Canon actionis* romano, con abbandono della tradizionale struttura eucologica, articolata nelle tre diverse formule variabili (*Contestatio*[65], *Post Sanctus*, *Post Pridie*[66]).

Anche alla luce di tale esempio, si è ipotizzato per l'ambito milanese un fenomeno similare,[67] che peraltro nella celebrazione *in coena Domini* e nella Veglia Pasquale (l'avvio della cui preghiera eucaristica è caratteriz-

---

[63] Petrus Damiani, *Liber gratissimus*, XII, II, VIIII, ed. L. von Heinemann, Hahn, Hannoverae 1891 [MGH,Libelli de lite (= Ldl), 1], pp. 33, 20, 28 (con citazione da Hieronymus, *Adversus Iovinianum*, I, 34).

[64] Cf in merito anche F. Dell'Oro, *Il nuovo Messale della Chiesa ambrosiana*, in *Rivista Liturgica* 64 (1977) 588-592.

[65] Talvolta detta anche *Immolatio*, o – in ambito ispanico – *Illatio*: cf gr. *anaphorá*.

[66] Altrimenti definito anche *Post Mysterium* o *Post Secreta*.

[67] Per per le peculiarità del testo ambrosiano del *Canon*: P. Borella, *Il "Canon Missae" ambrosiano*, in *Ambrosius* 30 (1954) 225-257.

zato da un tipico *Post Sanctus*) non sarebbe riuscito ad imporsi e a cancellare del tutto gli elementi della precedente tradizione eucologica.[68]

Tra tali elementi conservatisi nella celebrazione eucaristica *in Coena Domini* si segnalano, in particolare, la formula posta dopo il ricordo dell'istituzione dell'Eucaristia,[69] nonché il testo introduttivo al *Pater noster*;[70] Si tratta con ogni evidenza di due epiclesi di carattere non pneumatologico, nelle quali la trasformazione del pane e del vino nel Corpo e nel Sangue del Signore è richiesta al Padre quale suo rinnovato dono.[71]

Sull'epiclesi nelle Chiese della Praefectura Galliarum e d'area italiciana, ma più in generale su tutto il complesso di questioni (da quelle codicologiche a quelle storico ecclesiastiche, a quelle teologiche) connesse al patrimonio liturgico gallicano disponiamo ora della splendida sintesi di Matthieu Smyth.[72]

È stato merito precipuo di questo studioso aver offerto, all'interno della sua ricerca, importanti indizi anche in merito all'antica preghiera

---

[68] Cf P. CAGIN, *Les archaïsmes combinés des deux canons ambrosiens du Jeudi Saint et de la nuit de Pâques*, in *L'Eucharistia. Canon primitif de la Messe ...*, Desclée, Rome-Paris-Tournai 1912, pp. 91 ss.; G. MORIN: *L'origine del canone ambrosiano a proposito di particolarità gallicane nel giovedì e sabato santo*, in *Ambrosius* 3 (1927) 75-77; *Depuis quand un Canon fixe à Milan? Restes de ce qu'il a remplacé*, in *Revue Bénédictine* 51 (1939) 101-108, trad. it.: *Da quando un canone fisso a Milano? Avanzi di ciò che esso ha sostituito*, in *Ambrosius* 17 (1941) 89-93.

[69] "*Haec facimus, haec celebramus tua Domine praecepta servantes, et ad communionem inviolabilem, hoc ipsum quod corpus Domini sumimus, mortem Dominicam nuntiamus. Tuum vero est omnipotens Pater mittere nunc nobis unigenitum Filium tuum, quem non quaerentibus sponte misisti. Qui cum sis ipse immensus et inaestimabilis, Deum quoque ex te immensum et inaestimabilem genuisti. Ut cuius passione redemptionem humani generis tribuisti, eius nunc corpus tribuas ad salutem*": da P. BORELLA, *Il Rito Ambrosiano*, Morcelliana, Brescia 1964, Appendice D, p. 473.

[70] "*Ipsius praeceptum est quod agimus, cuius nunc te praesentia postulamus. Da sacrificio auctorem suum, ut impleatur fides rei in sublimitate mysterii. Ut sicut veritatem caelesti sacrificii exequimur, sic veritatem Dominici corporis et sanguinis hauriamus*": da BORELLA, *Il Rito Ambrosiano*, Appendice D, p. 473.

[71] La seconda delle due formule è presente come *Post Pridie* nel gallicano *Missale Gothicum*, collocabile attorno all'anno 700: ed. L. C. MOHLBERG, *Missale Gothicum (Vat. Reg. Lat. 317)*, Herder, Roma 1961 (Rerum Ecclesiarcarum Documenta. Series maior. Fontes, 5), n° 31, p. 11; per l'espressione *Haec facimus* quale introduzione al *Post Pridie: Ibidem*, n° 431, p. 106. Entrambi i testi conservatisi in ambito milanese risultano perfettamente assimilabili al tipo comune di epiclesi attestato in ambito gallicano e ispanico, dove tale elemento della preghiera eucaristica si presenta indifferentemente con o senza riferimenti pneumatologici.

[72] M. SMYTH, *La liturgie oubliée. La prière eucharistique en Gaule antique et dans l'Occident non romain*, Éd. du Cerf, Paris 2003 (segnatamente sull'epiclesi: pp. 436 ss.).

eucaristica d'ambito milanese.[73] In particolare lo Smyth ha recuperato in forma sistematica le consonanze sussistenti tra espressioni reperibili nei testi eucaristici d'ambito gallicano-ispanico e formulazioni presenti nelle opere di vescovi, tra la fine del IV e l'inizio del V secolo, gravitanti su Milano, quali Gaudenzio di Brescia,[74] direttamente ordinato da Ambrogio,[75] e Massimo di Torino;[76] agli scritti di costoro può affiancarsi

---

[73] Cf SMYTH, *La liturgie oubliée*, pp. 98-104, dove peraltro andrebbero tenuti presenti di P. CARMASSI, *Libri liturgici e istituzioni ecclesiastiche a Milano in età medioevale. Studio sulla formazione del lezionario ambrosiano*, Aschendorff, Münster 2001 [Liturgiewissenschaftliche Quellen und Forschungen, 85: Corpus ambrosiano-liturgicum, 4], i decisivi apporti in merito al *libellus missarum* del secolo VII inserito nel codice palinsesto *908* di San Gallo, nonché il contributo di G. VERITÀ, *Il Messale di Armio. Edizione e commento*, in *Ricerche Storiche sulla Chiesa Ambrosiana*, XXI, Centro Ambrosiano, Milano 2003 [Archivio Ambrosiano, 88], pp. 5-197, che ha puntualizzato alcune ipotesi della Frei in merito alla genesi del Messale ambrosiano, mostrando il valore primario della tradizione cattedrale anche per le redazioni d'ambito monastico.

[74] Cf GAUDENTIUS Brixiensis, *Tractatus II in Exodum*, 31, in *Opera*, ed. A. GLÜCK, Hoelder-Pichler-Tempsky, Vindobonae-Lipsiae 1936 (CSEL, 68), p. 31 [*exemplar passionis Christi ante oculos habentes*], con il *Post Pridie* [*habentes ante oculos tantae passionis triumphos*] del *Liber Mozarabicus Sacramentorum*, ed. M. FÉROTIN (Firmin-Didot, Paris 1912), n° 607, curr. A. WARD – C. JOHNSON, CLV - Edizioni Liturgiche, Roma 1995 (Bibliotheca "Ephemerides Liturgicae". Subsidia, 78: Instrumenta Liturgica Quarreriensia, 4), p. 250; e del gallicano *Sacramentario palinsesto di Milano*: ed. A. DOLD, *Das Sakramentar im Schabcodex M 12 Sup. der Bibliotheca Ambrosiana. Mit hauptsächlich altspanischem Formelgut in gallischem Rahmenwerk*, Beuroner Kunstverlag, Beuron 1936 (Texte und Arbeiten, 43), p. 30*. Cf anche l'embolismo al mandato eucaristico [*usque quo **iterum** Christus **de caelis adueniat***] con la formula [***donec iterum adueniam***] del *De Sacramentis* [IV, VI, 26: SCh, 25 bis, p. 116] e del *Sacramentario irlandese palinsesto di Monaco* [n° 15, edd. A. DOLD - L. EIZENHÖFER, *Das irische Palimpsestsakramentar im CLM 14429 der Staatsbibliothek München*, Beuroner Kunstverlag, Beuron 1964 (Texte und Arbeiten, 53-54), f. 10 v, p. 16]; nonché con la formula [***donec ueniat** in claritatem **de celis***] dei successivi libri ispanici [*Missale mixtum*: PL, 85, c. 553] e la formula [***donec iterum de caelis ueniam** ad uos*] del successivo *Canone* ambrosiano [si veda: *Messale di Biasca*, n° 768, ed. O. HEIMING, Aschendorff, Münster 1969 (Liturgiewissenschaftliche Quellen und Forschungen, 51: Corpus Ambrosiano-liturgicum, 2), pp. 106-107].

[75] Ci è rimasto il discorso tenuto da Gaudenzio di fronte ai presuli della provincia in occasione dell'ordinazione, quando salutò il metropolita Ambrogio come il *communis pater*, cui nel collegio dei vescovi *tamquam Petri successor apostoli* competeva prendere la parola: GAUDENTIUS Brixiensis, *Tractatus XVI prima die ordinationis*, CSEL, 68, p. 139; cfr. anche *Tractatus XXI*, 1, p. 181.

[76] Con riferimento a quanto segnalato nella nota 74, cf la formula di embolismo: *Quotiescumque hoc feceritis, memoriam mei facietis, **donec ueniam***: MAXIMUS

anche un'omelia d'ambito italiciano del V secolo designata come *Sermo LXXVIII* dello Pseudo Massimo.[77]

Sembrerebbe, dunque, trovare conferma l'intuizione di Louis Duchesne, che aveva ricondotto la tradizione liturgica milanese al grande alveo gallicano, variamente espressosi nell'Italia Annonaria, nelle Gallie e in Ispagna.[78]

Per quanto a noi qui interessa, va rilevato come le due epiclesi conservatesi nella celebrazione *in coena Domini* ambrosiana siano comunque formule *Post Pridie*, ossia formule in cui il ministro, dopo la narrazione dell'istituzione e del mandato eucaristico, prega perché il mistero si rinnovi sull'altare.

È peraltro ben noto come Ambrogio, dovendo presentare ai neofiti la trasformazione dei santi doni (e si fa qui riferimento esclusivamente al *De Mysteriis*, visti i contrastanti giudizi in merito al *De Sacramentis*), abbia ritenuto opportuno insistere sull'efficacia operativa delle parole di Cristo, intese come l'elemento centrale della preghiera eucaristica, da lui pertanto definita *benedictio verborum caelestium*.[79] Così egli si esprime al riguardo: "Questo sacramento, che tu ricevi, è prodotto dalla parola di Cristo … Lo stesso Signore Gesù esclama: 'Questo è il mio corpo'. Prima della benedizione delle parole celesti altra è la realtà che si designa, dopo la consacrazione si intende 'corpo'. Egli stesso dice che è il suo sangue. Prima della consacrazione è detto altra cosa, dopo la consacrazione è chiamato sangue".[80] È chiaramente la stessa concezione espressa nell'*Explanatio psalmi XXXVIII* ("si offre il corpo di Cristo, anzi egli stesso appare essere colui che offre in noi, egli, *la cui parola santifica* il sacrificio che è offerto").[81]

Taurinensis, *Sermo XXXIX*, 2, in *Sermones*, ed. A. Mutzenbecher, Brepols, Turnholti 1962 [CCL, 23], p. 152

[77] *Quotiescunque haec feceritis, mortem meam annuntiabitis, **donec ueniam***: PL, LVII, c. 690. Cf Smyth, *La liturgie oubliée*, pp. 45-47. In particolare per le formule di embolismo al mandato eucaristico, da tener presenti le precisazioni alle pp. 422-423.

[78] L. Duchesne, *Origines du culte chrétien*, De Boccard, Paris 1925⁵, pp. 31 ss, e cap. III.

[79] Ambrosius, *De Mysteriis*, 54: SCh, 25 bis, p. 188.

[80] "*Sacramentum istud, quod accipis, Christi sermone conficitur … Ipse enim clamat Dominus Iesus: Hoc est corpus meum. Ante benedictionem uerborum caelestium alia species nominatur, post consecrationem corpus significatur. Ipse dicit sanguinem suum. Ante consecrationem aliud dicitur, post consecrationem sanguis noncupatur*": Ibidem: 52, 54: SCh, 25 bis, pp. 186, 188.

[81] "*Christi corpus offertur, immo ipse offerre manifestatur in nobis, cuius sermo sanctificat sacrificium quod offertur*": Ambrosius, *Explanatio psalmi XXXVIII*, 25, post M. Petschenig ed. M. Zelzer, Verlag der Österreichischen Akademie der Wissenschaften, Vindobonae 1999 [CSEL, 64], p. 203.

Questo messaggio catechetico in merito al *sacrae orationis myste-rium*[82] non è necessariamente in contraddizione, e soprattutto da Ambrogio non è sentito come contraddittorio, rispetto all'affermazione contenuta nel trattato *De Spiritu Sancto* relativa alla presenza nell'offerta eucaristica dell'epiclesi pneumatologica: "[*Spiritus*] *qui cum Patre et Filio a sacerdotibus ... in oblationibus invocatur*"[83]. Merita osservare che all'opera trasformatrice dello Spirito Santo nell'azione misterica (*per ignem divini Spiritus id effectum*) rende testimonianza nella provincia milanese anche Gaudenzio di Brescia, nel citato *Tractatus II in Exodum*[84].

Non dissimilmente nelle Gallie d'età tardo antica l'elemento epicletico (pneumatologico o meno), vissuto quale componente strutturale della preghiera eucaristica, appare associarsi a una marcata insistenza sull'efficacia consacratoria delle parole di Cristo, come evidenzia l'omelia *Magnitudo* (*Homilia XVII, VI de Pascha*) del cosiddetto Eusebio Gallicano[85].

---

[82]   AMBROSIUS, *De fide*, IIII, 10. 124, ed. O. FALLER, Hoelder-Pichler-Tempsky, Vindobonae 1962 (CSEL, 78), p. 201.

[83]   AMBROSIUS, *De Spiritu Sancto*, III, XVIII, 16, 112, ed. O. FALLER, Hoelder-Pichler-Tempsky, Vindobonae 1964 [CSEL, 79], p. 197.

[84]   GAUDENTIUS Brixiensis, *Tractatus II in Exodum*, 26, CSEL, 68, p. 30.

[85]   "*Inuisibilis sacerdos, uisibiles creaturas in substantia corporis et sanguinis sui, uerbo suo, secreta potestate conuertit ita dicens: Accipite et edite, hoc est corpus meum, et, sanctificatione repetita: Accipite et bibite, hic est sanguis meus. Ergo ad nutum praecipientis Domini repente ex nihilo substiterunt excelsa caelorum ... Pari potentia in spiritalibus sacramentis, uerbi praebet uirtus, et rei seruit effectus. / quando benedicendae uerbis caelestibus creaturae sacris altaribus imponuntur, antequam inuocatione summi nominis consecrentur, substantia illic est panis et uini, post uerba autem Christi, corpus et sanguis est Christi. Quid autem mirum est, si ea, quae uerbo potuit creare, uerbo possit creata conuertere*": EUSEBIUS 'Gallicanus', *Homilia XVII*: 2, 8, in *Collectio Homiliarum*, post I. LEROY ed. F. GLORIE, Brepols, Turnholti 1970 (CCL, 101), pp. 196-197, 206-208. L'ignoto autore sembrerebbe essersi ispirato al quarto sermone (del Giovedì) contenuto nel *De Sacramentis*, che sull'argomento così si esprime: "*Panis iste panis est ante uerba sacramentorum; ubi accesserit consecratio, de pane fit caro Christi. Hoc igitur adstruamus. Quomodo potest, qui panis est, corpus esse Christi? Consecratio igitur quibus uerbis est et cuius sermonibus? Domini Iesu. Nam reliqua omnia, quae dicuntur in superioribus, a sacerdote dicuntur: laus Deo, defertur oratio, petitur pro populo, pro regibus, pro caeteris; ubi uenitur, ut conficiatur uenerabile sacramentum, iam non suis sermonibus utitur sacerdos, sed utitur sermonibus Christi. Ergo sermo Christi hoc conficit sacramentum. Quis est sermo Christi? Nempe is, quo facta sunt omnia ... Ergo, tibi ut respondeam, non erat corpus Christi ante consecrationem, sed post consecrationem dico tibi, quia iam corpus est Christi. Ipse dixit et factum est ... / Vis scire, quam uerbis caelestibus consecretur? Accipe, quae sunt uerba. Dicit sacerdos: Fac nobis – inquit – hanc oblationem scriptam, rationabilem, acceptabilem, quod est figura corporis et sanguinis Domini nostri Iesu Christi. Qui pridie quam pateretur, in sanctis manibus suis accepit panem, respexit ad caelum, ad te, sancte Pater*

Ritengo opportuno richiamare l'attenzione sul fatto che i testi sopra citati, nei quali si fa riferimento ai *verba Christi*, siano costituiti nella quasi totalità da catechesi mistagogiche.

La finalità delle affermazioni in essi contenute non può certamente essere identificata nel desiderio di stabilire il momento puntuale in cui si realizza la trasformazione dei doni: i Padri non erano degli intellettuali scolastici mossi da indiscrete curiosità; la loro vera preoccupazione era fissare efficacemente nei fedeli, attraverso idonei strumenti omiletici, la comprensione del mistero quale opera divina. Un'interpretazione, che ne proponga gli enunciati con finalità diverse rispetto alla loro intenzionalità originaria, ne rappresenta ai miei occhi una forzatura.[86]

In ogni caso è assolutamente evidente quanto, in ambito latino, l'appello ai *verba Christi* d'età tardo antica abbia concorso a definire nella

---

omnipotens aeterne Deus, gratias agens benedixit, fregit, fractumque apostolis et discipulis suis tradidit dicens: Accipite et edite ex hoc omnes; hoc est enim corpus meum, quod pro multis confringetur. Aduerte. Similiter etiam calicem, postquam cenatum est, pridie quam pateretur, accepit, respexit ad caelum, ad te, sancte Pater omnipotens aeterne Deus, gratias agens benedixit, apostolis et discipulis suis tradidit dicens: Accipite et bibite ex hoc omnes; hic est enim sanguis meus. Vide: illa omnia uerba euangelistae sunt usque ad accipite, siue corpus siue sanguinem. Inde uerba sunt Christi: accipite et bibite ex hoc omnes; hic est enim sanguis meus. Et uide singula. Qui pridie – inquit – quam pateretur, in sanctis manibus suis accepit panem. Antequam consecratur, panis est; ubi autem uerba Christi accesserint, corpus est Christi. Denique audi dicentem: Accipite et edite ex hoc omnes; hoc est enim corpus meum. Et ante uerba Christi calix est uini et aquae plenus; ubi uerba Christi operata fuerint, ibi sanguis efficitur, qui plebem redemit. Ergo uidete, quantis generibus potens est sermo Christi uniuersa conuertere" [IV: IV, 14-16; V, 21-23: SCh, 25 bis, pp. 108-110, 114].

[86]   Ma è stato di fatto questo il processo interpretativo cui i testi patristici in questione vennero sottoposti in età medioevale. L'approdo in tal senso può essere visto in Tommaso d'Aquino il quale, ai fini della consacrazione dei santi doni, fece sua la dottrina della possibile, anche se biasimevole, riduzione del *Canone* alle sole parole di Cristo: *"Dicendum est quod si sacerdos sola verba praedicta proferret cum intentione conficendi hoc sacramentum, perficeretur hoc sacramentum quia intentio faceret ut haec verba intelligerentur quasi ex persona Christi prolata, etiamsi verbis praecedentibus 'hoc' non recitaretur"*: Thomas Aquinas, *Summa Theologica*, Pars III, Quaestio LXXVIII, Art. I, ad quartum, in *Opera Omnia*, IV, Fiaccadori, Parmae 1854, p. 364b. Si tratta in lui di una forma assolutamente ipotetica di preghiera eucaristica, ma – sia detto qui per inciso – è singolare vederla tradotta in atto (su fondamenti dottrinali antitetici, ma pur sempre elaborati nel contesto della vicenda ecclesiale e della riflessione teologica latina) dalla *Formula missae et communionis*, con cui Lutero nel 1523, oltre ad abolire l'*abominatio* dell'offertorio, ridusse l'antico *Canone* alle sole parole dell'istituzione: *Qui Pridie...: Formula Missae et Communionis (1523)*, in Martin Luthers *Werke*, XII, H. Böhlaus Nachfolger - Akademische Druck- und Verlagsanstalt, Weimar-Graz 1966 (Weimarer Ausgabe: Weimar 1891), pp. 211-213.

successiva età medioevale non soltanto i caratteri dell'azione misterica, ma pure la concezione del ministero sacerdotale.[87]

12. LA "FRACTIO PANIS"

Ancora nella *Didachè* il termine per designare ciò che il successivo lessico ecclesiale chiamò Eucaristia è *"Klásis toû Ártou"*: la "Frazione del Pane". Termine venerando: è con esso che apostoli e discepoli indicavano il rito che il Signore e Maestro aveva compiuto nel Cenacolo e aveva loro affidato come suo memoriale; il rito nel quale a Emmaus egli si era svelato ed era stato riconosciuto dopo la sua Resurrezione; il rito della Nuova ed Eterna Alleanza nel Sangue del vero Agnello, rito prefigurato dall'antica Pasqua e nel quale è resa presente la Nuova Pasqua, quella del Signore Gesù, che da tale rito sarà annunciata fino al consumarsi del tempo nella Pasqua eterna.

È dunque ben comprensibile l'attenzione che la tradizione ambrosiana ha riservato al momento rituale della *fractio panis*, momento rimarcato anche dalla esecuzione di uno speciale canto: il *Confractorium*. Ed è anche oltremodo corretta la sua collocazione rituale immediatamente dopo la preghiera eucaristica.

La narrazione evangelica dice che il Maestro "mentre mangiavano, prese il pane e *recitò la benedizione, lo spezzò e lo diede loro*".[88] Anche Paolo lo ricordava ai Corinzi: "Il Signore Gesù, nella notte in cui veniva tradito, prese del pane e, *dopo aver reso grazie, lo spezzò*".[89] In piena fedeltà all'esempio del suo Maestro la Chiesa, e – per quanto interessa in questa sede – la Chiesa ambrosiana, attraverso i secoli ha preso il pane (accoglimento dei Doni) e dopo aver pronunziato la benedezione (Preghiera eucaristica) lo ha spezzato (Frazione) per distribuirlo ai credenti.[90]

---

[87] Cf quanto più ampiamente esposto in *Epiclesi eucaristica e ministero ecclesiastico nella tradizione ambrosiana*, in *L'Eucaristia nella tradizione orientale e occidentale con speciale riferimento al dialogo ecumenico. Atti del IX Simposio Intercristiano. Istituto Francescano di Spiritualità della Pontificia Università "Antonianum", Roma – Dipartimento di Teologia della Facoltà Teologica dell'Università "Aristotele", Thessaloniki. Assisi, 4-7 Settembre 2005*, cur. L. BIANCHI, Santuario S. Leopoldo Mandić, Venezia-Mestre 2007, pp. 123-148.

[88] *Mr* 14, 22; cf *Mt* 26, 26; *Lc* 22, 19.

[89] *ICor* 11, 23-24.

[90] Nella tradizione liturgica milanese la diretta successione tra Preghiera eucaristica e Frazione – conservata nella sua forma più arcaica – evidenzia particolarmente questa continuità rispetto all'esempio del Maestro. Risulta pertanto del tutto fuori luogo l'arbitraria iniziativa di qualche prete che, con una certa teatralità, procede alla frazione del

13. DALLA STORIA, OLTRE LA STORIA

Fin dove possono risalire nel tempo le nostre conoscenze in merito alla forma ambrosiana della celebrazione eucaristica?

Dalle fonti santambrosiane possiamo ricavare alcune interessanti indicazioni.

Adveniendum sit in ecclesiam, canendi hymni, celebranda oblatio. Tunc utique paratus adsiste (*Exp. ps. CXVIII*, 8, 48)	Salmodia e celebrazione eucaristica
Lectiones leguntur (*Exp. ps. I*, 9)	Letture
Lecto prophetico libro ([?] De Tobia, 1)	Lettura veterotestamentaria
Legerunt et hodie quia Christus nos redemit [*Gal* 3, 13] (*Ep. LXXVa* [*XXIa*], 25)	Epistola
Bene admonuit lectio evangelii (*Exp. de ps. CXVIII*, 3. 39)	Vangelo
Post lectiones atque tractatum, dimissis cathecumenis,... missam facere coepi.	Omelia Dimissione dei catecumeni

---

pane durante la narrazione dell'istituzione, e perciò *prima* che la preghiera eucaristica sia terminata, alterando un ordinamento che appartiene all'ininterrotta tradizione conservata da tutte le Chiese apostoliche. La successione rituale, presente nella tradizione milanese, era un tempo comune e generalizzata, sia in Oriente che in Occidente. La congiunzione del Padre Nostro alla Preghiera eucaristica, voluta a Roma da Gregorio Magno (cf J. [I.] A. JUNGMANN, *Missarum sollemnia*, Herder, Wien 1948; trad it.: Marietti, Casale 1963[2], pp. 212-243), determinò nella successione Preghiera eucaristica - Frazione la posticipazione di quest'ultima alla Preghiera del Signore, secondo uno schema che troviamo pure nella liturgia della Nuova Roma, a Gregorio ben nota, con riflessi in Armenia e presso i Maroniti (cf I. M. HANSSENS, *Institutiones Liturgicae de Ritibus Orientalibus*, III/2, Pontificia Universitas Gregoriana, Romae 1932, pp. 486-488, 503-518). La collocazione della *Fractio* subito dopo la Preghiera eucaristica si sarebbe peraltro conservata presso tutte le altre Chiese: dai Gallicani agli Ispanici, oltre che agli Ambrosiani, in Occidente; dai Copti agli Etiopici, ai Siri, agli Assiri e ai Malabaresi in Oriente.

Dum offero ... *(Ep. LXXVI [XX]*, 4-5)	Inizio della *"missa"*[91] Celebrazione del Sacrificio eucaristico
Videns sacrosanctum altare *compositum* (*De Myst.*, VIII, 43)	Preparazione dell'altare
Suum munus altaribus *sacris offerat* *(Exp. de ps. CXVIII*, pr.)	Offertorio
Vasa mystica ... Opus est ut de *ecclesia mystici poculi* *forma non exeat, ne a* *usus nefarios sacri calicis* *ministerium transferatur* *(De Officiis*, II, 28.136, 143)	Vasi sacri
Utinam nobis quoque adolentibus altaria *sacrificium deferentibus adsistat* *angelus* (*Exp. eu. sec. Lucam*, I, 28)	Incensazione (?)[92]
Omnibus uos oblationibus *frequentabo. Quis prohibebit* *innoxios nominare ?* (*De obitu* *Valentiniani*, 78)	Commemorazione dei fedeli defunti

---

[91] Sulla scia di una tradizione interpretativa ripresa anche da Josef A. JUNGMANN [cf *Zur Bedeutungsgeschichte des Wortes* missa, in *Zeitschrift für katholische Theologie* 64 (1940) 26-37; *Missarum sollemnia*, I, p. 223; trad. it.: p. 151], alcuni studiosi hanno voluto attribuire al termine *missa* in questo passo santambrosiano il significato di "dimissione" (dei *competentes*). Ma l'uso della forma verbale *coepi* dopo l'espressione "dimissis *cathecumenis*", come già osservato nell'edizione maurina (PL, XVI, c. 1037), e il proseguimento del testo (*Dum offero...*) rendono incongrua una siffatta lettura. Sembra dunque doversi riconoscere che già in questa lettera di Ambrogio [come del resto in EGERIA, *Itinerarium*, XXVII, 8, ed. P. MARAVAL, Éd. du Cerf, Paris 2002² (SCh, 296), p. 262] il termine in questione venga a designare una celebrazione cultuale, e nel caso specifico quella eucaristica [cfr. in tal senso anche Ch. MOHRMANN, *Missa*, in *Vigiliae Christianae* 12 (1958) 85-87]. La successione dei momenti rituali (letture, congedo dei catecumeni, spiegazione del Simbolo ai *competentes*, Eucarestia) resta comunque attestata dalle parole di Ambrogio in modo inequivocabile.

[92] La precocità della fonte rispetto alle altre testimonianze relative all'incensazione degli altari ha fatto interpretare questo passo in senso metaforico, ma tale prudente lettura potrebbe essere una forzatura indebita delle parole di Ambrogio.

Ipse clamat Dominus Iesus	Parole dell'Istituzione
"Hoc est corpus meum"... Et tu	e "Amen" dei fedeli
dicis: "Amen" (*De Myst.*, 54)	(che, comunque, potrebbe
	essere quello pronunciato alla
	Comunione)
Non omnes vident alta	Disposizione dei ministri
mysteriorum, quia	davanti all'altare
operiuntur a levitis	– orientato – durante
ne videant qui videre	la preghiera eucaristica
non debent (*De officiis*, I, 50. 251)	
Nicetius ... cum ad altare	Distribuzione
accessisset, ut Sacramenta	dell'Eucaristia all'altare[93]
perciperet	
(Paulinus, *Vita Ambrosii*, XLIV)	

Se questo è quanto si può ricavare da Ambrogio, in riferimento alla successiva età tardo antica un'indicazione interessante è offerta dal Cod. *908* della Stiftsbibliothek di San Gallo, palinsesto contenente tra l'altro un *libellus missarum*, che – usando la terminologia del più tardo *Evangelistario di Busto*[94] – potremmo definire *"de cottidianis diebus"*. Tale documento costituisce un importante testimone della prassi celebrativa del secolo VII, positivamente mostrando come in ambito ambrosiano già in quell'età fosse invalso l'uso di strumenti librari presbiterali, nei quali erano congiuntamente riportate eucologia e letture.[95]

---

[93] Il *De Sacramentis* ci parla anche della *Prece litanica* prima dell'offerta dei Doni, nonché del *Padre Nostro* dopo la Preghiera eucaristica (IV, 4. 14; V, 4. 24: SCh, 25 bis, pp. 108, 132). Resta peraltro problematico, come già s'è detto, l'impiego di questo testo per documentare gli usi della Chiesa di Milano.
Lo studio delle forme cultuali (segnatamente connesse alla celebrazione eucaristica) attestate nelle opere di Ambrogio ha una lunga tradizione; basti qui segnalare: M. Magistretti, *La liturgia della Chiesa milanese nel secolo IV*, Tipografia Pontificia di S. Giuseppe, Milano 1899; A. Paredi, *La liturgia di S. Ambrogio*, in *S. Ambrogio nel XVI centenario della nascita*, Vita e Pensiero, Milano 1940, pp. 71-157; Cattaneo, *La Messa nelle terre di sant'Ambrogio*, pp. 15-20; J. Schmitz, *Gottesdienst im altchristlichen Mailand. Eine liturgiewissenschaftliche Untersuchung über Initiation und Meßfeier während des Jahres zur Zeit des Bischofs Ambrosius*, Hanstein, Köln-Bonn 1975 [Theophaneia, 25].

[94] Cf A. Paredi, *L'Evangeliario di Busto Arsizio*, in *Miscellanea Liturgica in onore di Sua Eminenza il cardinale Giacomo Lercaro*, II, Desclée, Roma-Parigi-Tournai-New York 1967, p. 246.

[95] Cf Carmassi, *Libri liturgici e istituzioni ecclesiastiche*, pp. 106-123.

Il fatto che in quell'età il supporto scritto per le celebrazioni fosse costituito da *libelli* sembra trovare conferma nell'introduzione di Judith Frei all'edizione del *Messale di San Simpliciano*. La Frei ha segnalato come nell'eucologia quaresimale stabilizzatasi in età carolingia fosse individuabile un nucleo più antico con un numero ridotto di formulari, a somiglianza di quanto si può constatare anche in ambito gallicano.[96] Del resto anche nel *Messale di Bobbio* i formulari feriali per la Quaresima fanno pensare a un precedente *libellus* o a un assemblaggio di precedenti *libelli*.[97]

Il riordino a Milano di tutto il materiale eucologico e scritturistico necessario per la celebrazione eucaristica dei preti decumani e di tutti i preti non cardinali (pertanto per la celebrazione della generalità del preti ambrosiani, che non potevano essere assistiti da diacono e suddiacono), nonché l'organica raccolta di tale materiale in un libro unitario, volto ad abbracciare l'intero ciclo dell'anno (dunque: in un *Missale*)[98] sembra doversi attribuire all'età carolingia, di tale età riflettendo preoccupazioni e clima intellettuale.[99]

È questa redazione carolingia ad aver fissato la forma storica del *Missale Ambrosianum*.

La Frei aveva ritenuto di vedere nel *Messale di San Simpliciano* un testimone iniziale di tale lavoro redazionale, testimone cui sarebbe peraltro arrisa scarsa fortuna.[100] La successiva pubblicazione del *Messale di Armio* ad opera di Gabriele Verità ha, in realtà, mostrato come il *Messale di San Simpliciano* sia frutto della razionalizzazione e dello sviluppo di una precedente tipologia di messale monastico, attestata proprio dal *Messale di Armio* che, a sua volta, presuppone una tipologia di messale esemplato sul paradigma cattedrale, ossia la tipologia di messale generalizzatasi in ambito ambrosiano e di cui un testimone significativo possiamo vedere nel *Messale di Biasca*).[101]

Se la redazione carolingia si configura pertanto come l'approdo di un complesso cammino (sviluppatosi in un contesto in cui la tradizione ge-

---

[96] J. FREI, *Einleitung*, in *Das ambrosianische Sakramentar D 3-3 aus dem mailändischen Metropolitankapitel*, Aschendorff, Münster 1974 [Liturgiewissenschaftliche Quellen und Forschungen, 56: Corpus ambrosiano-liturgicum, 3]), p. 146.

[97] Cf CARMASSI, *Libri liturgici e istituzioni ecclesiastiche*, pp. 103-105.

[98] Su questo termine per designare la maggior parte dei libri presbiterali ambrosiani a noi pervenuti, cf CARMASSI, *Libri liturgici e istituzioni ecclesiastiche*, pp. 157-160.

[99] Cf C. ALZATI, *Ambrosianum Mysterium. La Chiesa di Milano e la sua tradizione liturgica*, NED - Nuove Edizioni Duomo, Milano 2000 (Archivio Ambrosiano, 81), pp. 89-90.

[100] FREI, *Einleitung*, in *Das ambrosianische Sakramentar D 3-3*, pp. 120 ss.

[101] Cf VERITÀ, *Il Messale di Armio*, in particolare pp. 73-78.

lasiana aveva acquisito particolare autorevolezza e conosciuto ampia diffusione), nondimeno anche nei prodotti scaturiti da tale redazione restano chiaramente percepibili gli elementi costitutivi delle fasi più antiche, che tale esito hanno preceduto.

Si trattò di un processo evolutivo in cui – nonostante gli orientamenti ecclesiologici propri del momento caroligio – non si cancellarono gli echi dell'antica vita ecclesiale, in cui la comunione tra le Chiese era sentita e praticata come fattiva interazione di molteplici tradizioni.

Ma l'ordinamento della celebrazione eucaristica, a Milano come in qualsiasi altro ambito cristiano, quantunque porti in sé le tracce della storia, resta pur sempre e anzitutto un itinerario misterico volto a trascendere la storia per svelare ai credenti che veramente "il Regno di Dio è in mezzo a voi"[102] e per condurli all'incontro, come singoli e come Chiesa, con il Signore e Salvatore.

La celebrazione dei divini misteri si svolge nella storia, ma è celebrazione in cui traluce l'eterno: pur nell'umiltà dei segni umani è la gloria della Gerusalemme celeste che si rende in tale celebrazione presente.

"Gli angeli stanno intorno all'altare e Cristo porge il Pane dei santi e il Calice di vita",[103] così la Chiesa ambrosiana esclamava (e tuttora esclama), guardando il luogo dove "i sacerdoti consacrano il Corpo e il Sangue di Cristo".[104] Sono parole in cui possiamo veder tratteggiata la secolare esperienza misterica di questa Chiesa.

Il vescovo Ambrogio, che l'aveva personalmente vissuta, le rese a suo tempo limpida testimonianza, nelle sue catechesi mistagogiche, ma non solo. Le sue parole, attraversando i secoli, hanno comunicato tale esperienza alle successive generazioni, che ne hanno potuto cogliere un riflesso anche nell'enunciato dell'*Apologia prophetae Dauid*: "Faccia a faccia a me ti mostri, o Cristo: io Ti trovo nei tuoi sacramenti".[105]

---

[102] *Lc* 17, 21.

[103] "*Angeli circumdederunt altare et Christus administrat Panem sanctorum et Calicem vitae in remissionem peccatorum*": *Manuale Ambrosianum*, II, *Commune Dominicarum, Transitoria*, III, p. 410.

[104] "*Stant Angeli ad latus altaris et sanctificant sacerdotes Corpus et Sanguinem Christi, psallentes et dicentes: Gloria in excelsis Deo*": *Ibidem*, VI, p. 410.

[105] "*Facie ad faciem te mihi Christe demonstras, in tuis te invenio sacramentis*": AMBROSIUS, *Apologia David*, LVIII, ed. P. HADOT, Éd. du Cerf, Paris 1977 (SCh, 239), p. 156 [in Apparato].

CAPITOLO VI

IL VELO DELLA SPOSA
LA *VELATIO* DEGLI SPOSI NEL RITUALE NUZIALE
IN AMBITO AMBROSIANO

1. LA RECIPROCA PROMESSA E L'ANELLO DELLA FEDE SPONSALE

Gli scritti di Ambrogio offrono alcune interessanti indicazioni in merito alla ritualità nuziale, legata anche per i cristiani alla realtà antropologica del loro tempo e al suo linguaggio simbolico.

Inteso rigorosamente alla luce del principio che "*non defloratio virginitatis facit coniugium, sed pactio coniugalis*"[1] e da celebrarsi esclusivamente tra cristiani già iniziati ai divini misteri e ortodossi,[2] il matrimonio era preceduto dagli sponsali, ossia dalla cerimonia del fidanzamento, in cui quali elementi rituali, oltre alla tradizionale reciproca promessa (*Spondesne? – Spondeo*), entravano l'anello, segno della fedeltà e suo pegno,[3] nonché – come fissato nella legislazione di Costantino[4] – il bacio, ratifica della promessa fedeltà e pegno delle nozze.[5]

---

[1] AMBROSIUS, *De institutione virginis*, VI, 41, ed. F. GORI, Biblioteca Ambrosiana - Città Nuova, Milano-Roma 1987 [Sancti Ambrosii Episcopi Mediolanensis Opera (= SAEMO), 14/2], p. 142.

[2] AMBROSIUS, *De Abraham*, I, 9, 84, ed. C. SCHENKL, Tempsky-Freytag, Vindobonae-Pragae-Lipsiae 1896 [Corpus Scriptorum Ecclesiasticorum Latinorum (=CSEL), 32/1], pp. 555-556; situazione critica determinava l'eventuale fede cristiana di uno solo tra due coniugi: *Expositio euangelii secundum Lucam*, VIII, 3, ed. M. ADRIAEN, Brepols, Turnholti 1957 [Corpus Christianorum. Series Latina (= CCL), 14], p. 299.

[3] *De paenitentia*, II, 3. 18, ed. O. FALLER, Hoelder-Pichler-Tempsky, Vindobonae 1955, [CSEL, 73], pp. 171.

[4] *Codex Theodosianus*, III, 5, 6, ed. Th. MOMMSEN, Weidmann, Berolini 1905, p. 135.

[5] "... *quo fides sancta signatur*": AMBROSIUS, *Explanatio psalmi XXXIX*, 17, post M. PETSCHENIG ed. M. ZELZER, Verlag der Österreichischen Akademie der Wissenschaften, Vindobonae 1999 [CSEL, 64], p. 222; "*osculum enim pignus est nuptiarum et praerogativa coniugii*": *Epistula extra collectionem I* (Maur.: *XLI*), 18, ed. M. ZELZER, Hoelder-Pichler-Tempsky, Vindobonae 1982 [CSEL, 82/3], p. 155.

L'anello (*anulus fidei*) già da Tertulliano era stato espressamente indicato come oggetto aureo: l'unico di tale metallo che agli occhi dell'austero scrittore africano la donna cristiana avrebbe dovuto portare.[6] Negli usi romani, quando la sposa riceveva tale dono, subito l'infilava al quarto dito della mano sinistra giacché, come Isidoro di Siviglia attesta, era opinione diffusa che da lì partisse una vena che conduceva direttamente al cuore;[7] in tal senso, parlando peraltro di nervo, già s'erano espressi Aulo Gellio e Macrobio.[8] Questa stretta relazione posta, in nome di una scienza fantasiosa, tra il cuore e l'anello di fidanzamento – come osserva Jérôme Carcopino – era da Aulo Gellio richiamata per sottolineare la solennità dell'impegno sponsale e, soprattutto, la profondità del sentimento di reciproco affetto che per i contemporanei vi si collegava. La volontaria e pubblica professione di tale affetto era l'elemento essenziale non soltanto della cerimonia, ma della stessa realtà giuridica del matrimonio romano.[9]

2. L'ABBIGLIAMENTO NUZIALE DELLA SPOSA

Quanto al rito nuziale, esso in ambito romano era preceduto dalla vestizione della sposa. Questa indossava la *tunica recta* (o *regilla*): un abito bianco, ritenuto di buon auspicio, lungo sino ai piedi e che era stato tessuto in altezza con tecnica arcaica da un tessitore che vi aveva lavorato stando egli stesso in piedi. Tale tunica veniva stretta alla vita da una cintura (*cingulum*), fissata con uno speciale nodo (*nodus Herculeus*).

L'acconciatura trovava il suo culmine nell'assunzione del *flammeum*, velo di stoffa leggera considerato beneaugurate in quanto portato dalle spose dei Flamini, che non potevano essere ripudiate dai mariti.[10] Il suo colore è designato dalle fonti coi termini di *sanguineum* (di evidente significato)

---

[6] TERTULLIANUS, *Apologeticum*, VI, 4, ed. P. FRASSINETTI, Paravia, Torino 1965 [Corpus Scriptorum Latinorum Parvianum], p. 18.

[7] ISIDORUS Hyspalensis, *De ecclesiasticis officiis*, II, 20. 8, ed. Ch. M. LAWSON, Brepols, Turnholti 1989 [CCL, 113], p. 92.

[8] AULUS GELLIUS, *Noctes Atticae*, X, 10, ed. P. K. MARSHALL, Clarendon, Oxonii (1968[1]) 1990[2], p. 311, con esplicito appello alla scienza medica egiziana; MACROBIUS, *Saturnalia*, VII, 13. 8, ed. I. WILLIS, (Lipsiae 1963[1]) Stutgardiae 1994[3] [Bibliotheca Teubneriana], pp. 444-445.

[9] J. CARCOPINO, *La vie quotidienne à Rome à l'apogée de l'Empire*, Hachette, Paris 1939[1], p. 102 [trad. it.: *La vita quotidiana a Roma all'apogeo dell'Impero*, Laterza, Bari 1942[1], p. 130].

[10] P. GRIMAL, *La vie à Rome dans l'antiquité*, Presses Universitaires de France, Paris 1972[6], p. 25; trad. it.: *La vita a Roma nell'antichità*, Edizioni Scientifiche Italiane, Napoli 1984[1], p. 28.

e *luteum* (ossia giallo cupo, quale forniva la *chrysocolla lutea*). Dal gesto di assumere il *flammeum*, il verbo *nubĕre* (propriamente coprire il capo col velo) acquisì il significato di 'prendere marito'.[11]

Nell'assunzione del velo al termine dell'acconciatura, come negli altri momenti della giornata matrimoniale, la sposa era assistita dalla *pronuba*, una matrona che poteva adempiere tale funzione di particolare onore soltanto a condizione d'essere *univira*, ossia donna di un unico marito.[12]

3. DALLE PREMESSE ANTROPOLOGICHE AL RITO CRISTIANO: "VELATIO" E "BENEDICTIO" IN AMBROGIO

Presso i cristiani, e segnatamente in Ambrogio, la *Velatio* perdette la sua configurazione domestica, per divenire l'elemento simbolico caratterizzante del rito matrimoniale.[13] Nell'ultimo quarto del IV secolo, all'interno della Chiesa milanese, si direbbe anzi che la *Velatio* fosse compiuta personalmente dal vescovo ("il matrimonio deve essere santificato dalla velazione episcopale e dalla benedizione"): un uso che Ambrogio espressamente segnala al suo collega e comprovinciale Vigilio dopo l'ascesa di questi alla cattedra di Trento.[14] Del resto, già l'epistola di Ignazio d'Antiochia a Policarpo ricordava l'esigenza che quanti si sposassero lo facessero col consenso del vescovo, affinché il loro matrimonio fosse secondo il Signore.[15]

---

[11] *"Obnubit, caput operit: unde et nuptiae dictae a capitis operitione"*: FESTUS, *De verborum significatu quae supersunt cum* PAULI *Epitome*, 207, ed. W. M. LINDSAY, Lipsiae 1913 [Bibliotheca Teubneriana], p. 201; cf p. 174. 24-25), cui fa eco AMBROSIUS, nel *De Abraham*, I, 9. 93: *"Inde enim et nuptiae dictae quod pudoris gratia puellae se obnuberent"* ([CSEL, 32/1], p. 563).

[12] U. E. PAOLI, *Vita romana*, nuova edizione: Mondadori, Milano 1986 (Oscar Mondadori. Studio), p. 104.

[13] AMBROSIUS: *De virginitate*, V, 26, ed. I. CAZZANIGA, Paravia, Torino 1954² [Corpus Scriptorum Latinorum Paravianum], p. 12; *Exhortatio virginitatis*, VI, 34, ed. F. GORI, Biblioteca Ambrosiana - Città Nuova, Milano-Roma 1987 [SAEMO, 14/2], pp. 224-226.

[14] AMBROSIUS, *Epistula LXII* (Maur.: *XIX*), 7, post O. FALLER ed. M. ZELZER, Hoelder-Pichler-Tempsky, Vindobonae 1990 [CSEL, 82/2], p. 124.

[15] IGNATIUS Antiochenus, *Epistula ad Polycarpum*, V, 1, in *Die Apostolischen Väter*, edd. F. X. VON FUNK - K. BIHLMEYER - M. WHITTAKER, a cura di A. LINDEMANN - H. PAULSEN, Mohr, Tübingen 1992, p. 238.

"*Velatio*" e "*Benedictio, quae per sacerdotem super nubentes imponitur*" appaiono quali elementi rituali costitutivi del matrimonio anche nelle testimonianze della Chiesa romana dei decenni tra IV e V secolo.[16]

Un testo di Paolino di Nola sembra indicare che in ambito cristiano la *Velatio* fosse rito che abbracciava entrambi gli sposi: "*iugans capita amborum sub pace iugali velat eos dextra*".[17]

Se così effettivamente fu, andrebbe rimarcata la consonanza con i rituali ebraici più tardi attestati (segnatamente tra i Sefarditi), che prevedono la stesura sopra gli sposi di un *tallit*, ossia uno scialle da preghiera, tenuto sollevato da quattro uomini. Questo elemento è sostituito in ambito ashkenazita dal baldacchino nuziale (*chuppah*).[18]

Sul fondamento della testimonianza di Ambrogio, il *Direttorio per l'uso del nuovo Rito del Matrimonio nella liturgia ambrosiana* rende possibile riproporre, quale rito comune, il gesto della *Velatio*, e di compierlo, congiunto alla benedizione degli sposi, dopo lo scambio degli anelli. Si rinnova in tal modo l'antico binomio *Velatio-Benedictio*, suggellando con la benedizione stessa il vincolo solennemente contratto dagli sposi, mentre i testimoni reggono su entrambi il velo nuziale "segno della comunione di vita che lo Spirito, avvolgendoli con la sua ombra, dona loro di vivere".[19]

Il velo stesso – terminata la benedizione – è poi fissato sul capo della sposa e da lei portato per il resto della cerimonia.

---

[16] Cf Siricius Romanus, *Epistola I, ad Himerium Tarraconensem*, IV, 5. PL, 13, cc. 1136-1137; Innocentius I Romanus, *Epistula II, ad Victricium Rotomagensem*, VI, 9, PL, 20, c. 475.

[17] Paulinus Nolanus, *Carmen XXV*, 227-228, ed. G. de Hartel, a cura di M. Kamptner, Verlag der Österreichischen Akademie der Wissenschaften, Vindobonae 1999 [CSEL, 30/2], pp. 245.

[18] Cf K. Kaufmann, *Huppah*, in *The Jewish Encyclopedia*, VI, Funk-Wagnalls, New York - London 1904, pp. 504-506; A. Unterman, *Dizionario di usi e leggende ebraiche*, sub voce *Chuppah*, Laterza, Roma-Bari 1994, p. 68.

[19] Così si esprime il *Direttorio per l'uso del nuovo Rito del Matrimonio nella liturgia ambrosiana*, 9, testo allegato al Decreto arcivescovile dell'11 Febbraio 2006, con cui il Capo-Rito, card. Dionigi Tettamanzi, ha introdotto in ambito ambrosiano il rituale rinnovato, entrato in vigore a partire dal 16 Aprile, Domenica di Pasqua, di quello stesso anno.

Allegato

La Coronatio *e il suo possibile inserimento nei riti nuziali in ambito ambrosiano*

Segnatamente in merito alla *Coronatio* nell'ambito della *Congregazione del Rito Ambrosiano*, si sono recentemente sviluppate alcune considerazioni, d'ordine ad un tempo pastorale e liturgico, che hanno condotto anche a precise disposizioni rituali.

Il rito dell'Incoronazione degli sposi costituisce in effetti l'elemento antropologicamente caratterizzante la cerimonialità matrimoniale nei Paesi di tradizione 'greca' (ma pure in altri ambiti); si è pertanto ravvisata l'opportunità ch'esso venga abitualmente praticato in caso di matrimoni misti, sempre più frequenti, vista la presenza nell'archidiocesi di fedeli – soprattutto donne – provenienti da Romania, Ucraina e Moldova. Per i coniugi orientali e per le loro famiglie il ritrovare tale elemento rituale permette un immediato riconoscimento del sacramento celebrato, con importanti e positive implicazioni – anche psicologiche – in merito a un vincolo coniugale contratto in terra straniera e con stranieri/e.

A differenza della *Velatio*, il rito della *Coronatio*, attraverso cui si esprime la regalità degli sposi, e il divenire la sposa gloria dello sposo e lo sposo gloria della sposa, comporta storicamente e necessariamente l'uso di formule per l'imposizione e la deposizione delle corone.

Nel *Direttorio per l'uso del nuovo Rito del Matrimonio nella liturgia ambrosiana*, promulgato dall'arcivescovo card. Dionigi Tettamanzi l'11 Febbraio 2006, sono state pertanto preparate indicazioni rituali al riguardo, con i formulari del Rito bizantino, che già abitualmente usano – a integrazione del rituale latino – vescovi ed ecclesiastici orientali quando celebrano matrimoni in Occidente.

INDICAZIONI RITUALI PER L'IMPOSIZIONE E LA DEPOSIZIONE DELLE CORONE

IMPOSIZIONE DELLE CORONE

Le corone vengano poste sul capo degli sposi o, secondo le consuetudini del Paese da cui proviene il coniuge orientale, siano sostenute sul capo degli sposi da due testimoni, posti alle loro spalle.

Il rito avvenga con le seguenti modalità e utilizzando le seguenti formule.

Tenendo la corona dello sposo sospesa sul capo di lui, il sacerdote dice:
Il servo di Dio N.

sposta la corona dello sposo sopra la sposa e, tenendola sospesa sul capo di lei, dice:
è incoronato con la serva di Dio N.

traccia quindi con la corona dello sposo un segno di Croce su entrambi gli sposi e aggiunge:

nel nome del Padre e del Figlio e dello Spirito Santo. Amen

Fa baciare la corona allo sposo e la pone sul suo capo.

Quindi, tenendo la corona della sposa sospesa sul capo di lei, dice:

La serva di Dio N.

spostando la corona della sposa sullo sposo e tenendola sospesa sul capo di lui, dice:

è incoronata con il servo di Dio N.

tracciando con la corona della sposa un segno di Croce su entrambi gli sposi, aggiunge:

nel nome del Padre e del Figlio e dello Spirito Santo. Amen

Fa baciare la Corona alla sposa e la pone sul suo capo.

Poi (per tre volte) li benedice, pronunciando le parole:

O Signore Dio nostro,
incoronali di gloria e di onore!

Deposizione delle corone

Al termine della Preghiera dei fedeli e dell'Invocazione dei santi, le Corone vengono deposte.
Il sacerdote prende le corone una alla volta.

Mentre solleva la corona dello sposo e la regge sul capo di lui, dice:

Sposo,
sii magnificato come Abramo,
benedetto come Isacco,
fecondo come Giacobbe.
Prosegui il tuo cammino in pace
e adempi con giustizia i precetti di Dio.

Mentre solleva la corona della sposa e la regge sul capo di lei, dice:

E tu, Sposa,
sii magnificata come Sara,
ricolmata di letizia come Rebecca,
feconda come Rachele.
In colui che è tuo marito trova la gioia.
Osserva le prescrizioni della Legge,
perché così piace a Dio.

Il sacerdote chiude con l'Orazione a conclusione della Liturgia della Parola.

PARTE TERZA

ANNUNCIO ED ESPERIENZA MISTERICA
DELLA SALVEZZA
NEL LEZIONARIO AMBROSIANO

Capitolo VII

"... GIÀ SPLENDEVANO LE LUCI"
IL GIORNO LITURGICO NELLA TRADIZIONE AMBROSIANA

1. Il giorno liturgico

Un aspetto dell'ordinamento cultuale ebraico perpetuatosi nella prassi delle Chiese cristiane, e continuato con particolare fedeltà in ambito ambrosiano, è il computo del giorno da vespero a vespero.

"Era il giorno della Parasceve e già splendevano le luci del Sabato": così Luca chiude la narrazione della sepoltura del Signore (*Lc* 23, 54). E sono parole nelle quali l'antica consuetudine ebraica sembra trovare il suo compiuto inveramento: nella Morte del Signore le tenebre sono definitivamente dissolte ed il calare della sera diviene presentimento "del Sole che sorge" (*Lc* 1, 78), intimamente connettendosi allo splendore del successivo mattino, che rifulge quale icona cosmica della gloria del Risorto (così già guardava all'aurora matutina Clemente Romano nella sua lettera alla Chiesa di Corinto)[1].

Questa organica unità tra vespero e aurora comporta nella scansione liturgica del tempo alcune concrete conseguenze, che non sarà inutile ricordare.

È evidente, infatti, che in caso di celebrazione vespertina della Messa relativa al giorno che in quel vespero si conclude, tale celebrazione dovrà necessariamente *precedere* la celebrazione dei Vesperi, poiché in essi "già splendono le luci" del giorno successivo.

In ambito ambrosiano lo attestano con evidenza le Grandi Veglie poste in apertura delle maggiori solennità dell'anno liturgico.

---

[1] Clemens Romanus, *Epistula ad Corinthios*, XXIV, 1-3, edd. F. X. von Funk - K. Bihlmeyer - M. Whittaker, a cura di A. Lindemann - H. Paulsen, Mohr, Tübingen 1992, p. 108.

2. Le Grandi Vigilie

Se la celebrazione che s'avvia quando "già splendono le luci" della Pasqua costituisce la Veglia per eccellenza, al cui termine "a compimento dell'intero Mistero, il popolo dei fedeli si ciba di Cristo" (così il *Preconio*), in modo non molto dissimile le officiature vespertine vigiliari di Natale, Epifania (la Piccola Pasqua) e Pentecoste, analogamente ai Vesperi *in coena Domini* con cui prende avvio la celebrazione della Passione del Signore, trovano il loro culmine nella liturgia eucaristica, che in quei giorni si viene collocando dopo i riti lucernari e le letture vigiliari (a Natale, Epifania e Pentecoste: quattro, come nella Veglia Pasquale gregoriana).

Il significato di solenne avvio della celebrazione della festa, proprio di queste officiature vigiliari vespertine cui si salda l'Eucaristia, deve essere rimarcato. Si tratta di uno schema celebrativo che, nelle sue grandi linee, si trova pure in ambito costantinopolitano, e la cui salvaguardia e valorizzazione nella prassi cultuale delle comunità ambrosiane appare oltremodo opportuna.

E la prima valorizzazione consiste nella consapevolezza che una *Missa infra Vesperas* non possa essere che celebrazione eucaristica vigiliare, con cui aprire un solenne giorno festivo.

3. Le Vigilie al vespero dei Venerdì di Quaresima

Al tramonto dei Venerdì di Quaresima, caratterizzati a Milano da una rigorosa aliturgia, l'officiatura vespertina assume nella tradizione ambrosiana il nome di 'Vigilia' e tuttora presenta un singolare andamento, con una struttura celebrativa tipicamente vigiliare: riti lucernari, letture veterotestamentarie, salmodia.

Vi è in questa peculiarità l'eco degli antichi usi quaresimali di Gerusalemme, che prevedevano al tramonto del Venerdì l'avvio all'*Anastasis* di una solenne veglia, che si sarebbe conclusa all'aurora del Sabato con la celebrazione dell'Eucaristia poco prima del levare del sole.[2] Sabato e Domenica costituivano in effetti i giorni 'liturgici' della Quaresima aghiopolita.

Quanto ai documenti precarolingi milanesi, merita osservare come nel *Capitolare di Busto*, per la Quaresima, di fatto compaiano pericopi soltanto per le celebrazioni eucaristiche sabbatiche e domenicali.

---

[2] Egeria, *Itinerarium*, XXVII, 7-8, ed. P. Maraval, Éd. du Cerf, Paris 2002[2] [Sources Chrétiennes, 296], p. 262.

In ogni caso, nei successivi lezionari medioevali, le quattro letture vesperali dei Venerdì di Quaresima, analogamente alle letture delle grandi celebrazioni Vigilari, risultano sentite come parte integrante dell'*ordo lectionum* della Chiesa ambrosiana e come tali registrate nei codici.[3]

4. LA CELEBRAZIONE VIGILIARE DELLA DOMENICA

Il rigore della tradizione ambrosiana nel computo del giorno liturgico e la connotazione della Domenica quale Pasqua ebdomadaria comportano necessariamente che la Messa celebrata nel vespero in cui "già splendono le luci" del giorno della Resurrezione non possa considerarsi una celebrazione "prefestiva", ma "festiva": essa costituisce la solenne liturgia vigiliare che inaugura la celebrazione del Giorno del Signore.

Come tale il nuovo Lezionario ambrosiano l'ha recepita, rileggendola alla luce della propria tradizione e valorizzandola quale piccola Veglia settimanale per la Resurrezione del Signore, celebrata *vespere Sabbati, quae lucescit in prima Sabbati* (*Mt* 28, 1).

In quanto celebrazione vigiliare essa prevede la consueta articolazione delle Vigilie ambrosiane: riti lucernari, lettura vigiliare, liturgia eucaristica, salmodia vespertina e riti conclusivi.

Segnatamente in merito alla lettura vigiliare, sulla scia dell'antica Veglia matutinale gerosolimitana[4] e delle sue riproposizioni nelle attuali liturgie domenicali (dalla Vigilia notturna latina nella Basilica del Santo Sepolcro all'*Orthros* greco, alla Vigilia notturna della monastica e anglicana *Community of the Resurrection*, alla Vigilia notturna di Taizé), è stato approntato un ciclo di 12 Vangeli, che si avvia dopo Pentecoste e nuovamente ricomincia dopo l'Epifania (ovviamente nel Tempo dopo Pentecoste il ciclo viene duplicato, così da coprire l'intera successione delle Domeniche). In Avvento e nella cinquantina pasquale la successione delle pericopi si presenta in qualche modo coordinata alle Domeniche e al Tempo liturgico, mentre pericopi specifiche sono state previste per le vere e proprie Domeniche di Quaresima, che scandiscono il cammino della Chiesa verso la Resurrezione.

Adattando le parole dell'*Expositio matutini officii* in merito alla tradizionale assenza dell'*Antiphona ad Crucem* nell'officiatura matutinale di

---

[3] Sui caratteri di tali letture cf M. MAURI - C. ALZATI, *"Legge" e "Profeti" nella Quaresima ambrosiana. Le letture ai Vesperi della Feria VI*, in *La Scuola Cattolica* 132 (2004) 123-138.

[4] Cf la testimonianza di Egeria riportata nel cap. IV: Il salmo e l'incenso. *Antiche radici e nuovi sviluppi nell'officiatura ecclesiale*, nota 52.

tali Domeniche quaresimali, si potrebbe dire che in esse, quasi "si cela il mistero *della Resurrezione*, perché poi *nella Pasqua* venga rivelato e reso manifesto".[5] In questo senso dopo la Domenica d'inizio della Quaresima, il cui carattere speciale (evidente fino al *Breviarium* borromaico e nuovamente sottolineato dal beato card. Ildefonso Schuster) risulta segnalato dal ricorso alla pericope iniziale del ciclo, nelle tre Domeniche immediatamente successive vengono proclamate le pericopi riguardanti l'evento prefigurativo della glorificazione pasquale, ossia la Trasfigurazione. Nella Domenica di Lazzaro è proposto l'annuncio del segno triduano di Giona, mentre nella Domenica delle Palme viene presentato Gesù che nel Tempio, da lui purificato, proclama la distruzione e la ricostruzione del nuovo Tempio in tre giorni.

Pericope propria, coordinata al Vangelo della Domenica, presenta pure la Domenica *in albis depositis*.

Il ciclo dei 12 Vangeli della Resurrezione si sviluppa secondo il seguente ordine:

1. *Mr* 16, 9-16	(Appendice al Vangelo di Marco: le apparizioni di Gesù risorto)
2. *Lc* 24, 1-8	(Le donne al Sepolcro – gli Angeli)
3. *Mr* 16, 1-8a	(Le mirofore: Maria di Magdala, Maria di Giacomo e Salome – l'Angelo)
4. *Lc* 24, 9-12	(Le tre donne, Maria di Magdala, Salome e Maria di Giacomo annunciano la visione degli Angeli agli Apostoli – Pietro al Sepolcro)
5. *Io* 20, 1-8	(Maria di Magdala annuncia agli Apostoli la tomba vuota – Pietro e Giovanni al Sepolcro)
6. *Mt* 28, 8-10	(Le donne dagli Apostoli – Gesù appare loro)
7. *Io* 20, 11-18	(Gesù appare alla Maddalena)
8. *Lc* 24, 13-35	(Gesù appare ai Discepoli di Emmaus, che si recano al Cenacolo)
9. *Lc* 24, 13b. 36-48	(Gesù appare al Cenacolo)
10. *Io* 20, 19-23	(Gesù appare al Cenacolo)
11. *Io* 20, 24-29	(Sette giorni dopo Gesù appare a Tomaso nel Cenacolo)
12. *Io* 21, 1-14	(Gesù appare ancora ai Discepoli sul Mare di Galilea)

---

[5]   *Expositio matutini officii sanctae Ambrosianae Mediolanensis ecclesiae edita a S. Theodoro archiepiscopo eiusdem ecclesiae*, ed. M. MAGISTRETTI, in *Manuale Ambrosianum*, I, Hoepli, Mediolani 1905, p. 128.

Al termine della proclamazione, compiuta da colui che presiede,[6] questi, chiuso l'evangeliario, lo innalza alla venerazione del popolo, facendo risuonare il saluto pasquale ambrosiano: *"Cristo Signore è risorto!"*.

Le pericopi delle Domeniche quaresimali sono le seguenti:

Domenica d'inizio della Quaresima:	Mr 16, 9-16
Domenica della Samaritana:	Mr 9, 2b-10
Domenica di Abramo:	Lc 28b-36
Domenica del Cieco nato:	Mt 17, 1b-9
Domenica di Lazzaro:	Mt 12, 38-40
Domenica delle Palme:	Io 2, 13-22

A conclusione della loro proclamazione, colui che presiede fa risuonale l'acclamazione: *"Lode e onore a Te, Cristo Signore, nei secoli dei secoli!"*.[7]

Tale acclamazione viene usata anche dopo la speciale pericope della Domenica in *albis depositis* : *Io* 7, 37-39a.

Merita osservare che la pericope *Mt* 28, 1-7, propria della Veglia Pasquale, resta riservata quale specifico annuncio a tale celebrazione.

Sembra opportuno che nel corso dei riti lucernari della celebrazione vigiliare domenicale venga acceso anche il cereo pasquale. Inoltre, riprendendo un'indicazione a suo tempo formulata dall'arcivescovo card. Giovanni Colombo in rapporto alla celebrazione eucaristica domenicale nel vespero del Sabato e riferendola espressamente alla proclamazione del Vangelo della Resurrezione del Signore, si raccomanda, là dove possibile, che tale proclamazione sia accompagnata dal suono festoso delle campane.

In Quaresima, dalla Domenica della Samaritana, i Vangeli – come s'è più sopra osservato – preannunciano quel mistero in figura, proiettando l'attesa della Chiesa verso la celebrazione della notte pasquale. Nei riti

---

6   Al riguardo va segnalato che a Milano la proclamazione della Passione del Signore al Venerdì Santo è affidata all'arcivescovo; è ancora l'arcivescovo nella notte pasquale a proclamare *apostolica voce* la Resurrezione del Signore. Risulta pertanto evidente che il Vangelo della Resurrezione, nella celebrazione vespertina vigiliare, debba essere proclamato da colui che presiede e che, in qualche modo, nelle singole comunità prolunga il kerygna apostolico dell'arcivescovo. Per la proclamazione ad opera del vescovo nella Gerusalemme del IV secolo, cf cap. IV: Il salmo e l'incenso..., nota 52.

7   Cf anche il cap XII: "Ecco il momento favorevole ". *Il cammino verso la Pasqua.*

d'apertura di tali Domeniche, pertanto, l'accensione del cereo è omessa e il suono delle campane della Resurrezione viene sospeso, in attesa del suo riecheggiare all'Annuncio solenne nel cuore della Veglia Pasquale.[8]

5. LE VIGILIE DEI SANTI

5.1. *"Quando gli Ordinari cantano i salmi"*

In occasione delle principali feste del santorale ambrosiano, lungo i secoli medioevali, era compito dell'alto clero (ossia i cardinali, detti anche ordinari) recarsi nelle chiese, ove i singoli santi erano venerati, e officiarvi solennemente. Il servizio ministeriale di tali ecclesiastici prendeva avvio alla vigilia con quella che possiamo considerare la vera introduzione alla festa: dopo aver raggiunto processionalmente la chiesa della celebrazione, essi si installavano nel coro e procedevano a *canere psalmos*, ossia eseguivano il canto dell'intero Salterio. Propria dell'arcivescovo e del clero cardinalizio, questa lunga preghiera era palesemente erede delle veglie *tota nocte* dei tempi di Ambrogio.[9] Peraltro dall'età altomedioevale essa aveva acquisito un carattere pienamente diurno e si svolgeva nel mattino avanzato del giorno di vigilia, concludendosi con la celebrazione della Messa vigiliare e dei Vesperi.

Eccone l'ordinamento.

Dopo Terza, uscendo dalla chiesa "invernale": *Psallentium* attinto al repertorio del giorno delle *Letaniae* in cui la chiesa di destinazione era visitata. All'arrivo in chiesa: i consueti tre *Kyrie* e il responsorio *Agnus Dei*.

Deus in adiutorium
Te Deum

Salmi I-L
(I Lettura agiografica)

---

[8] Strumento volto ad agevolare la celebrazione vigiliare della Domenica è il *Libro della Liturgia Vigiliare Vespertina*, in cui sono raccolti tutti gli elementi di cui tale celebrazione si compone. Considerata l'importanza di una chiara connotazione dell'Eucaristia vespertina del Sabato quale solenne apertura della Pasqua ebdomadaria, in tale libro, per le situazioni in cui non risulti possibile procedere a una compiuta celebrazione di tipo vigiliare, è prevista una forma di annuncio kerygmatico del Vangelo della Risurrezione, inseribile nei riti di apertura della celebrazione eucaristica.

[9] AMBROSIUS, *Epistula LXXVII* [Maur.: *XXII*], 2, ed. M. ZELZER, Hoelder-Pichler-Tempsky, Vindobonae 1982 [Corpus Scriptorum Ecclesiasticorum Latinorum (= CSEL), 82/3, p. 128.

Responsorio
Salmi LI-C
(II Lettura agiografica)
Responsorio

Salmi CI-CL

Seguono la Messa di vigilia e i Vesperi.[10]

Il Beroldo, con riferimento alla festa dell'Esaltazione della Croce (prima Domenica d'Ottobre), annota che al canto dei salmi si associavano, in serie continua, le orazioni delle stazioni domenicali e feriali ai battisteri. Poiché si trattava di un complesso di 28 testi, si può supporre ch'essi venissero ripetuti a più riprese nel corso della lunga salmodia. Resta aperto il problema se in una fase più antica non fossero lette orazioni salmiche, vista la presenza di orazioni salmiche in tre salteri ambrosiani, frutto di una revisione sul testo greco, copiati negli ultimi decenni del IX secolo (*Vat. Lat. 82*; *Vat. Lat. 83* e München, Bayerische Staatsbibliothek, *Clm 343*).

5.2. *Le Vigilie vespertine*

Nella Milano medioevale un segno di continuità (per certi versi ancor più immediato) rispetto alle antiche veglie notturne per le grandi feste santorali erano senza dubbio le *Vigiliae*, celebrate di seguito ai Vesperi, con l'eccezione, oviamente, del Sabato e della Domenica. I Manuali ne recano i formulari, sotto la rubrica *Ad Vigilias*, dopo i Vesperi, che in quel caso riducevano la parte stazionale al canto di una sola *psallenda* con orazione.

---

[10] Qualora la festa fosse caduta in Domenica, canto del *Salterio* e Messa si svolgevano per tempo al mattino del Sabato (giorno a Milano escluso dal digiuno) e, dopo il pranzo, si celebravano i Vesperi e le Vigilie vespertine (ma per le feste di sant'Ambrogio e di san Martino la celebrazione si conservava comunque unitaria, protraendosi fino ad ora pomeridiana). Nel caso la festa fosse caduta al Lunedì: al Sabato mattina canto del *Salterio* con Messa, e alla Domenica, dopo i Vesperi domenicali senza salmodia ma con le stazioni ai battisteri, Vesperi e Vigilie vespertine. Cf BEROLDUS, *Ordo et caeremoniae ecclesiae Ambrosianae Mediolanensis* (= BEROLDUS), ed. M. MAGISTRETTI, Boniardi-Pogliani (Giovanola), Mediolani 1894, p. 58. 8-13; *Manuale Ambrosianum ex codice saec. XI olim in usum canonicae Vallis Travaliae* [= *Manuale Ambrosianum*], II, ed. M. MAGISTRETTI, Hoepli, Mediolani 1904, pp. 430, 413.

Si conservarono a lungo vitali in ambito ambrosiano, nel contesto rurale non meno che in quello urbano, e furono formalmente soppresse soltanto nel I concilio provinciale borromaico nel 1565.[11]

Il formulario per tali celebrazioni presenta la seguente struttura:

Deus in adiutorium,
Inno,
Resposorio,

Salmo con antifona,
Orazione,
(I Lettura agiografica , con incensazione)
Responsorio,

Salmo con antifona,
Orazione,
(II Lettura agiografica, con incensazione)
Responsorio

Salmo con antifona

Psallentium e stazioni presso altre chiese.

Sembra di poter scorgere in questo ordinamento una forma estremamente contratta del canto del Salterio sopra ricordato, con riduzione della salmodia a un unico salmo per ciascuna delle tre sezioni salmodiche e con l'appendice stazionale tipica dell'officiatura vespertina.

Si è detto come san Carlo abbia abolito tali *Vigiliae*; egli peraltro in qualche modo le integrò nell'ambito dei Vesperi, inserendo al termine delle due sezioni salmodiche vesperali le due letture agiografiche, con relativi responsori, un tempo previste al termine delle prime due sezioni salmodiche delle *Vigiliae*.

L'evoluzione postconciliare ha portato alla caduta anche delle ultime tracce di questa tradizione rituale, le cui radici, peraltro, affondavano in età santambrosiana.

---

[11] *Constitutiones et Decreta condita in Provinciali Synodo Mediolanensi prima*, in *Acta Ecclesiae Mediolenensis*, II, ed. A. RATTI, Typographia Pontificia Sancti Iosephi, Mediolani 1890, p. 105.

CAPITOLO VIII

IL SABATO E LA DOMENICA
I TEMPI DELL'ALLEANZA E LA LORO MEMORIA

1. IL CARATTERE FESTIVO DEL SABATO

Il carattere festivo del Sabato s'intreccia alla storia stessa della Chiesa milanese, visto che Ambrogio ne parlò a Monica come di veneranda tradizione, cui anche la pia madre di Agostino, cresciuta nella tradizione romano-africana, che tale elemento non conosceva, doveva rigorosamente attenersi durante il suo soggiorno in area italiciana.[1]

Tale peculiarità della festività sabbatica accomuna la Chiesa di Milano alla Chiesa di Gerusalemme, la cui tradizione si è continuata in particolare nella Chiesa greca. A tale riguardo merita segnalare come la tradizionale epistola nel primo Sabato della Quaresima ambrosiana (*Rm* 13, 10 - 14, 9) sia il medesimo testo scritturistico cui Nilo da Rossano, il fondatore 'greco' di Grottaferrata, fece riferimento nei suoi dialoghi con i monaci latini a Montecassino per difendere, di fronte alle loro contestazioni, la propria tradizione greca di astensione dal digiuno in giorno di Sabato: *"Colui che mangia non disprezzi chi non mangia; chi non mangia non giudichi male chi mangia: Dio infatti ha accolto entrambi. Ma tu perché giudichi il tuo fratello? Sia che noi mangiamo, sia che voi digiuniate: tutto facciamo a gloria di Dio".*[2]

Questa connotazione festiva del Sabato in ambito ambrosiano (su cui già a suo tempo Enrico Cattaneo s'era soffermato)[3] risulta evidenziata con estrema chiarezza nella Quaresima fin dal *Capitolare di Busto* e compiutamente si manifesta nella struttura ternaria della liturgia della Parola, com-

---

[1] AMBROSIUS, *De Elia*, X, 34; AUGUSTINUS, *Epistula XXXVI* (*ad Casulanum presb.*), 32; IDEM, *Epistula LIV* (*ad Ianuarium*), 3.

[2] *Vita s. Nili junioris*, LXXVI-LXXVIII, PG, CXX, cc. 129-132.

[3] E. CATTANEO, *Carattere festivo del Sabato nella liturgia ambrosiana*, in *Ambrosius* X (1934) 184-192.

posta in tale giorno da *lectio – epistola – evangelium*, come solidamente attestato nelle fonti successive.

Sul significato della celebrazione cristiana del Sabato, illuminanti si presentano le parole di Giovanni Paolo II nella sua Lettera Apostolica *Dies Domini* del 31 Maggio 1998:

> "Nel disegno del Creatore c'è una distinzione, ma anche un intimo nesso tra l'ordine della creazione e l'ordine della salvezza. Già l'Antico Testamento lo sottolinea, quando pone il comandamento concernente lo 'Shabbat' in rapporto non soltanto col misterioso 'riposo' di Dio dopo i giorni dell'attività creatrice (cf *Es* 20, 8-11), ma anche con la salvezza da lui offerta ad Israele *nella liberazione dalla schiavitù dell'Egitto* (cf *Dt* 5, 12-15). Il Dio, che riposa il settimo giorno rallegrandosi per la sua creazione, è lo stesso che mostra la sua gloria liberando i suoi figli dall'oppressione del faraone. Nell'uno e nell'altro caso si potrebbe dire, secondo un'immagine cara ai profeti, che *egli si manifesta come lo sposo di fronte alla sposa* (cf *Os* 2, 16-24; *Ger* 2, 2; *Is* 54, 4-8)".[4]

Quanto poi al radicale cristocentrismo insito nel Sabato, così il papa romano di venerata memoria si esprimeva:

> "Già nel mattino della creazione il progetto di Dio implicava [il] 'compito cosmico' di Cristo. Questa *prospettiva cristocentrica*, proiettata su tutto l'arco del tempo, era presente nello sguardo compiaciuto di Dio quando, cessando da ogni suo lavoro, 'benedisse il settimo giorno e lo santificò' (*Gn* 2, 3). Nasceva allora – secondo l'autore sacerdotale del primo racconto biblico della creazione – il 'Sabato', che tanto caratterizza la prima Alleanza, ed in qualche modo preannuncia il giorno sacro della nuova e definitiva Alleanza. Lo stesso tema del 'riposo di Dio' (cf *Gn* 2, 2) e del riposo da lui offerto al popolo dell'Esodo con l'ingresso nella terra promessa (cf *Es* 33, 14; *Dt* 3, 20; 12, 9; *Gs* 21, 44; *Sal* 95 [94], 11) è riletto nel Nuovo Testamento in una luce nuova, quella del definitivo 'riposo sabbatico' (*Eb* 4, 9) in cui Cristo stesso è entrato con la sua risurrezione e in cui è chiamato ad entrare il popolo di Dio, perseverando sulle orme della sua obbedienza filiale (cf *Eb* 4, 3-16). È necessario pertanto rileggere la grande pagina della creazione e approfondire la teologia del 'Sabato', per introdursi alla piena comprensione della Domenica".[5]

---

[4] IOANNES PAULUS II, *Dies Domini* (31.5.1998), 12 ; redaz. lat. : *Acta Apostolicae Sedis* 90 (10) (1998) 713-766.

[5] *Ibidem*, 8.

Quanto ai contenuti di spiritualità legati alla celebrazione sabbatica, che una conveniente pastorale dovrebbe immettere vitalmente nell'esperienza religiosa dei fedeli, così il testo di Giovanni Paolo II si esprime:

> "Il comandamento del Decalogo con cui Dio impone l'osservanza del Sabato ha, nel Libro dell'*Esodo*, una formulazione caratteristica: 'Ricordati del giorno di Sabato per santificarlo' (20, 8). E più oltre il testo ispirato ne dà la motivazione richiamando l'opera di Dio: 'Perché in sei giorni il Signore ha fatto il cielo e la terra e il mare e quanto è in essi, ma si è riposato il giorno settimo. Perciò il Signore ha benedetto il giorno di Sabato e lo ha dichiarato sacro' (v. 11). Prima di imporre qualcosa da *fare*, il comandamento segnala qualcosa da *ricordare*. Invita a risvegliare la memoria di quella grande e fondamentale opera di Dio che è la creazione. È memoria che deve animare tutta la vita religiosa dell'uomo, per confluire poi nel giorno in cui l'uomo è chiamato a *riposare*. Il riposo assume così una tipica valenza sacra: il fedele è invitato a riposare non solo *come* Dio ha riposato, ma a riposare *nel* Signore, riportando a lui tutta la creazione, nella lode, nel rendimento di grazie, nell'intimità filiale e nell'amicizia sponsale".[6]

Nella tradizione ambrosiana il carattere festivo del Sabato si è costantemente espresso lungo i secoli soprattutto tramite l'officiatura. La celebrazione notturna – la cui forma era nettamente distinta dallo schema feriale e affine allo schema domenicale – si componeva del Cantico di Mosè *"Cantemus Domino"*, il cantico dell'Esodo, seguito (in due sezioni) dagli ottonari del Salmo 118, il salmo della *Legge*. Nelle Lodi matutine il *Miserere* feriale, lasciava il posto al Ps. 117 *"Confitemini Domino"*, salmo che chiude l'*Hallel* ebraico.

Sulla scia di questo radicamento, e tenendo presente il tradizionale modello strutturale dei Sabati di Quaresima, il nuovo Lezionario ha collocato nel ciclo annuale, al Sabato, liturgie della Parola articolate in tre pericopi, tra le quali la *lectio* è costantemente tratta dal Pentateuco (con esclusione di Genesi, libro sistematicamente presentato nelle ferie quaresimali); i testi vengono proposti secondo un ordine progressivo, tenendo presente la successione delle parashot fissatasi nella prassi sinagogale.

Anche i salmi responsoriali in queste celebrazioni portano l'eco della tradizione ebraica. Nel primo Sabato vengono usati, nei due anni, rispettivamente il Ps. 91 e il Ps. 92 (che costituiscono il cantico per il giorno di Sabato nell'officiatura della sinagoga), mentre nei restanti Sabati si è ricorsi ai salmi della celebrazione sinagogale d'ingresso nel giorno sabbatico

---

[6] *Ibidem*, 16.

(Salmi: 94, 95, 96, 97, 98), riservando l'ultimo di questi, il Ps. 28, al Sabato che, al termine dell'anno liturgico, suggella lo svolgersi del ciclo.

Con tali salmi e congiuntamente alle epistole paoline e alle pericopi evangeliche, le letture dal Pentateuco vengono a comporre specifiche unità testuali che, partendo dalla celebrazione della Legge, trovano il loro culmine nell'annuncio del Vangelo. Si tratta pertanto di liturgie della Parola, nelle quali ai credenti è dato di ripercorrere in qualche modo l'esperienza dei primi discepoli di Galilea, come Natanaele, il perfetto "israelita in cui non c'era falsità",[7] o il "primo chiamato" Andrea, dal cui cuore, educato nel culto sinagogale alla conoscenza della Legge, proruppe l'annuncio al fratello Simone: "Abbiamo trovato il Messia!"[8].

Tale ciclo sabbatico, anch'esso – come il ciclo feriale – articolato su due annualità, inizia con il Sabato che segue la Prima Domenica dopo l'Epifania, s'interrompe con l'inizio della Quaresima, riprende con il Sabato che segue la I Domenica dopo Pentecoste e termina con il Sabato dell'ultima settimana dell'anno liturgico.

All'inizio del ciclo, il Sabato inaugurale si presenta per certi aspetti come il corrispettivo del Sabato "gioia della Torah". E se l'età tardo antica conosceva una *Dominica ante Dedicationem*, il nuovo Lezionario prevede un "Sabato prima della Dedicazione", ossia il Sabato dell'ultima settimana dopo il Martirio del Precursore, che sempre deve utilizzarsi nel giorno antecedente la solennità della Dedicazione, indipendentemente dal numero effettivo di settimane che lo separano dal 29 Agosto.[9] A conclusione dell'intero ciclo sabbatico si pone il Sabato dell'Ultima Settimana dell'Anno liturgico, il cui Vangelo direttamente si lega alla successiva I Domenica d'Avvento: "Vegliate!".

2. IL PRIMATO DELLA DOMENICA

Il profondo cristocentrismo che, nella scia del magistero santambrosiano, ha da sempre caratterizzato la tradizione rituale ambrosiana, ha trovato costantemente espressione nella centralità e nel primato della Domenica: un primato radicato nella prassi della primitiva comunità cristiana,

---

[7]   *Io* 1, 47.
[8]   *Io* 1, 41.
[9]   La serie completa delle pericopi potrà vedersi nell'Allegato posto al termine del capitolo.

che fin dalle sue origini aveva legato al "primo giorno della settimana" la ripetizione della frazione del pane in memoria del Signore.[10]

Significativamente fino al Calendario del 1970, che venne assumendo i lineamenti del Calendario romano e conseguentemente mutuò in ambito ambrosiano problematiche a esso estranee, mai a Milano la normativa rituale aveva formulato una gerarchizzazione tra le Domeniche e mai aveva teorizzato una posposizione della Domenica stessa rispetto a eventuali feste di santi, quand'anche solenni. La Domenica è il giorno del Signore e come tale, nella costante tradizione ambrosiana, ha una costitutiva centralità, che le assicura sorgivamente la precedenza su qualsiasi celebrazione santorale.

Questa centralità della Domenica è stata nel nuovo Lezionario Ambrosiano ribadita con forza, trovando particolare manifestazione nella liturgia vespertina vigiliare, in cui il Giorno del Signore viene solennemente celebrato quale Pasqua ebdomadaria.

Unica anomalia rappresentano in tale quadro le feste dei santi nell'ottava del Natale (26, 27, 28 Dicembre). Va detto che tale anomalia, consolidatasi nel tempo, non può tuttavia considerarsi originaria. In effetti nei giorni successivi al Natale era anticamente prevista una duplice celebrazione: la celebrazione stazionale in onore del santo era preceduta, nella *ecclesia* episcopale, dalla celebrazione della feria natalizia. Per il 26 Dicembre il dato è già attestato dall'ordinamento precarolingio del *Codice di Busto*, mentre per il 27 ne troviamo documentazione nel carolingio *Evangelistario (o Libro delle letture) dei Cardinali diaconi* (cui offrono conferma gli stessi Messali). Pertanto la festa del santo non aveva precedenza sul giorno dell'ottava, la cui celebrazione era ritenuta primaria e irrinunciabile, anche in caso di feria.

Peraltro la Congregazione del Rito Ambrosiano, non volendo alterare la prassi ormai invalsa e tenendo conto del carattere misto (natalizio e

---

[10] Cf C. S. MOSNA, *Storia della Domenica dalle origini fino agli inizi del V secolo. Problema delle origini e sviluppo, culto e riposo, aspetti pastorali e liturgici*, Pontificia Università Gregoriana, Roma 1969 [Analecta Gregoriana, 170]. Sul rilievo che il primo giorno dopo il Sabato veniva assumendo nel calendario di Qumrân: *Ibidem*, pp. 36 ss. Acute ma non convincenti mi appaiono le argomentazioni di W. RORDORF, *Der Sonntag. Geschichte des Ruhe- und Gottesdienstages im ältesten Christentum*, Zwingli Verlag, Zürich 1962 (Abhandlungen zur Theologie des Alten und Neuen Testament, 43), pp. 234 ss., per un'originaria collocazione della sinassi eucaristica alla sera del "giorno del Signore". Si veda al riguardo anche la sua risposta su *Zeitschrift für die neutestamentliche Wissenschaft und die Kunde der älteren Kirche* 68 (1977) 138-141, a R. STAATS, *Die Sonntagnachtgottesdienste der christlichen Frühzeit, Ibidem* 66 (1975) 242-263, che aveva ribadito l'identificazione della notte vigiliare della Domenica quale momento della celebrazione dell'Eucaristia.

agiografico) dei testi liturgici dei tre giorni in questione, ha ritenuto opportuno confermare la celebrazione della festa dei santi (s. Stefano, s. Giovanni evangelista, ss. Innocenti), quand'anche il relativo giorno cadesse in Domenica. In tal caso, tuttavia, la liturgia vespertina vigiliare prevede in apertura la proclamazione del Vangelo della Resurrezione, proprio della celebrazione domenicale.

Allegato

Le pericopi del Ciclo Sabbatico
[Tempo dopo l'Epifania e Tempo dopo Pentecoste]

ANNO I

SETTIMANA DELLA I DOMENICA DOPO L'EPIFANIA

SABATO

Lettura	La vocazione di Mosè.	Esodo 3, 7-12
Salmo		Ps. 91, 2-3. 5-6. 13-14. 16
Epistola	La vocazione di Paolo.	Galati 1, 13-18
Canto al Vangelo	Il Regno di Dio è in mezzo a voi!	Cf Luca 17, 21
Vangelo	E' più facile che abbiano fine il cielo e la terra, anziché cada un solo trattino della Legge.	Luca 16, 16-17

SETTIMANA DELLA II DOMENICA DOPO L'EPIFANIA

SABATO

Lettura	La missione di Mosè.	Esodo 3, 7a. 16-20
Salmo		Salmo 94, 1-5
Epistola	La missione di Paolo.	Efesini 3, 1-12
Canto al Vangelo	Chi accoglie colui che io manderò, accoglie me; chi accoglie me, accoglie colui che mi ha mandato	Giovanni 13, 20
Vangelo	La missione dei Dodici	Matteo 10, 1-10

SETTIMANA DELLA III DOMENICA DOPO L'EPIFANIA

SABATO

Lettura	La preparazione dell'Antica Alleanza.	Esodo 19, 7-11
Salmo		Salmo 95, 1-6
Epistola	Agar e Sara allegoria delle due Alleanze.	Galati 4, 22 - 5, 1
Canto al Vangelo	Tutto ciò che fu scritto dai Profeti riguardo al Figlio dell'uomo si compirà	Luca 18, 31
Vangelo	La vittima della Nuova Alleanza	Matteo 20, 17-19

SETTIMANA DELLA IV DOMENICA DOPO L'EPIFANIA

SABATO

Lettura	La Legge garanzia di umanità.	Esodo 21, 1; 22, 20-26
Salmo		Salmo 96, 1-6
Epistola	La Legge si compie nella carità.	Galati 5, 13-14
Canto al Vangelo	Ogni scriba divenuto discepolo del Regno dei cieli è simile a un padrone	

| | di casa che estrae dal suo tesoro cose nuove e cose antiche, dice il Signore. | Cf Matteo 13, 52 |
| Vangelo | Qual è il più grande comandamento della Legge? | Matteo 22, 35-40 |

SETTIMANA DELLA V DOMENICA DOPO L'EPIFANIA

SABATO

Lettura	La Legge è la guida di un vita retta e giusta.	Esodo 21, 1; 23, 1-3. 6-8
Salmo		Salmo 97, 1-4
Epistola	Lo Spirito è la guida di una vita retta e giusta.	Galati 5, 16-23
Canto al Vangelo	La Legge è per noi come un pedagogo che ci ha condotti a Cristo	Galati 3, 24
Vangelo	Lo Spirito vi guiderà alla verità tutta intera	Giovanni 16, 13-15

SETTIMANA DELLA VI DOMENICA DOPO L'EPIFANIA

SABATO

Lettura	Io mando un angelo, che ti farà entrare nella terra promessa.	Esodo 23, 20-33
Salmo		Salmo 98, 1-4. 9
Epistola	Il Signore promulga una salvezza più grande di quella trasmessa dagli angeli a Mosè.	Ebrei 1, 13 - 2, 4
Canto al Vangelo	Noi abbiamo un sommo sacerdote così grande che si è assiso alla destra del trono della maestà nei cieli	Ebrei 8, 1
Vangelo	Vado nella casa del Padre mio a prepararvi un posto	Giovanni 14, 1-6

SETTIMANA DELLA VII DOMENICA DOPO L'EPIFANIA

SABATO

Lettura	Le vesti sacerdotali.	Esodo 28, 1-5
Salmo		Salmo 94, 1-5
Epistola	I cristiani sono rivestiti di Cristo.	Galati 3, 24-29
Canto al Vangelo	Beati gli invitati al banchetto delle nozze dell'Agnello	Apocalisse 19, 9
Vangelo	La veste nuziale per il banchetto del Figlio del Re	Matteo 22, 1-14

SETTIMANA DELLA PENULTIMA DOMENICA DOPO L'EPIFANIA

SABATO

Lettura	L'olocausto quotidiano.	Esodo 29, 38-46
Salmo		Salmo 95, 1-6
Epistola	Offrite i vostri corpi come sacrificio santo e gradito a Dio. Romani 12, 1-2	
Canto al Vangelo	Voi siete il sacerdozio regale, che Dio si è acquistato	Cf 1Pietro 2, 9
Vangelo	I veri adoratori adoreranno il Padre in spirito e verità	Giovanni 4, 23-26

SETTIMANA DELL'ULTIMA DOMENICA DOPO L'EPIFANIA

SABATO

Lettura	Il riposo sabbatico.	Esodo 35, 1-3
Salmo		Salmo 96, 1-6
Epistola	Il riposo sabbatico riservato, oggi, al popolo di Dio.	Ebrei 4, 4-11
Canto al Vangelo	Tu hai compassione di tutti e nulla disprezzi di quanto hai creato, Signore, che ami la vita.	Cf Sapienza 11, 23-26
Vangelo	Osservanza del Sabato e amore per l'uomo	Marco 3, 1-6

ANNO II

SETTIMANA DELLA I DOMENICA DOPO L'EPIFANIA

SABATO

Lettura	La vocazione di Mosè.	Esodo 6, 1-13
Salmo		Salmo 92, 1-2. 4-5
Epistola	Paolo e il popolo d'Israele.	Romani 9, 1-5
Canto al Vangelo	Il Regno di Dio è in mezzo a voi!	Cf Luca 17, 21
Vangelo	Non sono venuto per abolire la Legge e i Profeti, ma per dare compimento.	Matteo 5, 17-19

SETTIMANA DELLA II DOMENICA DOPO L'EPIFANIA

SABATO

Lettura	La missione di Mosè e Aronne a favore d'Israele.	Esodo 7, 1-6
Salmo		Salmo 94, 6-9. 1-2
Epistola	La missione di Paolo a favore dei pagani.	Romani 15, 14-21
Canto al Vangelo	Anche ai pagani Dio ha concesso che si convertano perché abbiano la vita	Atti 11, 18
Vangelo	La missione del Figlio e la vigna del Signore	Marco 12, 1-12

SETTIMANA DELLA III DOMENICA DOPO L'EPIFANIA

SABATO

Lettura	Promessa divina dell'Alleanza.	Esodo 19, 3-8
Salmo		Salmo 95, 7-11. 13
Epistola	Adempimento in Cristo di ogni promessa salvifica.	2Corinzi 1, 18-20
Canto al Vangelo	Tutti i confini della terra vedranno la salvezza del nostro Dio	Isaia 52, 10
Vangelo	Quando sarò elevato da terra, attirerò tutti a me	Giovanni 12, 31-36a

SETTIMANA DELLA IV DOMENICA DOPO L'EPIFANIA

SABATO

Lettura	Il santuario che il Signore ha fatto costruire a Israele.	Esodo 25, 1-9
Salmo		Salmo 96, 7-12
Epistola	Cristo ministro del santuario che il Signore stesso ha costruito.	Ebrei 7, 28 - 8, 2
Canto al Vangelo	Poiché abbiamo un grande sommo sacerdote, che ha attraversato i cieli, Gesù, Figlio di Dio, manteniamo ferma la professione della nostra fede.	Ebrei 4, 14
Vangelo	Nessuno viene al Padre se non per mezzo di me	Giovanni 14, 6-14

SETTIMANA DELLA V DOMENICA DOPO L'EPIFANIA

SABATO

Lettura	L'Arca.	Esodo 25, 1. 10-22
Salmo		Salmo 97, 5-9
Epistola	La Tenda era una prefigurazione del tempo attuale.	Ebrei 9, 1-10
Canto al Vangelo	L'angelo mi mostrò la città santa: In essa non vidi alcun Tempio: il Signore Dio, l'Onnipotente, e l'Agnello sono il suo Tempio.	Apocalisse, 21, 10. 22
Vangelo	Distruggete questo Tempio e in tre giorni lo farò risorgere.	Matteo 26, 59-64

SETTIMANA DELLA VI DOMENICA DOPO L'EPIFANIA

SABATO

Lettura	I pani dell'Offerta.	Esodo 25, 1. 23-30
Salmo		Salmo 98, 5-9

Epistola	I cristiani partecipano dell'unico Pane.	1Corinzi 10, 16-17
Canto al Vangelo	Diede loro pane del cielo: l'uomo mangiò il pane degli angeli.	Salmo 77, 24-25
Vangelo	Io sono il Pane vivo, disceso dal Cielo.	Giovanni 6, 45b-51

SETTIMANA DELLA VII DOMENICA DOPO L'EPIFANIA

SABATO

Lettura	Il candelabro.	Esodo 25, 1. 31-39
Salmo		Salmo 94, 6-9. 1-2
Epistola	Cristo ti illuminerà!.	Efesini 5, 8-14
Canto al Vangelo	La città non ha bisogno della luce del sole: la gloria di Dio la illumina	
	e la sua lampada è l'Agnello.	Apocalisse 21, 23
Vangelo	Io sono la Luce del mondo.	Giovanni 8, 12-20

SETTIMANA DELLA PENULTIMA DOMENICA DOPO L'EPIFANIA

SABATO

Lettura	L'altare.	Esodo 25, 1; 27, 1-8
Salmo		Salmo 95, 7-11. 13
Epistola	L'altare cristiano.	Ebrei 13, 8-16
Canto al Vangelo	Vidi sotto l'altare le anime di coloro che furono immolati a causa della	
	parola di Dio e della testimonianza che gli avevano reso.	Apocalisse 6, 9
Vangelo	Chi perderà la propria vita per causa mia e del Vangelo, la salverà	Marco 8, 34-38

SETTIMANA DELL'ULTIMA DOMENICA DOPO L'EPIFANIA

SABATO

Lettura	L'incenso.	Esodo 30, 34-38
Salmo		Salmo 96, 7-12
Epistola	Noi siamo davanti a Dio il profumo di Cristo.	2Corinzi 2, 14-16a
Canto al Vangelo	Dalla mano dell'angelo il fumo degli aromi salì davanti a Dio,	
	insieme con le preghiere dei santi.	Apocalisse 8, 4
Vangelo	Il popolo pregava mentre il sacerdote Zaccaria nel Tempio compiva	
	l'offerta dell'incenso	Luca 1, 5-17

* * *

ANNO I

SETTIMANA DELLA I DOMENICA DOPO PENTECOSTE

SABATO

Lettura	Consacrazione di Aronne, sommo sacerdote, e dei suoi figli.	Levitico 8, 1-13
Salmo		Salmo 94, 1-5
Epistola	Gesù, nuovo sommo sacerdote.	Ebrei 5, 7-10
Canto al Vangelo	Il Signore ha giurato e non si pente: Tu sei sacerdote per sempre al modo	
	di Melchisedek.	Salmo 109, 4
Vangelo	Lo Spirito del Signore è sopra di me; per questo mi ha consacrato con l'unzione.	Luca 4, 16b-22b

SETTIMANA DELLA II DOMENICA DOPO PENTECOSTE

SABATO

Lettura	La purificazione dei peccati mediante il sacrificio dell'Espiazione.	Levitico 16, 2-22. 29-30
Salmo		Salmo 95, 1-6
Epistola	La giustificazione mediante la fede in Cristo.	Galati 2, 15-21
Canto al Vangelo	Il giusto mio servo giustificherà molti, egli si addosserà le loro iniquità.	Cf Isaia 53, 11
Vangelo	Io offro la mia vita per le pecore.	Giovanni 10, 14-18

SETTIMANA DELLA III DOMENICA DOPO PENTECOSTE

SABATO

Lettura	Siate santi, perché io, il Signore vostro Dio, sono santo.	Levitico 19, 1-6. 9-18
Salmo		Salmo 96, 1-6
Epistola	Dio ci ha chiamati alla santificazione.	1Tessalonicesi 4, 1-8
Canto al Vangelo	Siate perfetti, come è perfetto il Padre vostro celeste.	Matteo 5, 48
Vangelo	Amate i vostri nemici e sarete figli dell'Altissimo, che è benevolo verso gli ingrati e i malvagi.	Luca 6, 27-35

SETTIMANA DELLA IV DOMENICA DOPO PENTECOSTE

SABATO

Lettura	Santità del sacerdozio e del sommo sacerdote.	Levitico 21, 1. 5-8. 10-15
Salmo		Salmo 97, 1-4
Epistola	Santità del ministero di Paolo.	1Tessalonicesi 2, 10-13
Canto al Vangelo	Signore da chi andremo: abbiamo creduto e conosciuto che tu sei il Cristo Figlio di Dio.	Cf Giovanni 6, 68, 69
Vangelo	So chi sei: il Santo di Dio!	Luca 4, 31-37

SETTIMANA DELLA V DOMENICA DOPO PENTECOSTE

SABATO

Lettura	L'Anno Sabbatico e l'Anno Giubilare.	Levitico 25, 1-17
Salmo		Salmo 98, 1-4. 9
Epistola	Il giorno della salvezza è vicino.	Romani 13, 11-14
Canto al Vangelo	Lo Spirito del Signore è sopra di me e mi ha mandato a proclamare la libertà degli schiavi, a promulgare l'anno di misericordia del Signore.	Cf Luca 4, 18; Isaia 61, 1-2
Vangelo	Riferite a Giovanni ciò che avete visto.	Luca 7, 20-23

SETTIMANA DELLA VI DOMENICA DOPO PENTECOSTE

SABATO

Lettura	I Leviti e il servizio nella Dimora.	Numeri 1, 48-54
Salmo		Salmo 94, 1-5
Epistola	Cristo, sommo sacerdote eterno a somiglianza di Melchisedek.	Ebrei 7, 11-19
Canto al Vangelo	Molti profeti hanno desiderato udire ciò che voi udite, ma non l'udirono.	Cf Luca 10, 24
Vangelo	Se uno mi ama, il Padre mio lo amerà e noi verremo a lui e prenderemo dimora presso di lui.	Giovanni 14, 15-23

SETTIMANA DELLA VII DOMENICA DOPO PENTECOSTE

SABATO

Lettura	La legge del nazireato.	Numeri 6, 1-5. 13-21
Salmo		Salmo 95, 1-6
Epistola	Invito a santificarsi per poter vedere il Signore.	Ebrei 12, 14-16
Canto al Vangelo	Giovanni cresceva e si fortificava nello spirito.	
	Visse in regioni deserte fino al giorno della sua manifestazione a Israele.	Cf Luca 1, 80
Vangelo	Tuo figlio non berrà vino, né bevante inebrianti,	
	sarà pieno di Spirito Santo fin dal seno di sua madre.	Luca 1, 5-17

SETTIMANA DELLA VIII DOMENICA DOPO PENTECOSTE

SABATO

Lettura	La ribellione a Dio del popolo e la sua esclusione dalla Terra Promessa.	Numeri 14, 1-24
Salmo		Salmo 96, 1-6
Epistola	I cristiani sono invitati ad avere fede nel Signore.	Ebrei 3, 12-19
Canto al Vangelo	Gli apostoli dissero al Signore: Accresci in noi la fede!	Luca 17, 5-6
Vangelo	Si scandalizzavano per causa sua.	Matteo 13, 54-58

SETTIMANA DELLA IX DOMENICA DOPO PENTECOSTE

SABATO

Lettura	Balaam invece di maledire Israele, lo benedice.	Numeri 22, 41 - 23, 10
Salmo		Salmo 97, 1-4
Epistola	In Cristo, divenuto lui stesso maledizione, la benedizione è passata alle genti.	Galati 3, 13-14
Canto al Vangelo	Andate e fate discepoli tutti i popoli.	Matteo 28, 19
Vangelo	Anche i cagnolini mangiano le briciole che cadono dalla tavola dei loro padroni.	Matteo 15, 21-28

SETTIMANA DELLA X DOMENICA DOPO PENTECOSTE

SABATO

Lettura	Quale nazione ha leggi e norme giuste come tutta questa legislazione?	Deuteronomio 4, 1-8
Salmo		Salmo 98, 1-4. 9
Epistola	La legge è santa e santo e giusto e buono è il comandamento.	Romani 7, 7-13
Canto al Vangelo	Dio in questi giorni ha parlato a noi per mezzo del Figlio	Cf Ebrei 1, 1-2
Vangelo	Dio ha mandato il Figlio nel mondo, perché il mondo si salvi.	Giovanni 3, 16-21

SETTIMANA DELLA XI DOMENICA DOPO PENTECOSTE

SABATO

Lettura	Il Signore è Dio e dal cielo ha fatto udire la sua voce per educarti.	Deuteronomio 4, 32-40
Salmo		Salmo 94, 1-5
Epistola	I cristiani ascoltino il Signore risorto che parla loro dal cielo.	Ebrei 12, 25-29
Canto al Vangelo	Io sono venuto nel mondo come luce,	
	perché chiunque crede in me non rimanga nelle tenebre.	Giovanni 12, 46
Vangelo	Chi ascolta le mie parole e le mette in pratica è simile	
	a un uomo che ha costruito la sua casa sulla roccia.	Matteo 7, 21-29

SETTIMANA DELLA XII DOMENICA DOPO PENTECOSTE

SABATO

Lettura	Io ti detterò tutte le leggi che dovrai insegnare loro.	Deuteronomio 5, 23-33
Salmo		Salmo 95, 1-6
Epistola	Vigilate che nessuno si privi della grazia di Dio.	Ebrei 12, 12-15a
Canto al Vangelo	Questi è il Figlio mio, l'eletto: ascoltatelo!	Luca 9, 35
Vangelo	Il Padre, che mi ha mandato, mi ha ordinato cosa devo dire.	Giovanni 12, 44-50

SETTIMANA DELLA XIII DOMENICA DOPO PENTECOSTE

SABATO

Lettura	Le prime Tavole dell'Alleanza.	Deuteronomio 9, 9-19
Salmo		Salmo 96, 1-6
Epistola	La sovreminente gloria della Nuova Alleanza.	2Corinzi 3, 7-11
Canto al Vangelo	Nel suo nome saranno predicati a tutte le genti la conversione e il perdono dei peccati.	Luca 24, 47
Vangelo	Il Signore Gesù mandò i Dodici ad annunziare il Regno di Dio.	Luca 9, 1-6

SETTIMANA DELLA XIV DOMENICA DOPO PENTECOSTE

SABATO

Lettura	Le nuove Tavole della Legge e l'Arca dell'Alleanza.	Deuteronomio 10, 1-11
Salmo		Salmo 97, 1-4
Epistola	Cristo svela il senso dell'Antico Testamento.	2Corinzi 3, 12-18
Canto al Vangelo	Si è avvicinato a noi il Regno di Dio.	Luca 10, 9
Vangelo	Nessuno sa chi è il Padre se non il Figlio.	Luca 10, 21-24

SETTIMANA DELLA DOMENICA CHE PRECEDE
IL MARTIRIO DEL PRECURSORE

SABATO

Lettura	Ama e servi il Signore tuo Dio con tutto il cuore e con tutta l'anima.	Deut. 10, 12 - 11, 1
Salmo		Salmo 98, 1-4. 9
Epistola	Siate ferventi nello spirito e servite il Signore!	Romani 12, 9-13
Canto al Vangelo	Beato quel servo che il padrone, arrivando, troverà al suo lavoro.	Luca 12, 43
Vangelo	Dove sono io, là sarà anche il mio servo.	Giovanni 12, 24-26

ANNO II

SETTIMANA DELLA I DOMENICA DOPO PENTECOSTE

SABATO

Lettura	La purificazione della puerpera.	Levitico 12, 1-8
Salmo		Salmo 94, 6-9. 1-2
Epistola	Dio mandò il suo Figlio, nato da donna, nato sotto la Legge.	Galati 4, 1b-5
Canto al Vangelo	Conviene che così adempiamo ogni giustizia.	Matteo 3, 15
Vangelo	Quando furono compiuti i giorni della loro purificazione secondo la Legge di Mosè, portarono il bambino a Gerusalemme.	Luca 2, 22-32

SETTIMANA DELLA II DOMENICA DOPO PENTECOSTE

SABATO

Lettura	L'offerta del primo covone.	Levitico 23, 9-14
Salmo		Salmo 95, 7-11. 13

Epistola	Siamo stati santificati per mezzo dell'offerta del corpo di Gesù Cristo, una volta per sempre.	Ebrei 10, 1-10
Canto al Vangelo	Misericordia io voglio e non sacrificio.	Matteo 9, 13
Vangelo	Va prima a riconciliarti con il tuo fratello e poi torna ad offrire il tuo dono.	Matteo 5, 20b-24

SETTIMANA DELLA III DOMENICA DOPO PENTECOSTE

SABATO

Lettura	L'offerta delle primizie al Signore.	Levitico 23, 9. 15-22
Salmo		Salmo 96, 7-12
Epistola	Il Regno di Dio non è questione di cibo, ma è male per un uomo mangiare dando scandalo.	Romani 14, 13 - 15, 2
Canto al Vangelo	Voglio l'amore e non il sacrificio, la conoscenza di Dio più degli olocausti.	Osea 6, 6
Vangelo	Queste cose bisognava curare, senza trascurare le altre.	Luca 11, 37-42

SETTIMANA DELLA IV DOMENICA DOPO PENTECOSTE

SABATO

Lettura	Il giorno dell'espiazione.	Levitico 23, 26-32
Salmo		Salmo 97, 5-9
Epistola	L'antico rituale dell'espiazione è una figura per il tempo attuale.	Ebrei 9, 6b-10
Canto al Vangelo	Il giusto mio servo giustificherà molti, egli si addosserà le loro iniquità.	Cf Isaia 53, 11
Vangelo	Io offro la mia vita per le pecore.	Giovanni 10, 14-18

SETTIMANA DELLA V DOMENICA DOPO PENTECOSTE

SABATO

Lettura	La Festa delle Capanne.	Levitico 23, 26. 39-43
Salmo		Salmo 98, 5-9
Epistola	Noi siamo la casa di Dio.	Ebrei 3, 4-6
Canto al Vangelo	Chi ascolta le mie parole e le mette in pratica, è simile a un uomo saggio che ha costruito la sua casa sulla roccia.	Cf Matteo 7, 24
Vangelo	Si avvicinava la festa detta delle Capanne	Giovanni 7, 1-6b

SETTIMANA DELLA VI DOMENICA DOPO PENTECOSTE

SABATO

Lettura	I Leviti saranno miei.	Numeri 3, 5-13
Salmo		Salmo 94, 6-9. 1-2
Epistola	Cristo è l'unico e perfetto sommo sacerdote per l'eternità.	Ebrei 7, 23-28
Canto al Vangelo	Non voi avete scelto me, ma io ho scelto voi e vi ho costituiti perché andiate e portiate frutto, dice il Signore.	Cf Giovanni 15, 16
Vangelo	Voi siete quelli che avete perseverato con me.	Luca 22, 24-30a

SETTIMANA DELLA VII DOMENICA DOPO PENTECOSTE

SABATO

Lettura	L'acqua di amarezza, che porta maledizione.	Numeri 5, 11. 14-28
Salmo		Salmo 95, 7-11. 13
Epistola	State lontani dall'impurità.	1Corinzi 6, 12-20
Canto al Vangelo	Chiunque ripudia sua moglie, la espone all'adulterio e chiunque sposa una ripudiata, commette adulterio.	Matteo 5, 32
Vangelo	Va e d'ora in poi non peccare più.	Giovanni 8, 1-11

SETTIMANA DELLA VIII DOMENICA DOPO PENTECOSTE

SABATO

Lettura	Le trombe per radunare la comunità dei figli d'Israele.	Numeri 10, 1-10
Salmo		Salmo 96, 7-12
Epistola	La tromba di Dio suonerà nell'ultimo giorno.	1Tessalonicesi 4, 15-18
Canto al Vangelo	Quando l'Agnello aprì il settimo sigillo, ai sette angeli furono date sette trombe.	Cf Apocalisse 8, 1-2
Vangelo	Egli manderà i suoi angeli con una grande tromba e raduneranno tutti i suoi eletti.	Matteo 24, 27-33

SETTIMANA DELLA IX DOMENICA DOPO PENTECOSTE

SABATO

Lettura	Per quarant'anni nel deserto sconterete le vostre iniquità.	Numeri 14, 26-35
Salmo		Salmo 97, 5-9
Epistola	Non si trovi nei cristiani un cuore perverso e senza fede.	Ebrei 3, 12-19
Canto al Vangelo	Gli apostoli dissero al Signore: Accresci in noi la fede!	Luca 17, 5-6a
Vangelo	Si scandalizzavano per causa sua.	Matteo 13, 54-58

SETTIMANA DELLA X DOMENICA DOPO PENTECOSTE

SABATO

Lettura	Il Signore vi ha presi perché foste un popolo di sua proprietà.	Deuteronomio 4, 9-20
Salmo		Salmo 98, 5-9
	Egli vi ha riconciliati per mezzo della morte del suo corpo per presentarvi santi al suo cospetto.	Colossesi 1, 21-23
Canto al Vangelo	Dio diede ad Abramo il lieto annunzio: In te saranno benedette tutte le nazioni.	Cf Galati 3, 8
Vangelo	Verranno da oriente e da occidente e siederanno a mensa con Abramo, Isacco e Giacobbe.	Luca 13, 23-30

SETTIMANA DELLA XI DOMENICA DOPO PENTECOSTE

SABATO

Lettura	Guardatevi dal dimenticare l'Alleanza.	Deuteronomio 4, 23-31
Salmo		Salmo 94, 6-9. 1-2
Epistola	Coloro che Dio da sempre ha conosciuto, li ha anche predestinati a essere conformi all'immagine del Figlio suo.	Romani 8, 25-30
Canto al Vangelo	Dio che aveva parlato ai padri nei tempi antichi, in questi giorni ha parlato a noi per mezzo del Figlio	Cf Ebrei 1, 1-2
Vangelo	Gerusalemme, Gerusalemme! Quante volte ho voluto raccogliere i tuoi figli.	Luca 13, 31-34

SETTIMANA DELLA XII DOMENICA DOPO PENTECOSTE

SABATO

Lettura	Tu sei un popolo consacrato al Signore tuo Dio.	Deuteronomio 7, 6-14a
Salmo		Salmo 95, 7-11. 13
Epistola	Voi siete concittadini dei santi.	Efesini 2, 19-22
Canto al Vangelo	Andate e e fate discepoli tutti i popoli.	Matteo 28, 19
Vangelo	Anche i cagnolini mangiano le briciole che cadono dalla tavola dei loro padroni.	Matteo 15, 21-28

SETTIMANA DELLA XIII DOMENICA DOPO PENTECOSTE

SABATO

Lettura	Osserva i comandamenti del Signore tuo Dio, camminando nelle sue vie.	Deuteronomio 8, 1-6
Salmo		Salmo 96, 7-12
Epistola	Camminate nella carità!	Efesini 5, 1-4
Canto al Vangelo	Sion ascolta la voce del Signore e ne gioisce; esultano le città di Giuda per i giudizi del nostro Dio.	Cf Salmo 96, 8
Vangelo	Qual è il primo di tutti i comandamenti?	Marco 12, 28a.d-34

SETTIMANA DELLA XIV DOMENICA DOPO PENTECOSTE

SABATO

Lettura	Guardati dal dire nel tuo cuore: la potenza della mia mano mi ha acquistato queste ricchezze.	Deuteronomio 8, 7-18
Salmo		Salmo 97, 5-9
Epistola	Mossi dallo Spirito di Dio, ci gloriamo in Gesù Cristo, senza avere fiducia nella carne.	Filippesi 3, 3-12
Canto al Vangelo	Eredi si diventa per la fede, perché sia secondo la grazia e la promessa sia per tutta la discendenza di Abramo, che è padre di tutti noi.	Cf Romani 4, 16
Vangelo	Voglio dare anche a quest'ultimo quanto a te.	Matteo 20, 1-16

SETTIMANA DELLA DOMENICA
CHE PRECEDE IL MARTIRIO DEL PRECURSORE

SABATO

Lettura	Osservate tutti i comandamenti che oggi vi do.	Deuteronomio 11, 1-8a
Salmo		Salmo 98, 5-9
Epistola	Conserva senza macchia e irreprensibile il comandamento.	1Timoteo 6, 11b-16
Canto al Vangelo	Se mi amate, osserverete i miei comandamenti.	Giovanni 14, 15
Vangelo	Chi accoglie i miei comandamenti e li osserva, questi mi ama, e il Padre mio lo amerà e noi verremo a lui e prenderemo dimora presso di lui.	Giovanni 14, 21-24

ANNO I

SETTIMANA DELLA I DOMENICA DOPO IL MARTIRIO DI SAN GIOVANNI IL PRECURSORE

SABATO

Lettura	Se obbedirete ai comandi che oggi vi do, io darò al vostro Paese la pioggia a suo tempo.	Deuteronomio 11, 7-15
Salmo		Salmo 94, 1-5
Epistola	Obbedendo, vi dedicherete alla vostra salvezza.	Filippesi 2, 12-18
Canto al Vangelo	Chi ha lasciato ogni cosa per il Vangelo, riceverà il centuplo già al presente e la vita eterna.	Cf Marco 10, 29-30
Vangelo	Voi che mi avete seguito siederete su dodici troni a giudicare le dodici tribù d'Israele.	Matteo 19, 27-28

SETTIMANA DELLA II DOMENICA
DOPO IL MARTIRIO DI SAN GIOVANNI IL PRECURSORE

SABATO

Lettura	Porterai le decime nel luogo che il Signore tuo Dio avrà scelto.	Deuteronomio 12, 13-19
Salmo		Salmo 95, 1-6
Epistola	Il dono della vostra generosità sia portato a Gerusalemme.	1Corinzi 16, 1-4
Canto al Vangelo	Barnaba, levita di Cipro, vendette il suo campo	

	e depose il ricavato ai piedi degli apostoli.	Cf Atti 4, 36-37
Vangelo	Vendete ciò che possedete e datelo in elemosina.	Luca 12, 32-34

SETTIMANA DELLA III DOMENICA
DOPO IL MARTIRIO DI SAN GIOVANNI IL PRECURSORE

SABATO

Lettura	Guardatevi dal cercare gli dei delle nazioni.	Deuteronomio 12, 29 - 13, 1
Salmo		Salmo 96, 1-6
Epistola	L'idolatria dei popoli pagani.	Romani 1, 18-25
Canto al Vangelo	I Filistei introdussero l'arca di Dio nel tempio di Dagon: il giorno dopo ecco	
	Dagon era caduto con la faccia a terra davanti all'arca del Signore.	Cf 1 Samuele 5, 2-3
Vangelo	Se scaccio i demoni per mezzo dello Spirito di Dio, è giunto fra voi il Regno di Dio.	Matteo 12, 15b-28

SETTIMANA DELLA IV DOMENICA
DOPO IL MARTIRIO DI SAN GIOVANNI IL PRECURSORE

SABATO

Lettura	L'Anno di remissione.	Deuteronomio 15, 1-11
Salmo		Salmo 97, 1-4
Epistola	Per grazia siete salvati.	Efesini 2, 1-8
Canto al Vangelo	Lo Spirito del Signore è sopra di me e mi ha mandato a proclamare la libertà	
	degli schiavi, a promulgare l'anno di misericordia del Signore.	Isaia 61, 1-2;
		Cf Luca 4, 18-19
Vangelo	Io sono venuto a chiamare i peccatori perche si convertano.	Luca 5, 29-32

SETTIMANA DELLA V DOMENICA
DOPO IL MARTIRIO DI SAN GIOVANNI IL PRECURSORE

SABATO

Lettura	Celebra la Pasqua, perché il Signore ti ha fatto uscire dall'Egitto durante la notte.	Deuteronomio 16, 1-8
Salmo		Salmo 98, 1-4. 9
Epistola	Per fede Mosè celebrò la Pasqua.	Ebrei 11, 22-29
Canto al Vangelo	Cristo, nostra Pasqua, è stato immolato!	1 Corinzi 5, 7
Vangelo	Ho desiderato ardentemente di mangiare questa Pasqua con voi.	Luca 22, 7-16

SETTIMANA DELLA VI DOMENICA
DOPO IL MARTIRIO DI SAN GIOVANNI IL PRECURSORE

SABATO

Lettura	I sacerdoti leviti.	Deuteronomio 18, 1-8
Salmo		Salmo 94, 1-5
Epistola	Cristo sacerdote.	Ebrei 10, 11-14
Canto al Vangelo	Non voi avete scelto me, ma io ho scelto voi	
	e vi ho costituiti perché andiate e portiate frutto, dice il Signore.	Cf Giovanni 15, 16
Vangelo	Voi siete quelli che avete perseverato con me.	Luca 22, 24-30a

SETTIMANA DELLA VII DOMENICA
DOPO IL MARTIRIO DI SAN GIOVANNI IL PRECURSORE

SABATO	prima della Dedicazione del Duomo	
Lettura	La consacrazione della Tenda.	Esodo 40, 1-16a

Salmo		Salmo 95, 1-6
Epistola	Cristo ministro del santuario e della vera Tenda.	Ebrei 8, 1-2
Canto al Vangelo	Quale gioia, quando mi dissero: Andremo alla casa del Signore.	
	Già sono fermi i nostri piedi alle tue porte, Gerusalemme!	Cf Salmo 121, 1-2
Vangelo	Distruggete questo Tempio e in tre giorni lo farò risorgere.	Giovanni 2, 13-22

ANNO II

SETTIMANA DELLA I DOMENICA
DOPO IL MARTIRIO DI SAN GIOVANNI IL PRECURSORE

SABATO

Lettura	Porrete nel cuore queste mie parole	Deuteronomio 11, 18-24
Salmo		Salmo 94, 6-9. 1-2
Epistola	Voi pagani siete diventati vicini grazie al sangue di Gesù Cristo.	Efesini 2, 11-18
Canto al Vangelo	Prostratevi al Signore, che viene; dite tra i popoli: Il Signore regna!.	Cf Ps. 95, 9a. 13a. 10a
Vangelo	Il Regno di Dio è in mezzo a voi!	Luca 17, 20-21

SETTIMANA DELLA II DOMENICA
DOPO IL MARTIRIO DI SAN GIOVANNI IL PRECURSORE

SABATO

Lettura	Andrete al luogo che il Signore vostro Dio avrà scelto	
	per stabilirvi il suo Nome.	Deuteronomio 12, 1-12
Salmo		Salmo 95, 7-11. 13
Epistola	Il termine della Legge è Cristo, perché la giustizia sia data a chiunque crede.	Romani 9, 25 - 10, 4
Canto al Vangelo	Alcuni Greci si avvicinarono a Filippo e gli domandarono:	
	Vogliamo vedere Gesù.	Giovanni 12, 20-21
Vangelo	A Gerusalemme tutto ciò che fu scritto del Figlio dell'uomo si compirà.	Luca 18, 31-34

SETTIMANA DELLA III DOMENICA
DOPO IL MARTIRIO DI SAN GIOVANNI IL PRECURSORE

SABATO

Lettura	Le decime per i leviti, gli orfani e le vedove.	Deuteronomio 14, 22-29
Salmo		Salmo 96, 7-12
Epistola	Il Signore ha disposto che quelli che annunciano il Vangelo vivano del Vangelo.	1Corinzi 9, 13-18
Canto al Vangelo	Barnaba, levita di Cipro, vendette il suo campo e depose il ricavato	
	ai piedi degli apostoli.	Cf Atti 4, 36-37
Vangelo	Vendete ciò che avete e datelo in elemosina.	Luca 12, 32-34

SETTIMANA DELLA IV DOMENICA
DOPO IL MARTIRIO DI SAN GIOVANNI IL PRECURSORE

SABATO

Lettura	Liberazione dei servi al settimo anno.	Deuteronomio 15, 12-18b
Salmo		Salmo 97, 5-9
Epistola	Liberazione dello schiavo per carità.	Filemone 1, 8-21
Canto al Vangelo	Quando avrete fatto tutto quello che vi è stato ordinato, dite: Siamo servi inutili.	Luca 17, 10
Vangelo	Il centurione chiede al Signore la guarigione del servo.	Matteo 8, 5-15

SABATO

Lettura	Nelle feste gioiranno con te lo schiavo, il levita, l'orfano e la vedova.	Deuteronomio 16, 13-17
Salmo		Salmo 98, 5-9
Epistola	La gioiosa solidarietà all'interno dell'unico corpo di Cristo.	Romani 12, 3-8
Canto al Vangelo	Al di sopra di tutto vi sia la carità, che è il vincolo di perfezione.	Colossesi 3, 14
Vangelo	Amatevi gli uni gli altri come io ho amato voi.	Giovanni 15, 12-17

SABATO

Lettura	Sarà per il forestiero, per l'orfano e per la vedova: ti ricorderai che sei stato schiavo nella terra d'Egitto.	Deuteronomio 24, 10-22
Salmo		Salmo 94, 6-9. 1-2
Epistola	Dio ha composto il corpo affinché le varie membra avessero cura le une delle altre.	1Corinzi 12, 12-27
Canto al Vangelo	Amatevi gli uni gli altri con affetto fraterno.	Romani 12, 10
Vangelo	Io ti ho condonato tutto, non dovevi anche tu avere pietà del tuo compagno?	Matteo 18, 23-35

SABATO	prima della Dedicazione del Duomo	
Lettura	La Gloria del Signore prende possesso della Tenda.	Esodo 40, 16-38
Salmo		Salmo 95, 7-11. 13
Epistola	La Tenda fatta da Mosè figura ed ombra delle realtà celesti.	Ebrei 8, 3-6
Canto al Vangelo	Quale gioia, quando mi dissero: Andremo alla casa del Signore. E ora i nostri piedi si fermano alle tue porte, Gerusalemme!	Cf Salmo 121, 1-2
Vangelo	Distruggete questo Tempio e in tre giorni lo farò risorgere.	Giovanni 2, 13-22

***

ANNO I

SETTIMANA DOPO LA DEDICAZIONE

SABATO

Lettura	Quando sarai entrato nel paese non imparerai a commettere gli abomini delle nazioni che vi abitano.	Deuteronomio 18, 9-14
Salmo		Salmo 96, 1-6
Epistola	I peccati dei popoli pagani.	Romani 1, 28-32
Canto al Vangelo	Prendi il largo, dice il Signore, e gettate le vostre reti per la pesca.	Cf Luca 5, 4
Vangelo	Simone, reso pescatore di uomini.	Luca 5, 1-11

SETTIMANA DELLA I DOMENICA DOPO LA DEDICAZIONE

SABATO

Lettura	Se obbedirai alla voce del Signore, il Signore ti renderà popolo a lui consacrato.	Deuteronomio 28, 1-14
Salmo		Salmo 97, 1-4
Epistola	Vivendo secondo la verità nella carità, crescerete come corpo di Cristo.	Efesini 4, 11-16
Canto al Vangelo	Se uno non disprezza la propria vita, non può essere mio discepolo, dice il Signore.	Cf Luca 14, 26
Vangelo	Chi perderà la propria vita per causa mia, la troverà.	Matteo 16, 24-27

SETTIMANA DELLA II DOMENICA DOPO LA DEDICAZIONE

SABATO

Lettura	Io stabilisco quest'alleanza con chi oggi sta qui con noi davanti al Signore e con chi non è oggi qui con noi.	Deut. 29, 1-17b
Salmo		Salmo 98, 1-4. 9
Epistola	Io stipulerò un'alleanza nuova.	Ebrei 8, 7-13
Canto al Vangelo	Dio, che aveva già parlato nei tempi antichi per mezzo dei profeti, ora ha parlato a noi per mezzo del Figlio.	Cf Ebrei 1, 1-2
Vangelo	Nessuno conosce il Padre se non il Figlio e colui al quale il Figlio vorrà rivelarlo.	Matteo 11, 25-27

ULTIMA SETTIMANA DELL'ANNO LITURGICO

SABATO

Lettura	La Legge, posta a testimonianza contro le future infedeltà d'Israele.	Deut. 31, 24 - 32, 1
Salmo		Ps. 28, 1-4. 9c. 10b-11
Epistola	Non quelli che ascoltano la Legge, ma quanti la mettono in pratica saranno giustificati.	Romani 2, 12-16
Canto al Vangelo	Tenetevi pronti perché, nell'ora che non immaginate, viene il Figlio dell'uomo, dice il Signore.	Cf Matteo 24, 44
Vangelo	Vegliate!	Marco 13, 5a. 33-37

ANNO II

SETTIMANA DOPO LA DEDICAZIONE

SABATO

Lettura	Mio padre era un Arameo errante: ora io presento le primizie del suolo che tu, Signore, mi hai dato.	Deuteronomio 26, 1-11
Salmo		Salmo 96, 7-12
Epistola	La fede dei padri erranti.	Eb. 11, 1-2. 8-9. 23-29
Canto al Vangelo	Prendi il largo, dice il Signore, e gettate le vostre reti per la pesca.	Cf Luca 5, 4
Vangelo	Simone, reso pescatore di uomini.	Luca 5, 1-11

SETTIMANA DELLA I DOMENICA DOPO LA DEDICAZIONE

SABATO

Lettura	Osservate tutti i comandi del Signore vostro Dio e sarete un popolo a lui consacrato.	Deut. 26, 16-19
Salmo		Salmo 97, 5-9
Epistola	Offrite i vostri corpi come un sacrificio gradito a Dio.	Romani 12, 1-3
Canto al Vangelo	Se uno non disprezza la propria vita, non può essere mio discepolo, dice il Signore.	Cf Luca 14, 26
Vangelo	Chi perderà la propria vita per causa mia, la troverà.	Matteo 16, 24-27

SETTIMANA DELLA II DOMENICA DOPO LA DEDICAZIONE

SABATO

Lettura	Questo comando non è troppo alto per te.	Deuteronomio 30, 1-14
Salmo		Salmo 98, 5-9
Epistola	La giustizia che viene dalla fede si è fatta a te vicina in Cristo.	Romani 10, 5-13
Canto al Vangelo	Dio, che aveva già parlato nei tempi antichi per mezzo dei profeti, ora ha parlato a noi per mezzo del Figlio.	Cf Ebrei 1, 1-2
Vangelo	Nessuno conosce il Padre se non il Figlio e colui al quale il Figlio vorrà rivelarlo.	Matteo 11, 25-27

ULTIMA SETTIMANA DELL'ANNO LITURGICO

SABATO

Lettura	Questo popolo mi abbandonerà e io nasconderò loro il mio volto.	Deuteronomio 31, 9-18
Salmo		Ps. 28, 1-4. 9c. 10b-11
Epistola	Tutti hanno peccato, ma tutti sono giustificati per la grazia di Dio in Cristo Gesù.	Romani 3, 19-26
Canto al Vangelo	Tenetevi pronti perché, nell'ora che non immaginate, viene il Figlio dell'uomo, dice il Signore.	Cf Matteo 24, 44
Vangelo	Vegliate!	Marco 13, 5a. 33-37

CAPITOLO IX

L'ANNO LITURGICO
CELEBRAZIONE CICLICA DI UNA STORIA LINEARE

In anni non lontani Antonino Zichichi, volendo presentare anche ai non addetti ai lavori le questioni su cui stanno attualmente cimentandosi le ricerche più avanzate della Fisica intorno all'"irresistibile fascino del Tempo", ha ricordato – tra l'altro – come tale dimensione, legata allo Spazio da una relazione "complessa", si distingua per una specifica proprietà: l'unidirezionalità; il Tempo va dal passato verso il futuro, senza invertire mai la direzione del suo moto.[1]

1. LA PERCEZIONE ANTROPOLOGICA DEL TEMPO: L'ETERNO RITORNO

Se questo è uno degli aspetti posti in luce dall'analisi del Tempo condotta in sede scientifica, ben diversa è la percezione che antropologicamente si è avuta di tale dimensione e che ha orientato, ai vari livelli, la riflessione su di essa. In effetti l'uomo si è costantemente sentito partecipe di un cosmo, caratterizzato strutturalmente dal ripetersi continuo di medesime situazioni: l'alternanza luce e tenebre nel ciclo giornaliero, la successione delle stagioni (con la loro simbologia di vita e di morte) nel ciclo dell'anno.

L'astrofisica ci dice che, in realtà, nel cosmo, per la dinamica che gli è propria, nulla viene riproponendosi allo stesso modo, ma nella percezione antropologica dei moti astrali l'universo tutto sembra caratterizzato da un continuo e immutabile riproporsi delle medesime situazioni. Non a caso, soggiacente a gran parte delle teorie cosmologiche elaborate dalla riflessione antica, è individuabile una concezione ciclica del Tempo.[2]

---

[1] A. ZICHICHI, *L'irresistibile fascino del Tempo,* Il Saggiatore, Milano 2000, pp. 204, 219-221, 225-227, 245-249.

[2] Non volendo in questa sede offrire una rassegna dell'ampio dibattito sviluppatosi sul tema, tra i testi rappresentativi dell'enunciato testé formulato, basti il rinvio all'opera di

2. Israele e il Tempo come Storia della salvezza

Da tale generalizzata percezione della dimensione temporale si distacca decisamente la tradizione religiosa ebraica, che nella Torah trova la sua più alta espressione.

"In principio Dio creò il cielo e la terra" (*Gn* 1, 1), "sulla base di queste parole io ho stabilito un'alleanza con te" (*Ex* 34, 27), "in quei giorni – oracolo del Signore – non si parlerà più dell'arca dell'alleanza ... chiameranno Gerusalemme 'Trono del Signore'" (*Ier* 3, 16-17): il Tempo ha avuto un principio; nel Tempo Dio si è manifestato, scegliendosi un popolo; il Tempo scorre, non verso una riproposizione delle origini, ma verso una sua pienezza.

Alla concezione religiosa d'Israele non soggiace, dunque, la percezione ciclica del Tempo, ma una visione del Tempo stesso di tipo lineare e segmentato, scandito da eventi – unici e irripetibili – che si dispongono tra un principio e un *eschaton*.[3]

Questo, peraltro, non comporta una totale estraneità di Israele alla dimensione della ciclicità: la sfera antropologica non può sfuggirvi e non può prescindere dalle valenze simboliche, che a tale dimensione, quasi naturalmente, sono venute associandosi. Se, dunque, la riflessione sapienziale alla dimensione ciclica ampiamente fa riferimento, è soprattutto la prassi cultuale – i cui elementi rituali sono attinti al comune linguaggio religioso coevo – ad essere radicata nella ciclicità e a strutturarsi essa stessa come un sistema ciclico, fatto di feste, che ogni anno ritornano e si ripetono.

M. Eliade, *Le Mythe de l'Éternel Retour*, Gallimard, Paris 1949[1].

[3] Nell'assenza di siffatti eventi, collocati nella storia e che della Storia della salvezza costituiscono i pilastri fondanti, sta la radicale differenza rispetto al significato che il Tempo assume in ambito zoroastriano, dove avrebbe conosciuto un'evoluzione del tutto particolare nella corrente zervanista della corte sassanide. In effetti la linearità in tali contesti religiosi si lega all'idea di creazione ed è segnata dalla tensione verso un *eschaton*, ma non si lega a eventi salvifici radicati nella storia: questa differenza, tipologicamente di fondamentale rilevanza, non è stata presa in considerazione da Gherardo Gnoli, che non a caso, nel segnalare le affinità rispetto all'ebraismo e al cristianesimo, ha focalizzato l'attenzione esclusivamente sul profetismo e sull'attesa escatologica, non sull'Alleanza, centrale in un caso e nell'altro: G. Gnoli, *Zoroaster's Time and Homeland: a Study on the Origins of Mazdeism and Related Problems*, Istituto Universitario Orientale, Naples 1980, pp. 196-198, 212-213. In effetti mentre in ambito zoroastriano il profetismo è finalizzato a orientare il cammino dell'uomo verso il giudizio escatologico, nell'ebraismo esso è volto a riorientare Israele verso l'Alleanza, sancita da Mosè nell'Esodo e tradottasi in una serie di eventi, di cui nel culto si fa – non a caso – costantemente memoria.

E tuttavia va attentamente rilevato come si tratti di una ciclicità posta a confermare una radicale e irriducibile linearità segmentata e scandita: le celebrazione pasquale attinge gli elementi costitutivi della propria cerimonialità ai rituali primaverili d'ambito semitico, è celebrazione che ogni anno ritorna, ma il suo contenuto è il ricordo di un evento, unico e irripetibile, considerato come profondamente radicato nella storia, e non soltanto d'Israele.

La visione lineare del Tempo quale novità apportata dalla fede d'Israele è l'assunto di fondo del *Christus und die Zeit* di Oscar Cullmann.[4] Lo schematismo piuttosto riduttivo con cui – sulla spinta di preoccupazioni teologiche – tale assunto appare enunciato non ne inficia il contenuto. Le contestazioni mosse al riguardo, tra gli altri, da Arnaldo Momigliano sono certamente pertinenti, ma non smentiscono l'affermazione cullmanniana, che anzi sembra venir avvalorata dalle tre "main differences" da cui, agli occhi dello stesso Momigliano, la storiografia biblica appare caratterizzata rispetto alla storiografia classica: narrazione continua dalla creazione del mondo; non distinzione tra momento mitico originario ed età storica; dovere religioso di ricordare il passato.[5]

3. ZIKKĀRÔN – MNĒMÓSYNON: IL CULTO COME MEMORIA

Una certa radicalità che ha caratterizzato il dibattito su questi temi si deve fors'anche a una non sufficiente attenzione nei confronti dell'esperienza cultuale d'Israele, cui non a caso più sopra s'è fatto riferimento. In essa, in effetti, non soltanto – come s'è osservato – si assume il linguaggio della ciclicità per riaffermare la linearità della Storia, ma si viene pure prospettando un'esperienza del tutto particolare di memoria della Storia. "*In ogni generazione* ci si deve considerare come se si fosse *noi stessi* coloro che uscirono dall'Egitto; per questo sta scritto: 'In quel giorno tu dirai a tuo figlio: È a causa di ciò che il Signore ha fatto *per me quando uscii* dall'Egitto (*Ex* 13, 8)'. Per questo siamo tenuti anche noi a ringraziare, a glorificare, a lodare Colui che per i nostri padri e *per noi* ha operato tali prodigi. Egli ha tratto *noi* dalla servitù alla libertà, dalla tristezza alla gioia,

---

[4] O. CULLMANN, *Christus und die Zeit*, Evangelischer Verlag, Zollikon-Zürich 1962[3] (1946[1]); trad. it.: *Cristo e il tempo. La concezione del tempo e della storia nel Cristianesimo primitivo*, Il Mulino, Bologna 1965 [Collana di studi religiosi, 1].

[5] A. MOMIGLIANO, *Time in Ancient Historiography*, in *History and Theory* 6 (1966) 1-23; ried. in *Quarto contributo alla storia degli studi classici e del mondo antico*, Edizioni di Storia e Letteratura, Roma 1969 [Storia e letteratura, 115], pp. 13-41; cf segnatamente pp. 35-37.

dalle tenebre ad una gran luce, dalla schiavitù alla redenzione": cosi in merito alla Pasqua si esprimeva Rabbi Gamaliel.[6]

Non meno significativo appare un altro testo della tradizione rabbinica: il *Targum* in *Esodo, 12, 42*, del *Codex Neophyti I*, comunemente noto come *Il Poema delle Quattro Notti*. A proposito della Pasqua esso dichiara che quattro notti sono state iscritte nel Libro delle memorie: la prima fu quella della Creazione, la seconda fu quella del sacrificio di Abramo, la terza fu quella della decima piaga d'Egitto e della liberazione d'Israele, la quarta *sarà* la dissoluzione del mondo giunto alla sua fine. Il testo conclude: "Questa *è* la notte della Pasqua per il nome del Signore: notte fissata e riservata *per la salvezza di tutte le generazioni d'Israele*"[7].

La celebrazione pasquale, dunque, non è soltanto un rituale per non dimenticare gli eventi memorabili del passato; per il *Targum* del *Codex Neophyti* essa è rievocazione cultuale di quegli eventi, che ne attualizza il contenuto salvifico ("notte fissata per la salvezza di tutte le generazioni d'Israele"); e non solo: è anche proiezione verso il compimento ultimo e definitivo della Storia. Potremmo dire: è concentrazione del Tempo che, superandone l'irreversibilità, ripropone il passato, condensandolo nell'oggi congiuntamente al futuro.

4. LA "PIENEZZA DEL TEMPO" E LA SUA RIPROPOSIZIONE CULTUALE

Siffatto modo di sentire appare fedelmente continuato in ambito cristiano.[8] Nel testo di Esodo in merito alla festa pasquale si dice: "Questo

---

[6]   *Pesahim*, X, 5, ed. L. GOLDSCHMIDT, *Der babylonische Talmud*, II, Benjamin Harz, Berlin-Wien 1925, pp. [116a - 116b] 727-728; cf ed. I. EPSTEIN, trad ingl. H. FREEDMAN, The Soncino Press, London 1983 (Hebrew-English Edition of the Babylonian Talmud), pp. 116a-b.

[7]   Ed. A. DÍEZ MACHO, *Neophyti I. Targum Palestinese ms. de la Biblioteca Vaticana*, II: *Éxodo*, Consejo superior de investigaciones científicas, Madrid-Barcelona 1970 [Textos y Estudios, 8], pp. 77-79; cf B. B. LEVY, *Targum Neophyti 1: A Textual Study*, I: *Introduction, Genesis, Exodus*, University Press of America, Lanham-New York-London 1986 [Studies in Judaism], pp. 362-368. In merito si veda anche R. LE DÉAUT, *La nuit pascale. Essai sur la signification de la Pâque juive à partir del Targum d'Exode XII 42*, Institut Biblique Pontifical, Rome 1963 (Analecta Biblica, 22), in particolare pp. 266 ss.

[8]   A tale proposito va immediatamente rilevata l'insostenibilità dell'affermazione di Santo MAZZARINO che "l'intuizione del Tempo nel primitivo cristianesimo n o n potrà mai dirsi lineare" (*Il pensiero storico classico*, II, 2, Laterza, Roma-Bari 1974² [1966¹], p. 425); tale affermazione in effetti risulta difficilmente componibile con l'idea di "pienezza del tempo" presente nell'*Epistola ai Galati* e con l'immagine segmentata e

giorno sarà per voi un memoriale (*zikkārôn – mnēmósynon*)"⁹. Il *Targum* del *Codex Neophyti* dà al termine un significato pregnante, che vediamo riproposto, in ambito cristiano, dalla narrazione della "Cena del Signore" di Paolo e di Luca con le parole "*eis tền ềmền anámnēsin*"¹⁰. Si tratta di un 'fare memoria' che sospende il fluire continuo del Tempo e, *mystikôs*, ripropone la forza salvifica della Pasqua di Cristo, rendendo in qualche modo contemporaneo quell'evento, che peraltro non è miticamente concepito come metastorico, ma come fatto saldamente ancorato al Tempo e nel Tempo precisamente collocato.

Particolarmente significative al riguardo si presentano le Anamnesi eucaristiche d'ambito antiocheno; così, ad esempio, si esprime la greca *Liturgia di san Basilio*: "Facendo memoria delle sue sofferenze che ci hanno salvato, della sua Croce vivificante, dei tre giorni nella tomba, della Resurrezione dai morti, dell'Ascensione al Cielo [gli eventi accaduti nel corso del Tempo], [ma anche] *dello stare assiso alla destra di Te Dio e Padre* [dunque l'eterno presente, che è fuori dal Tempo], [ed altresì] *del suo glorioso e tremendo ritorno sulla terra* [la Parusia escatologica alla fine della Storia]"¹¹.

Tutto il Tempo, qui, si fa "oggi" e l'oggi è concepito come proiettato nell'eterno.

Se ogni "frazione del pane" è questa memoria,¹² la celebrazione ebdomadaria della Pasqua del Signore e ancor più la sua celebrazione annuale

---

linearmente progressiva del Tempo stesso connessa a questa idea, centrale nel kerygma neotestamentario.

⁹   *Ex*, 12, 14: cf *Biblia Hebraica Stuttgartensia,* edd. K. ELLIGER - W. RUDOLPH, adiuvv. H. P. RÜGER - J. ZIEGLER, Deutsche Bibelstiftung, Stuttgart 1977, p. 104; *Exodus*, ed. J. W. WEVERS, adiuv. U. QUAST, Vandenhoeck-Ruprecht, Göttingen 1991 (Septuaginta. Vetus Testamentum Graecum. Auctoritate Academiae Scientiarum Gottingensis editum, 2/1), p. 168.

¹⁰ *ICor*, 11: 24, 25; Lc, 22, 19: in *Novum Testamentum Graece,* post E. NESTLE - E. NESTLE edd. K. ALAND - M. BLACK - C. M. MARTINI - B. M. METZGER - A. WIKGREN, a cura di. K. ALAND - B. ALAND, Deutsche Bibelstiftung, Stuttgart 1981²⁶ᐟ⁴, pp. 460, 233.

¹¹ Ed J. GOAR, *Euchologion sive Rituale Graecorum,* Javarina, Venetiis 1730² (ried. an.: Akademische Druck- und Verlagsanstalt, Graz 1960), p. 143. Cf anche la *Liturgia di san Giovanni Crisostomo: Ibidem*, pp. 61-62 (per la siriaca *Liturgia dei Dodici Apostoli*: ed. A. RAES, *Anaphorae Syriacae,* I, 2, Pontificium Institutum Orientalium Studiorum, Roma 1940, pp. 212-226; cf pp. 240-256), nonché la *Liturgia di san Giacomo* (ed. B. Ch. MERCIER, Firmin-Didot, Paris 1946 [PO, 26/2], p. 204 [90]). Del resto, in termini non dissimili si esprimeva anche l'anafora eucaristica delle *Constitutiones Apostolorum*, VIII, 12. 38 (ed. F. X. VON FUNK, Schoeningh, Paderbornae 1905, pp. 508-510).

¹² Sull'Eucaristia come Pasqua rinnovata in ogni giorno della sua celebrazione: IOANNES CHRYSOSTOMUS, *Adversus Iudaeos,* III, 4: PG, 48, c. 867; cf R. CANTALAMESSA, *La*

rappresentano l'iscrizione di tale mistero nella ciclica ripetitività del Tempo antropologico. Ma sulla scia della pace costantiniana e in connessione al sorgere dei grandi santuari palestinesi la Chiesa sarebbe progressivamente giunta a configurare lo stesso ciclo dell'anno come grande unitaria Anamnesi (articolata in una pluralità di momenti) della salvezza realizzatasi nel Cristo: un ciclo di feste, dunque, costantemente riproposte, per fare memoria dell'evento in cui la Storia ha trovato il suo culmine, evento realizzatosi nella "pienezza del Tempo"[13] e "una volta per sempre"[14].

Pasqua della nostra salvezza. Le tradizioni pasquali della Bibbia e della primitiva Chiesa, Marietti, Casale s. d., pp. 219-232.

[13] _Gal_ 4, 4; _Eph_ 1, 10; _Heb_ 9, 26.

[14] _Rm_ 6, 10.

Capitolo X

"VENI, REDEMPTOR GENTIUM"
IL MISTERO DELL'INCARNAZIONE DEL SIGNORE
E LA SUA MANIFESTAZIONE

1. Il Tempo d'Avvento

1.1. *Il Ciclo Domenicale*

La tradizionale serie ambrosiana delle letture evangeliche per le Domeniche di Avvento, serie di origine tardo antica, costituisce un insieme di testi quanto mai idonei a preparare la Chiesa a celebrare la manifestazione nella carne del Logos divino; e non a caso tali letture si ritrovano direttamente o tramite passi paralleli anche in ambito ispanico, seppure con ordine conforme allo sviluppo tematico fissatosi in quel contesto rituale. La successione fissata nel *Missale Mixtum* (a cura di A. Lesley, Roma 1775: PL, 85) si presenta in questi termini: 1 (II amb.: *Lc* 3, 1-18); 2 (III amb.: *Mt* 11, 2-15); 3 (IV amb.: *Mt* 21, 1-9 [*Miss. Mix.*: -17]); 4 ([*Mr* 12, 38 - 13, 33 + *Mt* 11, 15] ≈ I amb.: *Mt* 24, 1-42); 5 ([*Lc* 17, 20-24] ≈ I amb.: *Mt* 24, 26-27); 6 ([*Mr* 1, 1-8] ≈ V amb.: *Io* 1, 15-28).

L'itinerario tematico svolto attraverso la successione delle Domeniche dalla Chiesa ambrosiana (per le pericopi evangeliche fin dal Capitolare di Busto) si manifesta in tutta la sua coerenza, qualora si considerino le letture del giorno nel loro organico complesso. Tale insieme di pericopi risulta sostanzialmente riproposto nell'Anno A del nuovo Lezionario, che offre il seguente quadro.[1]

---

[1] In questo e nei successivi capitoli, nell'indicare fonti e parallelismi delle letture, nel loro complesso e singolarmente, si farà riferimento a:
Bu (Ca / Ev): *Codice di Busto* (*Capitolare / Evangelistario*),
H: *Messale di Armio*,
Hisp.: *Missale mixtum secundum regulam beati Isidori* (1775),
L: *Lezionario* già Bibl. Magist. Caerem. (Braidense, *Fondo Castiglioni ms. 16*),
L.ex. *Lezionario ad experimentum* (1976),

DOMENICA I DI AVVENTO[2] - La venuta del Signore

Lettura	I cieli si dissolveranno, ma la mia salvezza durerà per sempre	Isaia 51, 4-8[3]
Epistola	Prima dovrà essere rivelato il figlio della perdizione,	
	che il Signore Gesù distruggerà col soffio della sua bocca	2Tessalonicesi 2, 1-14[4]
Vangelo	Vedranno il Figlio dell'uomo venire sopra le nubi del cielo	Matteo 24, 1-31[5]

DOMENICA II DI AVVENTO[6] - I figli del Regno

Lettura	Sorgi, Gerusalemme, vedi i tuoi figli riuniti da Occidente a Oriente	Baruc 4, 36 - 5, 9
Epistola	Cristo si è fatto servitore dei circoncisi per compiere le promesse dei padri;	
	le nazioni pagane invece glorificano Dio per la sua misericordia	Romani 15, 1-13[7]
Vangelo	Ogni uomo vedrà la salvezza di Dio	Luca 3, 1-18[8]

DOMENICA III DI AVVENTO - Le profezie adempiute

Lettura	Ecco, il vostro Dio viene a salvarvi	Isaia 35, 1-10[9]
Epistola	I doni e la chiamata di Dio sono irrevocabili	Romani 11, 25-36[10]
Vangelo	Andate e riferite a Giovanni ciò che voi udite e vedete	Matteo 11, 2-15[11]

DOMENICA IV DI AVVENTO[12] - L'ingresso del Messia

Lettura	Ecco il vostro Dio! Ecco, il Signore Dio viene	Isaia 40, 1-11[13]
Epistola	Ecco, io vengo a fare la tua volontà	Ebrei 10, 5-9a[14]

LO: *Liturgia ambrosiana delle Ore* (1983),

LR: *Lezionario Romano* (1975[2]),

M: *Beroldus Nuovus*,

Typ.: *Missale Ambrosianum. Editio quinta post Typicam (1902) (1954)*.

[2] Bu; Typ.

[3] L.ex. I Avvento A (4-6).

[4] L.ex. I Avvento A (2, 1-4. 8-10. 13-14).

[5] Bu e Typ. (1-42); L.ex. I Avvento A (1-14. 29-31. 42). Le fonti ambrosiane, *Editio Typica* compresa, estendono la pericope fino al v. 42. Tuttavia, onde evitare soprapposizioni con gli inviti alla vigilanza riproposti dai vangeli feriali dell'ultima Settimana del ciclo annuale, al cui culmine sta la pericope sabbatica di *Mr* 13, 5. 33-37, la pericope della I Domenica nell'Anno A viene chiusa al v. 31. Analoga segmentazione si ripropone nelle pericopi parallele dell'Anno B (*Mr* 13, 1-27) e dell'Anno C (*Lc* 21, 5-28).

[6] Bu; Typ.

[7] L.ex. Palme parzialmente (7-13).

[8] L.ex. IV Avvento C [= LR II C] (1-6) + V Avvento C [= LR III C] (10-18) e parzialmente Battesimo C [= LR C] (15-16. 21-22).

[9] L.ex. V Avvento A [= LR III A] (1-6. 8. 10).

[10] L.ex. II Avvento B (25-33).

[11] L.ex. V Avvento A [= LR III A] (2-11).

[12] Bu; cf Typ.

[13] L.ex. IV Avvento B [= LR II B] (1-5. 9-11).

[14] Typ. (10, 35-39) = L.ex. II Avvento A , doppione con Vigilia di Natale.

| Vangelo | Ecco, il tuo re viene a te | Matteo 21, 1-9[15] |

DOMENICA V DI AVVENTO[16] - Il Precursore

Lettura	E tu Betlemme di Efrata!	
	Manderò il mio messaggero a preparare la via	Michea 5, 1; Malachia 3,1-5a. 6-7b[17]
Epistola	La Legge è un pedagogo che ci ha condotti a Cristo	Galati 3, 23-28 [18]
Vangelo	Venne un uomo mandato da Dio e il suo nome era Giovanni	Giovanni 1, 6-8. 15-18[19]

Stante tale ordinamento, in una prospettiva, ad un tempo di coerenza e di complementarietà rispetto ad esso, sono stati elaborati gli altri cicli di pericopi per gli anni B e C.[20]

***

DOMENICA DELL'INCARNAZIONE O DELLA DIVINA MATERNITÀ DELLA BEATA VERGINE MARIA - VI di Avvento[21]

La Chiesa ambrosiana, nella Domenica antecedente il Natale e la relativa Vigilia, non dissimilmente da quanto la Chiesa ispanica compie una settimana prima del Natale: il 18 Dicembre, celebra solennemente l'Incarnazione del Verbo nelle carni verginali della santissima Madre di Dio. Solennità del Signore d'impronta mariana, in cui sono percepibili i riflessi dei dibattiti cristologici della tarda antichità, originariamente si affiancava alla VI Domenica d'Avvento quale celebrazione stazionale alla chiesa di S. Maria al Circo.[22]

Il rilievo proprio di questa solennità – profondamente radicata nella tradizione ambrosiana (a differenza della festa orientale dell'Annunciazione al 25 Marzo, introdottasi soltanto in età carolingia)[23] – comporta la

---

[15] L.ex. II Avvento A.

[16] Cf Bu; Typ.

[17] L.ex. II Avvento A (Ml 3, 1-4).

[18] L.ex. II Avvento C (23-29) [a sostituzione di Typ.: Galati 4, 22-31. 5, 1a (Agar)].

[19] L'originaria pericope (Giovanni 1, 15-28: Giovanni gli rende testimonianza), al fine della creazione dei tre distinti cicli di letture per le Domeniche d'Avvento, è stata limitata ai vv. 19-28, ed è stata traslata all'analoga Domenica dell'anno B. In sua vece è stata collocata nell'anno A la pericope sopra indicata.

[20] La serie delle pericopi è riportata nell'Allegato 1 al presente capitolo.

[21] Bu [S. Maria]; Typ.

[22] Cf P. BORELLA, *Il Rito Ambrosiano*, Morcelliana, Brescia 1964, pp. 331-341.

[23] *Ibidem*, p. 436.

stabilità dei testi scritturistici che tradizionalmente caratterizzano la celebrazione.

Lettura	Dite alla figlia di Sion: Ecco, arriva il tuo Salvatore	Isaia 62, 10 - 63, 3b[24]
Epistola	Rallegratevi, il Signore è vicino	Filippesi 4, 4-9[25]
Vangelo	Ecco, concepirai un figlio, lo darai alla luce e lo chiamerai Gesù	Luca 1, 26-38a[26]

***

Quanto ai *Vangeli vigiliari della Resurrezione,* nel tempo d'Avvento essi non seguono l'ordinamento comune, ma sono disposti secondo questa successione:

I Domenica: *Mr* 16, 9-16 (Appendice al Vangelo di Marco: le apparizioni di Gesù risorto);
II Domenica: *Lc* 24, 1-8 (Le donne al Sepolcro – gli Angeli);
III Domenica: *Io* 20, 1-8 (Maria di Magdala annuncia agli Apostoli la tomba vuota – Pietro e Giovanni al Sepolcro);
IV Domenica: *Mt* 28, 8-10 (Le donne dagli Apostoli – Gesù appare loro);
V Domenica: *Io* 21, 1-14 (Gesù appare ancora ai Discepoli sul Mare di Galilea);
Domenica dell'Incarnazione: *Io* 20, 11-18 (Gesù appare alla Maddalena);
[Domenica Prenatalizia: *Lc* 24, 13b. 36-48 (Gesù appare al Cenacolo)].

Inoltre nelle *celebrazioni vigiliari* quale lettura precedente il Vangelo, anziché l'Epistola paolina, è posto – per la sua valenza prefigurativa in rapporto al venturo Messia – il *testo profetico*.

1.2. Il Ciclo Feriale e Sabbatico

Come già s'è accennato nel capitolo di generale presentazione del Lezionario Ambrosiano ora promulgato,[27] la catechesi delle messe feriali, riprendendo lo schema della Quaresima prepasquale, si articola in due letture veterotestamentarie, in questo caso tratte dai Profeti, seguite dalla pericope evangelica, costituita dalla lettura progressiva di *Matteo*, ossia del Vangelo in cui con insistenza si segnala l'adempimento in Cristo di "ciò ch'era stato detto dal Signore per mezzo del profeta" (1, 22).[28]

---

[24] Typ. (- 63, 4); L.ex. Natale-in aurora parzialmente (62, 11-12).
[25] L.ex. V Avvento C (4-7) [= LR III C].
[26] L.ex. VI Avvento (+38b) [= LR IV B].
[27] Cf cap. III: "Ditior mensa Verbi Dei paretur fidelibus". *Il Lezionario della Chiesa ambrosiana. Lineamenti di uno sviluppo in conformità al concilio Vaticano II.*
[28] La serie completa delle pericopi è riportata al termine del capitolo, nell'Allegato 2.

Poiché Isaia è profeta proprio delle catechesi domenicali, nelle ferie è stata fissata una prima lettura da Geremia (Anno I) o Ezechiele (Anno II), seguita da una seconda lettura dai Profeti minori (nell'arco di tempo fino all'Epifania tutti i Profeti, maggiori e minori, trovano sistematica proclamazione).

Dalla successione dei testi emerge una climax, in cui può vedersi riproposto il cammino di conversione e di rigenerazione (d'Israele, ma altresì di ogni credente e della Chiesa) verso l'accoglimento del Dono di Dio: dal castigo per il peccato, alla speranza sostenuta dalla promessa di riscatto, all'esperienza della redenzione.

Al *Sabato* si aggiungono le pericopi dalla Lettera agli Ebrei: incentrate sul tema del sommo sacerdozio di Cristo e del suo nuovo e definitivo sacrificio quale sigillo dell'Alleanza.[29]

1.3. *Le ferie* "de Exceptato"

In ambito ambrosiano le ferie, che immediatamente precedono il Natale, assumono la denominazione "*de Exceptato*", ossia "dell'Accolto", "*quasi dicatur: Feriae de Dei Verbo exceptato in uterum Virginis*", per usare le parole dell'ambrosiano Marco Magistretti.[30]

Tali ferie, sul modello delle prime tre ferie "*de Authentica*", presentano nell'attuale ordinamento una catechesi veterotestamentaria articolata nella lettura di due libri "agiografici" di carattere prefigurativo, in questo caso con impronta mariana; si tratta di libri appartenenti al gruppo dei "rotoli" letti in occasione delle festività ebraiche: Rut (concluso dalla genealogia di Davide) ed Ester (concluso dal ricordo della festa di Purim, giorno di banchetti e di scambio di doni).

Negli stessi giorni le pericopi evangeliche (similmente a quanto accade nelle ferie conclusive della Quaresima prepasquale), terminata la lettura progressiva di Matteo, presentano gli eventi che precedettero e prepararono la nascita del Cristo:

---

[29] La successione delle pericopi, quale si presenta nei due anni, può essere vista nell'Allegato 3 al presente capitolo.

[30] Sulla genesi medioevale di tale denominazione, sulle sue ascendenze virgiliane e sul suo significato, sia permesso rinviare a C. ALZATI, de Exceptato. *Rivisitando una creazione della* scientia Ambrosiana, in *La Scuola Cattolica* 136 (3) (2008). Quanto all'enunciazione del Magistretti: BEROLDUS, *Ordo et caeremoniae ecclesiae Ambrosianae Mediolanensis* [= BEROLDUS], ed. M. MAGISTRETTI, Boniardi-Pogliani (Giovanola), Mediolani 1894, p. 193, nota 126.

Lc 1, 1-17   Inizio del Vangelo con l'annuncio a Zaccaria della nascita di Giovanni, nuovo Elia,

Lc 1, 19-25   Il concepimento di Giovanni,

Lc 1, 39-46   Maria incontra Elisabetta e Giovanni esulta nel grembo di sua madre,

Lc 1, 57-66   La nascita di Giovanni,

Lc 1, 67-80   Cantico e ritiro di Giovanni nel deserto fino alla sua manifestazione a Israele,

Lc 2, 1-5   Il censimento di Cesare Augusto: Giuseppe e Maria si recano a Betlemme.

1.4. *La Domenica Prenatalizia* (quando il 24 dicembre cade in Domenica)

Com'è ben noto, l'Avvento ambrosiano, Quaresima prenatalizia, copre un tempo di 6 settimane.

Il Lezionario, conformandosi coerentemente al computo dell'Avvento dalla prima Domenica dopo la festa di san Martino (*Quadragesima sancti Martini*), nel caso in cui il 24 Dicembre cada in Domenica formula per tale giorno, definito Domenica Prenatalizia, uno specifico ordinamento delle letture (tradizionalmente si utilizzavano i testi della Vigilia all'interno di una celebrazione di tipo domenicale). Si tratta delle seguenti pericopi.

Lettura	Per amore di Sion non tacerò, finché non sorga come stella la sua giustizia	Isaia 62, 1-5[31]
Epistola	Non disprezzate le profezie, conservatevi irreprensibili	1Tessalonicesi 5, 15b-23[32]
Vangelo	Genealogia di Gesù Cristo figlio di Davide	Matteo 1, 1-16[33]

L'introduzione di tali pericopi, distinte dai testi propri della Vigilia, è strettamente consequenziale alla scelta – innovativa rispetto alla prassi tradizionale – di celebrare la Grande Vigilia Vespertina di Natale, con il relativo formulario eucaristico, anche qualora il 24 Dicembre cada di Domenica: in seguito a tale decisione si sarebbero determinate in tale giorno una Messa domenicale e una Messa vigiliare con le medesime pericopi.

Per la Domenica Prenatalizia viene, dunque, riproposta quale Lettura la pericope indicata per la celebrazione vigiliare del Natale nel Lezionario ad experimentum (che l'aveva ripresa dal Lezionario Romano). Si tratta di testo profetico in cui la realizzazione del legame sponsale tra Dio e Israele viene intrecciandosi ai temi della stella, del compimento della giustizia e del manifestarsi della salvezza dinanzi a tutti i re della terra.

Quanto all'Epistola, in conformità all'orientamento attestato anche dalla tradizionale pericope ambrosiana della Vigilia, attualizza in senso

---

[31]   Cf LR: Messa vespertina nella Vigilia.

[32]   Cf Hisp. V; cf L.ex. V Avvento B (16-24) [= LR III B].

[33]   Cf L.ex. 1, 1-25; forma breve: 1, 18-25 [= LR: Messa vesperina nella vigilia].

cultuale l'invito di Paolo ai fedeli a esaminare le profezie e a conservarsi irreprensibili per la venuta del Signore Gesù Cristo.

La pericope del Vangelo delinea invece il tramite umano eletto da Dio per la manifestazione del Verbo nella carne, mistero che ci si appresta a celebrare nell'imminente solennità. Il testo, già indicato come opzionale nel Lezionario ad experimentum (riprendendo il Lezionario Romano), ora si presenta in evidente continuità rispetto alla pericope conclusiva del Libro di Rut proclamata nel giorno precedente, ultima feria de Exceptato.

2. IL TEMPO DI NATALE

2.1. Vigilia di Natale

Come nella tradizione costantinopolitana, sulla scia del modello palestinese, pure Milano presenta per il Natale una solenne liturgia vigiliare vespertina. La struttura celebrativa è quella riproposta anche all'Epifania, nella celebrazione in coena Domini, alla Pentecoste; si tratta di struttura sostanzialmente modellata sull'archetipo pasquale, adattato a una celebrazione non notturna, ma vesperale (cf in tal senso anche le Vigilie al tramonto dei Venerdì di Quaresima).

Com'è ben noto, la struttura celebrativa ambrosiana presenta in tale circostanza la seguente articolazione: riti lucernari, catechesi veterotestamentaria, Messa con Epistola e Vangelo, salmodia, congedo.

In consonanza con lo schema adottato per Pasqua e Pentecoste dall'ordinamento rituale del Laterano, quale si riflette nel Sacramentario Gregoriano, la catechesi veterotestamentaria vespertina consta di 4 letture.

Con qualche minimo adattamento nei versetti, sono state confermate le letture della tradizione, ma secondo la successione presupposta dal tradizionale ordinamento dei salmelli e confermata nella Liturgia delle Ore (dalla quale sono ovviamente ripresi i salmelli stessi):[34]

I Lettura	Promessa ad Abramo di una discendenza numerosa come le stelle del cielo	Genesi 15, 1-7
II Lettura	Preghiera di Anna perché Dio le conceda un figlio	1 Samuele 1, 7c-17
III Lettura	La Vergine concepirà un figlio	Isaia 7, 10-16
IV Lettura	L'annuncio dell'angelo alla moglie di Manoach: 'Concepirai e partorirai un figlio e sarà Nazireo'; la preghiera di Manoach: 'Manda di nuovo l'angelo che ci istruisca su cosa dobbiamo fare del fanciullo'	Giudici 13, 2-9a

---

[34] Cf Typ., LO.

È stata ribadita l'Epistola della tradizione ambrosiana, Ebrei 10, 37-39 (**Ancora un poco e colui che deve venire verrà**),[35] in quanto essa evidenzia il compimento, nella Parusia misterico-cultuale, della tensione escatologica che dalla I Domenica d'Avvento ha animato il cammino della Chiesa verso il suo Signore.

Il Vangelo è ovviamente la pericope di Matteo 1, 18-25 (**Ecco come avvenne la nascita del Signore Gesù Cristo**), pericope costantemente attestata in ambito milanese fin dal codice di Busto[36] e anticamente usata a Gerusalemme per la festa della Natività (6 Gennaio)[37].

Qualora, per gravi ragioni, risulti impossibile celebrare la Vigilia nella sua forma di solenne liturgia vespertina, e ci si limiti alla sola celebrazione della Messa, quale prima lettura potrà essere scelta una tra le quattro letture vigiliari con relativo salmello.

2.2. Natale

L'*Evangelistario di Busto* prevede ancora un'unica celebrazione eucaristica nel giorno di Natale, la cui pericope evangelica è costituita da Luca 2, 1-14 (La nascita di Gesù a Betlemme); così normalmente è ancora nei Manuali. Già nel carolingio *Evangelistario* (o *Libro delle letture) dei cardinali diaconi* (Ambr. *A 28 inf.*) compare un'altra Messa *in nocte*, con la pericope evangelica *Giovanni* 1, 9-14 (Veniva nel mondo la luce vera; a quanti l'hanno accolto ha dato il potere di divenire figli di Dio): è la situazione della prassi arcivescovile-cardinalizia, ratificata nel secolo XII dal Beroldo.[38] Un'ulteriore celebrazione, *in aurora*, mutuata dall'ambito gelasiano e con carattere devozionale e privato, fa la sua comparsa in appendice al *Messale di Bergamo* (romanizzante anche per altri aspetti) e, attorno all'anno Mille, si trova inserita nel *Messale di Lodrino* (Ambr. *A 24 inf.*). Successivamente il suo formulario sarebbe stato sostituito con quello ambrosiano *in alia die post Natale Domini*, la cui pericope evangelica, già prevista nel codice di Busto, è Luca 2,15-20 (I pastori).

Queste tre pericopi appaiono inserite in unità testuali, la cui organicità si è ritenuto opportuno salvaguardare, integrando peraltro l'ordinamento tradizionale delle Messe *in nocte* e *in aurora* con letture profetiche. A tale riguardo va segnalato che alla pericope evangelica dell'unica originaria

---

[35] Typ.; cf L.ex. II Avvento A (35-39).

[36] Bu, Typ.

[37] Cf A. RENOUX, *Le Codex Arménien Jérusalem 121*, II, Brepols, Turnhout 1971 [Patrologia Orientalis (= PO), 36/2, n° 168], p. 216, 217 [78, 79].

[38] BEROLDUS, pp. 77-80.

celebrazione eucaristica tutte le testimonianze codicologiche connettono Isaia 8, 23b - 9, 6. È questo, dunque, nella tradizione ambrosiana il testo profetico proprio del Natale. Con l'inserimento di altre due pericopi da Isaia nei due formulari *in nocte* e *in aurora* si viene configurando il quadro seguente:

In nocte[39]

Lettura	Camminiamo nella luce del Signore	Isaia 2, 1-5[40]
Epistola	Quando venne la pienezza del tempo	
	Dio mandò il suo Figlio perché ricevessimo l'adozione a figli	Galati 4, 4-6[41]
Vangelo	Veniva nel mondo la luce vera; a quanti l'hanno accolto	
	ha dato il potere di divenire figli di Dio	Giovanni 1, 9-14[42]

In aurora[43]

Lettura	Come sono belli sui monti i piedi del messaggero di lieti annunci;	
	il Signore ha consolato il suo popolo	Isaia 52, 7-9[44]
Epistola	Mi sono fatto Giudeo coi Giudei; mi sono fatto tutto a tutti	1Corinzi 9, 19-22a
Vangelo	I pastori andarono senza indugio; e dopo aver visto riferirono	Luca 2, 15-20[45]

In die[46]

Lettura	Il popolo che camminava nelle tenebre vide una grande luce;	
	ci è stato dato un figlio, Dio potente	Isaia 8, 23b - 9, 6a[47]
Epistola	Dio, che aveva parlato per mezzo dei profeti,	
	ha parlato a noi per mezzo del Figlio	Ebrei 1, 1-8a[48]
Vangelo	Diede alla luce il suo figlio primogenito;	
	vi erano alcuni pastori: la gloria del Signore li avvolse di luce	Luca 2, 1-14[49]

2.3. *Domenica nell'Ottava del Natale*

Nei giorni successivi al Natale era anticamente prevista una duplice celebrazione: della feria natalizia *in ecclesia* e, stazionale, del santo del

---

[39] Cf Typ.

[40] L.ex. III Avvento A [= LR I A].

[41] L.ex. Ottava (+7) [= LR].

[42] La pericope focalizza l'attenzione sull'apparire del Verbo eterno di Dio nel mondo; la catechesi sulla generazione eterna del Verbo è propria della Domenica dopo il Natale. Invece L.ex. (+ 1-5) [= LR: 1, 1-18; forma breve 1-5. 9-14].

[43] Cf Typ.

[44] L.ex. *in nocte* (+10) [= LR *in nocte*].

[45] Bu (*alia die post Natale Domini*); L.ex. [= LR *in aurora*].

[46] Bu; Typ.

[47] L.ex. (9, 1-3. 5-6) [= LR *in nocte*].

[48] L.ex. *in nocte* (1-6) [= LR *in die*].

[49] L.ex. [= LR *in nocte*].

giorno. Per il 26 già nel codice di Busto, per il 27 nell'*Evangelistario dei Cardinali diaconi* (cf al riguardo anche i Messali carolingi). Il fatto che non si rinunciasse, anche in caso di feria, alla celebrazione 'natalizia' indica assai efficacemente l'importanza attribuita dalla tradizione ambrosiana a questo indugiare, anche dopo il Natale, sul mistero della nascita nella carne del Logos Dio.

In questa linea si pone l'ordinamento delle letture proposto per la Domenica nell'Ottava del Natale: una densa catechesi sul Cristo Sapienza e Parola eterna di Dio fatta carne.

Lettura	La Sapienza eterna di Dio, con lui partecipe della Creazione,	
	ha posto le sue delizie tra i figli dell'uomo	Proverbi 8, 22-31[50]
Epistola	Cristo immagine del Dio invisibile	
	per mezzo del quale sono state create tutte le cose	Colossesi 1, 15-20[51]
Vangelo	Il Verbo, che è dal principio e per mezzo del quale sono state create	
	tutte le cose, si è fatto carne	Giovanni 1, 1-14[52]

2.4. *Feste dei Santi nell'Ottava del Natale*

Merita qui segnalare che la pericope prevista per la festa di Santo Stefano (Matteo 17, 23-26: la moneta nella bocca del pesce di san Pietro) è spiegata in rapporto al protomartire nell'*Expositio euangelii secundum Lucam* di Ambrogio (IV, 75; cfr. *Exameron* V, 6, 16; *De virginitate*, 120),[53] e prima ancora nel *Commentarium in Matthaeum* di Ilario (XVII, 13).[54] Di qui la

---

[50] La pericope, tipica della riflessione patristica sul legame tra Dio e il suo Verbo (cf. M. SIMONETTI, *Sull'interpretazione patristica di Prov. 8, 22*, in *Studi sull'Arianesimo*, Studium, Roma 1965, pp. 9-87), era significativamente omessa nella *lectio semicontinua* quaresimale di *Proverbi* (cf P. CARMASSI, *Libri liturgici e istituzioni ecclesiastiche a Milano in età medioevale. Studio sulla formazione del lezionario ambrosiano*, Aschendorff, Münster 2001 [Liturgiewissenschaftliche Quellen und Forschungen, 85: Corpus ambrosiano-liturgicum, 4], pp. 231, 349), *lectio* la cui finalità era parenetica e non dogmatica. A tale omissione si attiene anche l'attuale Lezionario.

[51] LR: XV Per Annum C e Cristo Re C (12-20).

[52] L.ex. Natale *in nocte* (si veda nota 42); II dopo Natale (1-18) [= LR].

[53] AMBROSIUS: *Expositio euangelii secundum Lucam*, IV, 75, ed. M. ADRIAEN, Brepols, Turnholti 1957 [Corpus Christianorum. Series Latina (= CCL), 14], p. 133 (l'edizione di M. PETSCHENIG è stata riedita con Addenda a cura di M. ZELZER, Verlag der Österreichischen Akademie der Wissenschaften, Vindobonae 1999 [CSEL, 62]); *Exameron* V, 6, 16, ed. C. SCHENKL, Tempsky-Freytag, Vindobonae-Pragae-Lipsiae 1896 [CSEL, 32/1], p. 152; *De virginitate*, 120, ed. I. CAZZANIGA, Paravia, Torino 1954² [Corpus Scriptorum Latinorum Paravianum], pp. 56-57.

[54] HILARIUS, *Commentarium in Matthaeum*, XVII, 13, ed. J. DOIGNON, II, Éd. du Cerf, Paris 1979 [Sources Chrétiennes (= SCh), 258], pp. 72-74.

continuità della sua presenza nell'ordinamento delle letture ambrosiano[55] e in area gallicana.[56] A tale pericope è stato comunque affiancato, quale possibile testo alternativo, Giovanni 15, 18-22 (*Il servo non è più grande del suo padrone: hanno perseguitato me, perseguiteranno anche voi*).

Speciali letture (tra cui la notizia agiografica) sono previste per la celebrazione della festa locale di sant'Eugenio il giorno 30 Dicembre nella basilica di Sant'Eustorgio. In particolare l'Epistola (1 Corinzi 9, 19b-23) richiama la figura del *transmontanus episcopus* fattosi ambrosiano con gli ambrosiani per diventare con loro partecipe dell'Evangelo.

2.5. Ferie nell'ottava del Natale e prima dell'Epifania

I giorni 29, 30, 31 Dicembre, come le restanti ferie precedenti l'Epifania, presentano carattere festivo (cf le Ferie *in Albis*), e pertanto prevedono una liturgia della Parola alla Messa articolata in tre pericopi.

Le Letture, nei giorni indicati dell'ottava, sono tratte dal *Libro di Michea*. Si associano ad esse pericopi evangeliche nelle quali è rintracciabile il tema mariano.

Nelle successive ferie, che preparano all'Epifania, le Letture sono tratte dal *Libro di Daniele* (Il Regno che non sarà mai distrutto; il potere eterno del Figlio dell'uomo) e sono accompagnate da pericopi evangeliche, che presentano il riconoscimento del Bambino ad opera di Simeone e di Anna, nonché – nell'antivigilia dell'Epifania – la genealogia lucana di Gesù, figlio di Adamo, figlio di Dio.

Le Epistole, in tutte le ferie postnatalizie, presentano gli inizi delle lettere paoline, in cui l'apostolo annuncia ai fratelli nella fede la pace e la benedizione di Dio in Gesù Cristo.[57]

2.6. Ottava del Natale e Circoncisione

Nell'articolazione dei testi per questa festa si è inteso salvaguardare i diversi aspetti che sono venuti in essa confluendo, constatandone la particolare validità sul piano pastorale.

Tali aspetti sono segnatamente:

---

[55] Per l'arcaica testimonianza del *Capitolare di Busto*: A. PAREDI, *L'Evangeliario di Busto Arsizio*, in *Miscellanea Liturgica in onore di Sua Eminenza il cardinale Giacomo Lercaro*, II, Desclée, Roma-Parigi-Tournai-New York 1967, p. 214.

[56] Cf P. SALMON, *Le Lectionnaire de Luxeuil (Paris, ms. lat. 9427)*, I: *Édition et étude comparative*, Libreria Vaticana, Città del Vaticano 1944 [Collectanea Biblica Latina, 7], p. 15.

[57] Per l'insieme dei giorni tra il Natale e l'Epifania le pericopi potranno vedersi nell'Allegato 4.

la commemorazione della Circoncisione, con conseguente imposizione del santissimo nome di Gesù, nell'ottavo giorno dopo la sua nascita (evento in cui si manifesta la piena condivisione della natura umana da parte del Verbo divino, fino a porsi lui pure sotto la Legge);

la benedizione sul nuovo anno civile (tema opportunamente recepito nel Lezionario ad esperimento);

l'invito alla pace (aspetto ormai stabilmente connesso in ambito cattolico all'inizio del nuovo anno).

Il quadro delle letture così dunque si presenta:

Lettura	La benedizione sacerdotale sugli Israeliti	Numeri 6, 22-27[58]
Epistola	Il Nome di Gesù, che è al di sopra di ogni nome	Filippesi 2, 5-11
Vangelo	La Circoncisione e il conferimento del Nome di Gesù	Luca 2, 18-21[59]

Si è prevista, ovviamente, l'eventuale celebrazione vigiliare vespertina domenicale, per gli anni in cui il 1° Gennaio coincida con una Domenica [Vangelo della Resurrezione: *Io* 20, 19-23 (Gesù appare al Cenacolo)]

2.7. *Domenica dopo l'Ottava del Natale*[60]

Nella Domenica dopo l'Ottava del Natale, fin dalla testimonianza del codice di Busto, completata nelle pericopi non evangeliche dalla tradizione successiva, che è stata in buona parte ripresa dal L.ex., il messaggio catechetico è incentrato sulla manifestazione della messianicità di Gesù, Sapienza di Dio incarnatasi nella stirpe d'Israele. Il Lezionario conferma la scelta del L.ex., sicché l'ordinamento delle pericopi appare ora il seguente:

Lettura	La Spienza uscita dalla bocca dell'Altissimo fissa la tenda in Giacobbe	Siracide 24, 1-16b [NV][61]
Epistola	Dio mandò il Figlio nella carne perché vivessimo non secondo la carne ma secondo lo Spirito	Romani, 3b-9a[62]
Vangelo	Gesù nella sinagoga di Nazaret legge il Rotolo di *Isaia*: Queste cose si sono adempiute	Luca 4, 14-22

---

[58] Come L.ex. [= LR].

[59] Bu (+ 22-40: non esistendo ancora la Festa della Presentazione); L.ex. (+ 16-17) [= LR]. Quanto alla celebrazione della Presentazione del Signore, a Milano essa compare solo a partire dai codici carolingi; risulta censita anche nelle note marginali, in tempi successivi vergate nell'Evangeliario del VI secolo, Ambros. *C 39 inf.*, relativo alla provincia metropolitica milanese. Su quest'ultimo codice, cf CARMASSI, *Libri liturgici e istituzioni ecclesiastiche*, pp. 52-53.

[60] Cf Bu; Typ. (post Nativitatem Domini).

[61] L.ex. (1-4. 12-16) [= LR]; in Typ.: Isaia 8, 8c-18.

[62] Typ. (+ 9b-11).

2.8. *Epifania*

La celebrazione dell'Epifania in ambito ambrosiano rappresenta il vero approdo del lungo cammino avviatosi con l'Avvento, di cui scioglie le attese nella realizzata presenza dello Sposo. In questo contesto il Battesimo del Signore costituisce l'evento nodale attorno a cui si è costruita la celebrazione misterica della piena manifestazione del Cristo e, in lui, della divina Trinità. Diversamente dalla provincia metropolitica milanese,[63] dall'Aquileia di Cromazio[64] e dalle Gallie,[65] Roma è venuta rivolgendo particolare attenzione liturgica a tale episodio evangelico soprattutto in occasione della riforma rituale successiva al concilio Vaticano II, e vi ha dedicato una specifica festa, collocata nella I Domenica dopo l'Epifania. Su questo punto la scelta del 1970 di assimilare il calendario milanese a quello romano ha di fatto significato non l'inserimento della celebrazione liturgica del Battesimo del Signore, ma la sua duplicazione.

La Congregazione del Rito Ambrosiano ha ritenuto la situazione non modificabile e, d'altra parte, ha considerato irrinunciabili i riferimenti al Battesimo del Signore tradizionalmente contenuti nella celebrazione del 6 Gennaio. Sul fondamento di tali orientamenti il Lezionario presenta un ordinamento di letture che, a partire dalla Vigilia dell'Epifania, viene configurando le successive celebrazioni, fino al Battesimo del Signore, in termini fortemente unitari. In particolare nelle ferie dopo l'Epifania, sulla scia del ben noto Transitorio della solennità,[66] si è venuto delineando il mistero dell'unione sponsale tra il Cristo e la Chiesa, mistero colto nel suo manifestarsi al Giordano.[67]

---

[63] Cf Maximus Taurinensis, *Sermones: XIIIa extr., XIIIb, LXIV, LXV* (3), *C extr., CI extr.*, ed. A. Mutzenbecher, Brepols, Turnholti 1962 [CCL, 23], pp. 43-46, 47-49, 268-271, 274, 397-400.

[64] Chromatius, *Sermo XXXIV*, ed. J. Lemarié, Éd. du Cerf, I, Paris 1971 [SCh, 164], pp. 182-188 (cf. SCh, 154, p. 84); cf ed. J. Lemarié, Brepols, Turnholti 1974 [CCL, 9 A], pp. 155-157.

[65] Salmon, *Le Lectionnaire de Luxeuil*, pp. 59-60 [*Mt* 3, 13-17 ; *Lc* 3, 23a ; *Io* 2, 1-11 (= Cana)].

[66] *Hodie caelesti Sponso iuncta est Ecclesia; quoniam in Iordane lavit eius crimina: currunt cum munere Magi ad regales nuptias; et ex aqua facto vino laetantur convivia: baptizat miles regem, servus dominum suum, Iohannes Salvatorem: aqua Iordanis stupuit, columba protestatur, paterna vox audita est: Filius meus hic est, in quo bene complacui; ipsum audite: Manuale Ambrosianum ex codice saec. XI olim in usum canonicae Vallis Travaliae* [= *Manuale Ambrosianum*], II, ed. M. Magistretti, Hoepli, Mediolani 1904, p. 91.

[67] Cf, del resto, Maximus Taurinensis, *Sermo LXV*, 3, CCL, 23, p. 274: *"Ergo in hac sancta die baptizatus est Dominus ... Tunc et uota nostra celebrata sunt, quo Christo*

L'ordinamento presenta l'articolazione interna che si verrà ora descrivendo.

– *Vigilia dell'Epifania*[68]

La solenne liturgia vigiliare dopo i riti lucernari prevede, come a Natale, le quattro letture veterotestamentarie. Esse sono così ordinate:

I Lettura	La profezia di Balaam sulla stella che sorgerà da Giacobbe	Numeri 24, 15-24d
II Lettura	Ti ho posto come alleanza per il popolo	
	Vengono da mezzogiorno e da occidente	Isaia 49, 8-13
III Lettura	Elia al Giordano rapito da un turbine dal cielo	2Re 2, 1-12c
IV Lettura	Il simbolo battesimale della scure di Eliseo nel Giordano	2Re 6, 1-7

Le pericopi della Messa vigiliare, in continuità con i temi propri della tradizione confermata nell'*Editio Typica* del 1902, presenta i seguenti testi:

Epistola	Quando si sono manifestati la bontà di Dio e il suo amore per gli uomini,	
	ci ha salvati mediante un lavacro di rigenerazione	Tito 3, 3-7[69]
Vangelo	L'uomo sul quale vedrai scendere e rimanere lo Spirito	
	è colui che battezza in Spirito Santo	Giovanni 1, 29a. 30-34[70]

Quando la Domenica dopo l'Ottava del Natale cade il 5 Gennaio, i Vesperi saranno i Vesperi Vigilari dell'Epifania.

Qualora, per gravi ragioni, risulti impossibile celebrare la Vigilia nella sua forma di solenne liturgia vespertina e ci si limiti alla sola celebrazione della Messa, analogamente a quanto previsto per il Natale, quale Lettura potrà essere scelta una tra le quattro letture vigiliari, accompagnandola con il rispettivo salmello.

---

ecclesia copulata est, sicut ait *Iohannes:* Qui habet Sponsa Sponsus est. *Propter has ergo nuptias saltare non conuenit*".

[68] Cf Typ. e LO.

[69] Typ.; L.ex. Natale *in aurora* (4-7) [= LR Natale *in aurora*].

[70] La pericope tradizionale era *Mt* 3, 13-17. Poiché questo testo è stato assegnato [sulla scia del LR] alla Festa del Battesimo A, quale prima pericope del ciclo triennale dei Vangeli per quel giorno (ciclo completato dagli altri due paralleli sinottici), in questa sede è sembrato opportuno inserire la testimonianza resa dal Precursore alla Teofania accompagnatasi al Battesimo di Cristo. La relativa pericope è parzialmente presente anche nella III Domenica di Pasqua, anno A (29-34), ma con riferimento all'immagine pasquale dell'"Agnello che toglie il peccato del mondo", evocata dal v. 29, qui non ripreso.

– *Epifania*[71]

Le pericopi della Messa del giorno, attestate fin dalle prime testimonianze ambrosiane, ripropongono con profonda coerenza interna i temi propri della solennità.

Lettura	Alzati, viene la tua luce; verranno da Saba portando oro e incenso	Isaia 60, 1-6[72]
Epistola	È apparsa la grazia di Dio apportatrice di salvezza per tutti gli uomini	Tito 2, 11 - 3, 2[73]
Vangelo	La venuta dei Magi da oriente con oro, incenso e mirra	Matteo 2, 1-12

– *Ferie e Sabato dopo l'Epifania*

Come già s'è detto, le Ferie dopo l'Epifania sviluppano nelle loro catechesi il tema dell'unione sponsale tra Cristo e la Chiesa. In effetti, le pericopi evangeliche si accompagnano a frammenti del *Cantico dei Cantici* relativi alle nozze e al dialogo d'amore tra lo Sposo e la Sposa. Questa tematica trova il suo compiuto coronamento nel Sabato dopo l'Epifania, ossia nel giorno che precede la festa del Battesimo del Signore.[74]

– *Battesimo del Signore*

Compimento della celebrazione dell'Epifania, la Festa del Battesimo del Signore presenta la seguente successione di pericopi.

Lettura	L'ho costituito testimonio fra i popoli, sovrano sulle nazioni; accorreranno a te popoli che non ti conoscevano	Isaia 55, 4-7[75]
Epistola	Per mezzo di lui possiamo presentarci al Padre in un solo Spirito	Efesini 2, 13-22[76]
Vangelo	Il Battesimo del Signore nella narrazione dei Sinottici:	Anno A: Matteo 3, 13-17[77]
		Anno B: Marco 1, 7-11[78]
		Anno C: Luca 3, 15-16.21-22[79]

---

[71] Bu, Typ.

[72] Typ. (+7); L.ex.

[73] L.ex. Natale *in die* (2, 11-14) [= LR Natale *in nocte*].

[74] Le pericopi per queste Ferie e per il Sabato, previsto al loro termine, sono riportate nell'Allegato 5.

[75] L.ex. Vigilia Epifania (3-11) [cf LR Battesimo B (1-11)], Veglia Pasquale V Lettura (54, 17c; 55, 1-11).

[76] LR XVI Per Annum B.

[77] L.ex. Vigilia Epifania; Battesimo A [= LR].

[78] L.ex. Battesimo B [= LR].

[79] L.ex. Battesimo C [= LR].

Allegato 1

Ciclo Domenicale (anni B e C)

ANNO B

DOMENICA I DI AVVENTO - La venuta del Signore

Lettura	Impallidirà il sole perché il Signore regna sul monte Sion	Isaia 24, 16b-23[80]
Epistola	L'ultimo nemico ad essere annientato sarà la morte	1Corinzi 15, 22-28[81]
Vangelo	Allora vedranno il Figlio dell'uomo venire sulle nubi con grande potenza e gloria	Marco 13, 1-27[82]

DOMENICA II DI AVVENTO - I figli del Regno

Lettura	I riscattati dal Signore ritorneranno e verranno in Sion con esultanza	Isaia 51, 7-12a[83]
Epistola	Coloro che non ne avevano udito parlare, comprenderanno	Romani 15, 15-21[84]
Vangelo	Dio può far sorgere figli di Abramo da queste pietre	Matteo 3, 1-12[85]

DOMENICA III DI AVVENTO - Le profezie adempiute

Lettura	Guardate ad Abramo vostro padre, perché io chiamai lui solo	Isaia 51, 1-6[86]
Epistola	I credenti profumo di Cristo nel mondo	2Corinzi 2, 14-16
Vangelo	Voi scrutate le Scritture: sono proprio esse che mi rendono testimonianza	Giovanni 5, 33-39[87]

DOMENICA IV DI AVVENTO - L'ingresso del Messia

Lettura	Manda l'Agnello [Emitte Agnum dominatorem terrae]	Isaia 16, 1-5[88]
Epistola	Rendete irrepresibili i vostri cuori al momento della venuta del Signore nostro Gesù	1 Tessalonicesi 3, 11 - 4, 2[89]
Vangelo	Benedetto il Regno che viene, del nostro padre Davide	Marco 11, 1-11[90]

DOMENICA V DI AVVENTO - Il Precursore

Lettura	Un germoglio spunterà dal tronco di Iesse [Exiet virga de radice Iesse]	Isaia 11, 1-10[91]
Epistola	Germogliato da Giuda, Gesù è sacerdote eterno,	

---

80 Hisp. IV.
81 Cf Hisp. IV; LR: Cristo Re A (20-26. 28).
82 L.ex. I Avvento B (24-32).
83 Hisp. II.
84 Cf Hisp. I.
85 L.ex. IV Avvento A [= LR II A].
86 Hisp. III; L.ex. I Avvento A (4-6).
87 L.ex. Venerdì III Avvento [= LR] (33-36).
88 Hisp. V.
89 L.ex. III Avvento C [= LR I C (3, 12 - 4, 2].
90 L.ex. II Avvento B (1-10).
91 Cf Hisp. I; L.ex. IV Avvento A [= LR II A].

	garante di un'Alleanza migliore	Ebrei 7, 14-17. 22. 25
Vangelo	Io sono voce di uno che grida nel deserto:	
	Preparate la via del Signore	Giovanni 1, 19-27a. 15c. 27b-28[92]

ANNO C

DOMENICA I DI AVVENTO - La venuta del Signore

Lettura	Ecco, il giorno del Signore arriva implacabile	Isaia 13, 4-11
Epistola	Nessun impuro o avaro avrà parte al Regno di Cristo	Efesini 5, 1-11a
Vangelo	Quando cominceranno ad accadere queste cose, alzatevi e	
	levate il capo perché la vostra liberazione è vicina	Luca 21, 5-28[93]

DOMENICA II DI AVVENTO - I figli del Regno

Lettura	Gli Egiziani serviranno il Signore insieme con gli Assiri	Isaia 19, 18-24
Epistola	Mi è stata concessa la grazia di annunciare Cristo ai Gentili	Efesini 3, 8-13
Vangelo	Io vi ho battezzati con acqua,	
	ma egli vi battezzerà con lo Spirito Santo	Marco 1, 1-8[94]

DOMENICA III DI AVVENTO - Le profezie adempiute

Lettura	Stillate cieli dall'alto [Rorate caeli]	Isaia 45, 1-8
Epistola	Vorrei essere io anatema a vantaggio dei miei fratelli secondo la carne	Romani 9, 1-5
Vangelo	Andate a riferire a Giovanni ciò che avete visto e udito	Luca 7, 18-28[95]

DOMENICA IV DI AVVENTO - L'ingresso del Messia

Lettura	Verrà il Signore sul monte Sion come una nube	Isaia 4, 2-5
Epistola	Avendogli assoggettato ogni cosa, nulla ha lasciato che non gli sia sottomesso	Ebrei 2, 5-15
Vangelo	Benedetto colui che viene, il re, nel nome del Signore	Luca 19, 28-38[96]

DOMENICA V DI AVVENTO - Il Precursore

Lettura	Popolo di Sion, che abiti in Gerusalemme, non si terrà più nascosto il tuo maestro	Isaia 30, 18-26b
Epistola	Noi non predichiamo noi stessi, ma Cristo Gesù Signore	2 Corinzi 4, 1-6
Vangelo	Chi possiede la Sposa è lo Sposo; ma l'amico dello Sposo, che è presente e l'ascolta,	
	esulta di gioia alla voce dello Sposo	Giovanni 3, 23-32a[97]

---

[92] Bu e Typ.

[93] L.ex. I Avvento C (5-19).

[94] L.ex. IV Avvento B [= LR II B].

[95] L.ex. Mercoledì (19-23) + Giovedì (24-30) V Avvento [= LR Mercoledì – Giovedì III Avvento].

[96] L.ex. II Avvento C (29-38).

[97] LR Sabato dopo Epif. (22-30).

Allegato 2

AVVENTO
La lettura progressiva del Vangelo secondo Matteo nel Ciclo Feriale e Sabbatico

I SETTIMANA DI AVVENTO

Lunedì	4, 18-25
Martedì	7, 21-29
Mercoledì	9, 9-13
Giovedì	9, 16-17
Venerdì	9, 35-38
Sabato	10, 1-6

II SETTIMANA DI AVVENTO

Lunedì	11, 16-24
Martedì	12, 14-21
Mercoledì	12, 22-32
Giovedì	12, 33-37
Venerdì	12, 38-42
Sabato	12, 43-50

III SETTIMANA DI AVVENTO

Lunedì	13, 53-58
Martedì	15, 1-9
Mercoledi	15, 10-20
Giovedì	16, 1-12
Venerdì	17, 10-13
Sabato	18, 21-35

IV SETTIMANA DI AVVENTO

Lunedì	19, 16-22
Martedì	19, 23-30
Mercoledì	21, 10-17
Giovedì	21, 18-22
Venerdì	21-23-27
Sabato	21, 28-32

V SETTIMANA DI AVVENTO

Lunedì	21,33-46
Martedì	22, 15-22
Mercoledì	22, 23-33
Giovedì	23, 1-12
Venerdì	23, 13-26
Sabato	23, 27-39

Allegato 3

AVVENTO
Letture profetiche ed epistole del Ciclo Feriale e Sabbatico

ANNO I

I SETTIMANA DI AVVENTO

LUNEDÌ

Geremia	Ecco, oggi ti costituisco per distruggere e per edificare.	Geremia 1, 4-10
Profeti	La visione attesta un termine; il giusto vivrà per la sua fede	Abacuc 1, 1; 2, 1-4

MARTEDÌ

| Geremia | Dal settentrione si rovescerà la sventura. Tu dì loro tutto ciò che ti ordinerò | Geremia 1, 11-19 |
| Profeti | Vi farò scontare tutte le vostre iniquità | Amos 1, 1-2; 3, 1-2 |

MERCOLEDÌ

Geremia	Intenterò un processo contro di voi e farò causa ai vostri nipoti	Geremia 2, 1-9
Profeti	Odiate il male e amate il bene;	
	forse il Signore avrà pietà del resto di Giuseppe	Amos 5, 10-15

GIOVEDÌ

Geremia	Hanno abbandonato la sorgente d'acqua viva	
	per scavarsi cisterne screpolate	Geremia 2, 1-2b.12-22
Profeti	Manderò nel paese la fame d'ascoltare la parola del Signore	Amos 8, 9-12

VENERDÌ

Geremia	Dicono a un pezzo di legno: tu sei mio padre;	
	e a una pietra: tu mi hai generato	Geremia 2, 1-2b. 23-29
Profeti	Rialzerò le rovine della capanna di Davide	Amos 9, 11-15

SABATO

Geremia	Il mio popolo mi ha dimenticato per giorni innumerevoli	Geremia 2, 1-2b. 30-32
Epistola	Questa salvezza, promulgata dal Signore,	
	è stata confermata in mezzo a voi da quelli che l'avevano udita	Ebrei 1, 13 - 2, 4

II SETTIMANA DI AVVENTO

LUNEDÌ

| Geremia | Padre mio, amico della mia giovinezza tu sei | Geremia 2, 1-2b; 3,1-5 |
| Profeti | Convertitevi a me e io mi rivolgerò a voi | Zaccaria 1, 1-6 |

MARTEDÌ

| Geremia | Io sono pietoso, non conserverò l'ira per sempre | Geremia 3, 6-12 |
| Profeti | Il Signore eleggerà di nuovo Gerusalemme | Zaccaria 1, 7-17 |

MERCOLEDÌ

Geremia	Chiameranno Gerusalemme trono del Signore	
	e tutti i popoli vi si raduneranno	Geremia 3, 6a. 12a. 14-18
Profeti	Gerusalemme sarà priva di mura	
	per la moltitudine di uomini che dovrà accogliere	Zaccaria 2, 5-9

GIOVEDÌ

Geremia	Davvero nel Signore è la salvezza d'Israele	Geremia 3, 6a.19-25
Profeti	Esulta, figlia di Sion,	
	perché vengo ad abitare in mezzo a te	Zaccaria 2, 10-17

VENERDÌ

| Geremia | Se rigetterai i tuoi abomini non dovrai più vagare lontano da me | Geremia 3, 6a; 4, 1-4 |
| Profeti | Ecco, io ti tolgo di dosso il peccato | Zaccaria 3, 1-7 |

SABATO

Geremia	Percorrete le vie di Gerusalemme, se trovate un solo uomo che agisca giustamente,	
	la perdonerò	Geremia 3, 6a; 5, 1-9b
Epistola	Gesù sommo sacerdote misericordioso e fedele	Ebrei 2, 8b-17

III SETTIMANA DI AVVENTO

LUNEDÌ

Geremia	Servirete gli stranieri in un paese non vostro	Geremia 3, 6a; 5, 15-19
Profeti	Manderò il mio servo Germoglio	Zaccaria 3, 6. 8-10

MARTEDÌ

Geremia	Che farete quando verrà la fine?	Geremia 3, 6a; 5, 25-31
Profeti	Un uomo che si chiama Germoglio spunterà da sé	
	e ricostruirà il Tempio del Signore	Zaccaria 6, 9-15

MERCOLEDÌ

Geremia	Lasciati correggere, Gerusalemme	Geremia 3, 6a; 6, 8-12
Profeti	Dalla terra d'oriente e d'occidente li ricondurrò in Gerusalemme	Zaccaria 8, 1-9

GIOVEDÌ

Geremia	Se emenderete la vostra condotta, vi farò abitare in questo luogo	Geremia 7, 1-11
Profeti	Come foste oggetto di maledizione, casa di Giuda e d'Israele,	
	così quando vi avrò salvati diverrete una benedizione	Zaccaria 8, 10-17

VENERDÌ

Geremia	Ascoltate la mia voce!	
	Allora io sarò il vostro Dio e voi sarete il mio popolo	Geremia 7, 1. 21-28
Profeti	Popoli numerosi e nazioni potenti verranno a Gerusalemme	Zaccaria 8, 18-23

SABATO

Geremia	Io sono il Signore che agisce con misericordia	Geremia 9, 22-23
Epistola	Fissate lo sguardo in Gesù sommo sacerdote della fede che noi professiamo	Ebrei 3, 1-6

IV SETTIMANA DI AVVENTO

LUNEDÌ

Geremia	Il Signore è il vero Dio, il Dio vivente e il re eterno;	
	i popoli non resistono al suo furore	Geremia 10, 1-10
Profeti	Anche il Filisteo diventerà un resto per il nostro Dio	Zaccaria 9, 1- 8

MARTEDÌ

Geremia	Gli dei che non hanno fatto il cielo e la terra	
	scompariranno dalla terra e sotto il cielo	Geremia 10, 11-16
Profeti	In quel giorno il Signore salverà	
	come un gregge il suo popolo	Zaccaria 9, 11-17

MERCOLEDÌ

Geremia	Ascoltate le parole di questa alleanza e mettetele in pratica	Geremia 11, 1-8
Profeti	Il Signore visiterà il suo gregge; da questo uscirà la pietra d'angolo	Zaccaria 10, 1-5

GIOVEDÌ

Geremia	A te, Signore, verranno i popoli dalle estremità della terra	Geremia 16, 19-21
Profeti	Rafforzerò la casa di Giuda	Zaccaria 10, 6-9

VENERDÌ

Geremia	Santificherete il giorno di Sabato, verranno dai monti e dal meridione presentando offerte e incenso nel Tempio del Signore	Geremia 17, 19-26
Profeti	Li farò tornare dall'Egitto, li raccoglierò dall'Assiria	Zaccaria 10, 10-11, 3

SABATO

Geremia	Susciterò a Davide un germoglio giusto, che regnerà da vero re ed eserciterà il diritto e la giustizia sulla terra	Geremia 23, 1-8
Epistola	Tenete fisso lo sguardo su Gesù, autore e perfezionatore della fede	Ebrei 11, 1-2. 39-12, 2a

V SETTIMANA DI AVVENTO

LUNEDÌ

Geremia	Essi saranno il mio popolo e io sarò il loro Dio	Geremia 24, 1-7
Profeti	Essi allora pesarono trenta sicli d'argento come mia paga	Zaccaria 11, 4-13

MARTEDÌ

Geremia	In quel giorno romperò il giogo. Essi serviranno il Signore loro Dio e Davide loro re, che io susciterò loro	Geremia 30, 1-9
Profeti	Sulla casa di Giuda terrò aperti i miei occhi	Zaccaria 12, 1-7a

MERCOLEDÌ

Geremia	Il loro capo sarà uno di essi. Voi sarete il mio popolo e io il vostro Dio	Geremia 30, 1. 18-22
Profeti	Riverserò sopra la casa di Davide e sopra gli abitanti di Gerusalemme uno spirito di grazia e di consolazione: guarderanno a colui che hanno trafitto	Zaccaria 12, 9 - 13, 2

GIOVEDÌ

Geremia	Ti ho amato di amore eterno. Tu sarai riedificata, vergine d'Israele	Geremia 31, 1-7
Profeti	In quel giorno i suoi piedi si poseranno sopra il monte degli Ulivi che sta di fronte a Gerusalemme verso oriente. Il Signore sarà re di tutta la terra	Zaccaria 14, 1-11

Geremia	Concluderò con essi un'alleanza eterna	Geremia 32, 36-44
Profeti	Da tutte le genti andranno ogni anno per adorare il re, il Signore degli eserciti	Zaccaria 14, 16-21

SABATO

Geremia	Farò germogliare per Davide un germoglio di giustizia. Gerusalemme sarà chiamata: il Signore-nostra-giustizia	Geremia 33, 1. 14-22
Epistola	Vi siete accostati al monte di Sion e alla città del Dio vivente, alla Gerusalemme celeste	Ebrei 12, 18-24

ANNO II

I SETTIMANA DI AVVENTO

LUNEDÌ

Ezechiele	La visione dei quattro viventi	Ezechiele 1, 1-12
Profeti	Il giorno del Signore è vicino	Abacuc 1, 1; 2, 1-4

MARTEDÌ

Ezechiele	La visione del trono e della gloria del Signore	Ezechiele 1, 13-28b
Profeti	Viene il giorno del Signore, giorno di tenebra e di caligine	Gioele 2, 1-2

MERCOLEDÌ

Ezechiele	Figlio dell'uomo, ti mando agli Israeliti; sapranno che un profeta si trova in mezzo a loro	Ezechiele 2, 1-10
Profeti	Perdona, Signore, al tuo popolo	Gioele 2, 10-17

GIOVEDÌ

Ezechiele	Se ti avessi mandato a grandi popoli di lingua barbara, ti avrebbero ascoltato. Ma gli Israeliti non vogliono ascoltare te, perché non vogliono ascoltare me	Ezechiele 3, 1-15
Profeti	Voi conoscerete che io sono in mezzo a Israele	Gioele 2, 21-27

VENERDÌ

Ezechiele	Figlio dell'uomo, ti ho posto per sentinella alla casa d'Israele	Ezechiele 3, 16-21
Profeti	Io effonderò il mio spirito sopra ogni uomo e diverranno profeti	Gioele 3, 1-4

SABATO

Ezechiele	Sono una genìa di ribelli	Ezechiele 3, 22 - 4, 3
Epistola	Cristo proclamato da Dio sommo sacerdote alla maniera di Melchisedek	Ebrei 5, 1-10

II SETTIMANA DI AVVENTO

LUNEDÌ

Ezechiele	Figlio dell'uomo, tu espierai le iniquità degli Israeliti	Ezechiele 4, 4-17
Profeti	Chiunque invocherà il nome del Signore sarà salvato	Gioele 3, 5 - 4, 2

MARTEDÌ

Ezechiele	Il segno della barba rasata	Ezechiele 5, 1-9
Profeti	Il Signore è un rifugio al suo popolo	Gioele 4, 15-21

MERCOLEDÌ

Ezechiele	Si ricorderanno di me fra le genti, perché io avrò spezzato il loro cuore infedele	Ezechiele 6, 1-10
Profeti	Gli esuli saliranno vittoriosi sul monte Sion e il regno sarà del Signore	Abdia 1, 19-21

GIOVEDÌ

Ezechiele	Stenderò la mano e renderò la terra desolata	Ezechiele 6, 1. 11-14
Profeti	In questo luogo porrò la pace	Aggeo 2, 1-9

VENERDÌ

Ezechiele	Ecco, viene la fine	Ezechiele 7, 1-14
Profeti	Le labbra del sacerdote devono custodire la scienza	Malachia 2, 4b-9

SABATO

Ezechiele	Li tratterò secondo la loro condotta, così sapranno che io sono il Signore	Ezechiele 7, 1. 15-27
Epistola	Cristo mediatore di una nuova e migliore alleanza	Ebrei 8, 6-10

III SETTIMANA DI AVVENTO

LUNEDÌ

Ezechiele	Non toccate chi abbia il tau in fronte	Ezechiele 9, 1-11
Profeti	Avrò compassione di loro come il padre ha compassione del figlio che lo serve	Malachia 3, 13-18

MARTEDÌ

Ezechiele	La visione dei carboni accesi da spargere sulla città	Ezechiele 10, 1-10. 12-14. 18-19. 21-22a
Profeti	Invierò il profeta Elia prima che giunga il giorno del Signore	Malachia 3, 19-24

MERCOLEDÌ

Ezechiele	Hanno occhi e non vedono, hanno orecchie e non odono	Ezechiele 12, 1-7
Profeti	Amaro è il giorno del Signore	Sofonia 1, 1. 14-18

GIOVEDÌ

Ezechiele	Sapranno che io sono il Signore, quando li avrò dispersi fra le genti	Ezechiele 12, 8-16
Profeti	Cercate il Signore voi tutti umili della terra	Sofonia 2, 1-3

VENERDÌ

Ezechiele	Guai ai profeti stolti, che seguono il loro spirito senza avere avuto visioni	Ezechiele 13, 1-10
Profeti	Darò ai popoli un labbro puro perché invochino il nome del Signore	Sofonia 3, 9-13

SABATO

Ezechiele	Non avrete più visioni false, né più spaccerete incantesimi	Ezechiele 13, 1. 17-23
Epistola	La prima Tenda è una figura per il tempo attuale	Ebrei 9, 1-10

IV SETTIMANA DI AVVENTO

LUNEDÌ
Ezechiele   Giurai alleanza con te, Gerusalemme, e divenisti mia   Ezechiele 16, 1-15. 23-25. 35. 38

Profeti   Gioisci, figlia di Sion, il Signore in mezzo a te è un salvatore potente   Sofonia 3, 14-20

MARTEDÌ
Ezechiele   Io ratificherò la mia alleanza con te e tu saprai che io sono il Signore   Ezechiele 16, 1.3a-3b. 44-47. 57b-63

Profeti   Io amerò la casa di Giuda   Osea 1, 6 - 2, 2

MERCOLEDÌ
Ezechiele   Se uno osserva le mie leggi, egli è giusto ed egli vivrà   Ezechiele 18, 1-9

Profeti   La condurrò nel deserto e parlerò al suo cuore   Osea 2, 16-19

GIOVEDÌ
Ezechiele   Formatevi un cuore nuovo e uno spirito nuovo   Ezechiele 18, 1. 23-32

Profeti   Ti farò mia sposa per sempre   Osea 2, 20-25

VENERDÌ
Ezechiele   Con gelosia ardente io parlo contro gli altri popoli che hanno fatto del mio paese il loro possesso   Ezechiele 35, 1; 36, 1-7

Profeti   Torneranno gli Israeliti e cercheranno il Signore loro Dio   Osea 3, 4-5

SABATO
Ezechiele   Le città saranno ripopolate e le rovine ricostruite   Ezechiele 35, 1; 36, 1a. 8-15

Epistola   Cristo sommo sacerdote dei beni futuri   Ebrei 9, 11-22

V SETTIMANA DI AVVENTO

LUNEDÌ
Ezechiele   I popoli che saranno attorno a voi sapranno che io, il Signore, ho ricostruito ciò che era distrutto   Ezechiele 36, 16. 22a. 29-38

Profeti   Il Signore ci ha straziato, egli ci guarirà   Osea 6, 1-6

MARTEDÌ
Ezechiele   Le ossa inaridite si rianimano   Ezechiele 37, 1-14

Profeti   Dall'Egitto ho chiamato mio figlio   Osea 11, 1-4

MERCOLEDÌ
Ezechiele   Ecco, io prenderò gli Israeliti dalle genti e farò di loro un solo popolo nella mia terra   Ezechiele 37, 15-22a

Profeti   Li farò abitare nelle loro case   Osea 11, 7-11

GIOVEDÌ

| Ezechiele | Quando io li avrò ricondotti dalle genti e avrò mostrato in loro la mia santità, allora sapranno che io sono il loro Dio | Ezechiele 39, 21-29 |
| Profeti | Ti farò abitare ancora sotto le tende, come ai giorni del convegno | Osea 12, 3-11 |

VENERDÌ

| Ezechiele | La gloria del Signore entra nel Tempio dalla porta che guarda a oriente | Ezechiele 40, 1-4; 43, 1-9 |
| Profeti | Sarò come rugiada per Israele | Osea 14, 2-10 |

SABATO

| Ezechiele | L'acqua di vita che scende dal lato destro del Tempio | Ezechiele 47, 1-10 |
| Epistola | Cristo, apparso nella pienezza dei tempi per annullare il peccato mediante il sacrificio di se stesso, apparirà una seconda volta a coloro che l'aspettano per la loro salvezza | Ebrei 9, 23-28 |

Allegato 4

TEMPO DI NATALE
Le pericopi dei giorni tra Natale ed Epifania

II GIORNO DELL'OTTAVA DI NATALE: 26 DICEMBRE – SANTO STEFANO

Lettura	Il martirio di Stefano	Atti 6, 8 - 7, 2a; 7, 51 - 8, 4
Epistola	Ho combattuto la buona battaglia	2 Timoteo 3, 16-4, 8
Vangelo	Il sangue dei martiri seme dei cristiani. Paolo moneta d'argento scaturita dal martirio di Stefano	Matteo 17, 24-27
oppure		
Vangelo	Il servo non è più grande del suo padrone: hanno perseguitato me, perseguiteranno anche voi	Giovanni 15, 18-22

III GIORNO DELL'OTTAVA DI NATALE: 27 DICEMBRE – SAN GIOVANNI EVANGELISTA

Lettura	Ciò che era fin da principio, ciò che noi abbiamo veduto noi lo annunziamo anche a voi	1Giovanni 1, 1-10
Epistola	Quanto sono belli i passi di coloro che recano il lieto annuncio	Romani 10, 8c-15
Vangelo	Questo è il discepolo che rende testimonianza su questi fatti e li ha scritti	Giovanni 21, 19c-24

IV GIORNO DELL'OTTAVA DI NATALE: 28 DICEMBRE – SANTI INNOCENTI

Lettura	Una voce si ode da Rama: Rachele piange i suoi figli	Geremia 31, 15-18. 20
Epistola	Le sofferenze del momento presente non sono paragonabili alla gloria futura che sarà rivelata in noi	Romani 8, 14-21
Vangelo	La strage degli innocenti	Matteo 2, 13b-18

V GIORNO DELL'OTTAVA DI NATALE: 29 DICEMBRE

Lettura	Dalle loro spade forgeranno vomeri, e falci dalle loro lame	Michea 4, 1-4
Epistola	Grazia a voi e pace da Dio Padre nostro e dal Signore Gesù Cristo	1Corinzi 1, 1-10
Vangelo	Il ritorno dall'Egitto	Matteo 2, 19-23

VI GIORNO DELL'OTTAVA DI NATALE: 30 DICEMBRE

Lettura I	Il Signore regnerà sul monte Sion	Michea 4, 6-8
Epistola	Sia benedetto Dio, Padre del Signore nostro Gesù Cristo, Padre misericordioso che ci consola in ogni nostra tribolazione	2Corinzi 1, 1-7
Vangelo	Beato il ventre che ti ha portato	Luca 11, 27b-28

IN SANT'EUSTORGIO: SANT'EUGENIO, VESCOVO

Lettura agiografica	Notizia in merito al santo vescovo Eugenio	

oppure

Lettura	Celebra le tue feste, Giuda; il Signore restaura la vigna di Giacobbe	Naum 2, 1. 3ab
Epistola	Mi sono fatto Giudeo con i Giudei, per guadagnare i Giudei	1Corinzi 9, 19b-23
Vangelo	Beato il ventre che ti ha portato	Luca 11, 27b-28

VII GIORNO DELL'OTTAVA DI NATALE: 31 DICEMBRE

Lettura	Sarà grande fino agli estremi confini della terra e tale sarà la pace	Michea 5, 2-4a
Epistola	Grazia a voi e pace da parte di Dio, Padre nostro, e dal Signore Gesù Cristo	Galati 1, 1-5
Vangelo	Egli è qui per la rovina e la resurrezione di molti in Israele	Luca 2, 33-35

***

2 GENNAIO

Lettura	Il sogno di Nabucodonosor: la statua e la pietra	Daniele 2, 26-35
Epistola	A tutti i santi in Cristo Gesù grazia e pace da Dio, Padre nostro, e dal Signore Gesù Cristo	Filippesi 1, 1-11
Vangelo	I miei occhi hanno visto la tua salvezza	Luca 2, 28b-32

3 GENNAIO

Lettura	La spiegazione del sogno di Nabucodonosor: i grandi regni della storia	Daniele 2, 36-47
Epistola	Ai santi e fedeli fratelli in Cristo grazia e pace da Dio, Padre nostro	Colossessi 1, 1-7
Vangelo	Anna parlava del bambino a quanti aspettavano la redenzione di Gerusalemme	Luca 2, 36-38

4 GENNAIO

Lettura	La visione del vegliardo sul trono che dà potere e regno eterno al Figlio dell'uomo	Daniele 7, 9-14
Epistola	Alla Chiesa che è in Dio Padre nostro e nel Signore Gesù Cristo: grazia e pace	2Tessalonicesi 1, 1-12
Vangelo	Genealogia di Gesù	Luca 3, 23-38

Allegato 5

Le pericopi dei giorni tra Epifania e Battesimo del Signore

I FERIA DOPO L'EPIFANIA

Lettura	Cantico dei cantici di Salomone: il corteo dello Sposo	Cantico 1, 1. 3, 6-11
Vangelo	Il ritorno del signore dalle nozze	Luca 12, 33-44

II FERIA DOPO L'EPIFANIA

Lettura	Una voce! Il mio diletto!	Cantico 2, 8-14
Vangelo	Si levò un grido: Ecco lo Sposo!	Matteo 25, 1-13

III FERIA DOPO L'EPIFANIA

Lettura	M'introduca il re nelle sue stanze	Cantico 1, 2-3b.4b.15; 2, 2-3b.16a; 8, 6a-c
Vangelo	Chi possiede la Sposa è lo Sposo, ma l'Amico dello Sposo	
	gioisce all'udire la sua voce	Giovanni 3, 28-29

IV FERIA DOPO L'EPIFANIA

Lettura	La vigna del Signore	Cantico 2, 1; 4, 1a, 3b. 4a; 7, 6; 8, 11a. 12a. 7a-b
Vangelo	Il banchetto di nozze del figlio del re	Matteo 22, 1-14

V FERIA DOPO L'EPIFANIA

Lettura	Tu sei bella, amica mia	Cantico 6, 4-9
Vangelo	L'invito al banchetto	Luca 14, 1.15-24

SABATO DOPO L'EPIFANIA

Lettura	Vieni con me dal Libano, o Sposa	Cantico 4, 7-15. 16d-e
Epistola	Cristo Sposo della Chiesa	Efesini 5, 21-27
Vangelo	L'unione indissolubile degli Sposi	Matteo 5, 31-32

CAPITOLO XI

"... E I SUOI DISCEPOLI CREDETTERO IN LUI"
IL MESSIA DI MISERICORDIA E IL SUO DISVELAMENTO
NEL TEMPO DOPO L'EPIFANIA

1. IL CICLO DOMENICALE

Il *Calendario Ambrosiano per l'anno 1970*, avendo assunto la struttura dell'anno liturgico romano, ne aveva derivato, per le settimane dopo l'Epifania il sistema, per la Chiesa di Roma tradizionale, delle "Domeniche vaghe", portato a compiuta definizione attraverso l'ordinamento del Tempo *"per Annum"*.

Nel contesto romano, come già s'è osservato, tale fluttuante organizzazione del succedersi delle Domeniche dopo Epifania e dopo Pentecoste non rappresentava in alcun modo una novità postconciliare; si trattava semplicemente della riformulazione di un proprio tradizionale elemento strutturale.

Nella Chiesa di Milano un simile ordinamento era stato praticato in età tardo antica, nella fase di passaggio, che aveva preceduto la compiuta strutturazione dell'intero anno liturgico quale celebrazione, nell'articolarsi dei diversi Tempi, del mistero di Cristo e manifestazione della sua salvezza.[1]

In questo senso è significativo il fatto che l'intellettualità ambrosiana d'età carolingia, cui si deve l'aver portato a compimento l'elaborazione del ciclo annuale con il completamento delle sezioni dopo Epifania e dopo Pentecoste, pur conoscendo i libri liturgici romani, per altri aspetti ampiamente messi a frutto, su questo punto si sia mossa secondo criteri assolutamente specifici, portando a compimento la linea evolutiva (di progressiva organica strutturazione) chiaramente individuabile nello stesso codice di

---

[1] L'ambrosiano *Evangelistario di Busto* e le sue pericopi *"de cottidianis diebus"*, utilizzabili a partire dalla V Domenica dopo l'Epifania e, dopo Pentecoste, nelle Domeniche che si affiancavano alle celebrazioni fisse gravitanti attorno al 29 Agosto e alla Dedicazione, sono al riguardo estremamente eloquenti.

Busto, attraverso il raffronto tra il *Capitolare* e il più evoluto *Evangelistario* che, pure esso precarolingio nel contenuto, rispetto al *Capitolare* riporta le pericopi anche per le ferie di Quaresima e due ulteriori Domeniche dopo Epifania.

In fedeltà a tale sensibilità liturgica ambrosiana, nel nuovo Lezionario il Tempo che segue la celebrazione dell'Epifania si pone organicamente come eco di questa solennità; in particolare le Domeniche, fino alla terzultima, attraverso la presentazione dei segni compiuti dal Cristo, ne vengono manifestando la messianicità e la divina signoria.

Nell'ultima Domenica di Gennaio, conformemente a un orientamento di massima abbastanza costante (pur nelle variazioni di dettaglio) del Calendario ambrosiano, si situa la Festa della Santa Famiglia.[2]

Le due ultime Domeniche dopo l'Epifania, che immediatamente precedono il tempo quaresimale e che sempre devono essere celebrate (la penultima viene omessa solo nel caso in cui coincida con la Festa della Santa Famiglia), sviluppano le specifiche tematiche della clemenza misericordiosa di Dio e del perdono da lui accordato al peccatore pentito. Stante la connotazione fortemente misterica e battesimale della Quaresima, è sembrato oltremodo opportuno, anche sul piano pastorale, segnare queste settimane immediatamente precedenti il cammino introduttivo alla Pasqua con un pressante richiamo ai fedeli "a lasciarsi riconciliare con Dio".[3]

Questo ciclo domenicale postepifanico, che prende avvio dopo la Festa del Battesimo del Signore e prevede un numero variabile di Domeniche (legato al fluttuare della Pasqua), fino a un massimo di 9, si articola su tre anni, ma con una scansione omogenea delle tematiche nel succedersi delle Domeniche. Sulla scia dell'inno epifanico della Chiesa milanese, il Lezionario, nella II Domenica, conserva in tutti e tre gli anni la pericope evangelica delle nozze di Cana (come del resto avviene nel Patriarcato latino

---

[2] Merita notare come a Milano non abbia avuto recezione la scelta romana di collocare la Santa Famiglia nella Domenica dopo il Natale, nonostante l'assunzione di altri, e ben più rilevanti, aspetti del Calendario riformato. Già precedentemente, alla romana I Domenica dopo l'Epifania, corrispondeva in ambito ambrosiano la collocazione al Lunedì dopo la III Domenica postepifanica. Nella fase postconciliare la festa venne fissata a Milano alla IV Domenica di Gennaio. Nel Calendario ora promulgato la festa è stata traslata all'ultima Domenica di Gennaio [cf. *Normae universales de anno liturgico et de Calendario* (2008), 41, in *Promulgazione del Lezionario Ambrosiano*, Supplemento a *Rivista Diocesana Milanese* 99 (3) (2008) 159; redazione italiana: p. 81], in concreto per ottemperare all'esigenza pastorale di ridurre il più possibile sovrapposizioni tra tale celebrazione e l'Ottavario per l'Unità dei Cristiani.

[3] Cf *IICor* 5, 20.

di Gerusalemme, che in tale Domenica a Cana commemora annualmente l'evento con particolare solennità).[4]

2. IL CICLO SABBATICO

Nella Settimana dopo la Festa del Battesimo del Signore prende avvio – come già si è segnalato[5] – il Ciclo delle comuni letture sabbatiche, la prima delle quali è costantemente tratta dal Pentateuco.

Tale ciclo si svilupperà per la successiva serie di settimane fino alla Domenica *all'inizio della Quaresima*, per riprendere poi nella Settimana dopo la Festa della Santisssima Trinità.

I caratteri di tale ciclo e l'intero quadro delle pericopi, che lo connotano, è stato offerto affrontando espressamente il tema del Sabato nella tradizione ambrosiana.[6]

3. IL CICLO FERIALE

Come già s'è segnalato, nelle ferie del Tempo dopo l'Epifania si viene sviluppando la lettura progressiva del Vangelo secondo Marco, "inizio del lieto annuncio di Gesù Cristo" (1, 1).[7]

Le pericopi previste per la lettura che precede il Vangelo sono concepite come espressione dell'irradiamento della Sapienza divina nel mondo. Esse offrono la testimonianza di una riflessione condotta – alla luce della Parola di Dio – sul significato del Creato e sul dono della salvezza inserita da Dio nella storia degli uomini, ma altresì sulla natura, fragile e caduca, dell'uomo.

In concreto: nelle settimane successive alla Festa del Battesimo del Signore si sviluppa la lettura del Libro del Siracide (Ecclesiastico); nella terzultima e penultima settimana è collocata una lettura (peraltro configurata in modo compiuto e coerente anche all'interno di ciascuna settimana) del Libro della Sapienza; mentre nella settimana prima della Quaresima viene letto il Qoelet (Ecclesiaste).[8]

---

[4]   Il quadro complessivo delle letture è delineato nell'Allegato 1 al presente capitolo.
[5]   Si veda il cap. VIII: Il Sabato e la Domenica. *I tempi dell'Alleanza e la loro memoria.*
[6]   *Ibidem.*
[7]   La serie completa delle pericopi è riportata nell'Allegato 2.
[8]   La successione delle pericopi potrà vedersi nell'Allegato 3.

4. 40 GIORNI DOPO IL NATALE: LA PRESENTAZIONE DEL SIGNORE AL TEMPIO

Il Libro relativo alla celebrazione del Mistero dell'Incarnazione riporta, in apposita Appendice, oltre ai formulari per la Festa della Santa Famiglia (ultima Domenica di Gennaio), i testi per la *Festa della Presentazione del Signore* nel caso in cui il 2 Febbraio cada in Domenica. Tale festa sembra essere stata introdotta in ambito ambrosiano in età carolingia. Nel *Capitolare di Busto* non compare e nell'*Evangelistario* la relativa pericope è significativamente integrata nel Vangelo dell'Ottava del Natale. Tuttavia si tratta di celebrazione che in ambito gerosolimitano godette di straordinaria solennità già alla fine del IV secolo. Ecco la descrizione, che ne fa Egeria:

> "Il quarantesimo giorno dopo l'Epifania [da intendersi: dopo il manifestarsi del Verbo divino attraverso la sua nascita secondo la carne] è qui celebrato veramente con grande solennità. Quel giorno si va all'*Anastasis*, vi si recano tutti e ogni rito si svolge secondo l'uso prestabilito, con grande pompa, come per Pasqua. Predicano anche tutti i sacerdoti e poi il vescovo, commentando sempre il passo del Vangelo, in cui si dice che il quarantesimo giorno Giuseppe e Maria portarono il Signore al Tempio e lo videro Simeone e la profetessa Anna, figlia di Fanuele, e le parole che costoro pronunciarono alla vista del Signore, e l'offerta che fecero i genitori. Poi, compiute una dopo l'altra tutte le cerimonie che si fanno normalmente, si celebra il sacramento dell'Eucaristia [*aguntur sacramenta*] e si fa il congedo".[9]

Viene indicato qui di seguito l'insieme delle pericopi.

Annuncio della Resurrezione	Gesù appare nel Cenacolo	Giovanni 20, 19-23
Lettura	Entrerà nel suo tempio il Signore	Malachia 3, 1-4a[10]
Epistola	Rallegratevi, o nazioni, insieme al suo popolo	Romani 15, 8-12[11]
Vangelo	La Presentazione del Signore al Tempio	Luca 2, 22-40[12]

---

[9] EGERIA, *Itinerarium*, XXVI, 1, ed. et trad. N. NATALUCCI, Nardini, Firenze 1991 [Biblioteca Patristica], p. 173. Per l'ambito provinciale milanese cf, al capitolo precedente, la nota 59.

[10] L.ex. (3, 1-4); Typ. (Siracide 24, 9-20: cf. Assunzione).

[11] Cf II Avvento A (15, 1-13).
Typ. (Romani 8, 3-11 [ripresa pure in Dom. post Nativitatem, per la quale cf nel presente Lezionario, Dom. dopo Ottava del Natale [8, 3b-9a]).
L. ex. (Ebrei 2, 14-18 [= LR]; cf nel presente Lezionario S. Fam. B: 2, 11-17)

[12] Typ.; L.ex.

Allegato 1

DOPO EPIFANIA
Le pericopi del Ciclo Domenicale

ANNO A

DOMENICA II[13]

Lettura	L'acqua di Meriba	Numeri 20, 2. 6-13[14]
Epistola	Lo Spirito formula le nostre richieste a Dio	Romani 8, 22-27
Vangelo	Il segno alle nozze di Cana e la richiesta di Maria	Giovanni 2, 1-11[15]

DOMENICA III

Lettura	Il dono della manna	Esodo 16, 2-7a. 13b-18
Epistola	La carità fraterna nella Chiesa continuazione del dono di Dio	2Corinzi 8, 7-15
Vangelo	Il segno della moltiplicazione dei pani (nella narrazione di Luca)	Luca 9, 10b-17[16]

DOMENICA IV

Lettura	Dio con la sua parola domina l'abisso, lui che ha creato ogni cosa	Siracide 43, 25-37a
Epistola	Quando si manifesterà Cristo anche voi sarete manifestati nella sua gloria	Colossesi 3, 4-10[17]
Vangelo	La manifestazione della signoria di Cristo sulla Creazione: la tempesta sedata (nella narrazione di Matteo)	Matteo 8, 23-27[18]

DOMENICA V

Lettura	Tutti i popoli verranno e vedranno la mia gloria	Isaia 66, 18b-22
Epistola	La promessa ad Abramo in virtù della fede	Romani 4, 13-17
Vangelo	La signoria di Cristo sulla vita: il secondo segno a Cana per il figlio del funzionario	Giovanni 4, 46-54[19]

DOMENICA VI

Lettura	Davide, il sacerdote Achimelech e i pani dell'offerta	1Samuele 21, 2-7b
Epistola	Gesù sommo sacerdote che sa compatire le nostre infermità	Ebrei 4, 14-16
Vangelo	La potenza taumaturgica di Cristo e la sua filantropia: la mano inaridita	Matteo 12, 9b-21[20]

---

[13]   Typ.
[14]   Typ.: *Ex* 17, 1d-2b. *Nm* 20, 6-13.
[15]   Bu Vigilia Epifania.
[16]   Typ. V dopo Epifania.
[17]   Typ. X dopo Pentecoste.
[18]   Bu (Ev) de Cottidianis.
[19]   Bu (Ca-Ev) I dopo Epifania (+ 45); Typ. III dopo Epifania.
[20]   Bu (Ev) de Cottidianis (9-13).

DOMENICA VII

Lettura	Orecchio non ha sentito, occhio non ha visto che un Dio abbia fatto tanto per chi confida in lui	Isaia 64, 3b - 8
Epistola	Abbiate in voi gli stessi sentimenti che furono in Cristo Gesù	Filippesi 2, 1-5
Vangelo	Gesù andava per tutte le città e i villaggi curando ogni infermità	Matteo 9, 27-35[21]

FESTA DELLA SANTA FAMIGLIA – ultima Domenica di Gennaio

Lettura	Onora il padre e la madre e stendi la tua mano al povero	Siracide 7, 27-30. 32-36
Epistola	Rivestitevi di sentimenti di misericordia: mogli, mariti, figli, genitori	Colossesi 3, 12-21
Vangelo	Il padre e la madre di Gesù si stupivano delle cose che si dicevano di lui	Luca 2, 22-33[22]

PENULTIMA DOMENICA – detta "della divina clemenza"

Lettura	Nella tua misericordia verso di noi tutta la terra riconosca che sei il nostro Dio	Baruc 2, 9-15a
Epistola	In Cristo siamo liberati dalla legge per non essere più adulteri, ma appartenere a lui	Romani 7, 1-6a
Vangelo	L'adultera	Giovanni 8, 1-11[23]

ULTIMA DOMENICA – detta "del perdono"

Lettura	L'attirerò a me, la condurrò nel deserto e parlerò al suo cuore	Osea 1, 9. 2, 7b-10. 16-18. 21-22
Epistola	Non c'è più nessuna condanna per quelli che sono in Cristo	Romani 8, 1-4
Vangelo	Il Figliuol prodigo	Luca 15, 11-32

ANNO B

DOMENICA II

Lettura	Prepara il Signore per tutti i popoli un banchetto di vini eccellenti	Isaia 25, 6-10a
Epistola	In Cristo abita la pienezza della divinità	Colossesi 2, 1-10a
Vangelo	Il segno alle nozze di Cana	Giovanni 2, 1-11

DOMENICA III

Lettura	La manna e le quaglie	Numeri 11, 4-7. 16a. 18-20. 31-32a
Epistola	Ciò che avvenne ai nostri padri nel deserto è esempio per noi	1Corinzi 10, 1-11b
Vangelo	Il segno della moltiplicazione dei pani (nella narrazione di Matteo)	Matteo 14, 13b-21

---

[21] Bu (Ev) de Cottidianis.

[22] 2 Febbr. 22-40.

[23] La pericope, costantemente presente nell'ordinamento delle letture ambrosiano (cf P. CARMASSI, *Libri liturgici e istituzioni ecclesiastiche a Milano in età medioevale. Studio sulla formazione del lezionario ambrosiano*, Aschendorff, Münster 2001 [Liturgiewissenschaftliche Quellen und Forschungen, 85: Corpus ambrosiano-liturgicum, 4], pp. 117 ss.), è stata oggetto di specifico commento omiletico nella *Apologia Dauid altera* (cf I, 1), posta sotto il nome di Ambrogio: ed. C. (K.) SCHENKL, Tempsky-Freytag, Vindobonae-Lpsiae 1897 [Corpus Scriptorum Ecclesiasticorum Latinorum (= CSEL), 32/2], p. 359; per i problemi di attribuzione: H. SAVON, *Doit-on attribuer à saint Ambroise l'"Apologia Dauid altera"?*, in *Latomus* 63 (2004) 930-962.

DOMENICA IV

Lettura	La Creazione obbedisce ai tuoi comandi	Sapienza 19, 6-9
Epistola	Tutto concorre al bene di coloro che amano Dio	Romani 8, 28-32
Vangelo	La manifestazione della signoria di Cristo sulla Creazione: la tempesta sedata (nella narrazione di Luca)	Luca 8, 22-25[24]

DOMENICA V

Lettura	La gloria del Libano verrà a te	Isaia 60, 13-14
Epistola	Chiamerò mio popolo quello che non era mio popolo	Romani 9, 21-26
Vangelo	La signoria di Cristo sulla vita: la figlia della Cananea	Matteo 15, 21-28

DOMENICA VI

Lettura	La guarigione di Nàaman il lebbroso	2Re 5, 1-3. 9-15b
Epistola	Voi vi siete accostati alla città del Dio vivente	Ebrei 12, 18-24
Vangelo	La potenza taumaturgica di Cristo e la sua filantropia: l'emorroissa	Luca 8, 42b-48

DOMENICA VII

Lettura	Mi feci trovare da chi non mi cercava	Isaia 65, 1-5a. 8-9
Epistola	Quelli che ricevono l'abbondanza del dono della giustizia regneranno nella vita per mezzo del solo Gesù Cristo	Romani 5, 15b-19
Vangelo	Gesù libera gli indemoniati nel paese dei Gadareni	Matteo 8, 28-34[25]

FESTA DELLA SANTA FAMIGLIA - ultima Domenica di Gennaio

Lettura	Tu sei un Dio nascosto, Dio d'Israele, Salvatore	Isaia 45, 14-17
Epistola	Cristo si è reso in tutto simile a noi suoi fratelli, assumendo carne e sangue	Ebrei 2, 11-17
Vangelo	Era in tutto a loro sottomesso	Luca 2, 41-52[26]

PENULTIMA DOMENICA – detta "della divina clemenza"

Lettura	Voglio l'amore e non il sacrificio. Egli ci ha percossi ed egli ci fascerà	Osea 6, 1-6
Epistola	Il Figlio di Dio mi ha amato e ha dato se stesso per me	Galati 2, 19 - 3, 7
Vangelo	La peccatrice in casa di Simone il fariseo	Luca 7, 36-50

ULTIMA DOMENICA – detta "del perdono"

Lettura	Ti riprenderò con immenso amore, dice il Signore, che ti usa misericordia	Isaia 54, 5-10
Epistola	Non disprezzare il tuo fratello. Cristo è signore dei vivi e dei morti	Romani 14, 9-13[27]
Vangelo	Il pubblicano e il fariseo	Luca 18, 9-14[28]

---

[24] Bu (Ev) de Cottidianis.
[25] Bu (Ev) de Cottidianis; cf Impronte di Orléans (s.VI-VII) (8, 28 - 9, 8).
[26] L.ex.; Typ. (42-52).
[27] Typ. III dopo Pentecoste.
[28] Typ. XI dopo Pentecoste.

ANNO C

DOMENICA II

Lettura	Intercessione di Ester presso il re e invito al banchetto	Ester 5, 1-1c. 2-5
Epistola	In Cristo ci ha scelti prima della creazione del mondo	Efesini 1, 3-14
Vangelo	Il banchetto nuziale di Cana e l'intercessione di Maria	Giovanni 2, 1-11

DOMENICA III

Lettura	La terra dove scorre latte e miele	Numeri 13, 1-2. 17-27
Epistola	La carità fraterna nella Chiesa continuazione del dono di Dio	2Corinzi 9, 7-14
Vangelo	Il segno della (seconda) moltiplicazione dei pani	Matteo 15, 32-38

DOMENICA IV

Lettura	Le acque del Giordano s'arrestano di fronte all'Arca di Dio	Giosuè 3, 14-17
Epistola	Dio, ricco di misericordia, ci ha fatti sedere nei cieli con Cristo	Efesini 2, 1-7
Vangelo	La manifestazione della signoria di Cristo sulla Creazione: Gesù cammina sulle acque	Marco 6, 45-56[29]

DOMENICA V

Lettura	Non saranno più due popoli	Ezechiele 37, 21-26[30]
Epistola	Non c'è distinzione tra Giudeo e Greco	Romani 10, 9-13[31]
Vangelo	La signoria di Cristo sulla vita: la guarigione del servo del centurione	Matteo 8, 5-13

DOMENICA VI

Lettura	Lo straniero non dica "Il Signore mi escluderà dal suo popolo"	Isaia 56, 1-8[32]
Epistola	Chi mi libererà da questo corpo votato alla morte?	Romani 7, 14-25a
Vangelo	La potenza taumaturgica di Cristo e la sua filantropia: i dieci lebbrosi	Luca 17, 11-19

DOMENICA VII

Lettura	Non godo della morte dell'empio, ma che l'empio desista dalla sua condotta e viva	Ezechiele 33, 1-5.7a.10-11c
Epistola	Come il Signore vi ha perdonati, così fate anche voi	Colossesi 3, 5-13
Vangelo	Perché sappiate che il Figlio dell'uomo ha il potere di rimettere i peccati: Alzati, prendi il tuo lettuccio e va	Luca 5, 17-26

FESTA DELLA SANTA FAMIGLIA - ultima Domenica di Gennaio

Lettura	Dio fece posare sulla testa di Giacobbe la benedizione di tutti gli uomini e l'alleanza. Da lui fece sorgere un uomo, lo santificò nella mansuetudine, lo introdusse nella nube, gli fece udire la sua voce	Siracide 44, 23 - 45, 1a. 2-5

---

[29] Bu (Ev) de Cottidianis.
[30] Typ. III dopo Epifania.
[31] Typ. e L.ex. san Giovanni Ev. (8c-15).
[32] Typ.: V dopo Pentecoste; V dopo Decollazione, Anno C (-7); II dopo Dedicazione, Anno B (3-7).

| Epistola | Mariti, mogli, figli, genitori | Efesini 5, 33 - 6, 4 |
| Vangelo | Giuseppe, posti in salvo il bambino e Maria, udita la voce dell'angelo, li ricondusse dall'Egitto nella terra d'Israele | Matteo 2, 19-23[33] |

PENULTIMA DOMENICA – detta "della divina clemenza"

Lettura	Ascolta le nostre suppliche non per la nostra giustizia, ma per la tua grande misericordia. Ascolta e perdona	Daniele 9, 15-19
Epistola	Gesù è venuto a salvare i peccatori, dei quali io sono il primo, ed ha chiamato al ministero me che per l'innanzi fui bestemmiatore	1Timoteo 1, 12-17
Vangelo	La chiamata di Levi il pubblicano	Marco 2, 13-17

ULTIMA DOMENICA – detta "del perdono"

Lettura	Il Signore è paziente con gli uomini e riversa su di loro la sua misericordia	Siracide 18, 11-14
Epistola	La carità nella Chiesa verso i peccatori	2Corinzi 2, 5-11
Vangelo	La conversione di Zaccheo	Luca 19, 1-10

Allegato 2

DOPO EPIFANIA
La lettura progressiva del Vangelo secondo Marco nel Ciclo Feriale

SETTIMANA DELLA I DOMENICA DOPO L'EPIFANIA
Lunedì	1, 1-8
Martedì	1, 14-20
Mercoledì	1, 21b-34
Giovedì	1, 35-45
Venerdì	2, 13-14. 23-28

SETTIMANA DELLA II DOMENICA DOPO L'EPIFANIA
Lunedì	3, 7-12
Martedì	3, 22-30
Mercoledì	3, 31-35
Giovedì	4, 1-20
Venerdì	4, 21-23

SETTIMANA DELLA III DOMENICA DOPO L'EPIFANIA
Lunedì	4, 24-25
Martedì	4, 26-34
Mercoledì	4, 35-41
Giovedì	5, 1-20
Venerdì	5, 21-24a. 35-43

---

[33]   L.ex. Domenica nell'ottava del Natale.

SETTIMANA DELLA IV DOMENICA DOPO L'EPIFANIA
Lunedì   5, 24b-34
Martedì   6, 1-6a
Mercoledì   6, 30-34
Giovedì   6, 33-44
Venerdì   7, 1-13

SETTIMANA DELLA V DOMENICA DOPO L'EPIFANIA
Lunedì   7, 14-30
Martedì   7, 31-37
Mercoledì   8, 1-9
Giovedì   8, 10-21
Venerdì   8, 22-26

SETTIMANA DELLA VI DOMENICA DOPO L'EPIFANIA
Lunedì   8, 31-33
Martedì   9, 14-29
Mercoledì   9, 33-37
Giovedì   9, 38-41
Venerdì   9, 42-50

SETTIMANA DELLA VII DOMENICA DOPO L'EPIFANIA
Lunedì   10, 1-12
Martedì   10, 13-16
Mercoledì   10, 17-22
Giovedì   10, 23-27
Venerdì   10, 28-34

SETTIMANA DELLA PENULTIMA DOMENICA DOPO L'EPIFANIA
Lunedì   10, 35-45
Martedì   10, 46b-52
Mercoledì   11, 12-14. 20-25
Giovedì   11, 15-19
Venerdì   11, 27-33

SETTIMANA DELL'ULTIMA DOMENICA DOPO L'EPIFANIA
Lunedì   12, 13-17
Martedì   12, 18-27
Mercoledì   12, 38-44
Giovedì   13, 9b-13
Venerdì   13, 28-31

Allegato 3

DOPO EPIFANIA
Le pericopi sapienziali del Ciclo Feriale

ANNO I

SETTIMANA DELLA I DOMENICA DOPO L'EPIFANIA

LUNEDÌ
Lettura   Ogni sapienza viene dal Signore   Siracide 1, 1-16a

MARTEDÌ
Lettura   Con la parola del Signore sono state create le sue opere   Siracide 42, 15-21

MERCOLEDÌ
Lettura   Che meraviglia è l'opera dell'Altissimo!   Siracide 43, 1-8

GIOVEDÌ
Lettura   Facciamo l'elogio dei padri nostri nelle loro generazioni   Siracide 43, 33 - 44, 14

VENERDÌ
Lettura   Abramo fu grande padre di una moltitudine di nazioni   Siracide 44, 1. 19-21

SETTIMANA DELLA II DOMENICA DOPO L'EPIFANIA

LUNEDÌ
Lettura   Il ricordo di Mosè è benedizione   Siracide 44, 1. 23g - 45, 5

MARTEDÌ
Lettura   Giosuè fu grande per la salvezza degli eletti di Dio   Siracide 44, 1; 46, 1-6d

MERCOLEDÌ
Lettura   Il nome dei Giudici si perpetui   Siracide 44, 1; 46, 11-12

GIOVEDÌ
Lettura   Samuele istituì la monarchia   Siracide 44, 1; 46, 13-18

VENERDÌ
Lettura   A Davide offrirono un diadema di gloria   Siracide 44, 1; 47, 2-7

SETTIMANA DELLA III DOMENICA DOPO L'EPIFANIA

LUNEDÌ
Lettura   Dio dispose che Salomone preparasse un santuario perenne   Siracide 44, 1; 47, 12-17

MARTEDÌ
Lettura   Sorse Elia simile al fuoco   Siracide 44, 1; 48, 1-14

MERCOLEDÌ
Lettura   Il ricordo di Giosia è una mistura d'incenso   Siracide 44, 1; 49, 1-3

GIOVEDÌ
Lettura   I nemici incendiarono la città eletta del santuario,
          secondo la parola di Geremia   Siracide 44, 1; 49, 4-7

VENERDÌ
Lettura   Zorobabele è come un sigillo nella mano destra   Siracide 44, 1; 49, 11-12

SETTIMANA DELLA IV DOMENICA DOPO L'EPIFANIA

LUNEDÌ
Lettura   La Legge che ci ha imposto Mosè trabocca di sapienza   Siracide 24, 23-29

MARTEDÌ
Lettura   Quanto sono magnifiche le tue opere, Signore   Siracide 39, 12-22

MERCOLEDÌ
Lettura   Come l'argilla nelle mani del vasaio, così gli uomini nelle mani
           di colui che li ha creati   Siracide 33, 7-15

GIOVEDÌ
Lettura   Chi si procura una sposa possiede una colonna d'appoggio   Siracide 36, 24-28

VENERDÌ
Lettura   Chi ammaestra il proprio figlio potrà gioire davanti agli amici   Siracide 30, 2-11

SETTIMANA DELLA V DOMENICA DOPO L'EPIFANIA

LUNEDÌ
Lettura   Sacrificare il frutto dell'ingiustizia non è gradito   Siracide 34, 21-31

MARTEDÌ
Lettura   Perdona l'offesa al tuo prossimo   Siracide 28, 1-7

MERCOLEDÌ
Lettura   Prega l'Altissimo perché guidi la tua condotta secondo verità   Siracide 37, 7-15

GIOVEDÌ
Lettura   Non abbandonarti alla tristezza   Siracide 30, 21-25

VENERDÌ
Lettura   Non esaltarti   Siracide 32, 1-13

SETTIMANA DELLA VI DOMENICA DOPO L'EPIFANIA

LUNEDÌ
Lettura   Non trascurarti nella malattia, ma prega il Signore   Siracide 38, 9-14

MARTEDÌ
Lettura   Per amore del denaro molti peccano   Siracide 27, 1-3

MERCOLEDÌ
Lettura   Vanto degli anziani il timore del Signore   Siracide 25, 1-6

GIOVEDÌ
Lettura   Se ti presenti per servire il Signore, preparati alla tentazione   Siracide 2, 1-11

VENERDÌ
Lettura   Le meraviglie del Signore   Siracide 18, 1-14

SETTIMANA DELLA VII DOMENICA DOPO L'EPIFANIA

LUNEDÌ
Lettura   La sapienza non abita in un corpo schiavo del peccato   Sapienza 1, 1-11b

MARTEDÌ
Lettura   Gli empi invocano su di sé la morte   Sapienza 1, 16 - 2, 11. 21-22

Lettura   Le anime dei giusti sono nelle mani di Dio   Sapienza 2, 23 - 3, 11

GIOVEDÌ

Lettura   Il giusto, anche se muore prematuramente, troverà riposo   Sapienza 4, 7 - 5, 1

VENERDÌ

Lettura   Sovrani dei popoli, onorate la sapienza, perché possiate
regnare sempre   Sapienza 6, 1-11. 18b-21

SETTIMANA DELLA PENULTIMA DOMENICA DOPO L'EPIFANIA

LUNEDÌ

Lettura   Dammi la sapienza, che siede accanto a te in trono   Sapienza 8, 17-18. 21 - 9, 5. 7-10

MARTEDÌ

Lettura   Tu ami tutte le cose che esistono e non provi disgusto per nessuna
delle tue creature   Sapienza 11, 24-12, 8a. 9a. 10-11a. 19

MERCOLEDÌ

Lettura   Stolti per natura, tutti gli uomini che vivevano nell'ignoranza di Dio   Sapienza 13, 1-9

GIOVEDÌ

Lettura   L'invenzione degli idoli portò la corruzione nella vita   Sapienza 14, 12-27

VENERDÌ

Lettura   Anche se pecchiamo, siamo tuoi   Sapienza 15, 1-5; 19, 22

SETTIMANA DELL'ULTIMA DOMENICA DOPO L'EPIFANIA

LUNEDÌ

Lettura   Tutto è vanità   Qoelet 1, 1-14

MARTEDÌ

Lettura   Per ogni cosa c'è il suo momento   Qoelet 3, 1-8

MERCOLEDÌ

Lettura   Abbi il timor di Dio   Qoelet 4, 17 - 5, 6

GIOVEDÌ

Lettura   L'uomo non conosce neppure la sua ora   Qoelet 9, 7-12

VENERDÌ

Lettura   Temi Dio e osserva i suoi comandamenti,
perché qui sta tutto l'uomo   Qoelet 11, 7-9; 12, 13-14

ANNO II

SETTIMANA DELLA I DOMENICA DOPO L'EPIFANIA

LUNEDÌ

Lettura   La Sapienza   Siracide 24, 1-2.13-22

MARTEDÌ

Lettura   Quanto sono amabili le opere di Dio. Egli è tutto!   Siracide 42, 22–25; 43, 26b-32

MERCOLEDÌ

Lettura   Bellezza del cielo la gloria degli astri   Siracide 43, 9-18

Lettura   Facciamo l'elogio dei padri nostri   Siracide 44, 1.15-18

VENERDÌ
Lettura   Abramo, Isacco e Giacobbe   Siracide 44, 1. 19a. 22-23

SETTIMANA DELLA II DOMENICA DOPO L'EPIFANIA

LUNEDÌ
Lettura   Mosè e Aronne   Siracide 44, 1. 23g - 45, 1. 6-13

MARTEDÌ
Lettura   Non scompaiano le virtù dei padri   Siracide 44, 1; 45, 23 - 46, 1

MERCOLEDÌ
Lettura   Giosuè e Caleb si salvarono per introdurre Israele nella sua eredità   Siracide 44, 1; 46, 7-10

GIOVEDÌ
Lettura   Samuele, amato dal suo Signore; dopo di lui sorse Natan Siracide 44, 1; 46, 13a. 19 - 47, 1

VENERDÌ
Lettura   Davide in ogni sua opera celebrò l'Altissimo   Siracide 44, 1; 47, 2. 8-11

SETTIMANA DELLA III DOMENICA DOPO L'EPIFANIA

LUNEDÌ
Lettura   Salomone andò a riposare coi suoi padri, lasciando un
           discendente privo di senno   Siracide 44, 1; 47, 18-25

MARTEDÌ
Lettura   Il popolo d'Israele non si convertì e fu deportato   Siracide 44, 1; 48, 15b-21

MERCOLEDÌ
Lettura   Isaia prolungò la vita del re Ezechia   Siracide 44, 1; 48, 22-25

GIOVEDÌ
Lettura   Ezechiele contemplò una visione di gloria   Siracide 44, 1; 49, 8-10

VENERDÌ
Lettura   Neemia rialzò le nostre mura demolite   Siracide 44, 1; 49, 13-16

SETTIMANA DELLA IV DOMENICA DOPO L'EPIFANIA

LUNEDÌ
Lettura   La Sapienza è come un corso d'acqua, che irriga un giardino   Siracide 24, 30-34

MARTEDÌ
Lettura   Riconoscano tutti quelli che abitano sulla terra che tu sei il Dio dei secoli   Siracide 36, 1-19

MERCOLEDÌ
Lettura   Un giogo pesante grava sui figli d'Adamo   Siracide, 40, 1-8a

GIOVEDÌ
Lettura   Beato il marito di una donna virtuosa   Siracide 26, 1-16

VENERDÌ
Lettura   Non dimenticarti dell'amico nell'animo tuo   Siracide 36, 1-6

SETTIMANA DELLA V DOMENICA DOPO L'EPIFANIA

Lettura   Non presentarti a mani vuote davanti al Signore   Siracide 35, 5-13

MARTEDÌ
Lettura   Maledici il calunniatore e l'uomo che è bugiardo   Siracide 28, 13-22

MERCOLEDÌ
Lettura   Chi medita la Legge dell'Altissimo manifesterà la dottrina
del suo insegnamento   Siracide 38, 34c - 39, 10

GIOVEDÌ
Lettura   Beato il ricco che non corre dietro all'oro   Siracide 31, 1-11

VENERDÌ
Lettura   Gioia dell'anima è il vino bevuto a tempo e misura   Siracide 31, 25-31

SETTIMANA DELLA VI DOMENICA DOPO L'EPIFANIA

LUNEDÌ
Lettura   Oracoli, presagi e sogni sono cose fatue   Siracide 34, 1-8

MARTEDÌ
Lettura   Sii longanime con il misero   Siracide 29, 8-13

MERCOLEDÌ
Lettura   Ama l'amico e sii a lui fedele   Siracide 27, 16-21

GIOVEDÌ
Lettura   Gettiamoci nelle braccia del Signore   Siracide 2, 12-18

VENERDÌ
Lettura   Davanti al tempio, pregando, domandavo la sapienza   Siracide 51, 13-30

SETTIMANA DELLA VII DOMENICA DOPO L'EPIFANIA

LUNEDÌ
Lettura   Preferii la sapienza a scettri e a troni   Sapienza 7, 1-14

MARTEDÌ
Lettura   La Sapienza è un'emanazione della potenza di Dio   Sapienza 7, 22 - 8, 1

MERCOLEDÌ
Lettura   Il Signore dell'universo ha amato la Sapienza   Sapienza 8, 2-10

GIOVEDÌ
Lettura   La Sapienza liberò i suoi devoti dalle sofferenze   Sapienza 10, 1-14

VENERDÌ
Lettura   La Sapienza liberò un popolo santo da una nazione di oppressori   Sapienza 10, 15 - 11, 3

SETTIMANA DELLA PENULTIMA DOMENICA DOPO L'EPIFANIA

LUNEDÌ
Lettura   Un uomo è sempre migliore degli idoli che adora; rispetto ad essi
ebbe la vita   Sapienza 15, 14 - 16, 3

MARTEDÌ
Lettura   Per i tuoi santi risplendeva una luce vivissima   Sapienza 17, 1-2. 5-7. 20 - 18, 1a. 3-4

Lettura   Quella notte fu preannunciata ai nostri padri   Sapienza 18, 5-9. 14-15
Lettura   Aronne, uomo irreprensibile, con la sua parola placò colui che
           castigava, ricordandogli le alleanze dei padri   Sapienza 18, 20-25b
Lettura   In tutti i modi, o Signore, hai reso grande e glorioso il tuo popolo,
           assistendolo in ogni momento e in ogni luogo   Sapienza 19, 1-9. 22

SETTIMANA DELL'ULTIMA DOMENICA DOPO L'EPIFANIA

Lettura   Tutto mi è parso vanità   Qoelet 1, 16 - 2, 11
Lettura   Ciò che è, già è stato; ciò che sarà, già è   Qoelet 3, 10-17
Lettura   Per ogni cosa vi è tempo e giudizio   Qoelet 8, 5b-14
Lettura   I giusti e i saggi sono nelle mani di Dio   Qoelet 8, 16 - 9, 1a
Lettura   Temi Dio e osserva i suoi comandamenti, perché qui sta tutto l'uomo Qoelet 12, 1-8. 13-14

Capitolo XII

"ECCO IL MOMENTO FAVOREVOLE"
IL CAMMINO VERSO LA PASQUA

Nel corso del II secolo la comunione delle Chiese fu agitata da un problema a vario titolo interessante per il tema di cui stiamo per occuparci. Se nell'ultimo scorcio del II secolo da tale problema era derivata una situazione di particolare tensione, in realtà si trattava di una questione che da tempo si trascinava: la documentazione positiva risale fino ai primi anni del II secolo, ma le sue radici affondano nella stessa età apostolica. Così Eusebio ne riferisce:

"Le Chiese di tutta l'Asia, poggiandosi su una tradizione antichissima credevano che si dovesse celebrare la Pasqua del Salvatore nel giorno decimoquarto della luna [donde il nome di quartodecimani], giorno in cui era prescritto ai Giudei di immolare gli agnelli, e che si dovesse allora assolutamente por termine al digiuno, in qualunque giorno della settimana cadesse la festa. Le Chiese di tutto il resto del mondo, però, non seguivano affatto questa linea di condotta, e, facendosi forti esse pure d'una tradizione apostolica, mantenevano la norma tuttora vigente, che impone di non finire il digiuno in altro giorno, che non sia quello della Resurrezione del Salvatore".[1]

Le Chiese dell'Asia erano le Chiese di Giovanni l'apostolo e di Filippo. Il vescovo che vi aveva la preminenza, Policrate di Efeso, così le presenta e ne difende la norma:

"Siamo noi che celebriamo scrupolosamente il giorno della Pasqua, senza aggiungere né togliere niente; è nell'Asia infatti che si sono estinti i grandi luminari che risorgeranno nel giorno della parusìa del Signore quando il

---

[1] Eusebius, *Historia Ecclesiastica*, V, XXIII, 1, ed. E. Schwartz, Hinrichs, Leipzig 1903 [Die griechischen christlichen Schriftsteller (= GCS, 9/1]; trad. it. G. Dal Ton, Desclée, Roma-Parigi-Tournai-New York 1964, pp. 408-410.

Signore verrà con gloria dal cielo e risusciterà i santi; essi sono Filippo, uno dei dodici apostoli addormentatosi a Gerapoli, le due sue figlie invecchiate nella verginità (una terza sua figlia, che visse nello Spirito Santo, riposa a Efeso); e c'è anche Giovanni, che riposò sul petto del Signore e che fu sacerdote e portò la lamina d'oro e fu martire e dottore: egli si è addormentato a Efeso; e c'è pure Policarpo di Smirne vescovo e martire; c'è Trasea di Eumenia vescovo e martire, addormentatosi a Smirne; c'è bisogno poi che io nomini Sagari il vescovo e martire sepolto a Laodicea, il beato Papirio e l'eunuco Melitone, che tutto operò sotto il soffio dello Spirito Santo e che giace a Sardi nell'attesa della visita celeste onde risorgerà dai morti. Tutti questi tennero per la celebrazione della Pasqua il giorno quattordicesimo in conformità col Vangelo senza variare nulla, ligi alla regola della fede. Io pure Policrate, di voi tutti il più piccolo, osservo la tradizione dei miei parenti, alcuni dei quali furono anche miei precedessori come vescovi (sette miei parenti infatti furono vescovi e io sono l'ottavo); essi sempre celebrarono il giorno di Pasqua quando il popolo giudaico si astiene dal pane fermentato".[2]

Per questa ragione il vescovo romano Vittore in un anno attorno al 195 ritenne di dover rompere la comunione con loro.

La questione non era di scarso rilievo. Oltre alla concreta circostanza che a Roma la presenza di comunità asiane, e perciò quartodecimane, creava una sgradevole dissonanza tra i cristiani, stava il fatto che la Pasqua era a quel tempo l'unica festa annuale, nella quale si celebrava l'intero mistero salvifico di Cristo. L'omiletica coeva ci attesta come in tale giorno si facesse memoria della discesa del Verbo divino, della sua incarnazione e della sua nascita da Maria, della sua Passione, Morte e Resurrezione, del suo ritorno al Padre; il tutto in un clima di vibrante attesa del suo definitivo ritorno.[3] La Pasqua era quindi davvero la *honoranda solemnitas* di cui parla la *praefatio* ambrosiana.

1. IL DIGIUNO PREPASQUALE

Intervenendo nella disputa tra la Chiesa di Roma e quelle dell'Asia, il vescovo di Lione Ireneo [un asiano trasferitosi nelle Gallie dopo essere cresciuto ai piedi di Policarpo, a sua volta discepolo dell'apostolo Giovan-

---

[2] *Ibidem*, V, XXIV, 2-6, pp. 410-412.

[3] Si vedano in tal senso l'omelia pasquale di Melitone di Sardi (ed. O. PERLER, Éd. du Cerf, Paris 1966 [Sources Chrétiennes (= SCh), 123]) e quella dell'Anonimo quartodecimano (ed. G. VISONÀ, Vita e Pensiero, Milano 1988 [Studia Patristica Mediolanensia, 15]).

ni] rimarcava in una sua lettera a Vittore come la difformità investisse non solo la data della Pasqua, ma si estendesse alle modalità di preparazione alla festa:

> "La controversia non è soltanto sul giorno, ma sulla forma stessa del digiuno. Alcuni credono di dover digiunare un giorno solo, altri due, altri più giorni; altri assegnano alla giornata [di digiuno] lo spazio di quaranta ore tra diurne e notturne".[4]

Questa lettera attesta dunque, e in modo inequivocabile, come fin da quell'età arcaica il *digiuno* fosse sentito quale elemento imprescindibilmente connesso alla celebrazione pasquale.

Mi pare importante rilevare la molteplicità delle prassi al riguardo. Ireneo osserva che "tale varietà non è sorta ai nostri giorni, ma risale a tempi ben lontani".[5] Una siffatta molteplicità di consuetudini sta chiaramente ad indicare che il digiuno stesso era universalmente recepito, non tanto nella sua materialità, quanto piuttosto nel suo valore simbolico e spirituale. Il digiuno si configura in effetti come la disposizione propria di chiunque si avvicini alle realtà trascendenti: per accostarsi ad esse egli deve necessariamente staccarsi dalla pura dimensione materiale e liberarsi dai condizionamenti che questa comporta. In questo senso il digiuno più che carattere penitenziale riveste significato escatologico, cioè di apertura alle realtà trascendenti e ultime. Al riguardo già la *Didachè*, antichissimo testo probabilmente collocabile attorno alla fine del I secolo, in riferimento alla iniziazione cristiana prescrive che "prima del Battesimo digiunino il battezzante, il battezzato e, se possono, alcuni altri... il battezzando digiuni sin da uno o due giorni prima".[6]

Il modello esemplare di questa astensione dal cibo, in connessione all'accostarsi alle realtà divine, era costituito da Mosè e dal suo digiuno per 40 giorni e 40 notti durante la teofania sul Sinai.[7] Analogamente per 40 giorni e 40 notti Elia non aveva mangiato nel cammino verso l'incontro con Dio, nuovamente sul Sinai.[8] Si è visto come alla fine del II secolo vi fosse chi digiunava per 40 ore prima della Pasqua: il richiamo simbolico è evidente.

---

[4]   EUSEBIUS, *Historia Ecclesiastica*, V, XXIV, 12, trad. it. DAL TON, p. 414.

[5]   *Ibidem*, V, XXIV, 13, p. 414.

[6]   *Didachè*, VII, 4, edd. W. RORDOF - A. TUILIER, Éd. du Cerf, Paris 1978 [SCh, 248], p. 172; trad. it. U. MATTIOLI, Edizioni Paoline, Ancona 1969, p. 142.

[7]   *Ex* 24, 18.

[8]   *IRg* 19, 8.

2. IL DIGIUNO PER LA SOTTRAZIONE DELLO SPOSO

Ma la più arcaica forma di digiuno prepasquale attingeva le sue ragioni anche ad un altro aspetto di natura simbolica e spirituale: ce ne è testimone Tertulliano nel *De ieiunio*. Nell'Evangelo di Matteo è detto che i discepoli di Giovanni si accostarono a Gesù e gli chiesero: "Perché noi e i farisei digiuniamo molte volte, mentre i tuoi discepoli non digiunano? E Gesù disse loro: Possono forse gli invitati a nozze essere in lutto finché lo Sposo è con loro? Ma verranno giorni quando lo Sposo sarà loro tolto, e allora digiuneranno".[9] Dunque, come osserva Tertulliano, i giorni di digiuno per eccellenza dei cristiani sono quelli *"in quibus ablatus est Sponsus"*, ossia – all'interno di una prassi pasquale domenicale – la Parasceve e il Sabato che precedono la Domenica di Pasqua, giorno della Resurrezione.[10]

Se il Venerdì e il Sabato prepasquali s'affermarono ben presto e rimasero per tutti e dovunque i giorni del grande digiuno sponsale, lungo il secolo III, a partire dall'area orientale, venne progressivamente organizzandosi il digiuno di più generale preparazione alla solennità, che già abbiamo visto attestato nella sua forma embrionale in Ireneo. Alla metà di quel secolo ad Alessandria il vescovo Dionigi, nella sua lettera a Basilide, ricorda la presenza di una settimana prepasquale di digiuno, nella quale il digiuno stesso era peraltro vissuto secondo modalità diverse: chi digiunava tre giorni, chi si asteneva per quattro giorni dal cibo; tutti comunque digiunavano il Venerdì e il Sabato.[11] Alla fine di quello stesso secolo III in un'opera d'area siriaca, la *Didascalia Apostolorum*, la norma assume contorni più precisi: "Digiunerete nei giorni di Pasqua dal Lunedì, e userete solo pane, sale e acqua all'ora nona [le tre pomeridiane], fino al Giovedì; tuttavia alla Parasceve e al Sabato digiunerete totalmente, non toccando cibo".[12]

Questa progressiva strutturazione del periodo e del digiuno prepasquale avrebbe ricevuto un impulso decisivo dalla libertà accordata alla Chiesa da Costantino il Grande.

---

[9] *Mt* 9, 14-15.

[10] TERTULLIANUS, *De ieiunio*, II, 2, edd. A. REIFFERSCHEID - G. WISSOWA, Brepols, Turnholti 1954 [Corpus Christianorum. Series Latina (= CCL), 2], p. 1258.

[11] DIONYSIUS Alexandrinus, *Epistula ad Basilidem*, 1, in *Discipline Générale Antique*, II: *Les Canons des Pères Grecs*, ed. P. P. JOANNOU, Grottaferrata 1963 [Pontificia Commissione per la redazione del Codice di Diritto Canonico Orientale. Fonti, fsc. 9/2], pp. 10-11.

[12] *Didascalia Apostolorum*, V, XVIII, trad. A. SOCIN, ed. F. X. VON FUNK, *Didascalia et Constitutiones Apostolorum*, Schoeningh, Paderbornae 1905, p. 288.

3. Dalle 40 ore ai 40 giorni di digiuno

Il ruolo di Costantino nella storia della vita ecclesiale e delle sue forme non sarà mai sufficientemente sottolineato. Se, personalmente, ritengo inesatto parlare di "svolta" (profonda si presenta la continuità tra la fase antecedente e quanto ne è seguito),[13] certamente furono offerte allora le condizioni perché il seme di senapa crescesse come albero frondoso in cui tutti gli uccelli, da un capo all'altro dell'ecumene, potessero porre in tranquillità il proprio nido.

Da sempre, ad esempio, la comunità cristiana celebrava il Giorno del Signore (testimonianza emblematica al riguardo troviamo nella *Didachè*)[14]. Ma se oggi la Domenica è considerata in modo generalizzato giorno di riposo settimanale, questo si deve a Costantino, che ne fissò l'osservanza per tutto l'Impero.[15] Una siffatta disposizione significava evidentemente plasmare la vita anche sociale secondo un ritmo cristiano: il che non costituì certamente la nascita di una società cristiana, ma pose le intelaiature perché una società cristiana potesse sorgere e perché sulla base di una tradizione sociale e civile cristiana germogliasse una civiltà cristiana (non è certamente un caso che le varie rivoluzioni propostesi la cancellazione di tale civiltà non abbiano mai tralasciato di rivolgere la propria attenzione proprio al Calendario e alla scansione sociale del tempo).

Per lo sviluppo delle forme cultuali, in particolare, l'accordo sancito a Milano nel marzo del 313 con Licinio si presenta di rilevanza decisiva. La libertà di celebrazione e la susseguente edificazione delle nuove grandi basiliche permise in effetti che il culto cristiano, pur conservando le caratteristiche derivate dalla sua fase più arcaica, assumesse una strutturazione nuova e più organica.

Tale processo investì anche la preparazione alla Pasqua.

Già sussisteva, come s'è visto, l'elemento simbolico incentrato sulla quarantina; da quel momento tale elemento si strutturò in forma più precisa, traducendosi in un periodo preparatorio alla Pasqua di 40 giorni.

Anche i contenuti di quel periodo vennero allora definendosi.

La Pasqua (in senso lato: ossia la cinquantina pasquale) già tradizionalmente era considerata tempo per eccellenza dell'iniziazione cristiana.

---

[13] Cf C. Alzati, *La Chiesa nell'Impero e l'Imperatore nella Chiesa*, in *L'Impero romano-cristiano. Problemi politici, religiosi, culturali*, cur. M. Sordi, Coletti, Roma 1991, pp. 181-212.

[14] *Didachè*, XIV, SCh, 248, p. 192.

[15] In *Codex Iustinianus*, III, XII, 2 (3 Marzo 321), ed. P. Krueger, Weidmann, Berolini 1954[11] [Corpus Iuris Civilis, 2], p. 127.

Con la pace costantiniana fu peraltro possibile strutturare un più unitario e organico cammino d'iniziazione, organizzando in forma sistematica il catecumenato così da concluderne l'itinerario con la solenne celebrazione della notte pasquale. La quarantina preparatoria alla Pasqua assunse pertanto anche il carattere di quarantina di catechesi in preparazione al Battesimo; e questo aspetto avrebbe conferito all'intero periodo prepasquale una particolare rilevanza nel contesto della vita ecclesiale.

Ma la Pasqua divenne anche la conclusione dell'itinerario spirituale di quanti, caduti nella colpa, attendevano la riconciliazione: sicché la quarantina preparatoria si trasformò per costoro nel periodo penitenziale per eccellenza, vissuto con maggiore intensità e fervore. Soprattutto in rapporto a questi penitenti la durata del periodo prepasquale venne facilmente posta in relazione ai 40 anni di peregrinazione d'Israele nel deserto prima di entrare nella Terra Promessa: esperienza quest'ultima che per i penitenti si riattualizzava nei riti di riammissione alla chiesa e nella partecipazione in essa all'Eucaristia pasquale.

4. Il Sabato festivo e l'astensione dal digiuno in Oriente e a Milano

Sembra opportuno a questo punto rimarcare ancora una volta la forma costitutivamente simbolica del linguaggio cultuale cristiano. Se in effetti l'atto cultuale è una realtà misterico-sacramentale, il suo contenuto non può venire espresso che tramite un linguaggio simbolico, e l'intero sistema cultuale non può configurarsi che nei termini di un grande complesso di simboli, nei quali trova riflesso la realtà salvifica commemorata e attualizzata nell'azione celebrativa.

In questa prospettiva simbolica, come già si è visto, s'inserisce anche il numero 40 con tutti i suoi richiami biblici. Sicché il termine stesso di *Quaresima* viene connotandosi non – secondo una prospettiva di materialistica fiscalità ascetica – quale designazione di 40 giorni penitenziali di digiuno, ma quale tempo sacro, segnato sì dal digiuno, ma soprattutto carico di profondi significati simbolici e spirituali.

In questo senso risulta estremamente eloquente la testimonianza di Ambrogio. Egli offre una tra le prime attestazioni della Quaresima in Occidente, e al riguardo nel *De Elia et ieiunio* così dichiara: "*Quadragesima totis praeter Sabbatum et Dominicam ieiunatur diebus*" (in Quaresima eccetto il Sabato e la Domenica si digiuna tutti i giorni);[16] dunque i suoi

---

[16] AMBROSIUS, *De Elia et ieiunio*, X, 34, ed. C. SCHENKL, Tempsky-Freytag, Vindobonae-Lipsiae 1897 [Corpus Scriptorum Ecclesiasticorum Latinorum (= CSEL), 32], p. 430.

non erano 40 giorni di digiuno, ma 30 + 1: 5 giorni per 6 settimane, più il Sabato Santo.

Praeter Sabbatum et Dominicam: è la prassi pure dell'Oriente (e della Spagna). A differenza di Roma, che digiuna anche di Sabato, Milano a quest'ultimo riconosce carattere festivo (carattere conservatosi attraverso i secoli, e manifestato compiutamente nel Lezionario ora promulgato).[17]

Quanto alla concezione non "fiscale" del digiuno quadragesimale, essa sarebbe rimasta a lungo in vigore. La troviamo ancora in pieno V secolo nel ravennate Pietro Crisologo[18] e la vediamo trasparire nei testi legati al nome dell'italiciano Massimo di Torino, testi in cui peraltro si contesta l'uso di digiunare a settimane alterne.[19]

In riferimento a Roma particolarmente interessante si presenta l'annotazione dello storico costantinopolitano Socrate. Nel V secolo egli scrive che nell'Urbe si digiunava tre settimane. In effetti, da una serie di elementi si è ipotizzato che prima della Pasqua vi fossero state, in una fase più arcaica, tre settimane di preparazione; sicché quando, successivamente, si stabilì la Quaresima delle sei settimane, rimase come consuetudine ancora per molti digiunare soltanto in tre di esse.[20] Quanto alla successiva evoluzione in ambito romano, si iniziò col considerare il Venerdì e il Mercoledì, prima della Domenica che dà inizio alla Quaresima, giorni di digiuno con una propria Messa.[21] Nel secolo VIII il codice vaticano *Reg. Lat. 316* documenta l'anticipazione dell'inizio di Quaresima al Mercoledì.[22]

---

[17] Cf il cap. VIII: Il Sabato e la Domenica. *I tempi dell'Alleanza e la loro memoria.* Sull'assenza di digiuno nei Sabati quaresimali in Spagna: C. CALLEWEART, *Le Carême primitif dans la liturgie mozarabe* (1914), ried. in *Sacris eruditi. Fragmenta liturgica*, Abbatia S. Petri de Aldenburgo, Steenbrugge 1940, p. 511.

[18] PETRUS CHRYSOLOGUS, *Sermo CLXVI de ieiunio*, ed. A. OLIVAR, Brepols, Turnholti 1982 [CCL, 24, B], pp. 1019-1024. Cf F. SOTTOCORNOLA, *L'anno liturgico nei sermoni di Pietro Crisologo*, Centro studi e ricerche sulla antica Provincia Ecclesiastica Ravennate, Cesena 1973 [Studia Ravennatensia, 1], pp. 200-201

[19] MAXIMUS Taurinensis, *Sermo L*, 1; *Sermo CXI*, 3, ed. A. MUTZENBECHER, Brepols, Turnholti 1962 [CCL, 23], pp. 198, 432; cf anche *Sermo LXVII*, pp. 280-282.

[20] Cf P. JOUNEL, in *La Chiesa in preghiera*, IV, a cura di A. G. MARTIMORT, Queriniana, Brescia 1983, p. 88.

[21] Cf M. RIGHETTI, *Manuale di Storia Liturgica*, II, Àncora, Milano 1963[3], p. 124; dove peraltro il riferimento a Massimo di Torino è infondato alla luce dell'edizione di Mutzenbecher, cf M. MARIANI PUERARI, *La fisionomia delle feste e dei tempi liturgici maggiori nella Chiesa torinese durante l'episcopato di San Massimo (IV-V secolo)*, in *Ephemerides Liturgicae* 106 (1992) 213 nota 32.

[22] *Liber sacramentorum Romanae aeclesiae ordinis anni circuli. Cod. Vat. Reg. Lat. 316, Paris Bibl. Nat. 7193, 41/56*, ed. L. C. MOHLBERG (- L. EIZENHÖFER - P. SIFFRIN), Herder, Roma 1968[2] [Rerum Ecclesiasticarum Documenta. Series maior. Fontes, 4 bis], p. 18.

A quest'ultima estensione del computo quaresimale non fu estranea la preoccupazione di totalizzare quaranta giorni effettivi di penitenza per quanti attendevano la riconciliazione. È significativo al riguardo che l'*imposizione delle Ceneri* al Mercoledì fosse esclusiva dei penitenti. Soltanto nel secolo XII tale cerimonia assunse un carattere generalizzato,[23] e solo nel 1570, con il *Messale* postridentino di Pio V, sarebbe comparso il nome di Mercoledì delle Ceneri: *Feria IV Cinerum*.[24]

Si trattò peraltro di un'evoluzione esclusivamente romana. Milano, per parte sua, rimase sempre saldamente legata alla tradizione antica e al suo linguaggio simbolico.

5. IL DIGIUNO EVANGELICO E LA DOMENICA *IN CAPUT QUADRAGESIMAE*

Proprio in forza di questo carattere simbolico del tempo preparatorio alla Pasqua, la Chiesa ambrosiana venne espressamente attribuendo all'avvio della Quaresima una nota profondamente festiva; sulla scia, del resto, del dettato evangelico: "Quando digiunate, non diventate malinconici come gli ipocriti, che assumono un'aria disfatta per far vedere agli altri che digiunano. In verità io vi dico: hanno già ricevuto la loro ricompensa. Invece, quando tu digiuni, profumati la testa e lavati il volto, perché la gente non veda che tu digiuni, ma solo il Padre tuo, che è nel segreto; e il Padre tuo, che vede nel segreto, ti ricompenserà".[25]

In effetti in età medioevale la Domenica in *caput Quadragesimae* era caratterizzata a Milano dal canto del *Gloria* e dell'*Alleluja*; essa lietamente invocava la benedizione divina sull'astinenza che stava per iniziare. Solo al termine dei Vesperi avveniva – come altrove del resto – il rito della "deposizione" dell'*Alleluia* stesso nel battistero; di lì sarebbe stato tratto di nuovo nella veglia della Pasqua dopo la rigenerazione battesimale.

Fu solo con san Carlo che, per evitare il protrarsi degli ultimi fuochi di Carnevale anche nella Domenica, pure quest'ultima, non senza tensioni, fu resa di carattere penitenziale, con cassazione degli *Alleluja* e sostituzione

---

[23] Cf M. ANDRIEU, *Le Pontifical Romain au moyen-âge*, I: *Le Pontifical Romain du XIIᵉ siècle*, Biblioteca Apostolica Vaticana, Città del Vaticano 1938 [Studi e Testi, 86], p. 209

[24] *Missale Romanum. Editio princeps (1570)*, a cura di M. SODI - A. M. TRIACCA, Libreria Editrice Vaticana, Città del Vaticano 1998 [Monumenta Liturgica Concilii Tridentini, 2], p. 121 [65b].

[25] *Mt* 6, 16-18.

del *Gloria* con la prece litanica. Il cardinal Schuster nel 1939 ripristinò nei Vesperi l'Alleluja e i testi della sua *depositio*.[26]

Ma la complessa vicenda del periodo che antecede la Pasqua non finisce qui e per comprenderne l'ulteriore evoluzione dobbiamo guardare a Oriente.

6. Ascetismo e computo del digiuno

Già nella prima parte del IV secolo la settimana che antecedeva la Pasqua aveva assunto una sua precisa configurazione rituale e cerimoniale: era la Grande Settimana. Milano riflette molto chiaramente tutto ciò: quella settimana è tuttora chiamata dagli Ambrosiani *"la Settimana Autentica"*.[27]

---

[26] Cf P. Borella, *Il Rito Ambrosiano*, Morcelliana, Brescia 1964, pp. 365 ss.

[27] Il termine *Authentica*, che fin dai più antichi manoscritti ambrosiani identifica la Settimana che precede la Pasqua, era usato con il medesimo riferimento anche altrove, come attesta il *Praedestinatus*, I, LXXXII, attribuito ad Arnobius Junior, forse d'origine africana ma attivo attorno alla metà del V secolo in area romana (ed. F. Gori, Brepols, Turnholti 1992 [CCL, 25 B], p. 48. 19); lo si ritrova, nel primo quarto del V secolo, anche nell'*Epistula CLVII*, 5, della *Collectio Avellana*, relativa al pontificato romano di Hormisda (*Epistulae Imperatorum, Pontificum, aliorum... Avellana quae dicitur collectio*, ed. O. Guenther, II, Tempsky-Freytag, Vindobonae-Pragae-Lipsiae 1898 [CSEL, 35], p. 619) e, quanto a testi liturgici, nel *Codex Forojuliensis* (D. de Bruyne, *Les notes liturgiques du Codex Forojuliensis*, in *Revue Bénédictine* 30 [1913] 213; cf G. Morin, *L'année liturgique à Aquilée antérieurement à l'époque carolingienne d'après le Codex Evangeliorum Rehdigeranus*, in *Revue Bénédictine* 19 [1902] 10-11), nel Lezionario gallicano di Luxeuil (*Le Lectionnaire de Luxeuil* [*Paris, ms. lat. 9427*], ed. P. Salmon, I, Abbaye Saint-Jérôme - Libreria Vaticana, Roma-Città del Vaticano 1944 [Collectanea Biblica Latina, 7], p. 85; II, Abbaye Saint-Jérôme - Libreria Vaticana, Roma-Città del Vaticano 1953 [Collectanea Biblica Latina, 9], pp. 43-44), nel palinsesto 908 di S. Gallo con influssi milanesi (A. Dold, *Enthenticus-authenticus. Ein Terminus im St. Galler Palimpsest 908 und seine Stellung in der Liturgiegeschichte*, in *Münchener Theologische Zeitschrift* 11 [1960] 262-266). Sta a designare la settimana fra tutte la più eminente e di riferimento nell'arco dell'intero anno, secondo un'accezione del termine *authenticus* reperibile anche in altri contesti e documentata nei lessici, tanto latini quanto greci. Si è altresì voluto vedere nell'espressione *hebdomada authentica* anche il significato di settimana dell'offerta sacrificale di sé compiuta dal Signore; a questa sofisticata interpretazione accennò il Magistretti nella sua edizione del *Beroldus sive Ecclesiae Ambrosianae Mediolanensis Kalendarium et Ordines* (= Beroldus), Giovanola (Boniardi-Pogliani), Mediolani 1904, nota 206, pp. 213-214, non omettendo peraltro di documentare la consolidata interpretazione espressa da precedenti autori milanesi tra i quali: P. Mazzucchelli, *Difesa del Rito Ambrosiano. Osservazioni intorno al saggio storico-critico sopra il Rito Ambrosiano contenuto nella dissertazione vigesimaquinta delle antichità longobardico-milanesi illustrate dai monaci della Congregazione Cistercense di Lombardia*, Pirotta, Milano 1828, pp.

Il carattere singolare e unitario di quei giorni fece sì che la quarantina preparatoria fosse anteposta non solo al Venerdì e al Triduo Pasquale, ma a tutta la settimana, per cui le sei settimane vennero a precedere l'intera Settimana Santa: così fu a Gerusalemme, e così troviamo anche a Costantinopoli e progressivamente in tutto l'Oriente.[28]

Questo avvenne anche in funzione della catechesi, perché potesse svilupparsi compiutamente l'istruzione di coloro che si preparavano al Battesimo lungo il periodo dei 40 giorni. Tuttavia agli occhi di un monaco, quale Doroteo di Gaza, tale estensione del periodo quaresimale appare chiaramente trasfigurarsi nella specifica prospettiva dell'ascesi monastica, incentrata sulla pratica del digiuno:

"Le sette settimane con l'esclusione dei Sabati e delle Domeniche formano 35 giorni, aggiungendovi poi il digiuno del Sabato Santo e la metà della splendida e illuminante notte pasquale risultano 36 giorni e mezzo, esattamente la decima parte dei 365 giorni dell'anno. Proprio questa è la decima dell'intero anno, quella che i santi apostoli consacrarono per noi in vista di una conversione penitente perché purificatrice dei peccati di tutto l'anno".[29]

Ma Doroteo ci offre un'ulteriore preziosa informazione; così egli scrive:

"I Padri però con il passare del tempo pensarono di aggiungere un'altra settimana con duplice scopo: perché coloro che si preparavano ad affrontare la fatica del digiuno avessero la possibilità di esercitarsi e, per così dire, di ripulirsi in anticipo; e, contemporaneamente, per onorare i digiuni con il numero dei giorni della santa Quaresima durante la quale Nostro Signore

87 ss. e M. Mascheroni, *Ufficiatura della Settimana Santa in ispecie secondo il Rito Ambrosiano*, Milano 1821, pp. 11-12. Più recentemente ne hanno trattato Borella, *Il Rito Ambrosiano*, pp. 383-384, e soprattutto il Dold nello studio sopra citato.

[28] Cf V. Peri, *La durata e la struttura della Quaresima nell'antico uso ecclesiastico gerosolimitano*, in *Aevum* 37 (1963) 39, 44.

[29] Dorotheus Gazeus, *Doctrina XV*, 159, edd. L. Regnault - J. de Preville, Éd. du Cerf, Paris 1963 [SCh, 92], pp. 446-448; cf Peri, *La durata*, p. 46. Già prima del resto s'era espresso in termini analoghi Ioannes Cassianus, *Conlationes*, XXI, 25, ed. M. Petschenig, Gerold, Vindobonae 1886 [CSEL, 13], p. 600. Quanto alla fortuna dell'enunciato: cf il romano Gregorio I (*Homilia XVI*, 5: PL, 76, c. 1137), l'ispanico Isidoro (*De ecclesiasticis officiis*, I, XXXVII [XXXVI], 4, ed. C. M. Lawson, Brepols, Turnholti 1989 [CCL, 113], p. 44) e quindi la liturgia mozarabica: *Le Liber Mozarabicus sacramentorum et les manuscrits mozarabes*, 325 e 343, ed. M. Férotin (1912), a cura di A. Ward - C. Johnson, CLV - Edizioni Liturgiche, Roma 1995 [Bibliotheca *Ephemerides Liturgicae*. Subsidia, 78: Instrumenta Liturgica Quarreriensia, 4], pp. 258, 261 [cc. 155, 161].

digiunò. Infatti, tolti i Sabati e le Domeniche [in cui non si digiuna], le otto settimane costituiscono 40 giorni, onorandosi per sé il digiuno del Sabato Santo, in quanto digiuno santissimo ed esclusivo a differenza degli altri Sabati dell'anno".[30]

Questa contabilità ascetica, tipica degli ambienti monastici e che ebbe particolare incidenza e portò a generalizzare una concezione della Quaresima come quarantina di effettivo digiuno, non riuscì peraltro a cancellare nella Chiesa la tradizionale consapevolezza del carattere essenzialmente simbolico del digiuno stesso. La continuità di tale consapevolezza è, tra l'altro, ben mostrata dalle pene severissime che venivano comminate dai Padri non a chi non avesse digiunato nei giorni prestabiliti, ma a chi avesse digiunato quando non si doveva digiunare. E questo perché fondamentale nel digiuno era il suo significato: se una persona digiunava di Domenica o in giorno ritenuto festivo il suo gesto doveva considerarsi misconoscimento della Resurrezione del Signore o disprezzo orgoglioso per la grazia che in quel giorno s'era manifestata.

Giovanni Damasceno, testimone dell'ultima definizione del periodo prequaresimale in Oriente, in un suo trattatello al monaco Cometa ricorda le sette settimane, invitando però a praticare le otto settimane prequaresimali; egli distingueva inoltre i due periodi, ponendo dall'ottava settimana la cessazione dell'uso delle carni e del vino, e dalla settima settimana la caduta anche dell'uso dei latticini.[31]

Dall'Oriente l'anticipazione della quarantina all'intera Settimana Santa ed anche il prolungamento del periodo prepasquale a otto settimane sarebbero passati in Occidente, non senza resistenze, fors'anche perché si trattava di prassi probabilmente osservata dalle Chiese germaniche "ariane", che dall'Oriente avevano tratto, oltre alla propria fede, anche la tradizione ecclesiastica.[32] Sta di fatto che nella prima metà del V secolo un testo associato al nome di Massimo di Torino polemizza con quanti "per miserabile vanità" osservano la Quinquagesima (cioè le sette settimane

---

[30] DOROTHEUS Gazeus, *Doctrina XV*, 159: SCh, 92, p. 446; cf PERI, *La durata*, p. 46.

[31] IOANNES Damascenus, *De sacris ieiuniis*, 5: PG, 95, c. 69; cf PERI, *La durata*, pp. 50 ss. Per la formale recezione dell'ottava settimana prepasquale nella Chiesa di Gerusalemme in connessione al ritorno di Eraclio nella Città Santa nel 630 dopo la sua liberazione dai Persiani e il recupero della santa Croce: *Ibidem*, pp. 55 ss.

[32] Alla presenza delle otto settimane prepasquali si fa cenno in Oriente con riferimento al patriarca monofisita antiocheno Severo, nella prima parte del secolo VI, e al papa copto Beniamino del secolo successivo: cf le *Sententiae* associate a IOANNES Damascenus, *De sacris ieiuniis*: PG, 95, cc. 76-77. Ma analogamente si esprime la *Quaestio LXIV* posta sotto l'autorità di Anastasio il Sinaita: PG, 89, c. 661 C.

prima di Pasqua).[33] Ancora nel 511 a Orléans, e di nuovo nel 541, vescovi franchi riuniti sinodalmente proibirono Quinquagesima e Sessagesima (cioè le sette e le otto settimane).[34] Tuttavia il prolungamento del digiuno prepasquale venne diffuso dal mondo monastico anche in Occidente: la prassi delle sette settimane è ricordata in Giovanni Cassiano,[35] nel *Sermo de Quadragesima* talora attribuito a Fausto di Riez,[36] in Cesario, che positivamente prescrisse in forma generalizzata la Sessagesima, cioè le otto settimane come presso i monaci orientali.[37]

Queste anticipazioni del periodo prepasquale vennero recepite anche in area romana e italo-meridionale; e non solo come pratica ascetica, ma pure all'interno dei libri liturgici.[38]

Anche a Milano l'*Evangelistario di Busto* (testo che riflette la prassi ambrosiana anteriore alla fine dell'VIII secolo) presenta la recezione delle otto settimane prepasquali della Sessagesima.[39] Ma mentre a Roma questa anticipazione finì per configurarsi come un vero ampliamento della Quaresima con relativo abbandono dell'*Alleluia*, a Milano la *Dominica in caput Quadragesimae* restò inalterata, e Quinquagesima e Sessagesima non assunsero in sede liturgica particolari caratteri penitenziali.

Anche a Milano fu quindi recepito dall'Oriente un periodo preparatorio alla Pasqua di otto settimane, ma esso non fu segnato da una particolare enfasi rituale: il Beroldo neppure lo nota.

Con uguale carattere in età ormai alto medioevale, attraverso la redazione carolingia dei libri liturgici ambrosiani, sarebbe stata recepita a Milano anche la Settuagesima, che è istituzione tarda (secolo VI[2]) e tipica della Chiesa di Roma, che in tale giorno dava, tra l'altro, l'addio all'*Alleluia* con un'officiatura ricca di antifone alleluiatiche cassate dal riformatore milanese Alessandro II nel secolo XI.[40]

---

[33] *Sermo L. De ieiuniis vel sancta Quadragesima*, 1, ed. A. MUTZENBECHER, Brepols, Turnholti 1962 [CCL, 23], p. 197.

[34] *Concilia Galliae. A. 511 - A. 695*, ed. C. DE CLERCQ, Brepols, Turnholti 1963 [CCL, 148 A], pp. 11, 132.

[35] IOANNES CASSIANUS, *Conlationes*, XXI, 24, 27: CSEL, 13, pp. 599-600, 602-603.

[36] Ed. A. ENGELBRECHT, *FAUSTI Reiensis Opera*, Tempsky-Freytag, Vindobonae-Pragae-Lipsiae 1891 [CSEL, 21], p. 328.

[37] CAESARIUS Arelatensis, *Regula monachorum*, XXII, ed. G. MORIN, *Sancti Caesarii opera omnia*, II, ad Sanctum Benedictum Maretioli, Maretioli 1942, p. 153.

[38] Cf RIGHETTI, *Manuale di Storia Liturgica*, II, pp. 124 ss.

[39] A. PAREDI, *L'Evangeliario di Busto Arsizio*, in *Miscellanea Liturgica in onore di Sua Eminenza il cardinale Giacomo Lercaro*, II, Desclée, Roma-Parigi-Tournai-New York 1967, pp. 215 (il più arcaico Capitulare), 227 (l'Evangelistario).

[40] RIGHETTI, *Manuale di Storia Liturgica*, II, pp. 124-126, 129-130.

A Milano dunque, come in altri casi, la recezione anche di siffatti apporti esterni avvenne secondo modalità ambrosiane, integrandoli nelle strutture rituali milanesi e salvaguardando la sensibilità e gli orientamenti tipici di queste ultime. A maggior ragione delle tardo antiche Sessagesima e Quinquagesima, la più tarda Settuagesima rimase pertanto normale celebrazione domenicale.

Come si sa, la riforma susseguente al concilio Vaticano II ha cancellato a Roma e, per imitazione, a Milano, l'intero tempo prequaresimale.

7. QUARESIMA E ITINERARIO CATECHETICO IN PREPARAZIONE AL BATTESIMO

Considerate queste necessarie premesse, sarà ora opportuno focalizzare la nostra attenzione in modo specifico sulla quarantina prepasquale, cioè sulla Quaresima in senso stretto.

Come già si è accennato, la preparazione dei destinati al Battesimo costituiva un aspetto cardine di questo tempo dell'anno. Nel IV secolo, più che quarantina del digiuno (si è visto in effetti come non fosse costituita da una serie ininterrotta di 40 giorni di astinenza), la Quaresima ci appare come una quarantina di intensa predicazione. Per i vescovi doveva trattarsi di un periodo massacrante. Possiamo verificarlo dalla biografia stessa di Ambrogio. Paolino dice di lui che era: "Resistentissimo anche nelle funzioni ecclesiastiche, al punto ch'era solito compiere da solo, in merito a coloro che dovevano ricevere il Battesimo, ciò che poi, quando fu morto, cinque vescovi a stento riuscivano a compiere".[41] In effetti, oltre all'officiatura matutina e serale, e alle rilevanti incombenze connesse allora alla funzione episcopale (amministrare la giustizia, accogliere i ricorsi ecc.), si poneva l'impegno della catechesi quotidiana a quei catecumeni che, avendo dato il proprio nome, dovevano ricevere il Battesimo nella notte pasquale.

L'atto del dare il nome si collocava a Gerusalemme, e non solo a Gerusalemme, in connessione alla Domenica di inizio di Quaresima. In Occidente l'invito alla *Nomendatio* veniva lanciato già a Natale. Così doveva essere anche a Milano. Ambrogio afferma "*Emisi iaculum vocis per Epifania*".[42] Ma è dubbio che già a suo tempo fosse avvenuta a Milano la duplicazione della festa (l'inno *Illuminans Altissimus* non è a lui coevo)[43].

---

41 PAULINUS, *Vita Ambrosii*, XXXVIII, 3, ed. A. A. R. BASTIAENSEN; trad. it. L. CANALI, Fondazione Lorenzo Valla - Arnoldo Mondadori Editore, 1975, pp. 102-103.

42 AMBROSIUS, *Expositio euangelii secundum Lucam*, IV, 76, ed. M. ADRIAEN, Brepols, Turnholti 1975 [CCL, 14], p. 134.

43 AMBROISE de Milan, *Hymnes*. Texte établi, traduit et annoté sous la direction de J. FONTAINE, Éd. du Cerf, Paris 1992, pp. 100-101, 337-343.

Si può supporre, come nella contemporanea Egeria, l'uso del termine *Epifania* quale designazione della celebrazione unitaria della nascita del Signore secondo la carne.[44]

In ogni caso il carattere battesimale acquisito successivamente dall'Epifania ha fatto sì che in tal giorno (e non soltanto a Milano) venisse collocandosi l'annuncio della data pasquale. Originariamente, e fin tanto che sussistette (seppure in forma ritualizzata) l'itinerario iniziatico quaresimale (riportato ancora dal Beroldo nella prima metà del XII secolo), tale notizia non costituiva un'informazione di calendario ma l'identificazione della meta che attendeva quanti s'apprestavano a divenire *competentes* in vista del Battesimo pasquale.[45]

Nel tirocinio catecumenale ritualizzato del Beroldo la registrazione dei *competentes* era assegnata alla prima Domenica quaresimale, ossia alla *Dominica de Samaritana*, quando *"post evangelium lectum dicit diaconus: 'Qui vult nomina sua dare, iam offerat'"*. Ciò vuol dire che la richiesta del Battesimo aveva luogo immediatamente prima dell'avvio degli "scrutini". Tuttavia va segnalato che la registrazione definitiva dei battezzandi avveniva al Sabato di Lazzaro: *"Omnes pueri, masculi et foeminae, sunt scribendi"*.

Una descrizione molto viva della catechesi quaresimale ai *photizó-menoi*, coloro che vengono illuminati, ci è offerta per Gerusalemme, sul finire del IV secolo, da Egeria; così la pellegrina scrive nella sua relazione di viaggio:

> "Mi sono sentita anche in dovere di descrivere come vengono istruiti coloro che sono battezzati per la Pasqua. Chi si iscrive, lo fa la vigilia della Quaresima, e un prete prende nota dei nomi di tutti... Quando il sacerdote ha preso nota del nome di tutti, poi, il giorno seguente, di Quaresima, si pone per il vescovo una cattedra nel mezzo della chiesa grande, cioè al *Martyrium*, di qua e di là siedono su cattedre i presbiteri e restano in piedi tutti i chierici. Si introducono uno ad uno i candidati: se sono uomini vengono con i loro padrini, se invece sono donne, con le loro madrine. Il vescovo interroga uno alla volta i vicini di quello che è entrato chiedendo: 'Conduce una vita onesta? Onora i genitori? Suole ubriacarsi o mentire?'. E s'informa su tutte le colpe, quelle, per lo meno, che in un uomo sono

---

[44] *"Sane quadragesimae de* Epiphania [ossia, il quarantesimo giorno dopo la Natività] *valde cum summo honore hic celebrantur"*: EGERIA, *Itinerarium*, XXVI, 1, ed. P. MARAVAL, Éd. du Cerf, Paris 2002² [SCh, 296], p. 254.

[45] Per l'annuncio della data pasquale nelle Gallie del VI secolo: concilio di Orléans (a. 541), can. 1: *Concilia Galliae. A. 511 - A. 695*, CCL, 147, A, p. 132. Per i rituali d'iniziazione della metà del XII secolo: BEROLDUS, pp. 82-83, 90, 92-95.

più gravi. E se avrà dato prova di essere irreprensibile in tutte quelle cose
su cui ha interrogato i testimoni presenti, egli stesso, di sua mano, ne annota il nome. Se invece viene accusato di qualcosa, ordina che vada fuori,
dicendo: 'Che si corregga e, quando si sarà corretto, allora si accosti al
Battesimo'. Parla nello stesso modo, facendo l'indagine per gli uomini
come per le donne. E se uno è forestiero, a meno che non abbia testimoni
che lo conoscano, non accede tanto facilmente al battesimo. Questo mi
sono sentita in dovere di scrivere, signore sorelle, perché non pensiate
che tali cose si facciano superficialmente. Qui vige la consuetudine che
coloro che accedono al Battesimo, nei quaranta giorni in cui si digiuna,
per prima cosa vengano esorcizzati dai chierici appena si è fatto il congedo matutino all'*Anastasis* [il Santo Sepolcro]. Subito dopo si prepara una
cattedra per il vescovo al *Martyrium*, nella chiesa grande, e in circolo accanto al vescovo siedono tutti quelli che devono essere battezzati, uomini
e donne; in piedi ci sono pure i padrini e le madrine, ed anche tutte le per-
sone che vogliono ascoltare entrano e si siedono, purché siano fedeli. Chi
è catecumeno invece non vi entra quando il vescovo istruisce sulla legge;
e ciò avviene in questo modo: cominciando dalla Genesi prende in esame
nei quaranta giorni tutte le Scritture, esponendo prima il senso letterale e
svelando poi quello spirituale. In quei giorni viene insegnato anche tutto
ciò che concerne la Resurrezione e la fede: tutto ciò viene chiamato catechesi. Quando poi sono passate cinque settimane d'istruzione, allora
ricevono il Simbolo; il vescovo spiega il significato del Simbolo proprio
come il significato di tutte le Scritture, lo spiega loro articolo per articolo,
prima letteralmente, poi spiritualmente: così spiega anche il Simbolo. E
avviene che in questi luoghi tutti i fedeli seguano le Scritture quando vengono lette in chiesa, perché sono state tutte insegnate durante i quaranta
giorni, e precisamente dall'ora prima all'ora terza, perché la catechesi
dura tre ore. Dio sa, signore sorelle, che ci sono più commenti da parte
dei fedeli, che entrano ad ascoltare la catechesi, per ciò che viene spiegato dal vescovo, che per tutto ciò che egli spiega, pressoché nello stesso
modo, quando siede e predica in chiesa. Fatto il congedo dalla catechesi,
poiché è già l'ora terza, subito si accompagna il vescovo in processione
all'*Anastasis* e si fa l'ufficio dell'ora terza. Così sono istruiti tre ore al
giorno per sette settimane. L'ottava settimana di Quaresima, quella cioè
che è chiamata Grande Settimana, non c'è più tempo per istruirli, perché
si devono compiere le cerimonie che sono state descritte prima".[46]

Dunque vi è il vescovo, vi sono i "competenti" (photizomeni) e i loro
padrini, e vi sono i fedeli che attorno a loro ascoltano e commentano, per

---

[46] EGERIA, *Itinerarium*, XLV, 1-XLVI, 4, ed. et trad. N. NATALUCCI, Nardini, Firenze 1991
[Biblioteca Patristica], pp. 220-225.

tre ore al giorno. E' una vera mobilitazione dell'intera comunità ecclesiale che si prepara a celebrare la Pasqua. È quindi comprensibile perché tale periodo di Quaresima fosse chiamato a Gerusalemme *heortaí*, le feste, i giorni solenni.[47] E si comprende quanto appropriata fosse la tradizione ambrosiana di celebrare con carattere decisamente festivo l'inizio di tale periodo: in effetti la Quaresima è la grande preparazione della Sposa all'incontro con il suo Sposo celeste.

Va osservato come la catechesi da cui tale periodo è caratterizzato non sia un fatto intellettualistico, la semplice trasmissione sistematica di un complesso di nozioni, ma sia comunicazione di un'esperienza di vita: essa è espressamente finalizzata alla comunione con il Vivente; comunione realizzata nello Spirito Santo datore di vita e sperimentata nei Divini Misteri. Non a caso l'itinerario catechetico, sulla scia dell'invito del Maestro ("Convertitevi e credete all'Evangelo")[48], procedeva anzitutto attraverso l'invito pressante alla conversione dei costumi (sviluppato tramite il commento alle Scritture), quale tappa previa all'accoglimento dell'annuncio della salvezza di Gesù, morto e risorto, annuncio connesso alla trasmissione del Simbolo, che a Milano si svolgeva nella Domenica (e poi nel Sabato) antecedente la Settimana Autentica. Nella fede di quell'annuncio, ascoltato e accolto, il "competente" – senza nulla conoscere né del Battesimo, né dell'Unzione, né della Confermazione, né dell'Eucaristia – nella notte di Pasqua viveva tali riti di iniziazione, che solo a posteriori venivano a lui spiegati, quando, dopo averne fatta esperienza vitale e aver ricevuto in essi il dono dello Spirito, era posto in grado di capirne il mistero di grazia.[49]

---

[47] EGERIA, *Itinerarium*, XXVII, 1, SCh, 296, p. 258. Cf C. MILANI, *I grecismi nell'"Itinerarium Egeriae"*, in *Aevum* 43 (1969) 201.

[48] *Mr* 1, 15.

[49] Esemplari al riguardo le parole del vescovo riferite da Egeria: "In queste settimane siete stati istruiti su tutta la legge delle Scritture e avete sentito parlare della resurrezione della carne, ma, di tutta la spiegazione del Simbolo, avete sentito quello che potevate come catecumeni: quanto invece si riferisce al mistero più profondo, cioè allo stesso Battesimo, voi che siete ancora catecumeni non avete potuto ascoltarlo. E perché non pensiate che resti qualcosa senza spiegazione, quando sarete stati battezzati nel nome di Dio, nell'ottava di Pasqua, dopo che si sarà fatto il congedo dalla chiesa, ne sentirete parlare all'*Anastasis*. A voi, che siete ancora catecumeni, non si possono rivelare i misteri più segreti di Dio": EGERIA, *Itinerarium*, XLVI, 6, ed. et trad. NATALUCCI, pp. 224-227.

8. La preparazione alla Pasqua, a Milano

La Chiesa, che attraverso la catechesi si prepara alla Pasqua, non è dunque soltanto una comunità religiosa che ripensa alle proprie dottrine, ma è la Sposa che muove incontro al suo Sposo. La catechesi e la ritualità a questo sono finalizzate, questo esprimono e richiamano.

Risulta quindi chiaro perché la tradizione ambrosiana non concepisse per questo periodo prepasquale un rito ecclesiale d'imposizione delle Ceneri: la Quaresima è cammino verso l'incontro con lo Sposo, mentre le Ceneri sono segno di lutto riservato a quando "lo Sposo sarà tolto ai suoi amici". E in effetti il rito era sì praticato dall'intera comunità, in questa prospettiva mistico-sponsale, ma dopo l'Ascensione, ossia quando ormai Signore era stato sottratto agli occhi dei suoi discepoli.[50] Significativamente le Ceneri erano allora quelle ricavate dalla combustione degli olivi pasquali.[51] Si trattava dunque di Cenere che, non alla Pasqua preparava, ma dalla Pasqua prendeva le mosse per proiettarsi verso la Parusia.[52]

9. L'antica catechesi episcopale e la sua continuità liturgica

Considerando gli specifici contenuti che la tradizione ecclesiale milanese è venuta condensando in questo "momento favorevole", di anno in anno riproposto ai fedeli, una precisazione appare subito necessaria: nel progressivo organizzarsi delle forme celebrative della Quaresima ambrosiana non si possono dimenticare tre fasi storiche decisive, prima dell'attuale: 1. quella antica, antecedente e successiva ad Ambrogio, nella quale il tirocinio catecumenale era realtà viva che improntava di sé la vita ecclesiale dell'intero periodo antecedente la Pasqua; 2. quella successiva, a cavallo tra tarda antichità e alto medioevo, quando, in una società ormai diffusamente cristiana, il Battesimo dei bambini divenne la tipologia comune di Battesimo, sicché l'itinerario catecumenale subì un processo di marcata formalizzazione e, da esperienza concreta d'iniziazione vissuta primariamente dai *competentes*, divenne momento celebrativo integrato nell'ordinamento più generale dei riti quaresimali; 3. il riordino carolingio sviluppatosi in stretta continuità rispetto alla fase precedente e d'impor-

---

[50] *Ac* 1, 9. Cf L(ANDULFUS), *Historia Mediolanensis* [= L(ANDULFUS)], III, 30 (29), edd. L. C. BETHMANN - W. WATTENBACH, Hahn, Hannoverae 1848 [Monumenta Germaniae Historica (= MGH), Scriptores (= SS), 8], p. 95; cf ed. A. CUTOLO, Zanichelli, Bologna 1942 [Rerum Italicarum Scriptores, editio altera (= RRIISS, e. a.), 4/2), p. 120.

[51] Cf nota 249 in BEROLDUS, p. 220.

[52] BORELLA, *Il Rito Ambrosiano*, pp. 373-378.

tanza fondamentale in quanto ha concretamente fissato la forma "storica" della tradizione liturgica ambrosiana.

Della viva presenza dei catecumeni nelle antiche assemblee rimase, nei libri medioevali, un eloquente ricordo: le monizioni "*Competentes procedant*" e "*Ne quis cathecumenus*", che venivano enunciate nel corso della liturgia quotidiana e in particolare dopo la lettura del vangelo nelle Messe domenicali.[53]

È davvero straordinario constatare la continuità che a Milano caratterizza tra loro le ricordate tre fasi evolutive, continuità che può essere colta immediatamente da chi accosti con consapevolezza i testi attraverso cui la Quaresima ambrosiana si snoda.

10. Dalla Legge all'Evangelo nell'"ordo lectionum" feriale: Genesi, Proverbi e il Sermone del Monte

Ambrogio ricorda ai neofiti che essi si erano preparati ascoltando quotidianamente i begli ed edificanti esempi morali dei patriarchi e la sapienza dei Proverbi.[54] L'uso di Genesi e Proverbi, quali testi scritturistici propri della catechesi prebattesimale dei *competentes*, risulta essere consuetudine ampiamente diffusa. Così si faceva a Gerusalemme e in area sira, a Costantinopoli e nella Spagna.[55] Se in alcuni luoghi d'area orientale il venir meno del catecumenato produsse la sparizione di queste letture, a Milano esse furono sentite come aspetto qualificante ed elemento portante dell'itinerario quaresimale, e vennero pertanto conservate nella forma ritualizzata della *lectio continua*. Quest'ultima si svolgeva, come Beroldo ricorda, in due momenti: al mattino *post Tertiam* e al pomeriggio *post Nonam* (cioè prima del vespero) congiunta all'offerta eucaristica, la cui celebrazione risulta già attestata in età santambrosiana e trova conferma anche nella fase antecedente la sistemazione carolingia.[56]

La celebrazione eucaristica comportava necessariamente anche la pericope evangelica. Con straordinaria coerenza rispetto alla catechesi veterotestamentaria venne proposta quale lettura evangelica la *lectio continua*

---

[53] Beroldus, pp. 83, 84-85, 94-95.

[54] Ambrosius, *De Mysteriis*, I, 1, ed. B. Botte, Éd du Cerf, Paris 1961[2. 2a rist.] [SCh, 25 bis], p. 156.

[55] Cf A. Baumstark, *Liturgie comparée*, Chevetogne 1953[3], p. 136; Borella, *Il Rito Ambrosiano*, pp. 372-373.

[56] Ambrosius, *Expositio Psalmi CXVIII*, 48, ed. M. Petschenig, Tempsky, Lipsiae 1913 [CSEL, 63], p. 180. Il precarolingio *Evangelistario di Busto* presuppone celebrazioni feriali per l'intero periodo quaresimale: Paredi, *L'Evangeliario di Busto Arsizio*, pp. 207-249.

del "Sermone del Monte" nella versione di Matteo, testo il cui uso quaresimale si ritrova anche nell'antico ambito siriaco.[57] Alla catechesi morale dei libri di Genesi e Proverbi si associava dunque il codice per eccellenza della morale evangelica.

Nell'*Evangelistario di Busto* la presentazione del Sermone del Monte prevede una proclamazione in forma quasi continua del Vangelo secondo Matteo, da 5, 1, a 7, 27. Il successivo *Evangelistario dei cardinali diaconi* (Ambr. *A 28 inf.*), testimone della forma celebrativa cattedrale in età carolingia, attesta una rigorosa *lectio continua* conclusa al v. 7, 21.[58] È il modello continuato nella *Editio typica Calabiana-Ferrari* del Messale (1902). Il *Lezionario ad experimentum* (1976), attenedosi anch'esso a una rigorosa *lectio continua*, ha ritenuto di prolungare la lettura fino al v. 7, 29. È questo l' ordinamento delle pericopi assunto dal Lezionario ora promulgato.[59]

Con l'avvio dell'età carolingia alla fine del secolo VIII si determinò peraltro, nell'ordinamento feriale ambrosiano delle letture quaresimali, una duplicazione che deve essere qui segnalata. Tale evoluzione risulta strettamente connessa agli ordinamenti istituzionali del clero milanese.

Com'è ben noto, la Chiesa di Milano presentava in età medioevale un duplice ordine di ecclesiastici urbani: i cardinali, che coadiuvavano l'arcivescovo (e, nel caso, lo supplivano) nel culto cattedrale e nelle celebrazioni stazionali; i decumani, che esercitavano la cura pastorale nelle basiliche urbane, avendo a capo il primicerio (chiamato anche *coepiscopus*), cui incombeva la "formazione permanente" del suo clero e la responsabilità della disciplina penitenziale. A questi due *ordines* si aggiungevano poi i cappellani urbani, che svolgevano solo funzione cultuale nelle cappelle, e il clero rurale, che esercitava la cura pastorale nelle pievi.

La fissazione carolingia dei libri di culto ambrosiani s'inserì in questa situazione istituzionale, nella quale – alla luce di una successiva documentazione – sembra legittimo ritenere che ai soli cardinali fosse concesso di

---

[57] P. Carmassi, *Libri liturgici e istituzioni ecclesiastiche a Milano in età medioevale. Studio sulla formazione del lezionario ambrosiano*, Aschendorff, Münster 2001 [Liturgiewissenschaftliche Quellen und Forschungen, 85: Corpus ambrosiano-liturgicum, 4], p. 103

[58] Per un quadro della documentazione codicologica in merito a tale ordinamento di letture si rinvia all'esemplare ricerca di Patrizia Carmassi, *Libri liturgici e istituzioni ecclesiastiche*, pp. 298-322

[59] La serie delle pericopi può essere vista al termine del capitolo nell'Allegato 4. Per le sue leggere varianti nel tempo: Carmassi, *Libri liturgici e istituzioni ecclesiastiche*, pp. 97-99

celebrare assistiti da diaconi e suddiaconi.[60] In particolare il Messale intese garantire la celebrazione strettamente individuale del singolo prete: una celebrazione ridotta e semplificata, in cui la lettura dell'Epistola e del Vangelo venne assegnata al prete, analogamente alle preci litaniche, mentre le Letture (vetero o neotestamentarie) furono lasciate cadere.

In un siffatto contesto, l'ordinamento delle pericopi per le Messe nelle ferie di Quaresima, se quanto al Vangelo continuò a prevedere il "Sermone del Monte" (nelle prime quattro settimane), quanto alle Letture antecedenti il Vangelo, in luogo di Genesi e Proverbi (nonché di Giobbe e Tobia, nella Settimana Autentica) introdusse un'unica pericope, attinta ai libri romani.

Con questo ordinamento ci appaiono i Messali e i Lezionari carolingi e postcarolingi utilizzati dai decumani, dai singoli preti e nelle pievi. Tuttavia nella *ecclesia hyemalis* i cardinali continuarono a celebrare secondo l'antico ordinamento milanese, svolgendo – *post Tertiam* e *post Nonam* – la lettura continua di Genesi e Proverbi, con il relativo responsorio (o salmello interlezionale)[61] e, nella lettura pomeridiana, un *tractus* (che dalla II alla V feria, collocandosi le letture nella celebrazione eucaristica, diveniva *cantus*, precedendo l'Evangelo di Matteo).[62] È questo l'ordinamento che si è sostanzialmente continuato nel Duomo, quantunque la forma del Messale stampato spingesse a concentrare *post Tertiam* la lettura di Genesi e Proverbi, utilizzando nella Messa la lettura d'origine carolingia.

Questa continuità assicurata all'antico ordinamento dall'uso rituale del Capitolo metropolitano ha permesso – con la recente riforma postconciliare dei libri liturgici – il ripristino delle letture di Genesi e Proverbi (nonché di Giobbe e Tobia) per l'intera Chiesa ambrosiana. Tale recupero si attuò già nel *Lezionario Ambrosiano* per la Quaresima del 1972,[63] e fu successivamente confermato nel *Lezionario ad experimentum* apparso quattro anni più tardi, contemporaneamente all'edizione del *Messale*. Si trattava, peraltro, di un ordinamento su un unico anno. Come s'è visto, tutta la documen-

---

[60] Attorno al 1170 si colloca il documento con cui l'arcivescovo Galdino, confermando i tradizionali privilegi del clero cardinalizio milanese, tra le altre cose ratificava "*ut vobis solis, exceptis monachorum congregationibus, in civitate cum diacono et subdiacono missam celebrare liceat*": ed. E. Cattaneo, *Gli Statuti del venerando Capitolo del Duomo*, in *Ambrosius* 30 (1954) 295.

[61] Cf J. Claire, *Le rituel quadragésimal des cathéchumènes à Milan*, in *Mélanges offerts à Pierre-Marie Gy, o.p.*, Éd. du Cerf, Paris 1990, pp. 131-151.

[62] Quadro sistematico delle pericopi in Carmassi, *Libri liturgici e istituzioni ecclesiastiche*, pp. 203 ss.

[63] Per i criteri di composizione: E. Galbiati, *Il nuovo Lezionario Ambrosiano del Tempo quaresimale e pasquale*, in *Ambrosius* 48 (1972) 32-39.

tazione codicologica ambrosiana attestava una lettura continua articolata in due momenti celebrativi. Molto naturalmente, pertanto, il Lezionario ora promulgato ha sviluppato un duplice ordinamento, nel quale comunque ogni Anno presenta uno sviluppo coerente e compiuto.

Sicché, pur attraverso inevitabili adattamenti, è ancor oggi possibile, nelle pericopi delle ferie quaresimali ambrosiane, sentire l'eco della voce di Ambrogio e degli antichi vescovi, che si sono succeduti sulla cattedra milanese, nonché l'eco delle voci delle altre antiche Chiese, d'Oriente e d'Occidente, che con questi testi hanno ritmato il loro cammino verso la Pasqua.[64]

11. L'ALITURGIA DEI VENERDÌ E LE VIGILIE

Alla luce della dimensione sponsale entro cui si svolge l'itinerario iniziatico verso la Pasqua, dimensione di cui Ambrogio stesso è il primo testimone,[65] evidente emerge il significato della aliturgia dei Venerdì quaresimali.

Il Venerdì è il giorno in cui lo Sposo fu strappato e la Chiesa, nel cammino verso la Settimana Autentica (nel cui Venerdì si farà di quella sottrazione speciale memoria), non può trascorrere i Venerdì in preparazione a quel Venerdì paradigmatico che nel digiuno e nella preghiera. In questo senso il Venerdì aliturgico è elemento davvero qualificante della spiritualità quaresimale ambrosiana. E ben lo comprese san Carlo, che lo spiegò ai suoi fedeli e lo volle ribadito nella Sinodo IX del 1584;[66] con analoga lucidità lo avvertì anche il cardinal Schuster, e dopo di lui il cardinal Montini, dai quali vennero riaffermate le norme che vietano in tal giorno la distribuzione dell'Eucaristia.[67]

Per comprendere le forme rituali sviluppatesi a Milano è ancora una volta interessante ascoltare la descrizione di Egeria in merito a ciò che si faceva a questo proposito a Gerusalemme:

---

[64] L'ordinamento delle Letture di *Genesi* e *Proverbi*, articolato su due annualità, può vedersi nell'Allegato 5.

[65] "*Christus autem uidens ecclesiam suam in uestimentis candidis ... dicit: 'Ecce formonsa es, proxima mea, ecce es formonsa; oculi tui sicut columbae'* ": AMBROSIUS, *De Mysteriis*, VII, 37, SCh, 25 bis, p. 176.

[66] *Acta Ecclesiae Mediolanensis*, II, ed. A. RATTI, Tipografia Pontificia S. Giuseppe, Mediolani 1890, pp. 1079-1081; cf C. DOTTA, *S. Carlo e i Venerdì di Quaresima ambrosiani*, in *Ambrosius* 14 (1938) 57-64.

[67] BORELLA, *Il Rito Ambrosiano*, pp. 373-378.

"Il Venerdì... come il Mercoledì... all'ora nona si va al Sion e di là si accompagna il vescovo in processione fino all'*Anastasis*. Ma il Venerdì si celebra la veglia all'*Anastasis* dall'ora in cui si è tornati in processione da Sion fino al mattino, cioè dall'ora del lucernario, quando si è entrati, fino al mattino del giorno seguente, cioè il Sabato. L'Eucaristia si celebra molto presto all'*Anastasis*, perché il congedo avvenga prima del levar del sole; per tutta la notte si recitano, alternandoli, salmi responsoriali, antifone, letture diverse, e tutte queste cerimonie si protraggono fino al mattino. La celebrazione che si fa il Sabato all'*Anastasis*, cioè l'Eucaristia, si fa prima del levar del sole, perché nell'ora in cui il sole comincia a salire si faccia anche il congedo all'*Anastasis*. Così si svolge la liturgia in tutte le settimane di Quaresima".[68]

I Vesperi dei Venerdì ambrosiani, con le 4 letture (come nella Veglia di tipo gregoriano), sono tipici Vesperi vigiliari, ossia la forma vespertina dell'antica vigilia notturna che – in questo caso – si concludeva con la celebrazione sabbatica dell'Eucaristia (ed è il modello che il card. Schuster raccomandava di riprendere ai gruppi di preghiera). Significativamente nel *Capitolare di Busto*, per la Quaresima, compaiono soltanto pericopi per le celebrazioni eucaristiche sabbatiche e domenicali.

Tratte rigorosamente dalla Legge e dai Profeti (secondo l'accezione che quest'ultima categoria scritturistica assume in ambito ebraico), le quattro letture, fissate dalla tradizione ambrosiana nell'*ordo lectionum*, appaiono abbinate e ordinate secondo un ciclo, che tende a configurarle quale eco di temi e di testi risuonati nella Domenica precedente, quasi loro ripresa al termine dell'itinerario catechetico settimanale e premessa alla celebrazione degli scrutini sabbatici.

La lettura conclusiva dell'intero ciclo, tratta non dai Profeti, ma ancora dalla Legge, si pone quale suggello dell'intero itinerario catechetico quaresimale: "Ricordati di tutto il cammino che il Signore tuo Dio ti ha fatto percorrere in questi quarant'anni nel deserto".[69]

Il Lezionario ora promulgato ripropone tale ricco patrimonio di testi nell'ambito del ciclo quaresimale dell'Anno I.

A quest'insieme di pericopi il Lezionario viene peraltro affiancando un ulteriore ciclo di letture per l'Anno II. In esse, attraverso la voce dell'antica Legge e quelle dei Profeti e dei re d'Israele – riproposte in concomitanza con l'aliturgia per la morte dello Sposo – si sviluppa una catechesi foca-

---

[68] EGERIA, *Itinerarium*, XXVIII, 7-8, ed. et trad. NATALUCCI, pp. 176-179.
[69] Cf M. MAURI - C. ALZATI, *"Legge" e "Profeti" nella Quaresima ambrosiana. Le letture ai Vesperi della Feria VI*, in *La Scuola Cattolica* 132 (2004) 123-138.

lizzata sul mistero della Passione del Signore, letta alla luce della Pasqua d'Israele e quale compimento perfetto dei sacrifici dell'Antica Alleanza.

In merito al fatto che tali sinassi del Venerdì nella tradizione ambrosiana siano caratterizzate da un rigoroso ricorso a Legge e Profeti (come nel culto sinagogale), sembra opportuno ricordare quanto affermato da Ambrogio nell'*Expositio euangelii secundum Lucam* con riferimento alla Trasfigurazione del Signore:

> "Quindi appaiono Mosè ed Elia, cioè la Legge e il Profeta insieme col Verbo: di fatto la Legge non può sussistere senza il Verbo, né può essere Profeta se non colui che abbia profetizzato a riguardo del Figlio di Dio... Perciò Luca opportunamente aggiunse che *parlavano della sua dipartita che avrebbe portato a compimento a Gerusalemme*. Essi infatti t'insegnano *i misteri della sua dipartita*. Anche oggi Mosè insegna, anche oggi Elia parla".[70]

Sicché questi Vesperi solenni del Venerdì – spesso fin qui trascurati nella comune prassi pastorale – devono in realtà considerarsi una celebrazione in cui si esprime la più autentica spiritualità quaresimale, in continuità profonda rispetto alle più antiche fonti della prassi cultuale cristiana e, quanto ai contenuti, in fedele adesione al magistero di Ambrogio.[71]

12. GLI SCRUTINI AI "COMPETENTES" E LE CELEBRAZIONI SABBATICHE

Nella Gerusalemme della fine del IV secolo, come s'è visto, anche il Sabato prevedeva la celebrazione eucaristica, affiancandosi in tal modo alla Domenica quale giorno 'liturgico'. Tale assimilazione tra i due giorni si ripropone a Milano nel *Capitolare di Busto*, e trova conferma sia nell'*Evangelistario* del codice bustese, sia nelle testimonianze successive, che nettamente distinguono le celebrazioni eucaristiche feriali (II-V) da quelle sabbatiche, assimilando queste ultime, anche nella struttura della Liturgia della Parola, alle celebrazioni domenicali.

Tale fenomeno non è ovviamente senza rapporto con la disciplina ecclesiale milanese che – presumibilmente già prima della documentazione relativa ad Ambrogio – proibiva il digiuno al Sabato, considerandolo, ana-

---

[70] AMBROSIUS, *Expositio euangelii secundum Lucam*, VII, 10-11, CCL, 14, p. 218.

[71] Cf anche il cap. VII: «... già splendevano le luci». *Il giorno liturgico nella tradizione ambrosiana*. Per un quadro compiuto delle pericopi delle Vigilie quaresimali ambrosiane, si rinvia all'Allegato 2 in coda al presente capitolo.

logamente alle consuetudini orientali (cf can. 64 degli Apostoli),[72] giorno di carattere festivo.

Le implicazioni ecumeniche dell'osservanza di tale disciplina in un contesto di comunione con la Chiesa romana caratterizzata da diversa consuetudine, sono ben evidenziate dalle parole rivolte dal 'greco' Nilo da Rossano ai monaci dell'abbazia cassinese, durante il cammino che l'avrebbe portano a stabilire la sua comunità nella 'romana' Grottaferrata. Furono argomentazioni, le sue, che significativamente fecero leva sullo stesso testo paolino, che la Chiesa milanese proclama al primo Sabato di Quaresima.[73]

Le pericopi che formano l'ordinamento delle letture delle celebrazioni sabbatiche ambrosiane rinviano senz'altro a una fase ecclesiale postsantambrosiana, ma ancora tardo antica, nella quale l'iniziazione cristiana quaresimale – seppure nella forma 'ritualizzata' associata a una generalizzata recezione del Battesimo in età infantile – continuava ad essere momento rilevante della vita ecclesiale.

Dopo il primo Sabato quaresimale, le cui pericopi sono incentrate sull'apologia della sospensione sabbatica del digiuno ("Il Sabato è per l'uomo, non l'uomo per il Sabato. Voglio misericordia e non sacrificio")[74], nelle tre settimane successive, mentre le letture veterotestamentarie e le epistole paoline tratteggiano gli atteggiamenti spirituali dei credenti avviati alla rigenerazione, le pericopi evangeliche alludono nel secondo Sabato al rito d'imposizione delle mani, nel terzo all'esorcismo e all'unzione con l'olio, nel quarto alla *signatio*. Beroldo descrive accuratamente il rituale delle celebrazioni, "scrutini", che appunto nel II, III, IV Sabato di Quaresima si svolgevano.[75]

La connotazione misterica di tali catechesi sabbatiche, l'immediatezza dei loro contenuti, il loro profondo significato ecclesiale ne fanno anche un utile strumento pastorale in rapporto alle celebrazioni rituali dell'iniziazione degli adulti, sicché non soltanto è parso opportuno ribadirne – pur con qualche adattamento – l'organica presenza nel Lezionario ora promulgato,

---

[72] Ed. P. P. Joannou, *Discipline Générale Antique (IV-IX s.)*, 1/2: *Les Canons des Synodes Particuliers* (= *CSP*), Grottaferrata 1962 [Pontificia Commissione per la redazione del Codice di Diritto Canonico Orientale. Fonti, fsc. 9], p. 41.

[73] "Colui che mangia non disprezzi chi non mangia; chi non mangia non giudichi male chi mangia: Dio infatti ha accolto entrambi. Ma tu perché giudichi il tuo fratello? Sia che noi mangiamo, sia che voi digiuniate: tutto facciamo a gloria di Dio": *Vita s. Nili junioris*, LXXVI-LXXVIII, PG, 120, cc. 129-132, con riferimento a *Rm* 14, 3. 10. 6.

[74] *Mt* 12, 1-8.

[75] Beroldus, pp. 92-94. Cf C. Alzati, *Ambrosianum Mysterium. La Chiesa di Milano e la sua tradizione liturgica*, NED - Nuove Edizioni Duomo, Milano 2000 [Archivio Ambrosiano, 81], pp. 91-95.

ma se ne è delineata la possibile utilizzazione nei cammini d'iniziazione cristiana anche fuori dal periodo quaresimale.

In conformità al programma generale di ordinamento delle letture per i giorni quaresimali, è stato creato anche per i Sabati un duplice ciclo (recependo indicazioni pure dal Lezionario *ad experimentum*), con peraltro – come nelle Domeniche – un'unica pericope evangelica.[76]

13. LA "TRADITIO SYMBOLI"

Nell'itinerario catecumenale verso il Battesimo, ai tempi di Ambrogio la Domenica e successivamente il Sabato antecedenti la Settimana Santa assumevano una rilevanza del tutto particolare. Dopo il mutamento dei costumi, dopo la rinuncia a Satana e al suo regno, professata dal catecumeno e sancita dai segni rituali d'iniziazione negli "scrutini", ossia dopo aver fatto proprio l'atteggiamento di conversione richiesto dal Signore, il catecumeno, ormai competente, poteva veramente "credere all'Evangelo". Nella *traditio Symboli* gli venivano allora enunciate le verità fissate nel *Credo degli Apostoli*. In questo Simbolo di fede era condensata la rivelazione di Dio creatore, culminata nell'incarnazione del suo Verbo, morto e risorto, nel quale agli uomini è dato partecipare al dono dello stesso Spirito divino; la professione di fede continuava riconoscendo la Chiesa, quale luogo di salvezza presente nella storia degli uomini, e proclamando la resurrezione finale e la vita eterna.

Noi abbiamo varie esposizioni del *Credo* lasciateci dai vescovi antichi; tra esse anche una pervenutaci nel corpus santambrosiano.[77]

La catechesi dogmatica sul *Credo* era uno tra i più alti momenti del ministero di predicazione episcopale. Il vescovo si faceva voce dell'apostolo, la cui testimonianza e il cui insegnamento era tenuto a custodire e fedelmente trasmettere. È molto significativo, in merito al senso di responsabilità con cui tale compito era assolto, il fatto che le esposizioni patristiche del Simbolo a noi pervenute, analogamente alle catechesi mistagogiche (ossia, di spiegazione dei misteri dell'iniziazione cristiana), si presentino per struttura, linguaggio, riferimenti simbolici, estremamente omogenee; e ciò anche quando gli autori appartenevano a differenti orientamenti teologici ed erano inseriti in contesti ecclesiali e dottrinali diversi. Evidentemente se nelle opere composte al proprio scrittoio per dialogare con l'élite ecclesiastica coeva il vescovo enunciava la dottrina propria o della scuola

---

[76] Il quadro completo delle pericopi per le celebrazioni sabbatiche quaresimali può vedersi al termine del capitolo nell'Allegato 3.

[77] Ed. B. BOTTE, Éd du Cerf, Paris 1961[2. 2 ried.] [SCh, 25 bis], pp. 46-58.

cui egli apparteneva, nella catechesi di iniziazione era suo scrupoloso impegno trasmettere la fede della Chiesa, riproponendola – secondo le parole del grande Eusebio di Cesarea – così "come abbiamo ricevuto, dai vescovi che ci hanno preceduto, e nella prima catechesi e quando abbiamo ricevuto il lavacro, come abbiamo appreso dalle Sacre Scritture, e come abbiamo creduto e insegnato sia da preti sia da vescovi".[78]

Nella successiva età medioevale, conservatosi il cammino catecumenale ma in una formalizzazione rituale, anche la *Traditio Symboli* da solenne riunione catechetica si trasformò in una specifica cerimonia, durante la quale era prevista una breve *Esposizione del Simbolo*, di fatto un testo di modeste dimensioni in lingua latina, alla cui lettura assistevano i fanciulli e i loro padrini.[79]

Le pericopi fissate dalla tradizione per la Messa di questo giorno appaiono focalizzate sul tema della trasmissione della fede nella Chiesa e sugli imminenti riti di iniziazione.

Il particolare significato nuovamente attribuito al Sabato *in Traditione Symboli* nella prassi ecclesiale (con peculiare riferimento alla pastorale giovanile) e la valenza antropologica conseguentemente assunta dalla sua configurazione rituale hanno spinto a conservare per esso, nel Lezionario ora promulgato, un unico ordinamento di pericopi. Come nel Lezionario *ad experimentum*, sono state confermate la pericope apostolica e quella evangelica previste dalla *Editio typica Calabiana-Ferrari*. Quanto alla Lettura (*Ez* 36, 22-28), essendo stata essa già utilizzata nel III Sabato quaresimale (Anno II), il nuovo Lezionario ha fatto propria la pericope introdotta col Lezionario *ad experimentum* (*Dt* 6, 4-9).

14. LE ANTICHE FIGURE:
LA PROCLAMAZIONE DI ESODO NELLE DOMENICHE QUARESIMALI

"*Quae patribus in figura contingebant, nobis in veritate proveniunt*": così canta il Preconio pasquale ambrosiano.[80] Dei grandi eventi compiutisi nella storia d'Israele quale premessa e figura di quanto si sarebbe realizzato

[78] *Epistula ad ecclesiam Caesariensem*, 3, ed. H. G. OPITZ, *Urkunden zur Geschichte des arianischen Streites*, de Gruyter, Berlin-Leipzig 1934, p. 42; trad. it. M. SIMONETTI, *Il Cristo*, II, Fondazione Lorenzo Valla-Arnoldo Mondadori Editore, 1986, pp. 104-105.

[79] Ed. G. FORZATTI GOLIA, *Le raccolte di Beroldo*, in *Il Duomo cuore e simbolo di Milano. IV Centenario della Dedicazione (1577-1977)*, Milano 1977 [Archivio Ambrosiano, 32], pp. 395-398.

[80] *Manuale Ambrosianum ex codice saec. XI olim in usum canonicae Vallis Travaliae* [= *Manuale Ambrosianum*], II, ed. M. MAGISTRETTI, Hoepli, Mediolani 1904, p. 200. 17-18.

in Cristo, la Chiesa ambrosiana evoca il ricordo nelle Domeniche prepara-
torie alla Pasqua attraverso specifiche Letture da Esodo. Tali Letture costituiscono un elemento la cui rilevanza sul piano rituale risulta evidenziata
anche dalla peculiare melodia che ne ha accompagnato attraverso i secoli
la proclamazione. Di fatto si trattava di elemento sentito come talmente
irrinunciabile da spingere a inserire in alcuni Messali d'età medioevale (è
il caso del *Messale di Bergamo* e del *Messale di Armio*)[81] apposite pagine
contenenti tali letture e nelle quali era probabilmente il riflesso di originari
libelli. Ma, oltre all'importanza, va segnalata l'arcaicità di tale elemento
rituale, testimoniata dal fatto che la silloge di pericopi accorpata al *Messale
di Armio* presenta redazione pregeronimiana.[82]

La comunicazione del Decalogo, la promessa di una rinnovata Alleanza, le nuove Tavole della Legge, la traversata del Mar Rosso sono gli
eventi riproposti attraverso la proclamazione cultuale delle relative pericopi. È assolutamente evidente come in questo caso – paradigmatico per la
tradizione liturgica ambrosiana – l'unità tra Antico e Nuovo Testamento si
collochi non a livello filologico testuale, ma misterico. È in riferimento alla
riproposizione misterica della salvezza che l'evento salvifico dell'antico
Israele, restando pienamente se stesso, consuona con l'evento di salvezza
realizzatosi nella pienezza del tempo nel Cristo Signore e lo preannuncia:
*ut ... legi gratia succederet ... hic est agnus lapideis praefiguratus in tabu-
lis.*[83]

Nel Lezionario ora promulgato le pericopi di Esodo fissate dalla tradizione sono state confermate, con alcuni interventi minimali, nell'Anno
A. L'ordinamento per gli anni B e C si è preoccupato conservare una certa
affinità tra le Letture nei tre anni, e a tale scopo ha rinunciato all'esclusività
di Esodo e, restando peraltro nell'ambito del Pantateuco, è ricorso quale
fonte anche a Deuteronomio.

Per il rilievo che tali Letture assumono nel contesto delle Domeniche
propriamente quaresimali, all'interno delle celebrazioni vespertine vigiliari, quale pericope precedente il Vangelo viene indicata (analogamente a
quanto previsto in Avvento), anziché l'epistola paolina, la Lettura veterotestamentaria.

---

[81] Carmassi, *Libri liturgici e istituzioni ecclesiastiche*, pp. 291, 293
[82] *Ibidem*, p. 293; per la presenza di redazioni pregeronimiane nei libri liturgici ambrosiani cf anche E. Galbiati, *Volgata e Antica Latina nei testi biblici del Rito ambrosiano*,
in *Ambrosius* 31 (1955) 151-171.
[83] *Manuale Amrosianum*, II p. 200. 5. 7-8.

15. LE DOMENICHE *DE SAMARITANA*, *DE ABRAHAM*, *DE CAECO*, *DE LAZARO* PILASTRI DELL'ITINERARIO QUARESIMALE AMBROSIANO

Le letture da Esodo (e, nel rinnovato Lezionario, anche da Deuteronomio) sono dunque momenti rituali rilevanti, all'interno delle grandi tappe da cui è scandito l'itinerario quaresimale ambrosiano, ossia le Domeniche *de Samaritana*, *de Abraham*, *de Coeco*, *de Lazaro*. Le pericopi evangeliche che in esse vengono proclamate erano lette anche in ambito ispanico e in area beneventana: Samaritana, Cieco e Lazzaro erano presenti anche a Roma.[84]

In ambito milanese tali pericopi hanno determinato la stessa denominazione della Domenica, come documenta già l'*Evangelistario di Busto*, il cui ordinamento è precarolingio.

Il carattere battesimale di questi testi è evidente ed estremamente arcaico: nella straordinaria *domus ecclesiae* di Dura Europos, certamente anteriore all'anno 256, l'unico spazio cultuale sicuramente individuabile è il battistero, e nel battistero vi è la raffigurazione della Samaritana.[85]

La profondità del messaggio catechetico che esce dall'ordinamento delle letture fissato per queste Domeniche dalla tradizione ambrosiana è davvero rimarchevole. La contemplazione dell'intervento salvifico di Dio nella storia è in esse intimamente connesso al tema battesimale.

Tenendo conto di tutto ciò, il Lezionario ora promulgato, pur articolando il proprio ordinamento delle Domeniche quaresimali su tre annualità, ha stabilito l'unicità della pericope evangelica.[86]

16. LE ACCLAMAZIONI AL VANGELO

Secondo il modello del Lezionario Romano e del Lezionario *ad experimentum*, il *Cantus* che precede la proclamazione del Vangelo è accompagnato da acclamazioni sostitutive dell'Alleluia. Nei libri ora citati tali acclamazioni si presentano secondo quattro forme, distribuite senza un preciso criterio lungo il ciclo quaresimale.

---

[84] Cf V. MARTÍN PINDADO, *Los sistemas de lecturas de la Cuaresma hispánica. Investigación desde la perspectiva de una comparación de liturgias*, Istituto Superior de Pastoral, Madrid 1977.

[85] C. H. KRAELING, *The Excavations at Dura Europos. Final Report*, II: *The Christian Building*, Dura-Europos Publications, New Haven 1967, pp. 144 ss., 186 ss.

[86] Un quadro completo delle pericopi può vedersi al termine del capitolo, nell'Allegato 1, con indicazione dei rapporti con gli ordinamenti dell'*Editio quinta post Typicam* e del Lezionario *ad experimentum*.

Tenendo conto delle strutture interne della Quaresima ambrosiana, il Lezionario ora promulgato ha inserito un'ulteriore acclamazione e disposto l'insieme secondo lo schema seguente.

Domenica *in Caput* e successiva Settimana (Sabato compreso): *Gloria a te, o Cristo, Verbo di Dio!*
Domenica della Samaritana e successiva Settimana (Sabato compreso): *Gloria e lode a te, o Cristo!*
Domenica di Abramo e successiva Settimana (Sabato compreso): *Gloria e lode a te, Cristo Signore!*
Domenica del Cieco e successiva Settimana (Sabato compreso): *Lode e onore a te, Signore Gesù!*
Domenica di Lazzaro e successiva Settimana (Sabato compreso)
[nuovo: cfr. acclamazioni nelle Domeniche di Abramo e del Cieco]: *Onore e gloria a te, Cristo Signore!*
Settimana Autentica: *Lode a te, o Cristo, re di eterna gloria!*

17. I Vangeli vigiliari nelle celebrazioni di apertura vespertina della Domenica

L'*Expositio matutini offici*, spiegando l'assenza dell'*Antiphona ad Crucem* nelle Domeniche di Quaresima, dichiara che in tale periodo il mistero della Croce viene come velato perché compiutamente si riveli e manifesti nella Parasceve. Nel Lezionario recentemente promulgato considerazioni non dissimili potrebbero essere formulate in rapporto ai Vangeli della Resurrezione nelle celebrazioni vigiliari della Domenica.

Come l'Alleluia e la *Laus Angelorum* attendono l'annuncio pasquale della Resurrezione per risuonare nuovamente nella Chiesa, così durante il tempo di preparazione a quell'annuncio, nelle liturgie celebrate settimanalmente quando già splendono le luci del primo giorno dopo il Sabato, in luogo dei consueti Vangeli della Resurrezione vengano proclamate pericopi, che del mistero pasquale contengano una prefigurazione allusiva.

Il carattere particolare della Domenica all'inizio di Quaresima ha spinto ad assegnare ad essa il primo dei Vangeli vigiliari, l'Appendice al Vangelo secondo Marco: una specie di silloge delle testimonianze evangeliche sulla Resurrezione.

Seguono, nelle tre successive Domeniche, le narrazioni dei Sinottici in merito alla prefigurazione taborica della gloria pasquale; mentre nella Domenica di Lazzaro si colloca il richiamo di Cristo stesso al segno di Giona, e nella Domenica delle Palme la sua proclamazione di se stesso quale nuovo Tempio, distrutto e riedificato in tre giorni.[87]

---

[87] L'elenco delle pericopi è già stato fornito nel cap. VII: "... già splendono le luci". *Il giorno liturgico nella tradizione ambrosiana.*

18. ALLA SEQUELA DELLO SPOSO

Già dalla *Domenica di Lazzaro* la lettura evangelica della celebrazione eucaristica feriale, conclusa ormai la proclamazione del "Sermone del Monte", comincia a presentare il cammino di Gesù verso la sua Pasqua a Gerusalemme. È come se la Chiesa si accostasse al suo Sposo per accompagnarsi a lui e contemplare da vicino il suo incedere verso la Croce.

Milano non ebbe mai la "Domenica di Passione", ma è certo che dalla V settimana la catechesi nella liturgia eucaristica manifesta un più marcato orientamento alla Pasqua. Vi è come un effetto di dissolvenza: l'attenzione battesimale tende ad attenuarsi e si va sempre più nitidamente focalizzando la celebrazione pasquale ormai prossima. È come se la Chiesa ambrosiana seguisse il dipanarsi delle vicende che preparano la Pasqua del Cristo e (nella fede in lui, solennemente riaffermata nella feria II) passo dopo passo accompagnasse il suo Signore nel consapevole cammino che questi va compiendo verso la propria Passione.

L'ordinamento delle pericopi evangeliche nelle ferie II-V della V settimana quaresimale è attestato già in età precarolingia nell'*Evangelistario di Busto*. Il Lezionario ora promulgato ha ritenuta opportuna la scelta del Lezionario *ad experimentum* di confermare sostanzialmente, per i Vangeli, l'ordinamento della *Editio typica Calabiana -Ferrari*.[88] Questa è la successione delle pericopi:

LUNEDÌ

Vangelo	La professione di fede nel Cristo emessa da Pietro	Marco 8, 27-33[89]

MARTEDÌ

Vangelo	La fede necessaria per seguire Gesù e il preannuncio del tradimento	Giovanni 6, 63b-71[90]

MERCOLEDÌ

Vangelo	Annuncio della Passione e incomprensione dei Discepoli	Luca 18, 31-34[91]

GIOVEDÌ

Vangelo	Incapacità delle guardie di arrestare Gesù	Giovanni 7, 43-53[92]

---

[88] Per la documentazione codicologica al riguardo si rinvia a CARMASSI, *Libri liturgici e istituzioni ecclesiastiche*, pp. 326-329.

[89] Typ.; Bu (Ev); L.ex. (- 38).

[90] Typ.; Bu (Ev): Lc 20, 20-26: Il tributo a Cesare; L.ex. (63-70).

[91] Typ.; Bu (Ev) (= Martedì); L.ex.

[92] Typ.; Bu (Ev) (= Mercoledì); L.ex. (-52).

19. "Sei giorni prima della Pasqua": l'ascesa dello Sposo a Gerusalemme

Con la Domenica delle Palme vale anche per Milano quanto Egeria osservava per i *competentes* di Gerusalemme: "Non c'è più tempo per istruirli".[93] L'attenzione è ormai tutta focalizzata sull'offerta di Cristo che si va compiendo. La Chiesa non può più fare altro che tenere lo sguardo fisso sul suo Sposo Gesù ed associarsi al suo cammino.[94] Da questo momento il procedere della liturgia ambrosiana verso la solennità pasquale viene scandito con stretta aderenza ai tempi che hanno segnato il procedere del Signore Gesù verso la sua Pasqua nella Città Santa.

Ecco dunque nella Domenica che apre la Settimana Autentica, "sei giorni avanti la Pasqua" (secondo la cronologia giovannea), riproporsi la cena di Betania, preannuncio della morte. La Passione è ormai iniziata. Isaia, nel *Cantico del servo del Signore*, la delinea drammaticamente.

Il *Messale Ambrosiano* riformato ha, nel 1976, molto opportunamente ripristinato in questa Domenica la duplice celebrazione eucaristica (per la benedizione e processione delle Palme e propria del giorno).

Il rito processionale trova la sua lontana genesi in Gerusalemme, dove peraltro era disgiunto dall'Eucaristia e si svolgeva nel pomeriggio. Così la cerimonia è descritta da Egeria:

> "All'ora settima tutto il popolo sale sul monte degli Olivi, cioè l'Eleona, nella chiesa. Il vescovo si siede, si recitano inni e antifone appropriate a quel giorno e al luogo, e così pure le letture. E quando comincia a farsi l'ora nona, si sale in processione all'*Imbomon*, nel luogo cioè dove il Signore ascese al cielo, e qui ci si siede: tutto il popolo, sempre alla presenza del vescovo, è invitato a sedere, solo i diaconi restano costantemente in piedi. Si recitano anche qui inni e antifone appropriate al luogo e al giorno ed ugualmente le letture intercalate e le preghiere. All'inizio dell'ora undecima, si legge il passo del Vangelo in cui i fanciulli vanno incontro al Signore con rami e palme dicendo: 'Benedetto colui che viene nel nome del Signore'. Subito il vescovo e tutto il popolo si alzano, poi di là, dalla cima del monte degli Olivi, si va sempre a piedi. Tutto il popolo procede

---

[93] Egeria, *Itinerarium*, XLVI, 4, ed. et trad. Natalucci, p. 225.

[94] Per questo aspetto della celebrazione pasquale ambrosiana, cf anche G. Ramis, *Cronología y dramatización de la pasión en el triduo sacro de las liturgias occidentales*, in *La celebrazione del triduo pasquale. Anamnesis e mimesis. Atti del III Congresso internazionale di liturgia. Roma, Pontificio Istituto Liturgico, 9-13 Maggio 1988*, a cura di I. Scicolone, Roma 1990 [Studia Anselmiana, 102: Analecta Liturgica, 14], pp. 106-114, dove peraltro il termine *dramatización* appare del tutto improprio per l'ambito ambrosiano: al riguardo cf, nel capitolo successivo, le considerazioni relative alle modalità celebrative della Morte del Signore.

davanti a lui cantando inni e antifone e rispondendo sempre: 'Benedetto colui che viene nel nome del Signore'. E tutti i bambini che ci sono nei dintorni, anche quelli che non sanno camminare perché sono troppo piccoli e li tengono in collo i genitori, tutti hanno un ramo, chi di palma, chi di olivo. E così si accompagna il vescovo nello stesso modo in cui venne allora accompagnato il Signore. Dalla cima del monte fino alla città e di là fino all'*Anastasis* attraverso tutta la città, tutti vanno sempre a piedi, anche se ci sono matrone o signori. Accompagnano così il vescovo salmodiando e piano piano, perché il popolo non si stanchi, si arriva tardi all'*Anastasis*, quando è già sera. Quando si è giunti là, anche se è tardi, si fa il Lucernare, si fa ancora la preghiera alla Croce ed il popolo viene congedato".[95]

A Milano il monte degli Olivi era la basilica palatina di San Lorenzo, la porta della città si riproponeva nella *Porta Ticinensis*, la via attraverso la città era costituita dall'arcaico percorso dell'attuale via Torino, in luogo dell'*Anastasis* stava la *ecclesia hyemalis* nel complesso episcopale.

Il profondo radicamento nella tradizione, che caratterizza l'*Ordo* beroldiano, trova un'ennesima conferma nella constatazione che la *statio* e la duplicità delle celebrazioni eucaristiche (a San Lorenzo e nella *ecclesia hyemalis*), segnalate dal *cicendelarius* per la *Dominica in ramis olivarum*, ancora una volta hanno puntuale corrispondenza nel precarolingio *Capitolare di Busto*. E se evidentemente tarda, quantunque negli anni Venti del XII secolo ormai consolidata, risulta la deviazione processionale compiuta dall'arcivescovo al Carrobio (antistante la *Porta Ticinensis*) per dirigersi, scortato dal popolo *cum triumphali gloria*, verso Sant'Ambrogio onde celebrarvi la Messa della Domenica assistito dall'abate e dalla comunità monastica (il presule incedeva su un cavallo bianco, portando nella sinistra una croce di cristallo, e accompagnato dal solo prete ebdomadario e dai cappellani), nel rituale del clero cardinalizio possiamo ritrovare gli elementi propri dell'antica celebrazione milanese: il radunarsi del clero e del popolo nella chiesa stazionale, la celebrazione ivi – ad opera di un prete cardinale – della Messa commemorativa dell'ingresso del Signore nella Città Santa (Evangelo: *Io* 12, 12-13), la benedizione delle palme e degli olivi, lo *Psallentium* lungo la *via Ticinensis* – varcando la relativa porta

---

[95] EGERIA, *Itinerarium*, XXXI, 1-3, ed. et trad. NATALUCCI, pp. 187-189. Per gli sviluppi di questo ritale gerosolimitano agli inizi del V secolo: A. RENOUX, *Le codex Arménien Jérusalem 121*, I: *Introduction. Aux origines de la liturgie hiérosolimitaine. Lumières nouvelles*, Turnhout 1969 [Patrologia Orientalis, 35/1, n° 163], pp. 110-113; II: *Édition comparée du texte et de deux autres manuscrits*, Turnhout 1971 [Patrologia Orientalis, 36/2, n° 168], pp. 256 [118] - 259 [121].

– fino alla chiesa *"huius archiepiscopatus caput"*, la celebrazione ivi della Messa della Domenica (Evangelo: *Io* 11, 55 - 12, 11).[96]

Nel Lezionario ora promulgato, trattandosi di momento cultuale particolarmente marcante sul piano antropologico, anche questa Domenica, analogamente alle grandi solennità, presenta un ordinamento di testi specifico e fisso.

Per la Messa congiunta alla liturgia processionale, il Lezionario *ad experimentum*, riprendendo la pericope dell'antico ordinamento (*Io* 12, 12-13, prolungata al v. 16), le aveva legato molto opportunamente la visione profetica di Zaccaria (9, 9-10). Tali scelte sono state confermate.

La Messa del giorno presenta, fin dalle più antiche testimonianze, le pericopi del *Quarto Cantico del Servo del Signore* e della Cena di Betania.[97]

Quanto alle Epistole, l'indicazione della *Editio typica Calabiana-Ferrari* (*IITh* 2, 15 - 3, 5), relativa alla Messa del giorno e saldamente radicata nella tradizione, si presentava non pienamente soddisfacente; le pericopi indicate dal Lezionario *ad experimentum* risultavano: nel caso della Messa connessa al rito processionale (*Rm* 15, 7-13) più consona all'Avvento [dove in effetti la tradizione ambrosiana la prevede (1-13) per la II Domenica; cf nell'attuale Lezionario: Anno A]; nel caso della Messa del giorno, strutturalmente non idonea, trattandosi di testo non paolino.

Il nuovo Lezionario ha dunque inserito le seguenti pericopi: nella Messa della liturgia processionale Colossesi 1, 15-20 (*Cristo è il principio, il capo della Chiesa, il primogenito di coloro che risuscitano dai morti*), nella Messa del giorno Ebrei 12, 1b-3 (*Tenete fisso lo sguardo su Gesù, che si sottopose alla Croce*).

Quanto al Vangelo vigiliare, in concomitanza all'ingresso di Gesù nella Città Santa – come già si è segnalato – viene proposta la prefigurazione pasquale della ricostruzione del Tempio dopo tre giorni (Giovanni 2, 13-22).

L'insieme delle pericopi si delinea dunque secondo questo ordinamento:

LITURGIA VIGILIARE VESPERTINA

Vangelo vigiliare	La prefigurazione del Tempio ricostruito dopo tre giorni	Giovanni, 2, 13-22

MESSA PER LA BENEDIZIONE DELLE PALME

Lettura	Ecco viene il tuo Re, umile cavalca un asino	Zaccaria 9, 9-10[98]

---

[96] BEROLDUS, pp. 96-97.
[97] Per la documentazione codicologica si rinvia a CARMASSI, *Libri liturgici e istituzioni ecclesiastiche*, p. 332.
[98] L.ex.

Epistola	Cristo è il principio, il capo della Chiesa, il primogenito di coloro che risuscitano dai morti	Colossesi 1, 15-20
Vangelo	L'ingresso di Gesù in Gerusalemme	Giovanni 12, 12-16[99]

MESSA NEL GIORNO

Lettura	Il quarto Cantico del Servo del Signore: l'uomo dei dolori che ben conosce il patire	Isaia 52, 13 - 53, 12[100]
Epistola	Tenete fisso lo sguardo su Gesù, che si sottopose alla Croce	Ebrei 12, 1b-3
Vangelo	Sei giorni prima della Pasqua la cena di Betania: lo ha fatto per la mia sepoltura	Giovanni 11, 55 - 12, 11[101]

20. SETTIMANA *AUTHENTICA*:
SULLE ORME DELLO SPOSO INCAMMINATO VERSO LA PASSIONE

20.1. *Le figure tipologiche di Giobbe e Tobia*

La Chiesa, ormai assorbita dalla sequela dello Sposo, nelle prime ferie della Settimana Autentica lo accompagna nella sua Passione, rivissuta attraverso il cadenzato procedere della narrazione evangelica. A questa si associano le prefigurazioni profetiche del Giusto perseguitato dai malvagi e giustificato da Dio: Giobbe e Tobia.

La lettura di Giobbe è da Ambrogio espressamente ricordata nella sua lettera alla sorella Marcellina;[102] ma già prima sembra di poterla vedere attestata in Zeno di Verona.[103] È testo presente, in Quaresima, in Egitto e a

---

[99]   L.ex.; Bu (-13).

[100] Typ. (53, 1-); L.ex. (53, 1-).

[101] Bu; Typ.; L.ex.

[102] AMBROSIUS, *Epistula LXXVI* [Maur.: *XX*], 14, ed. M. ZELZER, Hoelder-Pichler-Tempsky, Vindobonae 1982 [CSEL, 82/3], p. 115.

[103] ZENO Veronensis, *Tractatus*, I, XV: *De Job*, ed. B. LÖFSTEDT, Brepols, Turnholti 1971 [CCL, 22], pp. 60-62. Nel *Tractatus*, II, 7. IV. 5 : *De continentia*, p. 172, si afferma : "*cum ante annos ferme quadringentos uel eo amplius apostolicum hoc operetur edictum*". Abitualmente tale enunciato è stato svalutato nel suo contenuto attraverso l'accostamento all'analogo testo presente nel *De haeresibus*, legato al nome di Filastrio di Brescia: "*Nam quadringentos iam et plus annos transisse cognoscimus ex quo uenit Dominus, atque completos*" (PHILASTRIUS Brixiensis, *De haeresibus*, CVI, 2, ed. F. HEYLEN, Biblioteca Ambrosiana - Città Nuova, Milano-Roma 1991 [Scriptores circa Ambrosium, 2], p. 124; cf il cap. II: "*Pollens ordo lectionum*". *Proclamazione delle Scritture e celebrazione misterica nell'esperienza storica della Chiesa Milanese*, nota 30). Probabilmente entrambi gli enunciati, anziché frutto di cronologie analogamente erronee, segnalano l'esigenza di ulteriori approfondimento in merito ai testi in cui gli enunciati stessi si trovano.

Gerusalemme,[104] e che, "nei giorni della Passione", è previsto anche da un anonimo omileta latino, d'orientamento antiniceno[105].

Quanto a Tobia, meno sicuro è il riferimento liturgico negli scritti santambrosiani, segnatamente *De Tobia*, I, 1, ed *Exameron*, VI, 17.[106]

La lettura di questi due scritti veterotestamentari si sarebbe in ogni caso perpetuata nella prassi rituale milanese senza soluzione di continuità nell'ambito della liturgia cattedrale nelle prime tre ferie della Settimana Autentica. Va ricordato che, fino alle riforme postconciliari, la lettura di questi testi competeva ai diaconi, i quale procedevano alla loro proclamazione con una stola di lana bianca incrociata sulla schiena e sul petto, come i ministri sacri d'ambito greco.[107]

Come nel caso di Genesi e Proverbi, è merito del Lezionario *ad experimentum* aver reso nuovamente partecipe l'intera comunità ambrosiana di questo significativo elemento del suo patrimonio liturgico ed ecclesiale.

Il Lezionario ora promulgato ha recepito tale decisione, articolando peraltro le letture su due cicli annuali e in modo tale che – analogamente al caso di Genesi – in ciascun anno la successione delle pericopi conferisse loro un senso compiuto.

Se, in riferimento al Libro di Giobbe, la tipologia cristologica dell'uomo giusto colpito dal male ma giustificato da Dio viene nei due anni delineata con diverse pericopi, nell'ambito del Libro di Tobia è stato possibile sviluppare un duplice discorso tipologico. Nell'Anno I, attraverso la vicenda sponsale di Sara e Tobia, si adombra l'unione del Cristo con la sua Sposa, la Chiesa, riscattata dal sangue del nuovo ΙΧΘΥC; mentre nell'Anno II – tramite il personaggio di Tobi – ad essere proposta è nuovamente la tipologia del giusto sofferente che Dio ristabilisce in una pienezza di vita.

La successione delle pericopi si presenta nei termini seguenti.

---

[104] BAUMSTARK, *Liturgie comparée*, pp. 134-135; per la Città Santa: RENOUX, *Le codex Arménien Jérusalem 121*, II, pp. [96] 234 - [97] 235, [100] 238 - [101] 239, [106] 244 - [107] 245, [108] 246 - [109] 247, [110] 248 - [111] 249, [112] 250 - [113] 251, [114] 252 - [115] 253.

[105] *In Iob Commentarius*, I, 3 (si veda p. 70, nota 15).

[106] Cf A. PAREDI, *La liturgia di sant'Ambrogio*, in *Sant'Ambrogio nel XVI centenario della nascita*, Vita e Pensiero, Milano 1940, n° 3, p. 138.

[107] BORELLA, *Il Rito Ambrosiano*, p. 443.

Anno I

Giobbe

LUNEDÌ:	Il Signore ha dato, il Signore ha tolto, sia benedetto il nome del Signore	(1, 6-22)
MARTEDÌ:	Gli amici mi si sono fatti stranieri, scomparsi sono vicini e conoscenti.	
	Dopo che questa mia pelle sarà distrutta vedrò Dio,	
	i miei occhi lo contempleranno	(19, 1-27b)
MERCOLEDÌ:	Avendo Giobbe pregato per i suoi amici,	
	Dio accrebbe del doppio quanto aveva posseduto	(42, 10-17)

Tobia

LUNEDÌ:	Sara, dando voce all'umanità sottoposta al peccato,	
	chiede a Dio la liberazione dal Male	(3, 7-15; 4, 1-3a.20 - 5, 3)
MARTEDÌ:	Tobia, immagine dello Sposo,	
	prende dimora nella casa di Sara	(5, 4-6a; 6, 2-6a. 10-13b)
MERCOLEDÌ:	Tobia, lo Sposo, libera Sara dal Male e fa di essa la sua Sposa	(7, 1a-b. 12 - 8, 8)

Anno II

Giobbe

LUNEDÌ:	Se da Dio accettiamo il bene, perché non accettare il male ?	
	In tutto questo Giobbe non peccò	(2, 1-10)
MARTEDÌ:	Tutto il mio vicinato mi è addosso, si è costituito testimone contro di me,	
	il mio calunniatore mi accusa in faccia, mi schiaffeggiano con insulti.	
	La mia faccia è rossa per il pianto.	
	Ma ecco fin da ora il mio testimone è nei cieli	(16, 1-20)
MERCOLEDÌ:	Ora i miei occhi Ti vedono.	
	Non avete detto di me cose rette, come il mio servo Giobbe.	
	Dio ristabilì Giobbe nello stato di prima	(42, 1-10a)

Tobia

LUNEDÌ:	Tobi, uomo giusto, colpito da infermità	(2, 1b-10d)
MARTEDÌ:	Tobi risanato	(11, 5-15a)
MERCOLEDÌ:	La preghiera di esultanza di Tobi:	
	Convertitevi peccatori,	
	tutti diano lode a Dio in Gerusalemme, Città Santa.	
	Beati coloro che avranno pianto per le tue sventure,	
	gioiranno per te e vedranno tutta la tua gioia.	
	Anima mia benedici il Signore, il Gran Re	(13, 1-18)

20.2. Con i Vangeli sulle orme dello Sposo

Come l'Epistola vigiliare all'inizio delle celebrazioni natalizie, il Vangelo del Lunedì all'inizio della Settimana Autentica richiama la tensione spirituale con cui la Sposa deve muovere verso l'incontro con il suo Signore. Attraverso questa pericope (Luca 21, 34-36) viene introdotto il tema della Pasqua-Parusia, che segna profondamente fin dalle più antiche testimonianze la riflessione cristiana sulla festa, e che – intrecciato al tema sponsale – attraversa come in filigrana lo svolgimento dell'intera liturgia pasquale ambrosiana. Non a caso questa pericope risulta già attestata nel tardo antico *Capitolare di Busto*, e appare costantemente riproposta nei successivi testimoni, compresa l'*Editio typica Calabiana-Ferrari*.

Nell'itinerario tematico avviatosi con la V Settimana di Quaresima e costituito dalla presentazione delle vicende che precedettero il consumarsi della Pasqua del Cristo a Gerusalemme, il Vangelo del Martedì (Giovanni 11, 47-54) segnava – nel precedente ordinamento ambrosiano – un momento di particolare rilievo: la decisione del Sinedrio di uccidere Gesù e la profezia al riguardo del sommo sacerdote Caifa. Essendosi ritenuto opportuno – per salvaguardare l'unità del testo – integrare tale pericope nel Vangelo domenicale di Lazzaro, è stato collocato in sua vece il brano introdotto in età carolingia al Mercoledì: Matteo 26, 1-5: *I sommi sacerdoti tengono consiglio per arrestare con inganno Gesù e farlo morire.*

Come nell'antico uso gerosolimitano (nella testimonianza del Lezionario aghiopolita armeno Paris, Bibl. Nat., *Cod. Arm. 44*)[108], al Mercoledì il *Capitolare di Busto* e l'*Evangelistario* prevedono la pericope dell'accordo di Giuda con i sommi sacerdoti per la consegna di Gesù (Matteo 26, 14-16).[109] La collocazione è certamente tradizionale; tra l'altro in essa si riflette la convinzione, ampiamente diffusa fin dagli inizi del IV secolo, che collega il digiuno settimanale cristiano del Mercoledì al "*patto scellerato*" stabilito in quel giorno. È pertanto sembrato oltremodo opportuno ripristinare tale collocazione del brano, che nella sistemazione carolingia, come si dirà, era stato traslato alla Liturgia della Parola del Giovedì mattina.

20.3. *Giovedì in Autentica al mattino:*
contemplando la Figura e in ascolto della Profezia

Come nelle ferie di Quaresima, come nelle prime tre ferie della Settimana Autentica, anche al mattino del Giovedì, il tradizionale *ordo* ambrosiano prevedeva, *post Tertiam*, una catechesi basata su due letture vetero-

---

[108] Cf RENOUX, *Le codex Arménien Jérusalem 121*, II, pp. [126] 264 - [127] 265.

[109] Cf P. CARMASSI, "Feria V in Authentica mane". *Contributo allo studio del Lezionario ambrosiano*, in *Ephemerides Liturgicae* 107 (1993) 440-464.

testamentarie, come nei tre giorni precedenti orientate a delineare prefigurativamente il mistero pasquale del Cristo.[110]

Nella risistemazione carolingia si volle integrare il Giovedì nei giorni del Triduo e si assimilò la struttura di questa catechesi matutina (due letture veterotestamentarie intervallate da un salmello) a quella della catechesi, analogamente matutina, del Sabato Santo, non avendo consapevolezza della specificità di quest'ultima e delle sue radici gerosolimitane.

Fu dunque associata alle pericopi veterotestamentarie – anche al Giovedì – una pericope evangelica, seguita da un'orazione conclusiva. Tale presenza di una pericope evangelica è assolutamente esclusa sia dal *Capitolare*, sia dall'*Evangelistario di Busto*.

Le due pericopi veterotestamentarie sono tratte rispettivamente da Daniele e dal Libro della Sapienza. La prima (*Dn* 13, 1-64) propone la vicenda di Susanna, che nelle stesse pitture catacombali è presentata quale immagine prefigurativa del Cristo;[111] la seconda (*Sap* 2, 12 - 3, 8) delinea con singolare forza evocativa la congiura degli empi contro il Cristo.

A completamento i redattori carolingi introdussero la pericope evangelica del Mercoledì, sostituendola in quel giorno con *Mt* 26, 1-5.

La presenza di una Liturgia della Parola nella mattinata del Giovedì appare aver riacquisito ai nostri tempi piena attualità pastorale, offrendo l'opportunità di proficuamente concludere le celebrazioni del mattino di questo giorno, incentrate sulla Liturgia delle Ore o su altre forme di preghiera comunitaria legate alla pietà popolare, e permettendo un'eventuale omelia, che prepari e introduca alla celebrazione del Triduo.

Per questo complesso di ragioni, tale catechesi è stata confermata nel Lezionario ora promulgato.

---

[110] Una duplicità di sinassi al Giovedì già ai tempi di Ambrogio sembra suggerita da *Exameron*, V: 11. 35; 12. 36, ed. C. (K.) SCHENKL, Tempsky-Freytag, Vindobonae-Pragae-Lipsiae 1896 [CSEL, 32/1], pp. 168-169. La presenza della sinassi matutina, caratterizzata da una propria catechesi biblica, era comune un tempo in Occidente anche all'area aquileiese, gallicana e italo-meridionale; quanto alla liturgia ispanica, essa presentava di norma una molteplicità di catechesi bibliche nel quadro dell'officiatura della giornata: cf G. MORIN, *L'année liturgique à Aquilée antérieurement à l'époque carolingienne d'après le Codex Evangeliorum Rehdigeranus*, in *Revue Bénédictine* 19 (1902), p. 7; *Le Lectionnaire de Luxeuil (Paris, ms. lat. 9427)*, ed. P. SALMON, I, Abbaye Saint-Jérôme - Libreria Vaticana, Roma-Città del Vaticano 1944 [Collectanea Biblica Latina, 7], pp. 85-88; G. MORIN, *La liturgie de Naples au temps de Saint Grégoire d'après deux évangéliaire du VIIe siècle*, in *Revue Bénédictine* 8 (1891) 531; G. GODU, *Épîtres*, in *Dictionnaire d'Archéologie Chrétienne et de Liturgie*, a cura di F. CABROL - H. LECLERCQ, 5/1, Letouzey - Ané, Paris 1922, c. 299.

[111] A Susanna è dedicato anche un trattatello di ZENO di Verona, dove peraltro l'omileta prescinde da qualsiasi riferimento cristologico: *Tractatus*, I, 40, CCL, 22, p. 111 .

Seguendo inoltre un'indicazione emersa dalle prime iniziative di riforma dell'ordinamento delle letture ambrosiano della Settimana Autentica,[112] è stata introdotta quale possibile I Lettura alternativa *Dn* 6, 1-29: *Daniele nella fossa dei leoni*.[113]

---

[112] Per il vario succedersi delle pubblicazioni al riguardo, si rinvia a C. ALZATI, *Il Triduo Pasquale nei nuovi libri liturgici della Chiesa ambrosiana*, in *Rivista Liturgica*, 66 (1979) 62-64.

[113] Per un riferimento a tale pericope in contesto pasquale in area italiana nella seconda metà del IV secolo, cf ZENO Veronensis, *Tractatus*, II, 18. 1, CCL, 22, p. 192. Tale pericope era stata sostituita alla tradizionale pericope di Susanna nel fascicolo *La Settimana Santa. Rituale ridotto in lingua italiana. Testo provvisorio ad esperimento*, Arcivescovado di Milano 1965 (*Imprimatur* del 6 aprile 1965). Nel successivo e più organico libro liturgico *Liturgia della Settimana Santa secondo il rito ambrosiano. Testi in lingua italiana approvati a esperimento*, Arcivescovado di Milano 1966, questa catechesi matutinale del Giovedì, analogamente a quella della Deposizione al Venerdì e la successiva al mattino del Sabato, era completamente ignorata. Nel 1970 venne pubblicato un libro plenario, in cui sacramentario e lezionario confluivano: *Liturgia della Settimana Santa secondo il Rito Ambrosiano. Testo in lingua italiana approvato dalla S. Congregazione del Culto Divino il 23 febbraio 1970.* In esso la tradizionale catechesi del Giovedì venne recuperata e quale possibile alternativa al racconto di Susanna e i vecchioni fu indicato *Gn* 4, 1-10: l'uccisione di Abele [cf C. OGGIONI, *La catechesi del Giovedì Santo*, in *Ambrosius* 64 (1970) 38]. L'indicazione fu confermata nel *Lezionario Ambrosiano. Settimana Santa. Ottava di Pasqua*, Centro Ambrosiano di documentazione e studi religiosi, Milano 1972, e nuovamente nel *Lezionario Ambrosiano. Edito per ordine del Sig. Cardinale Giovanni Colombo Arcivescovo di Milano. Ad experimentum*, Centro Ambrosiano di documentazione e studi religiosi, Milano 1976.
Dal 1970, inoltre, a questa catechesi un'altra era stata affiancata, di tipo penitenziale, composta da una pericope veterotestamentaria: *IIRg* 5, 1-14, il bagno di Naaman, e da un brano evangelico: *Mc* 2, 1-12, la guarigione del paralitico. Tale catechesi intendeva ricollegarsi idealmente all'antico rito della riconciliazione dei penitenti che a Milano, già nell'età di Ambrogio e comunque ai tempi del Beroldo, appunto al Giovedì aveva luogo. In merito a tale nuova catechesi, cf E. CATTANEO, *La riforma della "Settimana Santa" Milanese*, in *Ambrosius* 46 (1970) 33; OGGIONI, *La catechesi del Giovedì Santo*, p. 40. Non si può peraltro non notare come il testo di *IIRe* sia tipico della catechesi mistagogica, anche santambrosiana e, in effetti, ritorni nella liturgia *pro baptizatis* dell'ottava pasquale. Quanto alla riconciliazione di penitenti nella Chiesa milanese: AMBROSIUS, *Epistula LXXVI* [Maur.: *XX*], 26, CSEL, 82/3, p. 124; cf A. PAREDI, *I prefazi ambrosiani*, Vita e Pensiero, Milano 1937, p. 145; H. FRANK, *Ambrosius und die Büsseraussöhnung in Mailand*, in *Heilige Überlieferung. Festschrift für Ildefons Herwegen*, a cura di O. CASEL, Aschendorff, Münster 1938, pp. 136-173; E. T. MONETA CAGLIO, *Dettagli cronologici su S. Ambrogio*, in *Ambrosius* 32 (1956) 280. Per l'età medioevale si veda BEROLDUS, p. 102; cf P. BORELLA, *La confessione al mercoledì santo nell'antica liturgia mozarabica ed in un prefazio del messale ambrosiano e di Alcuino*, in *Ambrosius* 38 (1962) 244-250; ID., *Aspetti comunitari della penitenza nella liturgia quaresimale*, in *Ambrosius* 39 (1963) 95-117.

Come s'è detto, al Giovedì mattina, come nelle ferie quaresimali *post Tertiam*, non era prevista originariamente alcuna pericope evangelica; il contenuto cristologico dei due scritti veterotestamentari è evidente e fondato sul saldo principio che "tutto ciò che fu scritto dai profeti riguardo al Figlio dell'uomo si compirà" (*Lc* 18, 31). In tale luce il Lezionario viene confermando, per questa celebrazione matutina del Giovedì in Autentica, l'antica struttura di tutte le catechesi feriali ambrosiane a partire dalla I Settimana di Quaresima, configurando la presente Liturgia della Parola quale testimonianza di questo antico elemento della prassi quaresimale milanese.

È stata tuttavia conservata l'orazione conclusiva (I orazione della celebrazione '*in coena Domini*').[114]

Tutto ciò premesso, la Liturgia della Parola del Giovedì al mattino risulta composta dai seguenti testi:

I Lettura:	Susanna ingiustamente accusata dai vecchi giudici,	
	ma giustificata per intervento di Dio	Daniele 13, 1-64

oppure:

I Lettura:	Daniele nella fossa dei leoni	Daniele 6, 1-29
II Lettura:	Tendiamo insidie al giusto, perché ci rimprovera le rasgressioni della Legge.	
	Proclama di possedere la conoscenza di Dio e si dichiara Figlio del Signore.	
	Se è Figlio di Dio egli lo libererà.	
	Mettiamolo alla prova con insulti e tormenti, condanniamolo a una morte infame	Sapienza 2, 12 - 3, 9[115]

***

Con queste voci profetiche e con queste testimonianze evangeliche si avvia a Milano la Settimana Santa, che per la tradizione ambrosiana costituisce la settimana preminente e paradigmatica: l'*Ebdomada Authentica*.

Nei suoi giorni iniziali si viene preparando la Passione del Signore, e la Chiesa ambrosiana rivive quegli avvenimenti, contemplando in essi il suo Sposo che va a immolarsi per lei. Con analogo atteggiamento spirituale le Chiese di tradizione greca nei primi tre giorni della Grande Settimana celebrano quello che nel lessico ecclesiale è comunemente chiamato l'*Ufficio dello Sposo*. Così in esso la Chiesa si esprime:

"Andando verso la passione volontaria, il Signore diceva agli apostoli per via: 'Ecco saliamo a Gerusalemme, e il Figlio dell'uomo sarà consegnato,

---

[114] L'*ordo* per la concreta celebrazione di questa Liturgia della Parola è riportato in Appendice al volume Feriale del Libro II del Lezionario.

[115] Alla pericope tradizionale il nuovo Lezionario ha aggiunto il v. 9.

come sta scritto di lui'. Orsù dunque anche noi andiamo con lui, con le menti purificate. Lasciamoci crocifiggere e morire per lui ai piaceri dell'esistenza, per vivere con lui e udirlo gridare: 'Non salgo più alla Gerusalemme terrestre per patire, ma al Padre mio e Padre vostro, Dio mio e Dio vostro. E con me v'innalzerò nella Gerusalemme dell'alto, nel Regno dei cieli"... O Sposo, bellissimo, più di tutti gli uomini, che ci hai invitati al convito spirituale del tuo talamo, ... rendimi splendido commensale del tuo Regno, o Misericordioso".[116]

Come per altri aspetti, dunque, anche in questo caso la voce della Chiesa greca viene a confermare e illuminare la voce latina della Chiesa ambrosiana.

Voglia il comune Signore che entrambe, compiendo il loro cammino verso Gerusalemme, possano ritrovarsi nell'unico banchetto che è stato preparato, per loro e per tutti, nel Cenacolo della Pentecoste.

Appendice: *la Messa Crismale*[117]

Nell'elemento liturgico del Crisma e nei riti per la consacrazione degli Olii si condensano molteplici aspetti ecclesiologici e misterici, che non paiono riducibili in modo esclusivo a un unico tema. Per tale ragione il Lezionario ora promulgato offre, in una specifica Appendice, una silloge di pericopi, alle quali si possa variamente attingere, secondo le occasioni e le esigenze della vita ecclesiale.

I testi sono i seguenti.

LETTURA

1.	Esodo 30, 22-32	L'olio dell'unzione
		per la consacrazione dei sacerdoti e dell'altare
2.	I Samuele 16, 1-5.10-13b	L'unzione di Davide
3.	Isaia 61, 1-3. 6. 8-9	Voi sarete chiamati sacerdoti del Signore
4.	I Pietro 2, 4-10	Il nuovo popolo sacerdotale
5.	Giacomo 5, 13-16	L'unzione degli infermi nella Chiesa
6.	Apocalisse 1, 5b-8	Gloria a colui che ha fatto di noi un regno di sacerdoti

SALMO   Salmo 88, 16-17. 21-22. 25. 27   Rit. *Canterò in eterno l'amore del Signore.*

---

[116] *Liturgia orientale della Settimana Santa*, II, Città Nuova, Roma 1974, pp. 129, 156.

[117] Quanto alla tradizione milanese al riguardo: P. BORELLA, *La consacrazione degli olii nell'antico rito ambrosiano*, in *Ambrosius* 32 (1946) 92-98.

1.	Ebrei 5, 1-10	Cristo sommo sacerdote al modo di Melchisedech
2.	Ebrei 1, 5-13	Cristo l'Unto di Dio
3.	Ebrei 7, 15b-27	Il nuovo sacerdote eterno al modo di Melchisedech e il suo unico sacrificio
4.	Ebrei 9, 1-14	Cristo sommo sacerdote dei beni futuri
5.	1Corinzi 1, 10-13	Non vi siano divisioni tra voi

CANTO   Isaia 61, 1   *Lo Spirito del Signore Dio è su di me:*
mi ha mandato a portare il lieto annuncio ai miseri.

VANGELO

| 1. | Marco 6, 7-13 | Mandato agli apostoli di ungere gli infermi |
| 2. | Luca 4, 16-21 | Lo Spirito del Signore è sopra di me, mi ha consacrato con l'unzione per annunziare il lieto messaggio |

Allegato 1

QUARESIMA
Ciclo Domenicale

DOMENICA ALL'INIZIO DI QUARESIMA   I di Quaresima
Liturgia vigiliare vespertina
Vangelo della Resurrezione   Marco 16, 9-16

Messa nel giorno

Anno A

| Lettura | Questo è il digiuno che voglio: sciogliere le catene inique | Isaia 58, 4b-12[118] |
| Epistola | Lasciatevi riconciliare con Dio. | 2Corinzi 5, 18 - 6, 2[119] |

Anno B

| Lettura | Non digiunate tra litigi e alterchi | Isaia 57, 15 - 58, 4a[120] |
| Epistola | Se il nostro corpo esteriore si va disfacendo, quello interiore si rinnova di giorno in giorno | 2Corinzi 4, 16b - 5, 9 |

Anno C

| Lettura | Convertitevi a me nel digiuno, lacerate i vostri cuori | Gioele 2, 12-18[121] |

---

[118] L.ex. (-10).
[119] L.ex.
[120] Typ. (-12).
[121] Typ.: Sexag. (-21).

| Epistola | Come atleti, anche noi dobbiamo astenerci da ciò che nuoce | 1Corinzi 9, 24-27[122] |

Vangelo I quaranta giorni di digiuno osservati da Gesù

Matteo 4, 1-11[123]

DOMENICA DELLA SAMARITANA

II di Quaresima

Liturgia vigiliare vespertina
Lettura vesperale

Marco 9, 2b-10

Messa nel giorno

Anno A

Lettura	La teofania al Sinai e la rivelazione del Decalogo	Esodo 20, 1-24[124]
Epistola	Il Padre vi dia uno spirito di rivelazione per comprendere	
	la grandezza della sua potenza, che egli manifestò in Cristo	Efesini 1, 15-23[125]

Anno B

| Lettura | Il Decalogo | Deuteronomio 5, 1-2. 6-21[126] |
| Epistola | A ciascuno è stata data la grazia secondo la misura del dono di Cristo | Efesini 4, 1-6 |

Anno C

| Lettura | Ponete nel cuore queste parole, insegnatele ai figli | Deuteronomio 11, 18-28 |
| Epistola | Portate gli uni i pesi degli altri, così adempirete la legge di Cristo | Galati 6, 1-10 |

Vangelo La Samaritana

Giovanni 4, 5-42[127]

DOMENICA DI ABRAMO

III di Quaresima

Liturgia vigiliare vespertina
Lettura vesperale

Luca 9, 28b-36

Messa nel giorno

Anno A

| Lettura | Dio scende sul Sinai nella nube. Farò meraviglie e il popolo vedrà l'opera di Dio | Esodo 34, 1-10[128] |

---

[122] Typ.: Sept. (-10, 4).
[123] Bu; Typ.; L.ex.
[124] Typ.
[125] Typ.; LR (17-: Ascensione).
[126] L.ex.
[127] Bu; Typ.; L.ex.
[128] Typ.; L.ex. (4-).

| Epistola | Chi ha fede viene benedetto insieme ad Abramo che credette | Galati 3, 6-14[129] |

Anno B

| Lettura | Il vitello d'oro e l'intercessione di Mosé: RicordaTi di Abramo | Esodo 32, 7-13b |
| Epistola | Nessuno per le tribolazioni si lasci turbare nella fede | 1Tessalonicesi 2, 20 - 3, 8[130] |

Anno C

| Lettura | Manderò un nuovo Profeta. | Deuteronomio 18, 9-22 |
| Epistola | Cristo giusto e giustificatore, strumento di espiazione | Romani 3, 21-26 |

Vangelo Abramo esultò nella speranza di vedere il mio giorno,
lo vide e se ne rallegrò.   Giovanni 8, 31-59[131]

DOMENICA DEL CIECO   IV di Quaresima
Liturgia vigiliare vespertina
Lettura vesperale   Matteo 17, 1b-9

Messa nel giorno

Anno A

| Lettura | Mosè dimora con il Signore, ne riceve la Legge e il suo viso diviene luminoso | Esodo 34, 27 - 35[132] |
| Epistola | Non velati come Mosè, riflettiamo come in uno specchio la gloria del Signore | 2Corinzi 3, 7-18[133] |

Anno B

| Lettura | Dio parla faccia a faccia con Mosè nella tenda del convegno. | Esodo 33, 7-11a |
| Epistola | Mantenete il vostro corpo con santità e rispetto | 1Tessalonicesi 4, 1b-12[134] |

Anno C

| Lettura | Dio per mezzo di Mosè fa scaturire l'acqua dalla roccia. | Esodo 17, 1-11 |
| Epistola | Dio ci ha destinati alla salvezza per mezzo di Cristo | 1Tessalonicesi 5, 1-11 |

Vangelo Il cieco nato   Giovanni 9, 1-38[135]

---

[129] L.ex.
[130] Typ.
[131] Bu; Typ.; L.ex.
[132] Typ. (34, 23 - 35, 1); L.ex.(34, 28-35).
[133] L.ex. (2Corinzi 3, 7-13. 17-18).
[134] Typ.
[135] Bu; Typ.; L.ex. (-41).

DOMENICA DI LAZZARO   V di Quaresima
Liturgia vigiliare vespertina
Lettura vesperale   Matteo 12, 38-40

Messa nel giorno

Anno A

| Lettura | Il passaggio del Mar Rosso | Esodo 14, 15-31[136] |
| Epistola | Dio, ricco di misericordia, da morti ci ha fatti rivivere | Efesini 2, 4-10[137] |

Anno B

Lettura   Quando tuo figlio domanderà risponderai: eravamo schiavi del faraone
           e il Signore ci fece uscire dall'Egitto con mano potente   Deuteronomio 6, 4a. 20-25
Epistola   Inneggiate al Signore, rendendo continuamente grazie   Efesini 5, 15-20[138]

Anno C

Lettura   Mio padre era un Arameo errante; scese in Egitto
           e il Signore ci fece uscire con braccio potente   Deuteronomio 26, 5-11
Epistola   La signoria di Dio parla nella Creazione, perciò sono inescusabili
           coloro che hanno fatto dell'uomo un dio   Romani 1, 18-23a[139]

Vangelo   La resurrezione di Lazzaro   Giovanni 11, 1-53[140]

Allegato 2

QUARESIMA
Letture e Salmelli delle Vigilie

ANNO I

VENERDÌ della I Settimana di QUARESIMA

I LETTURA   Nel quarantesimo anno ...
             Mosè iniziò a spiegare la Legge   Deuteronomio 1, 3-11

SALMELLO   Salmo 145, 2-3

---

[136] Typ.; L.ex. (21-30a)
[137] L.ex.
[138] Typ.
[139] Cf Sab. III dopo Decoll., Anno I (-25).
[140] Bu (-45); Typ. (-45); L.ex. (-45).

Loda il Signore, anima mia:
loderò il Signore per tutta la mia vita,

V   Finché vivo canterò inni al mio Dio.

Non confidate nei potenti, in uomini che non possono salvare.

II Lettura   Samuele guida retta e disinteressata del popolo   1 Samuele 12, 1-11

SALMELLO   Salmo 67, 33; 134, 3; 68, 2

Regni della terra, cantate a Dio,
inneggiate al suo nome perché è buono.

V   Sorga Dio, i suoi nemici si disperdano
e fuggano davanti a lui quelli che lo odiano.

III Lettura   Dal roveto ardente il Signore rivela il Nome a Mosè
e lo invia per liberare il popolo   Esodo 3, 1-12

SALMELLO   Esodo 3, 10. 7-8

Dio apparve a Mosè e gli disse:
"Va'! Ti mando dal faraone
perché tu liberi il mio popolo
dall'oppressione degli Egiziani.

V   Ho visto la sventura d'Israele
e sono sceso a redimerlo
dalla schiavitù e dalla miseria".

IV Lettura   Nel sogno il Signore parla a Salomone
e gli accorda il dono della sapienza
per governare il popolo   1Re 3, 5-14

SALMELLO   Salmo 25, 8. 1

O Dio, amo la casa dove dimori
e il luogo dove abita la tua gloria.

V   Signore, fammi giustizia: nell'integrità ho camminato;
confido nel Signore, non potrò vacillare.

VENERDÌ della II Settimana di QUARESIMA

I Lettura Il Decalogo   Deuteronomio 5, 1-22
[Nell'anno B: Esodo 20, 1-24]

SALMELLO   Salmo 33, 10. 2

Temete il Signore, suoi santi,
nulla manca a coloro che lo temono.

V   Benedirò il mio Signore in ogni tempo,
nella mia bocca sempre la sua lode.

II Lettura	Condanna della stirpe sacerdotale mostratasi infedele e annuncio di un sacerdote che sarà il consacrato di Dio per sempre	1Samuele 2, 26-35

Salmello — Salmo 12, 4. 1

Guarda, rispondimi,
Signore mio Dio.
V   Fino a quando, continuerai a dimenticarmi,
fino a quando mi nasconderai il tuo volto?

III Lettura	Le benedizioni connesse all'osservanza della Legge	Levitico 25, 1; 26, 3-13

Salmello — Salmo 79, 19. 2

Da te, Signore, più non ci allontaneremo,
ci farai vivere e invocheremo il tuo nome.
V   Ascolta, tu, pastore d'Israele,
tu che guidi Giuseppe come un gregge.

IV Lettura	La punizione dei sacerdoti di Baal sul Carmelo ad opera di Elia	1Re 18, 21-39

Salmello — Salmo 102, 1-2

Benedici il Signore, anima mia,
quanto è in me benedica il suo santo nome.
V   Benedici il Signore, anima mia,
non dimenticare tanti suoi benefici.

VENERDÌ della III Settimana di QUARESIMA

I Lettura	Quale grande nazione ha la divinità così vicina a sé, come il Signore nostro Dio è vicino a noi ogni volta che lo invochiamo?	Deuteronomio 4, 1-9a

Salmello — Genesi 32, 26. 29; 27, 28-29

L'Angelo disse a Giacobbe: «Lasciami andare, perché è spuntata l'aurora».
Giacobbe rispose: «Non ti lascerò, se non mi avrai benedetto!».
E qui lo benedisse.
V   Dio ti conceda rugiada del cielo
e terre grasse e abbondanza di frumento e di mosto.
Così lo benedisse.

II Lettura	Salomone stese le mani verso il cielo e disse: Siano aperti i tuoi occhi verso il luogo di cui hai detto: Lì sarà il mio nome! Ascolta la supplica del tuo servo e di Israele tuo popolo, quando pregheranno in questo luogo, ascolta e perdona	1Re 8, 22-30

SALMELLO   Salmo 33, 16. 2

    Gli occhi del Signore sui giusti,
    le sue orecchie al loro grido di aiuto.

V   Benedirò il mio Signore in ogni tempo,
    nella mia bocca sempre la sua lode.

III LETTURA   "Ascolta Israele ... Amerai il Signore tuo Dio con tutto il cuore";
    quando il Signore ti avrà condotto alle città grandi e belle
    che non hai edificato,
    temerai il Signore tuo Dio e lo servirai, perché tu sia felice,
    dopo che egli avrà scacciato tutti i tuoi nemici danti a te   Deuteronomio 6, 4-19

SALMELLO   Salmo 72, 18; 68, 20. 2

    Benedetto il Signore Dio:
    benedetto il Signore sempre.

V   Sorga Dio, i suoi nemici si disperdano
    e fuggano davanti a lui quelli che lo odiano.

IV LETTURA   Il rigetto di Saul e l'unzione regale di Davide,
    perché il Signore guarda il cuore   1Samuele 16, 1-13a

SALMELLO   Salmo 17, 4. 2-3

    Invoco il Signore, degno di lode,
    e sarò salvato dai miei nemici.

V   Ti amo, Signore, mia forza,
    mia roccia e mia fortezza.

VENERDÌ della IV Settimana di QUARESIMA

I LETTURA   Tutte le benedizioni connesse all'osservanza dei comandamenti;
    benedetto sarà il frutto del tuo seno   Deuteronomio 27, 2a; 28, 1-11a

SALMELLO   Salmo 21, 23. 2; 25, 16

    Annunzierò il tuo nome ai miei fratelli,
    ti loderò in mezzo all'assemblea.

V   «Dio mio, Dio mio,
    volgiti a me, perché mi hai abbandonato?"
    ti loderò in mezzo all'assemblea.

II LETTURA   La pia sunammita ottiene la fecondità
    e le è restituito il figlio morto   2Re 4, 8-38a

SALMELLO   Salmo 142, 1: 68, 18

    Signore, ascolta la mia preghiera,
    porgi l'orecchio alla mia supplica.

V   Non distogliere da me il tuo volto;
    sono in pericolo: presto, rispondimi.

III Lettura   Disse il Signore a Mosè:
Quanto hai detto io farò, perché ti ho conosciuto per nome   Esodo 33, 11-23

Salmello   Salmo 46, 7. 2

     Cantate inni a Dio, cantate inni;
     cantate inni al nostro re,
     cantate inni.

V   Applaudite, popoli tutti,
     acclamate Dio con voci di gioia;
     cantate inni.

IV Lettura   Samuele alzò grida al Signore per Israele
e il Signore lo esaudì   1Samuele 7, 3-9

Salmello   Salmo 79, 4. 2

     Rialzaci, Signore, nostro Dio,
     fa splendere il tuo volto e noi saremo salvi.

V   Ascolta, tu, pastore d'Israele,
     tu che guidi Giuseppe come un gregge.

VENERDÌ della V Settimana di QUARESIMA

I Lettura   Terrai in mano questo bastone con cui compirai prodigi   Esodo 4, 10-19

Salmello   Salmo 47, 9. 2

     Dio regna sui popoli,
     Dio siede sul suo trono santo.

V   Applaudite, popoli tutti,
     acclamate Dio con voci di gioia.

II Lettura   Elia risuscita il figlio della vedova di Zarepta   1Re 17, 8-24

Salmello   1Re 17, 20-21; Salmo 87, 3

     Elia invocò il Signore: «Signore mio Dio,
     forse farai del male a questa vedova che mi ospita,
     tanto da farle morire il figlio?».
     Io ti supplico: «L'anima del fanciullo torni nel suo corpo,
     perché sappiano che tu sei il mio Dio».

V   Giunga fino a te la mia preghiera,
     tendi Signore l'orecchio al mio lamento.
     Io ti supplico: «L'anima del fanciullo torni nel suo corpo,
     perché sappiano che tu sei il mio Dio».

III Lettura	Perché, Signore, divamperà la tua ira contro il tuo popolo, che tu hai fatto uscire dal paese d'Egitto con grande forza e con braccio potente? Il Signore abbandonò il proposito di nuocere al suo popolo	Esodo 32, 7-14

SALMELLO   Salmo 67, 27. 2

«Benedite Dio nelle vostre assemblee,
benedite il Signore, voi della stirpe di Israele».

V   Sorga Dio, i suoi nemici si disperdano
e fuggano davanti a lui quelli che lo odiano.

IV Lettura	Ricordati di tutto il cammino che il Signore tuo Dio ti ha fatto percorrere in questi quarant'anni nel deserto	Deuteronomio 8, 1-7a

SALMELLO   Salmo 145, 2-3

Loda il Signore, anima mia:
loderò il Signore per tutta la mia vita.

V   Finché vivo canterò inni al mio Dio.
Non confidate nei potenti, in uomini che non possono salvare.

ANNO II

VENERDÌ della I Settimana di QUARESIMA

I Lettura	La celebrazione annuale della Pasqua	Levitico 23, 1. 5-8

SALMELLO   Esodo 12, 18a. 11f; 6, 20a-c

Nel primo mese, il giorno quattordici del mese, alla sera, è
la Pasqua del Signore.

V   Si purificheranno tutti insieme come un sol uomo: tutti saranno mondi.
Così immoleranno
la Pasqua del Signore.

II Lettura	La celebrazione pasquale nel nuovo Tempio	Ezechiele 45, 18-24

SALMELLO   Salmo 67, 27. 21. 32-33

Benedite Dio nelle vostre assemblee, benedite il Signore voi, stirpe d'Israele.
Il nostro Dio è un Dio che salva.
Il Signore Dio libera dalla morte.

V   Verranno i grandi dall'Egitto, l'Etiopia tenderà le mani.
Regni della terra cantate a Dio, cantate inni al Signore.
Il nostro Dio è un Dio che salva.
Il Signore Dio libera dalla morte.

III Lettura   Il sacrificio di espiazione   Levitico 6, 17-22

Salmello   Ebrei 10, 8b. 5c. 7. 12a. 14 cfr. sal. 39

    Tu non hai voluto e non hai gradito né sacrifici, né offerte,
    né olocausti, né sacrifici per il peccato;
    un corpo invece mi hai preparato.
    Allora ho detto: "Ecco, io vengo – poiché di me sta scritto
    nel rotolo del libro –
    per fare, o Dio, la Tua volontà
V   Cristo, avendo offerto un solo sacrificio per i peccati,
    con un'unica oblazione ha reso perfetti per sempre
    quelli che sono santificati,
    per fare, o Dio, la Tua volontà.

IV Lettura   Colui che avanza con le vesti tinte di rosso   Isaia 63, 1-3a

Salmello   Salmo 21, 11. 10. 32b-c. 12. 24a. 25c-d

    Dal grembo di mia madre sei Tu il mio Dio.
    Sei Tu che mi hai tratto dal grembo,
    al mio nascere mi hai raccolto,
    mi hai fatto riposare sul petto di mia madre.
    E per questo
    al popolo che nascerà diranno:
    "Ecco l'opera del Signore!".
V   Da me non stare lontano, poiché l'angoscia è vicina
    e nessuno mi aiuta.
    Lodate il Signore, voi che lo temete,
    poiché egli non ha nascosto il suo volto al misero
    ma, al grido d'aiuto, l'ha esaudito.
    Io vivrò per lui, lo servirà la mia discendenza.
    Si parlerà del Signore alla generazione che viene;
    al popolo che nascerà diranno:
    "Ecco l'opera del Signore!".

VENERDÌ della II Settimana di QUARESIMA

I Lettura   La festa di Pasqua e la Settimana degli Azimi   Deuteronomio 16, 1-4

Salmello   Salmo 77, 3-4. 4d. 12a. 12-14

    Ciò che abbiamo udito e conosciuto e i nostri padri
    ci hanno raccontato, non lo terremo nascosto ai loro figli;
    diremo alla generazione futura le lodi del Signore, la sua potenza e
    le meraviglie ch'egli ha compiuto
    davanti ai loro padri.
V   Fece prodigi nel Paese d'Egitto.

Divise il mare e li fece passare
e fermò le acque come un argine.
Li guidò con una nube di giorno
e tutta la notte con un bagliore di fuoco: queste
le meraviglie ch'egli ha compiuto
davanti ai loro padri.

II Lettura   La celebrazione pasquale di Giosia   2Cronache 35, 1-7. 10-18

Salmello   Salmo 80, 4-6b. 9a. 7-8c. 10
Suonate la tromba nel plenilunio, nostro giorno di festa.
Questa è una legge per Israele, un decreto del Dio di Giacobbe.
Lo ha dato come testimonianza a Giuseppe quando usciva
dal Paese d'Egitto
V   Ascolta, popolo mio, ti voglio ammonire.
Ho liberato dal peso la tua spalla,
le tue mani hanno deposto la cesta.
Hai gridato a me nell'angoscia e io ti ho liberato,
avvolto nella nube ti ho dato risposta.
Non ci sia in mezzo a te un altro dio
e non prostrarti a un dio straniero.
Io sono il Signore tuo Dio, che ti ho fatto uscire
dal Paese d'Egitto.

III Lettura   Il sacrificio di Riparazione   Levitico 6, 17; 7, 1-6

Salmello   Ebrei 9. 11a. 12. 15
Cristo, venuto come sommo sacerdote di beni futuri,
non con sangue di capri e di vitelli, ma con il proprio sangue
entrò una volta per sempre nel santuario, perché
coloro che sono stati chiamati ricevano
una redenzione eterna.
V   Per questo egli è mediatore della Nuova Alleanza,
perché, essendo ormai intervenuta la sua morte
per la redenzione delle colpe commesse sotto la prima Alleanza,
coloro che sono stati chiamati ricevano
una redenzione eterna.

IV Lettura   Come agnello mansueto condotto al macello   Geremia 11, 18-20

Salmello   Salmo 21, 7-9. 20. 21a. 22a. 23. 29
Io sono verme, non uomo,
infamia degli uiomini, rifiuto del mio popolo.
Mi scherniscono quelli che mi vedono,

storcono le labbra, scuotono il capo:
"Si è affidato al Signore, lui lo scampi;
lo liberi se è suo amico".
Ma il Regno è del Signore,
egli domina su tutte le nazioni.

V   Ma Tu, Signore, non stare lontano,
mia forza accorri in mio aiuto.
Scampami dalla spada, salvami dalla bocca del leone.
Annunzierò il Tuo nome ai miei fratelli,
Ti loderò in mezzo all'assemblea.
Perché il Regno è del Signore,
egli domina su tutte le nazioni.

VENERDÌ della III Settimana di QUARESIMA

I Lettura   Le celebrazioni per la Pasqua
e per i giorni della Settimana degli Azimi   Numeri 28, 16-25

Salmello   Salmo 67, 8-9. 21. 25-27a. 33b. 35-36c. 29

Dio, quando uscivi davanti al Tuo popolo,
quando camminavi per il deserto,
la terra tremò, stillarono i cieli davanti al Dio del Sinai,
davanti a Dio, il Dio d'Israele.
Il nostro Dio è un Dio che salva;
il Signore Dio libera dalla morte.
Dispiega, Dio, la Tua potenza;
conferma, Dio, quanto hai fatto per noi.

V   Appare il Tuo corteo, Dio,
il corteo del mio Dio, del mio re, nel santuario.
Precedono i cantori, seguono ultimi i citaredi,
in mezzo le fanciulle che battono cembali.
Benedite Dio nelle vostre assemblee,
cantate inni al Signore,
riconoscete a Dio la sua potenza,
la sua maestà su Israele.
Dispiega, Dio, la Tua potenza;
conferma, Dio, quanto hai fatto per noi.

II Lettura   La celebrazione pasquale dei reduci dall'esilio   Esdra 6, 19-22

Salmello   Salmo 146, 2-3. 11. 7. 4-5. 1

Il Signore ricostruisce Gerusalemme,
raduna i dispersi d'Israele.
Risana i cuori affranti e fascia le loro ferite.
Il Signore si compiace di chi lo teme,

di chi spera nella sua grazia.
È bello cantare al nostro Dio,
dolce è lodarlo come a lui conviene.

V Cantate al Signore un canto di grazie,
intonate sulla cetra inni al nostro Dio.
Egli conta il numero delle stelle
e chiama ciascuna per nome.
Grande è il Signore onnipotente,
la sua sapienza non ha confini.
È bello cantare al nostro Dio,
dolce è lodarlo come a lui conviene.

III Lettura La vittima perfetta   Levitico 22, 17-21

Salmello   Ebrei 9, 26b-c. 24
 Una sola volta, Cristo, alla pienezza dei tempi,
 è apparso per
 annullare il peccato
 mediante il sacrificio di se stesso.

V Egli infatti non è entrato in un santuario fatto da mani d'uomo,
figura di quello vero,
ma nel cielo stesso,
per comparire al cospetto di Dio in nostro favore e
annullare il peccato
mediante il sacrificio di se stesso.

IV Lettura Il Servo del Signore
       destinato a portare la salvezza a tutta la terra   Isaia 49, 1-7

Salmello   Salmo 21, 23-24. 28-29. 31a. 32b-c
 Annunzierò il Tuo nome ai miai fratelli,
 Ti loderò in mezzo all'assemblea.
 Lodate il Signore, voi che lo temete,
 gli dia gloria la stirpe di Giacobbe,
 lo tema tutta la stirpe d'Israele.

V Ricorderanno e torneranno al Signore tutti i confini della terra,
si prostreranno davanti a lui tutte le famiglie dei popoli.
Poiché il Regno è del Signore,
egli domina su tutte le nazioni.
Si parlerà del Signore alla generazione che viene,
al popolo che nascerà diranno:
Ecco l'opera del Signore,
lo tema tutta la stirpe d'Israele.

VENERDÌ della IV Settimana di QUARESIMA

I LETTURA   La Pasqua a Gerusalemme   Deuteronomio 16, 5-8

SALMELLO   Salmo 47, 2-3. 9. 13-15b
    Grande è il Signore e degno di ogni lode
    nella città del nostro Dio.
    Il suo monte santo, altura stupenda, è la gioia di tutta la terra.
    Il monte Sion, dimora divina, è la città del grande Sovrano.
    Come avevamo udito, così abbiamo visto
    nella città del Signore degli eserciti,
    nella città del nostro Dio; Dio l'ha fondata
    per sempre.
V   Circondate Sion, giratele intorno, contate le sue torri,
    osservate i suoi baluardi, passate in rassegna le sue fortezze,
    per narrare alla generazione futura.
    Questo è il Signore, nostro Dio, in eterno,
    per sempre.

II LETTURA   Convocazione per la Pasqua a Gerusalemme   2Cronache 30, 1. 5-10a

SALMELLO   Salmo 83, 6. 8. 2. 5. 11a. 3
    Beato chi trova in Te la sua forza e decide nel suo cuore
    il santo viaggio.
    Cresce lungo il cammino il suo vigore,
    finché compare davanti a Dio in Sion.
    Quanto sono amabili le Tue dimore, Signore degli eserciti!
    Beato chi abita la Tua casa: sempre canta le Tue lodi.
V   Per me un giorno nei Tuoi atri è più che mille altrove.
    L'anima mia languisce e brama gli atri del Signore;
    il mio cuore e la mia carne esultano nel Dio vivente.
    Beato chi abita la Tua casa: sempre canta le Tue lodi.

III LETTURA   Il Sacrificio fuori dall'accampamento   Numeri 19, 1-9

SALMELLO   Ebrei 13, 11. 12c
    I corpi degli animali,
    il cui sangue viene portato per i peccati nel santuario dal sommo sacerdote,
    sono bruciati
    fuori della porta della città.
V   Perciò anche Gesù,
    per santificare il popolo con il proprio sangue,
    patì
    fuori della porta della città.

IV Lettura   Guarderanno a colui che hanno trafitto   Zaccaria 12, 1-11a
Salmello   Salmo 101, 4. 6. 9-10. 13. 16. 19. 22

Si dissolvono in fumo i miei giorni
e come brace ardono le mie ossa.
Per il lungo mio gemere
aderisce la mia pelle alle mie ossa.
Tutto il giorno mi insultano i miei nemici,
furenti imprecano contro il mio nome.
Di cenere mi nutro come il pane,
alla mia bevanda mescolo il pianto.
perché sia annunziato in Sion il nome del Signore
e la sua lode in Gerusalemme.

V   Ma Tu, Signore, rimani in eterno,
il Tuo ricordo per ogni generazione.
I popoli temeranno il nome del Signore
e tutti i re della terra la Tua gloria.
Questo si scriva per la generazione futura
e un popolo nuovo darà lode al Signore,
perché sia annunziato in Sion il nome del Signore
e la sua lode in Gerusalemme.

VENERDÌ della V Settimana di QUARESIMA

I Lettura   Il sangue salvifico dell'agnello pasquale   Esodo 12, 21-27
Salmello   Salmo 104, 26-27. 36-37. 43. 1-2. 5. 8

Il Signore mandò Mosè suo servo e Aronne che si era scelto.
Compì per mezzo loro i segni promessi
e nel Paese di Cam i suoi prodigi.
Colpì nel loro Paese ogni primogenito,
tutte le primizie del loro vigore.
Fece uscire il suo popolo con argento e oro,
fra le tribù non c'era alcun infermo.
Fece uscire il suo popolo con esultanza,
i suoi eletti con canti di gioia, per
la sua Alleanza:
parola data per mille generazioni.

V   Lodate il Signore e invocate il suo nome,
proclamate tra i popoli le sue opere.
Cantate a lui canti di gioia,
meditate tutti i suoi prodigi.
Ricordate le meraviglie che ha compiuto,
i suoi prodigi e i giudizi della sua bocca.
Ricorda sempre
la sua Alleanza:
parola data per mille generazioni.

II Lettura   Il sangue degli agnelli pasquali
per la purificazione del popolo   2 Cronache 30, 15-23

Salmello   Salmo 105, 6. 21-22. 8. 4-5. 1

Abbiamo peccato come i nostri padri,
abbiamo fatto il male, siamo stati empi.
I nostri padri dimenticarono Dio che li aveva salvati,
che aveva operato in Egitto cose grandi,
prodigi nel Paese di Cam,
cose terribili presso il Mar Rosso.
Ma Dio li salvò per il suo nome,
per manifestare la sua potenza
perché eterna è la sua misericordia.

V   Ricordati di noi, Signore, per amore del Tuo popolo,
visitaci con la Tua salvezza,
perché vediamo la felicità dei Tuoi eletti,
godiamo della gioia del Tuo popolo,
ci gloriamo con la Tua eredità.
Celebrate il Signore perché è buono,
perché eterna è la sua misericordia.

III Lettura   Il sangue dell'Alleanza   Esodo 24, 1-8

Salmello   Ebrei 9, 19-20. 22b. 11a-c. 12

Dopo che tutti i comandamenti furono promulgati
a tutto il popolo da Mosè,
secondo la Legge,
questi, preso il sangue dei capri e dei vitelli con acqua,
lana scarlatta e issòpo,
ne asperse il libro stesso e tutto il popolo, dicendo:
"Questo è il sangue dell'Alleanza, che Dio ha stabilito per voi".
Perché senza spargimento di sangue non esiste perdono.

V   Cristo invece, venuto come sommo sacerdote di beni futuri,
attraverso una Tenda più grande e più perfetta,
non costruita da mano d'uomo,
non con sangue di capri e di vitelli,
ma con il proprio sangue
entrò una volta per sempre nel santuario,
procurandoci così una redenzione eterna;
perché senza spargimento di sangue non esiste perdono.

IV Lettura   Il Servo del Signore   Isaia 42, 1-9

Un branco di cani mi circonda,
mi assedia una banda di malvagi.
Come acqua sono versato,
sono slogate tutte la mie ossa.
Il mio cuore è come cera,
si fonde in mezzo alle mie viscere.
È arido come un coccio il mio palato,
la mia lingua si è incollata alla gola.
Ma Tu, Signore, non stare lontano,
mia forza accorri in mio aiuto.
Ricorderanno e torneranno al Signore tutti i confini della terra,
si prostreranno davanti a lui tutte le famiglie dei popoli.

V   Lodate il Signore voi che lo temete,
gli dia gloria la stirpe di Giacobbe,
lo tema tutta la stirpe d'Israele;
perché egli non ha disprezzato l'afflizione del misero,
non gli ha nascosto il suo volto,
ma al suo grido d'aiuto lo ha esudito.
Sei Tu la mia lode nella grande assemblea,
scioglierò i miei voti davanti ai suoi fedeli.
Ricorderanno e torneranno al Signore tutti i confini della terra,
si prostreranno davanti a lui tutte le famiglie dei popoli.

Allegato 3

QUARESIMA
Ciclo Sabbatico

I SETTIMANA DI QUARESIMA

SABATO

ANNO I

Lettura	Il dovere di lasciare la spigolatura al forestiero, all'orfano e alla vedova	Deuteronomio 24, 17-22[141]
Epistola	Chi mangia mangia per il Signore, chi si astiene lo fa per il Signore	Romani 14, 1-9[142]

---

[141]   Ambr. Ms. A 23 bis inf.; Typ. (Isaia 51, 4-8: Da me uscirà la giustizia = I Domenica d'Avvento).

[142]   Typ. (13, 10 -).

| Lettura | Voglio l'amore non il sacrificio | Osea 6, 4-6 |
| Epistola | L'amore sintesi dei comandamenti | Romani 13, 9b-14 |

| **Vangelo** | I Discepoli colgono le spighe
in giorno di Sabato.
Misericordia voglio, non sacrificio | Matteo 12, 1-8[143] |

II SETTIMANA DI QUARESIMA

SABATO

ANNO I

| Lettura | Le orecchie di chi sente staranno attente | Isaia 31, 9b - 32, 8[144] |
| Epistola | Comportatevi come figli della luce | Efesini 5, 1-9[145] |

ANNO II

| Lettura | Udirete senza intendere.
Grande sarà l'abbandono del paese.
Ne rimarrà una decima parte.
Progenie santa sarà il suo ceppo | Isaia 6, 8-13 |
| Epistola | Oggi, se udite la sua voce,
non indurite i vostri cuori.
Entrate nel riposo sabbatico
riservato per il popolo di Dio | Ebrei 4, 4-12 |

| **Vangelo** | Gesù impone le mani e guarisce | Marco 6, 1b-5[146] |

III SETTIMANA DI QUARESIMA

SABATO

ANNO I

| Lettura | Non contaminatevi con gli idoli d'Egitto.
Diedi la Legge perché chi l'osserva viva | Ezechiele 20, 2-11[147] |
| Epistola | Voi avete ricevuto | |

---

[143] Bu; Typ.

[144] Typ.

[145] Typ.

[146] Bu; Typ.

[147] Typ.

la parola della predicazione,
accogliendola non quale parola di uomini
ma quale essa è, parola di Dio   1Tessalonicesi 2, 13-20[148]

ANNO II

Lettura   Santificherò il mio nome
da voi disonorato tra le genti.
Vi aspergerò con acqua pura
e sarete purificati   Ezechiele 36, 16-17a. 22-28[149]

Epistola   Quale intesa tra Cristo e Beliar.
Uscite di mezzo a loro   2Corinzi 6, 14b - 7, 1[150]

Vangelo   I Dodici cacciano i demoni e ungono con l'olio   Marco 6, 6b-13[151]

IV SETTIMANA DI QUARESIMA

SABATO

ANNO I

Lettura   Vi raccoglierò in mezzo alle genti,
vi darò un cuore nuovo e uno spirito nuovo   Ezechiele 11, 14-20[152]

Epistola   Ammonite chi è indisciplinato,
fate coraggio a chi è scoraggiato,
sostenete chi è debole   1Tessalonicesi 5, 12-23[153]

ANNO II

Lettura   Io effonderò il mio Spirito sopra ogni uomo   Gioele 3, 1-5

Epistola   Coloro che sono guidati dallo Spirito di Dio, costoro sono figli di Dio   Romani 8, 12-17b[154]

Vangelo   Gesù impone le mani ai bambini   Matteo 19, 13-15[155]

***

V SETTIMANA DI QUARESIMA

SABATO   "In Traditione Symboli"   *(quando viene presentato il Simbolo ai catecumeni)*

---

[148] Typ.
[149] Cf L.ex. IV Sab. (36, 24-28).
[150] L.ex.: II Sab. (14-18; 7, 1).
[151] Bu; Typ.
[152] Typ.
[153] Typ.
[154] L.ex. IV Sab. (8, 14-17).
[155] Bu; Typ.

Lettura	Ascolta Israele, il Signore è uno	Deuteronomio 6, 4-9[156]
Epistola	State saldi, cinti i fianchi con la verità	Efesini 6, 10-19[157]
Vangelo	Hai nascosto queste cose ai sapienti	
	e le hai rivelate ai piccoli	Matteo 11, 25-30[158]

Allegato 4

QUARESIMA

La lectio continua del Sermone del Monte nelle prime quattro settimane del Ciclo Feriale

I SETTIMANA DI QUARESIMA

Lunedì	5, 1-12a
Martedì	5, 13-16
Mercoledì	5, 17-19
Giovedì	5, 20-26

II SETTIMANA DI QUARESIMA

Lunedì	5, 27-30
Martedì	5, 31-37
Mercoledì	5, 38-48
Giovedì	6, 1-6

III SETTIMANA DI QUARESIMA

Lunedì	6, 7-15
Martedì	6, 16-18
Mercoledi	6, 19-24
Giovedì	6, 25-34

IV SETTIMANA DI QUARESIMA

Lunedì	7, 1-5
Martedì	7, 6-12
Mercoledì	7, 13-20
Giovedì	7, 21-29

---

[156] L.ex.; Typ. (Ezechiele 36, 22-28: cf III Sab., Anno II; cf L.ex.: IV Sab.).

[157] Typ.; L.ex.

[158] Bu; Typ.; L.ex.

Allegato 5

QUARESIMA
Genesi e Proverbi
nel Ciclo Feriale

ANNO I

I SETTIMANA DI QUARESIMA

LUNEDÌ

Genesi	Creazione dell'uomo	
	e comando di non mangiare dell'albero	Genesi 2, 4-17
Proverbi	Il timore del Signore	
	è il principio della scienza.	Proverbi 1, 1-9

MARTEDÌ

Genesi	Trasgressione e sue conseguenze	Genesi 3, 9-21
Proverbi	Se custodirai in te i miei precetti, comprenderai il timore del Signore	
	e troverai la scienza di Dio	Proverbi 2, 1-10

MERCOLEDÌ

Genesi	La cacciata dall'Eden	Genesi 3, 22 - 4, 2
Proverbi	Non disprezzare l'istruzione del Signore	Proverbi 3, 11-18

GIOVEDÌ

Genesi	La discendenza di Adamo	Genesi 5, 1-4
Proverbi	Non negare un beneficio a chi ne ha bisogno	Proverbi 3, 27-32

II SETTIMANA DI QUARESIMA

LUNEDÌ

Genesi	Invito ad Abramo ad uscire dalla sua terra	Genesi 12, 1-7
Proverbi	La strada dei giusti è come la luce dell'alba,	
	che aumenta lo splendore fino al meriggio	Proverbi 4, 10-18

MARTEDÌ

Genesi	Promessa ad Abramo della Terra di Canaan	Genesi 13, 12-18
Proverbi	Vigila sul cuore, perché da esso sgorga la vita	Proverbi 4, 20-27

MERCOLEDÌ

Genesi	Promessa ad Abramo	
	di una legittima discendenza	Genesi 17, 18-27
Proverbi	Quando, pigro, ti scuoterai dal sonno?	Proverbi 6, 6-11

GIOVEDÌ

Genesi	Abramo accoglie i tre angeli

	alle Querce di Mamre	Genesi 18, 1-15
Proverbi	L'intelligenza ti preservi dalla straniera	
	che ha parole di lusinga	Proverbi 7, 1-9. 24-27

III SETTIMANA DI QUARESIMA

LUNEDÌ

| Genesi | L'intercessione di Abramo per Sodoma | Genesi 18, 20-33 |
| Proverbi | La scienza vale più delle perle | Proverbi 8, 1-11 |

MARTEDÌ

| Genesi | La nascita di Isacco | Genesi 21, 1-7 |
| Proverbi | Fondamento della sapienza è il timore di Dio | Proverbi 9, 1-6. 10 |

MERCOLEDÌ

| Genesi | Alleanza di Abramo con Abimèlech a Bersabea | Genesi 21, 22-34 |
| Proverbi | Nel molto parlare non manca la colpa | Proverbi 10, 18-21 |

GIOVEDÌ

| Genesi | Morte e sepoltura di Sara a Ebron | Genesi 23, 1-20 |
| Proverbi | Chi è sollecito del bene trova il favore | Proverbi 11, 23-28 |

IV SETTIMANA DI QUARESIMA

LUNEDÌ

| Genesi | Rebecca condotta sposa a Isacco | Genesi 24, 58-67 |
| Proverbi | Affida al Signore la tua attività e i tuoi progetti riusciranno | Proverbi 16, 1-6 |

MARTEDÌ

| Genesi | La benedizione di Isacco a Giacobbe | Genesi 27, 1-29 |
| Proverbi | Acquista il vero bene e non cederlo: la sapienza, l'istruzione e l'intelligenza. | Proverbi 23, 15-24 |

MERCOLEDÌ

| Genesi | La visione della scala di Giacobbe | Genesi 28, 10-22 |
| Proverbi | Salva quelli che sono trascinati al supplizio | Proverbi 24, 11-12 |

GIOVEDÌ

| Genesi | I figli di Giacobbe | Genesi 29, 31 - 30, 2. 22-23 |
| Proverbi | Se il tuo nemico ha fame, dagli pane e il Signore ti ricompenserà | Proverbi 25, 1. 21-22 |

V SETTIMANA DI QUARESIMA

LUNEDÌ

| Genesi | Giuseppe condotto in Egitto | Genesi 37, 2-28 |
| Proverbi | Chi osserva la Legge è un figlio intelligente | Proverbi 28, 7-13 |

MARTEDÌ

| Genesi | Il sogno del Faraone ed esaltazione di Giuseppe | Genesi 41, 1b-40 |
| Proverbi | Chi confida nel Signore è al sicuro | Proverbi 29, 23-26 |

MERCOLEDÌ

Genesi	Benedizione di Giacobbe ai figli di Giuseppe e annuncio del ritorno nella Terra di Canaan	Genesi 48, 1. 8-21
Proverbi	Detti di Agùr, figlio di Iakè	Proverbi 30, 1. 24-33

GIOVEDÌ

Genesi	Morte e sepoltura di Giacobbe	Genesi 49, 29 - 50, 13
Proverbi	Parole di Lemuèl	Proverbi 31, 1-9

ANNO II

I SETTIMANA DI QUARESIMA

LUNEDÌ

Genesi	Creazione di Eva quale compagna di Adamo	Genesi 2, 18-25
Proverbi	La Sapienza pronunzia i suoi detti alle porte della città	Proverbi 1, 1a. 20-32

MARTEDÌ

Genesi	La caduta	Genesi 3, 1-8
Proverbi	Non credere di essere saggio; temi il Signore e sta lontano dal male	Proverbi 3, 1-10

MERCOLEDÌ

Genesi	Caino e Abele	Genesi 4, 1-16
Proverbi	Il Signore ha fondato la terra con la Sapienza	Proverbi 3, 19-26

GIOVEDÌ

Genesi	Set, Enos e il culto a Dio	Genesi 4, 25-26
Proverbi	A costo di tutto ciò che possiedi acquista l'intelligenza	Proverbi 4, 1-9

II SETTIMANA DI QUARESIMA

LUNEDÌ

Genesi	La promessa di Dio ad Abramo	Genesi 17, 1b-8
Proverbi	Figlio mio, fa attenzione alla mia sapienza	Proverbi 5, 1-13

MARTEDÌ

Genesi	La separazione tra Abramo e Lot	Genesi 13, 1b-11
Proverbi	L'empio morirà per mancanza di disciplina	Proverbi 5, 15-23

MERCOLEDÌ

Genesi	Abramo e Melchisedek, re di Salem e sacerdote del Dio altissimo	Genesi 14, 11-20
Proverbi	Il Signore ha in abominio chi provoca litigi tra fratelli	Proverbi 6, 16-19

GIOVEDÌ

Genesi	Agar l'Egiziana partorisce ad Abramo Ismaele	Genesi 16, 1-15
Proverbi	Le correzioni della disciplina sono un sentiero di vita	Proverbi 6, 20-29

III SETTIMANA DI QUARESIMA

LUNEDÌ

Genesi	La Circoncisione segno dell'alleanza con Dio	Genesi 17, 9-16
Proverbi	Io, la Sapienza, detesto l'arroganza	Proverbi 8, 12-21

MARTEDÌ

Genesi	La distruzione di Sodoma	Genesi 19, 12-29
Proverbi	La Sapienza dice: Chi trova me, trova la vita	Proverbi 8, 32-36

MERCOLEDÌ

Genesi	Nascita di Isacco e cacciata di Agar col figlio Ismaele	Genesi 21, 7-21
Proverbi	L'attesa dei giusti finirà in gioia	Proverbi 10, 28-32

GIOVEDÌ

Genesi	Morte e sepoltura di Abramo a Ebron	Genesi 25, 5-11
Proverbi	Chi aspira alla verità proclama la giustizia	Proverbi 12, 17-22

IV SETTIMANA DI QUARESIMA

LUNEDÌ

Genesi	La discendenza di Isacco	Genesi 25, 19-26
Proverbi	Ti sarà piacevole avere le parole dei sapienti pronte sulle labbra	Proverbi 22, 17-19. 22-25

MARTEDÌ

Genesi	Esaù vende la primogenitura a Giacobbe	Genesi 25, 27-34
Proverbi	Non guardare il vino quando scintilla nella coppa, finirà con il morderti come un serpente	Proverbi 23, 29-32

MERCOLEDÌ

Genesi	La lotta notturna di Giacobbe-Israele	Genesi 32, 23-33
Proverbi	Con la sapienza si costruisce la casa	Proverbi 24, 3-6

GIOVEDÌ

Genesi	I figli di Giacobbe	Genesi 35, 9-20. 22b-26
Proverbi	Proverbi di Salomone trascritti dagli uomini di Ezechia	Proverbi 25, 1; 27, 9-11a

V SETTIMANA DI QUARESIMA

LUNEDÌ

Genesi	Giuseppe in Egitto preposto alla casa di Potifar	Genesi 37, 2a-b; 39, 1-6b
Proverbi	Preòccupati del tuo gregge	Proverbi 27, 23-27b

MARTEDÌ

Genesi	Giacobbe e i suoi figli in Egitto da Giuseppe	Genesi 45, 2-20
Proverbi	Per i delitti di un paese molti sono i suoi tiranni	Proverbi 28, 2-6

MERCOLEDÌ

| Genesi | Le benedizioni di Giacobbe ai figli | Genesi 49, 1-28 |
| Proverbi | Detti di Agùr, figlio di Iaké | Proverbi 30, 1-9 |

GIOVEDÌ

| Genesi | Morte di Giacobbe e morte di Giuseppe | Genesi 50, 16-26 |
| Proverbi | Parole di Lemuèl | Proverbi 31, 1. 10-15. 26-31 |

"SOLEMNITATUM OMNIUM HONORANDA SOLEMNITAS" LA CHIESA AMBROSIANA E IL MISTERO PASQUALE

Un tratto tipico, immediatamente percepibile, della celebrazione ambrosiana del Triduo Pasquale è il suo carattere profondamente unitario. Si può in fondo parlare di un'unica prolungata anamnesi che progressivamente si dispiega dalla celebrazione *in coena Domini* fino alla Veglia Pasquale. In questa unitaria memoria, attraverso la *lectio continua* dell'Evangelo di Matteo – il testo che accompagna e unifica tutto il Triduo, scandendone con le proprie sequenze lo svolgimento – viene ripercorso passo dopo passo "ciò che è accaduto in Gerusalemme e che riguarda Gesù il Nazareno, e come i capi dei sacerdoti e le autorità lo hanno consegnato per farlo condannare a morte e l'hanno crocifisso", fino all'annuncio "che egli è vivo".[1]

In forza di tale carattere unitario, non è possibile trovare in questa liturgia una focalizzazione particolare su singoli elementi o episodi del mistero commemorato (ad esempio l'istituzione dell'Eucaristia): tutto viene considerato nel quadro generale e unificante della donazione dello Sposo, mistero che in questa occasione nella sua globalità viene contemplato e celebrato. Va a tale riguardo segnalato come già Ambrogio, parlando nel giorno della riammissione dei penitenti, venisse indicandolo come il giorno in cui *"sese Dominus pro nobis tradidit"*.[2]

---

[1] Cf *Lc* 24, 18-23. Per il concetto di Triduo in Ambrogio, fedelmente continuato dalla Chiesa milanese, cf AMBROSIUS, *Epistula e. c. XIII* [Maur.: *XXIII*]: *Dominis fratribus dilectissimis episcopis per Aemiliam constitutis*, 13, ed. M. ZELZER, Hoelder-Pichler-Tempsky, Vindobonae 1982 [Corpus Scriptorum Ecclesiasticorum Latinorum (= CSEL), 82/3], pp. 227-228: *"Cum igitur Triduum illud Sacrum in ebdomadam proxime concurrat ultimam, intra quod Triduum et passus est et quievit et resurrexit, de quo Triduo ait: 'Solvite hoc templum et in triduo resuscitabo illud', quid nobis potest molestiam dubitationis afferre?"*.

[2] AMBROSIUS, *Epistula LXXVI* [Maur.: *XX*], 26, CSEL, 82/3, p. 124; cf A. PAREDI, *La liturgia di sant'Ambrogio*, in *Sant'Ambrogio nel XVI centenario della nascita*, Vita e

S'è detto più sopra che il mistero della donazione dello Sposo viene in questa celebrazione contemplato; in effetti è atteggiamento ben percepibile nella tradizione cultuale ambrosiana, segnatamente in riferimento alle celebrazioni cristologiche, rifuggire dal commento didattico sistematicamente strutturato, privilegiando invece la contemplazione per simboli del mistero celebrato.

In siffatta prospettiva, nell'*ordo lectionum* del Triduo Pasquale, alla già ricordata *lectio continua* di Matteo fanno da contrappunto alcune delle più significative prefigurazioni profetiche: dopo Giobbe, Tobia e Susanna nell'avvio della Settimana Autentica, Giona col "segno" della sua triduana sepoltura, il Servo obbediente del Signore, i tre fanciulli strappati alla morte dal "Figlio di Dio" ecc.

Il riferimento all'ordinamento delle letture non è casuale; in effetti è questo organico succedersi di pericopi scritturistiche l'elemento che guida l'intera celebrazione, ed è per suo tramite che possono cogliersi le modalità secondo cui la Chiesa di Milano si accosta al mistero della Morte e Resurrezione del Signore e ne fa memoria.

1. LA SOLENNE APERTURA DEL TRIDUO IN FORMA DI GRANDE VIGILIA: LA CELEBRAZIONE VESPERTINA "IN COENA DOMINI"

Elemento caratteristico della tradizione ambrosiana è il dare avvio al Triduo con un solenne rito vespertino in forma di Grande Vigilia, al cui interno si colloca la celebrazione dell'Eucaristia *in coena Domini*. È questa una particolarità che accomuna la Chiesa ambrosiana a quelle di matrice costantinopolitana, e che si ripropone, come in ambito greco, nelle Grandi Vigilie: Natale, Epifania e, a Milano tuttora, Pentecoste.

Come si è segnalato anche in precedenza, la celebrazione assume in tali occasioni uno specifico andamento: è aperta dal rito lucernare (con il canto per l'accensione delle luci, l'inno e il responsorio), ad esso segue una catechesi biblica (nelle grandi vigilie composta da 4 letture veterotestamentarie accompagnate da rispettivi canti e orazioni); conclusa questa sezione catechetica, prende avvio la Messa (che essendo di vigilia ha due sole letture: l'Epistola e il Vangelo); al termine della celebrazione eucaristica si sviluppa la salmodia vespertina con la relativa eucologia, cui segue il congedo.

Tale schema è sostanzialmente presente anche nella celebrazione *in coena Domini*. Questa si apre con il rito lucernare nel quale subito vengono

Pensiero, Milano 1940, n° 3, pp. 139-141.

proposti i temi drammatici, della notte, dell'ingratitudine, del tradimento. *"Caligo noctem duxerat, noctem cruentam crimine"*: così s'avvia l'inno, e in esso, quasi sintesi del racconto evangelico, sono poi ricordati la domanda di Giuda al Maestro, il tremendo patto con i sacerdoti, il bacio nel Getsemani, la folle scelta a favore di Barabba.[3]

Il responsorio *"in choro"* appartiene alla serie di testi musicali che scandiscono lo svolgersi della Passione riportando in modo diretto le parole del Cristo, quasi effusione immediata dei suoi sentimenti. Anche qui dominante è il tema, che ritornerà con insistenza, come ricorrente idea angosciosa, lungo tutta la liturgia di questa notte: *"Juda videte, quomodo non dormit, sed festinat tradere me Judaeis"*.

A questo punto, in conformità alla struttura rituale delle Grandi Vigilie, si collocava fino al 1970 la catechesi veterotestamentaria, costituita dalla lettura del Libro di Giona. La proclamazione di tale testo in questo giorno era designata come *"de more"* per la Chiesa milanese già da sant'Ambrogio.[4] Il segno di Giona è indicazione profetica che si estende a tutto il mistero del Triduo; non è quindi un caso la presenza di tale lettura nella catechesi con cui solennemente la celebrazione del Triduo stesso prendeva avvio. Sulla base della riforma del 1970,[5] confermata nel 1972,[6] il Lezionario *ad experimentum* del 1976[7] utilizza anch'esso il Libro di Giona, ma come prima pericope della susseguente *Missa in coena Domini* e in

---

[3] P. COLOMBO - E. GARBAGNATI, *Gli inni del Breviario Ambrosiano*, Palma, Milano 1897, pp. 72-74; cf E. CATTANEO, *Il dramma liturgico della Settimana Santa nel rito ambrosiano*, in *Ambrosius* 32 (1956) 81.

[4] AMBROSIUS, *Epistula LXXVI* (Maur.: *XX*), 25-26, ed. M. ZELZER, Hoelder-Pichler-Tempsky, Vindobonae 1982 [Corpus Scriptorum Ecclesiasticorum Latinorum (= CSEL), 82/3], p. 123.

[5] *Liturgia della Settimana Santa secondo il Rito Ambrosiano. Testo in lingua italiana approvato dalla S. Congregazione del Culto Divino il 23 febbraio 1970*, Àncora, Milano 1970. A tale nuovo libro liturgico la rivista *Ambrosius* dedicò il primo fascicolo dell'anno 46 (1970).

[6] *Messale Ambrosiano. Settimana Santa. Ottava di Pasqua. Edito per ordine del Sig. cardinale Giovanni Colombo Arcivescovo di Milano (ad experimentum). Versione eseguita sul testo latino approvato "ad interim" dalla S. C. per il Culto Divino il 9 marzo 1972*, Centro ambrosiano di documentazione e studi religiosi (-Boniardi-Pizzi), Milano 1972; *Lezionario Ambrosiano. Settimana Santa. Ottava di Pasqua*, Centro Ambrosiano di documentazione e studi religiosi (-Àncora), Milano 1972.

[7] *Lezionario Ambrosiano. Edito per ordine del Sig. Cardinale Giovanni Colombo Arcivescovo di Milano. Ad experimentum*, Centro ambrosiano di documentazione e studi religiosi (-Boniardi), Milano 1976.

una redazione ridotta, già adottata a partire dal 1966.[8] Siffatta nuova collocazione fu espressamente voluta "affinché la lettura di Giona fosse unita alle altre letture della Messa".[9]

Il mutamento appare in verità strutturalmente e contenutisticamente poco plausibile. La collocazione tradizionale (inalterata fin dalle sue prime testimonianze) veniva configurando il segno di Giona quale introduzione all'intero Triduo, come di fatto è. Del resto, la stessa celebrazione eucaristica *in coena Domini*, in quanto celebrazione *infra Vesperas*, non poteva che prevedere due sole pericopi: Epistola e Vangelo. Oltre a ciò, la redazione adottata comportò la perdita di elementi essenziali del testo, quali la preghiera di Giona riportata dai vv. 3-10 del capitolo 2 ("Sono sceso alle radici dei monti, la terra ha chiuso le sue spranghe dietro a me per sempre. Ma tu hai fatto risalire dalla fossa la mia vita, Signore mio Dio"). Tramite queste enunciazioni, già all'inizio del Triduo si veniva delineando la sicura speranza della Resurrezione. Non erano quindi versetti di trascurabile rilievo. Non per nulla essi erano ripresi nell'officiatura salmodica notturna del Sabato Santo e ritornavano un tempo come testo caratterizzante nella salmodia notturna di tutte le Domeniche pasquali. Non sembra inutile ricordare come Ambrogio, commentando ai suoi fedeli la vicenda di Giona, proprio alla preghiera del profeta facesse riferimento: "*Quid de Iona dignum loquar?... psallebat in utero ceti qui maerebat in terris et, ut utriusque redemptio non praetereatur elementi, terrarum salus in mari ante praecessit, quia signum filii hominis signum Ionae. Sicut iste in utero ceti, sic Iesus in corde terrae...*".[10]

Il compiuto ripristino delle Grandi Vigilie attuato dalla *Liturgia delle Ore* ambrosiana ha reso ancor più evidente quanto la modifica introdotta riflettesse in realtà una rilettura della celebrazione ambrosiana tendente (più o meno consapevolmente) ad assimilarla alla romana *Missa in coena Domini*, con I lettura veterotestamentaria, II lettura neotestamentaria, Vangelo.

Il Lezionario ora promulgato ha provveduto a riconfigurare la lettura del Libro di Giona quale avvio vesperale del Triduo. Trattandosi di un richiamo programmatico al segno, da Cristo stesso additato come prefigura-

---

[8]   *Liturgia della Settimana Santa secondo il rito ambrosiano. Testi in lingua italiana approvati a esperimento*, Ufficio Studi dell'Arcivescovado di Milano (- Boniardi), Milano 1966.

[9]   E. CATTANEO, *La riforma della "Settimana Santa" Milanese*, in *Ambrosius* 46 (1970) 33.

[10]   *Exameron*, V, 11, 35, ed. C. (K.) SCHENKL, Tempsky-Freytag, Vindobonae-Pragae-Lipsiae 1896 [CSEL, 32], p. 168.

tivo del mistero della propria Morte, Sepoltura e triduana Resurrezione (cfr anche il Vangelo vigiliare della Domenica di Lazzaro), volendo proporre una lettura abbreviata del libro, il Lezionario ha selezionato la pericope: 1, 1 - 3, 5. 10, così da non omettere i passi che al mistero cristologico alludono, primo fra tutti la preghiera di Giona dal ventre del pesce, non a caso presente ancor oggi nell'Ufficio delle Letture della Settimana in Albis (Martedì) e nel Salterio domenicale (III Settimana).

Quanto alla celebrazione eucaristica, dopo l'ovvia pericope di *I Cor*. 11, 20-34: la Cena del Signore nella Chiesa, e il *cantus* - senza acclamazioni - in cui risuona il grido: "Giuda, Giuda con un bacio tradisci il Figlio dell'uomo, perché sia crocifisso!", ha luogo la proclamazione del Vangelo.

Il Lezionario, riprendendo l'*Editio typica Calabiana-Ferrari*, l'intitola *Passione di nostro Signore Gesù Cristo secondo Matteo*.

Agli inizi del XII secolo l'*Ordo* del Beroldo diceva "*sequitur Evangelium*" e per la *feria VI in Parasceve* parlava di "*sequentia sancti Evangelii*"; in effetti a seguito dell'intervento carolingio, la *lectio continua* di Matteo poteva sembrare aver preso avvio già con la pericope introdotta al mattino del Giovedì in Autentica, anziché iniziare (come di fatto era) con questa celebrazione.[11]

Attraverso il testo evangelico di questa liturgia vespertina la Chiesa ambrosiana, analogamente alle Chiese di tradizione greca, viene ricordando l'inizio della Passione del Signore: la sua ultima Cena, la preghiera nel Getsemani, la cattura, la fuga dei discepoli, il processo davanti al Sinedrio, il tradimento di Pietro. Al canto del gallo che annuncia il nuovo giorno, la narrazione si arresta. Sarà ripresa all'indomani e guiderà la comunità dei credenti fino ai piedi della Croce.[12]

---

[11] *BEROLDUS sive Ecclesiae Ambrosianae Mediolanensis Kalendarium et Ordines* (= BEROLDUS), ed. M. MAGISTRETTI, Giovanola (Boniardi-Pogliani), Mediolani 1904, pp. 103, 106. Per il sorgere in ambito romano del titolo *Passio* nel secolo VIII, cf H. SCHMIDT, *Hebdomada Sancta*, II, Herder, Romae-Friburgi Bresg.-Barcinonae 1957, p. 683.

[12] L'*Exameron* attesta già ai tempi di Ambrogio per questo giorno una pericope evangelica in cui, nel quadro della Passione, era ricordato il tradimento notturno di Pietro: *Exameron*, V, 24, 88, CSEL, 32/1, p. 202. Per l'uso gerosolimitano che, anteriormente allo stabilirsi nel V secolo della stazione alla Santa Sion, presenta caratteri affini a quello milanese, cf A. RENOUX, *Le codex Arménien Jérusalem 121*, I: *Introduction. Aux origines de la liturgie hiérosolimitaine. Lumières nouvelles*, Turnhout 1969 [Patrologia Orientalis, 35/1, n° 163], pp. 129-132. In Ispagna la pericope evangelica si presentava, analogamente del resto a quanto avviene in ambito greco, come una centonizzazione di testi evangelici, posti però sotto il nome di Giovanni, anziché sotto quello di Matteo: *Liber Commicus*, edd. J. PÉREZ DE URBEL - A. GONZALEZ Y RUIZ-ZORILLA, I, Consejo superior de investigaciones cientificas. Escuela de estudios medievales, Madrid 1956

Ecco, dunque, il quadro delle pericopi:

Lettura vesperale	Il segno di Giona	Giona 1 - 3, 5. 10[13]

Epistola	La Cena del Signore	1 Corinzi 11, 20-34[14]
Passione del Signore Nostro Gesù Cristo		
secondo Matteo	L'Ultima Cena e l'avvio della Passione del Signore	Matteo 26, 17-75[15]

2. L'OFFICIATURA NOTTURNA DOPO LA SANTA CENA: LA VEGLIA DELLA CHIESA ACCANTO ALLO SPOSO

Le tematiche svolte nella celebrazione *in coena Domini* trovano in ambito ambrosiano una ripresa nell'officiatura notturna, in cui la contemplazione degli avvenimenti della Passione viene riproposta, quasi a riempirne gli occhi e il cuore della Chiesa, attraverso le successive narrazioni di Marco, Luca e Giovanni. In modo non molto dissimile le Chiese di tradizione costantinopolitana hanno attualmente a questo punto la solenne officiatura dei 12 Vangeli della Passione.

L'uso milanese sembra rinviare a Gerusalemme. Era infatti preoccupazione dell'*ordo* liturgico della Città Santa far seguire la Passione del Signore attraverso la narrazione di tutti e quattro gli evangelisti. Al Venerdì santo, in particolare, dopo l'adorazione della Croce, nella lunga officiatura pomeridiana delle letture, venivano recitate le quattro pericopi della Passione tratte dai quattro evangeli, l'ultima delle quali, letta con particolare solennità, era quella di Giovanni; tali pericopi ancora nel sec. IX erano riportate pure dagli evangelistari greci.[16]

In conformità alla tradizione codicologica milanese (cf i manoscritti dell'Ambrosiana *A 28 inf.* e *T 96 sup.*), le *Passiones* dell'Ufficio delle Letture del Venerdì Santo sono state direttamente inserite nel Lezionario ora promulgato al fine di una loro compiuta utilizzazione ecclesiale.

[Monumenta Hispaniae Sacra. Series Liturgica, 2], p. 335. Quanto al presunto uso anche a Milano ai tempi di Ambrogio di un testo non riducibile al solo *Matteo*, si veda: H. FRANK, *Ambrosius und die Büsseraussöhnung in Mailand*, in *Heilige Überlieferung. Festschrift für Ildefons Herwegen*, a cura di O. CASEL, Aschendorff, Münster 1938, p. 156, nonché la dissenziente recensione di A. PAREDI in *Ambrosius* 15 (1939) 21-22.

[13] Typ. (1-4); cf L.ex. (Giona 1, 1-16; 2, 1-2. 11; 3, 1-5. 10; 4, 1-11).

[14] Typ.; L.ex.

[15] Bu; Typ.; L.ex.

[16] RENOUX, *Le codex arménien Jérusalem 121*, I, pp. 147-155; cf anche quanto riferito già alla fine del secolo IV da Egeria nel suo *Itinerarium*, 37, 5-7: ed. P. MARAVAL, Éd. du Cerf, Paris 2002² [Sources Chrétiennes (= SCh), 296], pp. 286-288.

È sembrato in effetti opportuno porle a disposizione in una sede consueta, e in un'idonea veste libraria, affinché i pastori d'anime se ne possano servire, in particolare nelle veglie di preghiera successive alla celebrazione *in coena Domini*.

L'accostamento di tali testi, in forza dell'ordine secondo cui si dispongono nel Lezionario (Marco, Luca, Giovanni), determina una progressione che, nel generale angoscioso clima della notte del tradimento, dal sacrificio del Messia sofferente passa a considerarne gli interiori sentimenti ("Ho tanto desiderato mangiare questa Pasqua con voi"), per giungere con Giovanni a contemplare in lui il nuovo Agnello pasquale e il nuovo Tempio.

Siffatta successione dei testi ripropone del resto la disposizione secondo cui le *Passiones*, a partire da Matteo, venivano proclamate anche nell'antica liturgia gerosolimitana e ribadisce l'ordine secondo cui queste tre *Passiones* sono state per secoli congiuntamente accostate dalla Chiesa ambrosiana, che riservava quale ultimo testo all'arcivescovo il Vangelo giovanneo, solennemente proclamato con la ritualità ora trasferita alla celebrazione pomeridiana della Passione del Signore.[17]

3. LA CELEBRAZIONE DELLA MORTE DEL SIGNORE

Per la celebrazione della *Feria VI in Parasceve*, l'*Editio typica Calabiana-Ferrari* del 1902, che codificava la tradizione, prevedeva "*post Tertiam*" una sinassi biblica dedicata alla memoria della Passione del Signore, e successivamente, "*post Nonam*", l'adorazione della Croce, la sinassi biblica della Deposizione, e quindi i Vesperi con le preci solenni.

Pietro Borella ha da tempo messo in luce le molteplici dipendenze di questi riti dalla liturgia di Gerusalemme: la lettura del Vangelo della Deposizione, le preci solenni al termine dei Vesperi, la denominazione *ad Crucem* e *post Crucem*, con le relative implicazioni rituali, attribuite dai codici ad alcune orazioni.[18]

---

[17] BEROLDUS, pp. 39-40. La forma ambrosiana di proclamazione delle letture nell'officiatura notturna non prevede dopo l'ultimo testo un responsorio, conseguentemente l'ultima pericope della *Passio* secondo Giovanni non è accompagnata da alcuna composizione di carattere responsoriale. Tuttavia, nel caso si desiderasse procedere alla proclamazione di tutte e tre le Passiones all'interno di un'unica celebrazione, sono stati previsti responsori tra l'ultima pericope di Marco e la prima di Luca, nonché tra l'ultima di Luca e la prima di Giovanni. La serie completa dei responsori potrà vedersi nell'Allegato 1 al capitolo.

[18] P. BORELLA, *Il rito ambrosiano*, Morcelliana, Brescia 1964, pp. 398-399; ID., *L'antifona "ante Crucem"*, in *Ambrosius* 8 (1932) 217-224. Si veda in tal senso anche

Nel Beroldo alla sinassi della Passione *post Tertiam* seguiva immediatamente l'adorazione della Croce, mentre la sinassi su base scritturistica della Deposizione si ancorava strettamente ai solenni Vesperi pomeridiani, precedendoli.[19]

Con la riforma di orari operata nel 1956 anche la sinassi nella Passione del Signore venne collocata *post Nonam*, formando in tal modo un blocco unico con le restanti parti della celebrazione di questo giorno.

Nel nuovo Messale riformato promulgato nel 1976 la novità più rilevante della celebrazione ambrosiana del Venerdì Santo è certamente costituita dalla struttura ad essa assegnata. Si è infatti eliminata la catechesi per la Deposizione del Signore e i restanti momenti rituali sono stati raggruppati in un'unica celebrazione, che si svolge nel quadro dell'officiatura vespertina.

Ne è pertanto risultato il seguente schema celebrativo: Lucernario per l'inizio dei Vesperi, proclamazione della Passione del Signore, riti di adorazione della Croce con canto del Salmo 21 (proprio dei precedenti Vesperi),[20] preci solenni, conclusione.

Tale struttura costituisce una novità che merita alcune considerazioni. Sul piano pastorale rappresenta un indubbio ed evidente risultato positivo l'aver raggruppato i vari momenti rituali in un'unica celebrazione le cui diverse componenti risultano tra loro organicamente connesse. In secondo luogo, in questa soluzione appare in qualche modo salvato il rapporto Vesperi-preci solenni che, rinviando direttamente alla liturgia della Città Santa, caratterizza il rito milanese.

Può lasciare invece piuttosto sorpresi la collocazione dell'anamnesi della Passione del Signore, non per contingenze pastorali ma a livello di principio rituale, dopo l'accensione della luce vespertina. Sorpresa giustificata, stante l'evidente dissonanza di tale collocazione rispetto ai dati evangelici. "Venuto il mattino" e "verso le tre" sono infatti i termini orari entro cui si svolge la narrazione di Matteo proclamata in questa celebrazione.[21] Appare strano che la liturgia ambrosiana, la quale nei restanti momenti di questo Triduo viene ripercorrendo passo dopo passo la Passione del Signore, fedelmente seguendolo nel suo cammino verso la Croce e glorificazio-

E. Cattaneo, *L'adorazione della Croce nell'antico rito ambrosiano*, in *Ambrosius* 9 (1933) 175-186.

[19] Beroldus, pp. 105-108.

[20] Per il rapporto di questo salmo con la Passione nella primitiva letteratura cristiana: J. Daniélou, *Études d'exégèse judéo-chrétienne*, Beauchesne, Paris 1966 [Théologie Historique, V], pp. 28 ss.

[21] Mt 27, 1. 46.

ne, taccia proprio nelle ore che segnano la consumazione suprema del suo sacrificio.

Tale collocazione dell'annuncio della Passione dopo il Lucernario suscita una qualche sorpresa non soltanto in riferimento alla narrazione sinottica, che la tradizione ambrosiana ha fatto propria con tutte le implicazioni di questa scelta, ma altresì rispetto ai dati di tempo sottesi al testo giovanneo e alla sua comprensione teologica della Passione del Signore. Il Messia infatti, anche secondo Giovanni, non può essere immolato quale nuova vittima pasquale, analogamente agli agnelli nel Tempio, che anteriormente al sopraggiungere della sera.[22] Il *Pesahim* imponeva al riguardo che gli agnelli pasquali venissero immolati prima di sera e, quando il 15 Nisan cadeva di Sabato – come appunto nel caso della Pasqua del Cristo secondo la cronologia giovannea – anticipava ulteriormente il rito affinché anche la cottura avvenisse prima dell'inizio vespertino del "Grande Giorno".[23]

In questo senso l'ubicazione tradizionale della Liturgia della Parola commemorativa della Sepoltura del Signore, collocata immediatamente prima della celebrazione dei Vesperi, nella sua rigorosa conformità ai dati orari degli Evangeli non risulta affatto casuale, ma assume quasi valore emblematico.

Come nelle altre sinassi di questo Triduo incentrate sulla proclamazione delle Sacre Scritture, anche nella sinassi per la Passione del Signore la pericope evangelica è preceduta dalla lettura di passi veterotestamentari. Questa stretta connessione è ben espressa, con riferimento alla liturgia gerosolimitana, dalla testimonianza di Egeria, che così scrive:

> "Dall'ora sesta all'ora nona si leggono sempre le letture e si recitano gli inni [per Egeria sinonimo di 'salmi'] per dimostrare a tutto il popolo che tutto quello che i profeti hanno predetto che sarebbe accaduto riguardo alla Passione del Signore, come viene dimostrato dai Vangeli e dagli scritti degli Apostoli, si è realizzato. Pertanto in quelle tre ore tutto il popolo impara che nulla è accaduto che non fosse stato predetto, e niente è stato predetto che non si sia verificato completamente".[24]

La tradizione ambrosiana prevedeva come Letture introduttive alla proclamazione della *Passio* due brani posti entrambi sotto il nome di Isaia.

---

[22] *Gv* 19, 31. 42.

[23] *Mishnah, Pesahim*, V, 1, trad. H. Danby, Oxford University Press, 1933 (rist. anast. 1964), p. 141.

[24] Egeria, *Itinerarium*, XXXVII, 6, ed. et trad. N. Natalucci, Nardini, Firenze 1991 [Biblioteca Patristica], p. 203.

L'importanza di tali pericopi è ben mostrata dal fatto che la loro proclamazione appare prerogativa dei cardinali diaconi.[25]

L'*Editio typica Calabiana-Ferrari* conservò la prima pericope: *Isaia 49, 24 - 50, 11* (in cui era inserito il terzo canto del Servo del Signore), unitamente al relativo Salmello *Foderunt manus meas*,[26] e in luogo della seconda introdusse una pericope scritturisticamente ben definibile: *Isaia 53, 1-12* (il quarto canto del Servo del Signore).

Nel libro di culto per la Settimana Santa edito nel 1966[27], la prima pericope fu cassata, la seconda divenne la prima, e quale seconda fu introdotta *Ebr 9, 11-28*. L'innovazione era chiaramente incongrua rispetto

---

[25] BEROLDUS, p. 105. La prima pericope, pur con alcune peculiarità testuali modellate su una redazione pregeronimiana, ripropone i vv. 49, 24 - 50, 11, per lo più attingendo alla Vulgata. La seconda pericope appare invece un sostanziale centone profetico, costruito riutilizzando diverse fonti. Ad entrambe ha dedicato una specifica appendice Patrizia CARMASSI nel suo ormai classico volume *Libri liturgici e istituzioni ecclesiastiche a Milano in età medioevale. Studio sulla formazione del lezionario ambrosiano*, Aschendorff, Münster 2001 [Liturgiewissenschaftliche Quellen und Forschungen, 85: Corpus ambrosiano-liturgicum, 4]. Merita qui riportare quanto da lei scritto a proposito della seconda Lettura:
"Questa seconda lettura è stata composta con maggiore libertà: risulta da diverse citazioni, ma attinge anche ad un ampio repertorio di espressioni e concetti biblici, utilizzati all'interno di un nuovo contesto unitario. La lettura viene introdotta dalla tradizionale formula: *Haec dicit Dominus Deus*. In un passo decisivo che collega due citazioni si manifesta però con chiarezza che è Gesù stesso a parlare: *vultum despectum **me** habuerunt dicentes* ... Dalla connessione delle varie citazioni e grazie all'introduzione di precise varianti nel testo ne deriva che è il Cristo, tradito dai suoi, che descrive l'ira omicida del suo popolo e la sua prossima passione (*sicus ovis ad occisionem ducetur ... quasi agnus coram tondente obmutescet*). Questa pericope del Venerdì Santo offre però già la prospettiva della Resurrezione e della salvezza che si riverserà su tutti i popoli. Alla fine della lunga citazione da Isaia 53 la svolta è annunciata dalla formula: ***Post haec*** ..., con riferimento agli avvenimenti narrati dagli evangelisti e negli Atti degli Apostoli. La profezia di Isaia viene così illuminata dai fatti futuri e ampliata. Le ultime parole esprimono il compimento della promessa di Dio, che giunge fino alle *gentes*, oltre il *populus* menzionato all'inizio. La lettura rivela dunque un attento e fine lavoro di composizione, secondo un preciso concetto teologico, che poteva essere realizzato solo da chi avesse una approfondita conoscenza della Bibbia e del suo linguaggio. In una prospettiva ecclesiologica la pericope risulta da una ammirata contemplazione del mistero della Redenzione e dalla consapevolezza che la Chiesa celebrante è costituita da quelle *gentes* che furono rese partecipi della salvezza donata dal Crocifisso" (p. 356).

[26] *Ps 21*: 17c-24 (su redazione anteriore a quella fissatasi nello stesso Salterio ambrosiano).

[27] Cf nota 8.

ai caratteri propri della celebrazione ambrosiana. Con il nuovo libro del 1970[28] le pericopi della *Typica* vennero ripristinate.

Non diversamente operò il Lezionario *ad experimentum* del 1976, che semplicemente rivide i vv. del Salmello.[29]

Il Lezionario ora promulgato si è attenuto ad analogo orientamento, con marginali interventi: Isaia 49, 24 - 50, 10;[30] Salmo 21, 17c-20. 23-24b; Isaia 52, 13 - 53, 12.[31]

Alle due Letture diaconali segue il *"canticum episcopale, aut sacerdotale, sive diaconile, iussu archiepiscopi"*:[32] *Tenebrae factae sunt...*, responsorio che nella redazione ambrosiana ha conservato elementi di grande arcaicità ampiamente illustrati da Borella.[33]

Quanto alla proclamazione della *Passio*, com'è noto, la Chiesa milanese conserva l'uso di un unico ministro. È del resto comprensibile che in una liturgia di grande tensione interiore e rigore cerimoniale, come è quella ambrosiana del Triduo, forme di drammatizzazione quali vennero sviluppandosi nella liturgia della Chiesa romana dopo il secolo X[34] non trovino recezione. Dal 1978 in Duomo è l'arcivescovo che solennemente, con mitria in capo, proclama la pericope evangelica della Passione. È stata così ripresa, secondo quanto auspicato da mons. Pietro Borella,[35] l'antica tradizione ambrosiana relativa al canto solenne della *Passio secundum Iohannem* nel Matutino del Venerdì Santo.[36]

---

[28] Cf nota 5.

[29] *Ps 21*: 17c-20. 3. 5. 23-24.

[30] Omesso il v. 11: "Ecco, voi tutti che accendete il fuoco, che vi circondate di frecce incendiarie, andate alle fiamme del vostro fuoco, tra le frecce che avete acceso. Dalla mia mano vi è giunto questo; voi giacerete nel luogo dei dolori".

[31] Recuperati i vv. 52, 13-15: "Ecco, il mio servo avrà successo, sarà onorato, esaltato e innalzato grandemente. Come molti si stupirono di lui – tanto era sfigurato per essere d'uomo il suo aspetto e diversa la sua forma da quella dei figli dell'uomo –, così si meraviglieranno di lui molte nazioni; i re davanti a lui si chiuderanno la bocca, poiché vedranno un fatto mai a essi raccontato e comprenderanno ciò che mai avevano udito".

[32] BEROLDUS, p. 105.

[33] P. BORELLA, *Il responsorio "Tenebrae" nel codice 123 dell'Angelica e nella tradizione ambrosiana*, in AA. VV., *Miscellanea liturgica in onore di Sua Eminenza il Cardinale Giacomo Lercaro*, I, Desclée, Roma-Paris-Tournai-New York 1966, pp. 597-607.

[34] SCHMIDT, *Hebdomada Sancta*, II, p. 683

[35] P. BORELLA, *La domenica: commemorazione della Risurrezione*, in *Ambrosius* 53 (1977) 261-262.

[36] Cf nota 17. È del resto l'arcivescovo colui che al culmine della Veglia Pasquale annuncia, *apostolica voce*, la Resurrezione del Signore (cf più avanti); ed è, conseguentemente, colui che presiede a leggere, nelle celebrazioni vigiliari vespertine della Domenica,

Ecco dunque il quadro delle pericopi, quale si presenta nel nuovo Lezionario:

I Lettura	Ho presentato il dorso ai flagellatori, la guancia a coloro che mi strappavano la barba; non ho sottratto la faccia agli insulti e agli sputi. Dice il Signore: rivesto i cieli di oscurità	Isaia 49, 24 - 50, 10[37]
II Lettura	L'uomo dei dolori che ben conosce il patire	Isaia 52, 13 – 53, 12[38]
Passione del Signore Nostro Gesù Cristo secondo Matteo	La morte del Signore sulla Croce	Matteo 27, 1-56[39]

Come già si è evidenziato, l'atteggiamento interiore, che caratterizza la Chiesa ambrosiana nella celebrazione di questo Triduo, è quello della Sposa che con amore segue dappresso il suo Sposo e con fiducioso abbandono osserva il disegno che in lui viene compiendosi. Questo atteggiamento "sponsale" appare in singolare continuità rispetto alla spiritualità santambrosiana, che della figura *Ecclesia-Sponsa* ha fatto l'immagine per eccellenza attraverso cui trova espressione il rapporto tra la comunità ecclesiale e il suo Signore.[40]

Ed è questa prospettiva che illumina e spiega la particolarità milanese di abbandonare dall'"*emisit spiritum*" della *Passio* il saluto *Dominus vobiscum*, sostituendolo con una formula dossologica: *Benedictus Dominus qui vivit et regnat in saecula saeculorum*. L'annuncio della morte del Signore, infatti, segna il momento in cui lo Sposo viene tolto alla Chiesa; momento dal quale ha inizio per essa il tempo del grande vuoto. Tempo dell'assenza, ma altresì tempo di attesa, che troverà il suo compimento quando di nuovo lo Sposo si farà presente, accompagnato dal suono gioioso delle campane le quali, dopo averne proclamato la morte, riprenderanno il loro canto per annunciarne la nuova parusia.

Tale prospettiva sponsale spiega un'ulteriore particolarità di questo giorno: l'assenza dell'Eucaristia. Questa aliturgicità già si era evidenziata

---

il Vangelo della Resurrezione (cf il cap. VII: "*... già splendevano le luci*". *Il giorno liturgico nella tradizione ambrosiana*).

[37] Typ. (-11); L.ex. (-11).

[38] Typ. (53, 1 -); L.ex. (53, 1 -).

[39] Bu; Typ.; L.ex.

[40] G. Toscani, *La teologia della Chiesa in S. Ambrogio*, Vita e Pensiero, Milano 1974 (Studia Patristica Mediolanensia, 3), pp. 182-192.

nei Venerdì quaresimali, quasi preavvertimento del grande digiuno di questa *Feria VI in Parasceve*.[41]

Il digiuno, in effetti, è segno distintivo di questo giorno, come già osservava Tertulliano: "Con certezza nel Vangelo si considerano caratterizzati dal digiuno quei giorni nei quali lo Sposo è stato tolto; e questi ormai sono i soli legittimi giorni di digiuno dei Cristiani, essendo state abrogate le antiche prescrizioni della Legge e dei Profeti".[42] In conformità a tale sensibilità spirituale, diffusa in tutto il mondo cristiano, dal giorno della crocifissione e morte il digiuno veniva estendendosi anche al giorno successivo, ossia al Sabato, per Milano e in Oriente caso unico in tutto il ciclo dell'anno.[43]

4. DALLA CROCE AL SEPOLCRO: LA DEPOSIZIONE E SEPOLTURA DEL SIGNORE

Momento rituale della celebrazione del Venerdì Santo presente nel paradigma gerosolimitano già nel IV secolo, e da quel modello attinto e fatto proprio da una pluralità di Chiese tra le quali quella ambrosiana, la commemorazione della Deposizione e Sepoltura del Signore si incentra fin dalla sua origine sulla pericope di Matteo 27, 57-61.

La descrizione dei relativi riti gerosolimitani, trasmessaci da Egeria, ha diretta corrispondenza nel Lezionario armeno.

Terminata la lettura della quarta *Passio*, secondo Giovanni, dopo una preghiera e il congedo, si avviava al *Martyrion* – quando ormai era l'ora decima – una nuova sinassi. Si leggevano *Ier 11, 18 - 12, 8*, e *Is 53, 1-12*, seguiti dal *Ps 21*. Ci si trasferiva poi rapidamente all'*Anastasis*, ossia al Sepolcro e, giunti là, si leggeva "il passo del Vangelo dove Giuseppe chie-

---

[41]   Cf nel capitolo precedente alle note 66-67. Per l'antica aliturgia romana al Venerdì Santo si veda la lettera di Innocenzo al vescovo di Gubbio, Decenzio (*isto biduo sacramenta penitus non celebrari*): ed. R. CABIÉ, *La lettre du Pape Innocent Ier à Decentius de Gubbio (19 mars 416)*, Publications Universitaires de Louvain, Louvain 1973 (Bibliothèque de la Revue d'Histoire Ecclésiastique, LVIII), p. 24. 73-77.

[42]   TERTULLIANUS, *De ieiunio*, II, 2, edd. A. REIFFERSCHEID - G. WISSOWA, Brepols, Turnholti 1954 [Corpus Christianorum. Series Latina (= CCL), 2), p. 1258. Si vedano anche *Didascalia Apostolorum*, V, 12, 6; *Constitutiones Apostolorum*, V, 18, 2: trad. A. SOCIN, ed. F. X. VON FUNK, *Didascalia et Constitutiones Apostolorum*, Schoeningh, Paderbornae 1905, pp. 268, 289 (sulla derivazione delle *Constitutiones*, su questo punto, dalla *Didascalia*, con peraltro consistenti interpolazioni, cf anche ed. M. METZGER, Éd. du Cerf, Paris 1986 [SCh, 329], pp. 268-270).

[43]   AMBROSIUS, *Epistula extra collectionem XIII* (Maur.: *XXIII*), 12, CSEL, 82/3, p. 227; AUGUSTINUS, *Epistula XXXVI*, XIII, 31, ed. A. GOLDBACHER, Tempsky-Freytag, Vindobonae-Pragae-Lipsiae 1898 [CSEL, 34], pp. 60-61.

de a Pilato il corpo del Signore e lo depone in un sepolcro nuovo": *Mt* 27, 57-61.[44]

Questa stessa pericope è al centro anche della sinassi ambrosiana, trovando attestazione fin dal *Capitolare di Busto*.[45] In tale contesto essa è preceduta da due Letture riguardanti la vicenda dei tre fanciulli di Babilonia, con il cantico relativo.[46] Com'è noto, questo episodio riferito da Daniele costituisce un tipico esempio di liberazione dei fedeli ad opera di Dio, sicché venne attirato nell'orbita pasquale già in età ebraica.[47] Quale tipico testo pasquale lo ritroviamo nell'omiletica dei Padri.[48] In ambito milanese la salvazione dei giusti fanciulli per la discesa del "*Filius Dei*" nella loro fornace è evidentemente allusiva al mistero della discesa "alle anime pregioniere" (*1Pt* 3, 19) e trova una particolare sottolineatura nel *Kalendarium* del Beroldo che nel giorno VIII *k. aprilis* (25 marzo), con evidente continuità rispetto a tematiche pasquali antico cristiane e d'origine ebraica, ricorda: "Annunciazione di s. Maria Madre del Signore; nello stesso giorno il Signore nostro è stato crocifisso ..., ed ha liberato Susanna dalla falsa accusa, e ha liberato i tre fanciulli dalla fornace di fuoco; ... e la plasmazione di Adamo e l'immolazione di Isacco".[49]

Cancellata già nel Libro liturgico del 1970, che ne trasferì le pericopi al Sabato Santo mattina, e analogamente assente nel successivo Lezionario per la Settimana Santa del 1972 e nel Lezionario *ad experimentum* del 1976, questa sinassi per la Deposizione e Sepoltura del Signore è stata

---

[44]   EGERIA, *Itinerarium*, XXXVII, 8, ed. et trad. NATALUCCI, p. 205; A. RENOUX, *Le codex Arménien Jérusalem 121*, II: *Édition comparée du texte et de deux autres manuscrits*, Turnhout 1971 [Patrologia Orientalis, 36/2, n° 168], pp. [154] 292 - [157] 295.

[45]   A. PAREDI, *L'Evangeliario di Busto Arsizio*, in *Miscellanea Liturgica in onore di Sua Eminenza il cardinale Giacomo Lercaro*, II, Desclée, Roma-Parigi-Tournai-New York 1967, p. 217.

[46]   *Dn* 3, 1-24, e *Dn* 3, 91-100; Cantico: *Dn* 3, 51, 52, 54, 57, 59, 58, 61, 84-88b, *Benedicamus Patrem...*, 88c-f, 89.

[47]   Cf A. STROBEL, *Passa-Simbolik und Passa-Wunder in Act. XIL 3ff*, in *New Testament Studies* 4 (1957-1958) 210 ss.

[48]   Per la sua presenza nelle antiche liturgie pasquali cristiane cf B. BOTTE, *La choix des lectures de la veillée pascale*, in *Les Questions Liturgiques et Paroissiales* 33 (1952) 68. Quale esempio di omiletica patristica in merito si può vedere ZENO Veronensis, *Tractatus*, I: 11, 22, 31, 48, 53; II: 18, 22, 27, ed. B. LÖFSTEDT, Brepols, Turnholti 1971 [CCL, 22], pp. 50, 69, 82, 127; 192, 196, 201.

[49]   BEROLDUS, p. 4. Per questa condensazione di eventi, cf anche nota 85. Quanto ai Tre Fanciulli in ambito ambrosiano si tenga altresì presente P. CARMASSI, *"Mysterium magnum factum est in Babylonia". Ausführungen zum ambrosianischen Fest der Drei Jünglinge und seine patristischen Hintergründe*, in *Ecclesia Orans* 15 (1998) 323-402.

ripristinata dal Lezionario ora promulgato, che la propone come momento liturgico col quale – dopo la solenne celebrazione della Passione del Signore – potrebbero proficuamente concludersi eventuali riunioni di preghiera comunitaria alla sera del Venerdì Santo.

L'articolazione delle pericopi è la seguente:

I Lettura	I Tre Fanciulli nella fornace benedicono il Signore	Daniele 3, 1-24[50]
Cantico	Daniele 3, 51-52. 54. 57. 59. 58. 61. 84-88b. Benediciamo il Padre ... 88c-f. 89[51]	
II Lettura	Nabucodònosor vede nella fornace, disceso in mezzo ai Tre, uno simile nell'aspetto a un figlio di Dio	Daniele 3, 91-100[52]
Canto	Salmo 128, 3. 4[53]	
Seguito della Passione del Signore Nostro Gesù Cristo secondo Matteo La Sepoltura del Signore		Matteo 27, 57-61[54]

5. "ABLATUS EST SPONSUS": IL RICORDO E L'ATTESA

Dopo aver ricordato la celebrazione in memoria della Deposizione e Sepoltura del Signore, Egeria così prosegue la sua descrizione dei riti gerosolimitani:

> "In quel giorno non si annuncia di proseguire la veglia all'*Anastasis*, perché si sa che il popolo è stanco, ma è consuetudine che si prosegua la veglia in quel luogo. Del popolo chi vuole, o meglio quelli che possono, vegliano, quelli che non possono, non vegliano là fino al mattino; i membri del clero vegliano, ma per l'appunto quelli che sono più forti o più giovani, *e tutta la notte si recitano lì inni* [= salmi] *e antifone fino al mattino*. Ma è una folla grandissima quella che termina la veglia, chi alla sera, chi dalla mezzanotte, ognuno come può".[55]

Il Lezionario armeno conferma agli inizi del V secolo come non fosse previsto per tale veglia presso il Sepolcro alcun "canone", ossia nessun

---

[50] Typ.
[51] Typ.
[52] Typ.
[53] Typ.
[54] Bu; Typ.
[55] EGERIA, *Itinerarium*, XXXVII, 9, ed. et trad. NATALUCCI, p. 205.

ordinamento di letture atte a sviluppare un discorso catechetico. Si trattava di una lunga veglia esclusivamente salmica.

Questa connotazione è stata lungo i secoli fedelmente conservata dalla Chiesa ambrosiana, venendo meno soltanto nel 1983, quando fu pubblicato il II volume della *Liturgia delle Ore* riformata.

Parlando della preghiera quotidiana a Gerusalemme, la stessa Egeria ricorda come essa fosse nella sua fase notturna prerogativa dei *monazontes* e delle *parthene*, cui si associavano "i laici, uomini e donne, perlomeno quelli che vogliono seguire le vigilie fino all'alba". A Milano l'impronta ascetico-monastica di questo lungo indugiare nella preghiera era manifestata al Sabato Santo anche dalla struttura assunta dalla salmodia: ogni salmo costituiva un'unità autonoma, al cui termine tutta l'assemblea si levava per il conclusivo "*Benedictus es Deus /Amen*".

Attraverso le parole del salmista l'officiatura diveniva per la Chiesa un riandare agli accadimenti appena trascorsi, rivivendo i sentimenti dello Sposo, riconsiderando le prefigurazioni profetiche della sua vicenda adombrate nei testi. Era peraltro un indugiare nel pensiero dello Sposo ad opera di una Chiesa, cui lo Sposo era stato tolto: dall'annuncio della Morte sulla Croce la condizione della Sposa è segnalata a Milano non soltanto dal suo rifiuto del cibo, ma altresì dal venir meno in essa del saluto cristologico (*Dominus vobiscum*), del *Kyrie eleison*, e di ogni dossologia trinitaria. Le officiature si aprono e si chiudono con la formula "*Benedictus Dominus, qui vivit et regnat in saecula saeculorum / Amen*".

Peraltro, ammutolite le campane dall'annuncio della Morte del Signore, se al Venerdì Santo la convocazione alla preghiera avveniva mediante il suono dei crotali lignei,[56] già dal matutino del "*Sabbato in Parasceve*" essa era compiuta facendo echeggiare il "*signum tubae*".[57]

La tuba era elemento ben presente nell'antico rituale levitico: "Fatti due trombe d'argento; le farai d'argento lavorato a martello e ti serviranno per convocare la comunità";[58] ma la comunità cristiana ben sapeva che altra tromba sarebbe un giorno risuonata e per ben altra convocazione: "perché il Signore stesso ... al suono della tromba di Dio discenderà dal cielo".[59] Il *signum tubae*, dunque, assumeva in ambito cristiano un significato cultuale, ma aveva pure una precisa valenza simbolica di carattere escatologico. E la Pasqua era celebrazione da sempre segnata da una profonda tensione escatologica.

---

[56] BEROLDUS, p. 107. 19.
[57] BEROLDUS, p. 108. 18-19; cf p. 109, 14.
[58] *Nm* 10, 2.
[59] *ITh* 4, 16.

Sicché, intimamente provata dalla Passione del suo Sposo, dalla Croce di lui, dalla sua Deposizione nel Sepolcro, la Chiesa resta pur sempre in fiduciosa attesa di lui e della sua Parusia.

La sinassi che, in continuità con l'antico uso gerosolimitano, si svolge al mattino del Sabato è già, in qualche modo, un proiettarsi sulla Veglia.

Come a Gerusalemme[60] viene proclamato il seguito della *Passione secondo Matteo*: 27, 62-66. Aperto dall'indicazione "Il giorno seguente, quello dopo la Parasceve", il brano, preceduto dal Salmello "Destati, svegliati ...", prosegue menzionando le parole dei membri del Sinedrio a Pilato: "Ci siamo ricordati che quell'impostore, mentre era vivo, disse: Dopo tre giorni risorgerò".

A tale resoconto evangelico dell'inutile invio del drappello di guardie a sigillare il Sepolcro, la Chiesa ambrosiana accompagna un testo ricco di allusioni ecclesiologiche e il cui riferimento al mistero cultuale, che si sta preparando, è evidente: Genesi 6, 9b - 8, 21a (ossia, il Diluvio e la salvazione di Noè nell'arca).[61]

Il Libro liturgico per la Settimana Santa pubblicato nel 1970,[62] oltre a rimodellare la pericope di Genesi,[63] aveva soppresso, come già s'è osservato, la sinassi per la Deposizione e Sepoltura del Signore, inserendo le due pericopi da Daniele in questa sinassi del Sabato Santo mattina, come seconda e terza lettura veterotestamentaria. Quanto alla successiva sequenza evangelica, essa fu ampliata fino ad inglobare la Deposizione del Signore. Quest'ultima soluzione determinava con ogni evidenza una palese dissonanza nei confronti dell'uso ambrosiano, sulla scia del modello gerosolimitano, di rispettare nella celebrazione del Triduo la cadenza anche oraria delle vicende commemorate, seguendole fedelmente nel loro esatto succedersi: in effetti nel mutato ordinamento del Sabato Santo mattina la pericope iniziava "Venuta la sera" e si riferiva a episodi del giorno precedente.

Tale disposizione dei testi fu confermata nel Lezionario per la Settimana Santa del 1972[64] e nel Lezionario *ad experimentum* del 1976.[65]

Il Lezionario ora promulgato, avendo provveduto a ripristinare la celebrazione per la Deposizione e Sepoltura del Signore, ha ridato alla sinassi

---

[60] RENOUX, *Le codex Arménien Jérusalem 121*, II, pp. [156] 294 - [157] 295.

[61] All'immagine biblica di Noè nell'antica simbologia misterica cristiana aveva a suo tempo dedicato molteplici contributi J. DANIÉLOU: *Sacramentum Futuri*, Beauchesne, Paris 1950, pp. 55-94; ID., *Bible et Liturgie*, Éd. du Cerf, Paris 1951, [Lex Orandi, 11], pp. 104-118; ID., *Les symboles chrétiens primitifs*, Éd. du Seuil, Paris 1961, pp. 65-76.

[62] Si veda nota 5.

[63] *Gn* 6, 9b-14.17-19.22; 7, 6-12.17b-24; 8, 1-21a.

[64] Si veda nota 6.

[65] Si veda nota 7.

del Sabato Santo mattina la sua propria configurazione, in conformità all'ordinamento ambrosiano e al modello gerosolimitano, che ne sta all'origine. Con tale Liturgia della Parola si potranno efficacemente concludere, nelle singole comunità, le celebrazioni del mattino incentrate sulla Liturgia delle Ore o su altre forme di preghiera legate alla pietà popolare. La proclamazione della Scrittura potrà inoltre essere seguita da un'eventuale riflessione per disporre i fedeli alla celebrazione della Veglia Pasquale.

Ecco, dunque, come si presenta l'ordinamento delle pericopi:

Lettura	Noè attraversa le acque del Diluvio	Genesi 6, 9b - 8, 21a[66]
Salmello	Salmo 34, 23. 19. 23b[67]	
Seguito della Passione del Signore Nostro Gesù Cristo secondo Matteo	Le guardie al Sepolcro	Matteo 27, 62-66[68]

6. LA VEGLIA PASQUALE: DALL'ATTESA DELLO SPOSO AL RIPOSO DELLE NOZZE

Per un'adeguata comprensione dell'ordinamento delle letture nella Veglia pasquale, sembra indispensabile una premessa in merito ai caratteri di questa celebrazione nella tradizione ambrosiana.

La struttura rituale che caratterizza la Veglia a Milano è sostanzialmente, come ovvio, quella comune a tutte le Chiese, e che per molti aspetti ha in Gerusalemme il suo prototipo. Quali siano i significati che in particolare la Chiesa ambrosiana attribuisce ai vari elementi rituali, che tale celebrazione compongono, ce lo rivela un testo della Veglia stessa: il *Preconio*.

> "S'addice dunque, con le profumate fiaccole della Chiesa, muovere incontro allo Sposo che viene... Per primo in effetti incede davanti a tutti questo lume vespertino, come un tempo la stella che fu guida dei Magi. Seguono poi i flutti della mistica rigenerazione, simili alle correnti acque del Giordano nelle quali il Signore si degnò d'immergersi. Ed ecco, in terzo luogo, la voce apostolica del vescovo annunciare la Resurrezione del Signore: allora, a compimento dell'intero mistero, la schiera dei fedeli si ciba di Cristo".[69]

---

[66] Typ.

[67] Typ.

[68] Bu; Typ.

[69] *"Decet ergo adventum Sponsi dulciatis Ecclesiae luminaribus opperiri... Nam primum hoc vespertinum lumen, sicut illa dux Magorum stella, praecedit. Deinde mysticae regenerationis unda subsequitur, velut, dignante Domino, fluenta Jordanis. Tertio Resurrectionem Christi vox apostolica Sacerdotis annunciat. Tum ad totius mysterii supplementum Christo vescitur turba fidelium"*: Praeconium Paschale Ambrosianum,

Questa celebrazione è, dunque, una vera veglia nella notte in attesa della Resurrezione del Signore, una veglia che tutta cresce verso il momento in cui lo Sposo si farà nuovamente presente.

Lo svolgersi dei riti altro non è, pertanto, che il progressivo prepararsi della Sposa a quell'incontro, cui l'annuncio della Resurrezione darà attuazione e di cui l'Eucaristia sarà il compimento in pienezza. Si tratta quindi di una celebrazione pervasa da una profonda tensione, una celebrazione che progressivamente cresce verso un preciso momento, che della veglia costituisce il culmine e al quale si finalizzano, restandone profondamente segnati, i restanti elementi rituali.

Quale sia in questo contesto il significato dei riti lucernari, che della veglia stessa caratterizzano l'avvio, è ancora il *Preconio* a dirlo:

"In quest'attesa che giunga la notturna Resurrezione del Signore, nostro Salvatore, è quanto mai appropriato dare fiamma alla pingue cera. Cosa può esserci in effetti di più consono e festoso che vegliare per il Fiore di Jesse con fiaccole originate dai fiori?... S'addice dunque, con le profumate fiaccole della Chiesa, muovere incontro allo Sposo che viene... Non permettiamo alle tenebre di violare le nostre sante veglie, ma ... previdenti prepariamo una fiaccola d'indefettibile luce, affinché non accada che, nell'aggiungere olio alle lampade, s'arrivi in ritardo nel tributare l'omaggio e fare scorta alla venuta del Signore, che certamente verrà, come un lampo, in un batter di ciglio".[70]

Bertarelli, Mediolani 1934, pp. (16), (17)-(18); il testo fu stabilito da G. Suñol: *Versione critica del Praeconium Paschale ambrosiano*, in *Ambrosius* 10 (1934) 77-95. Sui problemi relativi alla datazione di questa composizione cf. Borella, *Il Rito Ambrosiano*, pp. 404-406. Il nuovo Messale presenta una redazione latina ridotta che ha qualche variante musicale rispetto all'edizione del Suñol: cf E. T. Moneta Caglio, *Le melodie del nuovo Messale*, in *Ambrosius* 53 (1977) 313-314. Quanto alla redazione italiana, già nel 1964 era stato fatto circolare un testo musicato a cura di G. Biffi - N. Ferrante - E. Volontieri (Legnano 1964). La prima traduzione "ufficiale" si ebbe con il Rituale ridotto del 1965 [*La Settimana Santa. Rituale ridotto in lingua italiana. Testo provvisorio ad esperimento*, Arcivescovado di Milano (- Boniardi), 1965]. La pubblicazione dell'anno successivo [*Liturgia della Settimana Santa secondo il rito ambrosiano...*, vedasi nota 8] ne offriva una nuova versione, confermata, sebbene in forma ridotta, nel '70 [vedasi nota 5] e nel '72 [vedasi nota 6]. Nuova è l'attuale traduzione, che comunque recepisce la riduzione del '70. Quanto ai riti di accensione che nel corso del preconio si sviluppano, mi permetto di rimandare a un precedente contributo: C. Alzati, *Alcune note in margine alla celebrazione della veglia pasquale nella tradizione liturgica ambrosiana*, in *Ambrosius* 52 (1976) 317-318 nota 17.

[70] *"Decet ergo in hoc Domini Salvatoris nostri vespertinae resurrectionis adventu ceream nos adolere pinguedimem ... Quid enim magis accommodum magisque festivum quod jesseico flori floreis excubemus et tedis?... Decet ergo adventum Sponsi dulcia-*

Risulta qui evidente come in una liturgia così concepita i riti lucernari, posti all'inizio del cammino verso la "parusia" dello Sposo, non possano essere essi stessi, come lo erano un tempo in area ispanica e attualmente ancora in ambito romano, simbolo rituale della presenza del Cristo risorto; presenza che nella Veglia ambrosiana solo al culmine della celebrazione viene proclamata. Nella Veglia ambrosiana, come apertamente abbiamo visto dichiarato dallo stesso *Preconio*, tali riti lucernari sono invece il segno della luce spirituale che sorregge l'attesa e guida il cammino della Chiesa verso l'incontro con il suo Signore. E in questa generale significazione viene assorbito lo stesso cereo; non diretto simbolo del Cristo, esso – come sempre il *Preconio* lo dichiara – è il portatore della luce divina, la "colonna di fuoco che nel corso della beata notte precede il popolo del Signore alle acque di salvezza", la "stella dei Magi" che si fa guida all'incontro con lo Sposo. Di questo itinerario l'illuminazione del Battesimo è il naturale sviluppo, dopo il quale la Sposa, purificata dal lavacro nuziale, può muovere splendente verso il suo Signore.

Questa prospettiva, che orienta l'intera Veglia ambrosiana, trova rispondenza nelle parole stesse di Ambrogio il quale, contemplando il corteo dei neofiti uscire dal battistero e muovere verso l'altare, commentava: "Cristo poi, vedendo la sua Chiesa in vesti candide ... e l'anima lavata e monda dal lavacro di rigenerazione, esclama: Ecco sei splendida, o amica mia, ecco sei splendida".[71]

A quel punto infatti l'annuncio della Resurrezione pone fine all'ansiosa attesa della Chiesa, che può dare realizzazione alla perfetta comunione con lo Sposo nel banchetto eucaristico. Lucernario, riti battesimali,

---

tis Ecclesiae luminaribus opperiri ... nec sanctas interpolare tenebris excubias; sed ... tedam sapienter perpetuis praeperare luminibus: ne, dum oleum candelis adiungitur, adventum Domini tardo prosequamur obsequio: qui certe in ictu oculi, ut coruscus, adveniet": *Praeconium Paschale Ambrosianum*, 1934, pp. (14), (15), (16). L'applicazione alla celebrazione pasquale dell'immagine delle vergini che muovono incontro al Signore con le loro fiaccole nuziali è presente anche nei riti lucernari della Veglia ispano-visigotica (*Oracional Visigótico*, ed. J. VIVES, Viader, Barcelona 1946 [Monumenta Hispaniae Sacra. Serie Liturgica, 1], p. 270; *Antifonario Visigótico Mozárabe de la Catedral de León*, edd. L. BROU - J. VIVES, I, Viader, Barcelona-Madrid 1959 [Monumenta Hispaniae Sacra. Serie Liturgica, 5/1], p. 280); ma la ritroviamo pure in ambito bizantino, dove tale parabola ricorre e impronta di sé l'Officiatura dello Sposo del Martedì santo: cf *Triṓdion*, en Athénais 1960, pp. 367-369.

[71] AMBROSIUS, *De Mysteriis*, VII, 37, ed. B. BOTTE, Éd du Cerf, Paris 1961[2. 2a rist.] [SCh, 25 bis], p. 176.

annuncio della Resurrezione, Eucaristia sono quindi momenti strettamente connessi di un unico coerente sviluppo.[72]

Fondamentalmente orientata all'attesa del Risorto, la Veglia pasquale ambrosiana svolge peraltro al suo interno, soprattutto attraverso la catechesi veterotestamentaria, anche ulteriori tematiche, attraverso cui vengono emergendo i molteplici contenuti del mistero pasquale. Se alcune di tali tematiche sono costitutivamente "cristologiche" (e le troviamo condensate nel *Preconio*), altre affondano chiaramente le loro radici nel precedente patrimonio religioso ebraico e fedelmente lo continuano.

Come detto, la Chiesa ambrosiana, avendo posto – analogamente alla Chiesa di Gerusalemme – l'Evangelo di Matteo alla base della celebrazione del Triduo, ha fatto propria anche l'interpretazione sinottica del rito compito da Cristo nell'Ultima Cena quale nuova 'Pasqua del Signore':

> "È cosa buona ... è veramente cosa buona ... rendere grazie a Te ... Dio eterno. A Te che, non col sangue e le grasse carni d'animali, ma col Corpo ed il Sangue del Tuo Unigenito il Signore nostro Gesù Cristo hai consacrato la Pasqua di tutte le genti, affinché ... alla Legge succedesse la Grazia ... Poniamo dunque termine ai digiuni volentieri celebrati, poiché il Cristo si è immolato quale nostra vittima pasquale; e non soltanto cibiamoci del corpo dell'Agnello, ma inebriamoci anche col suo sangue, l'unico sangue a non essere per chi lo beve causa di condanna, ma sorgente di salvezza. E altresì mangiamo il pane azimo ... Giacché questo è il pane disceso dal cielo, di gran lunga più prezioso dell'antica rugiadosa manna, sovrabbondante di frutti, di cui un tempo Israele si saziò, e tuttavia non sfuggì alla morte. Chi invece si ciba di questo Corpo entra in possesso della vita perenne".[73]

---

[72] Su questi aspetti della Veglia pasquale nella tradizione ambrosiana si può vedere: ALZATI, *Alcune note in margine alla celebrazione della veglia pasquale*, pp. 393, 396-400; ID., *Alcune osservazioni sul Lucernario della Veglia Pasquale Ambrosiana*, in *Ambrosius* 53 (1977) 168-181. In particolare per l'Annuncio della Resurrezione a Milano e per i suoi riflessi nella poesia manzoniana: E. MONETA-CAGLIO, *L'annuncio della Risurrezione nel Rito Ambrosiano*, in *Ambrosius* 49 (1973) 194-197.

[73] "*Dignum ... vere quia dignum ... Tibi gratias agere ... aeterne Deus. Qui populorum Pascha cunctorum, non pecudum cruore nec adipe, sed Unigeniti tui Domini nostri Iesu Christi Sanguine Corporeque dicasti: ut ... Legi Gratia succederet... Solvamus igitur voluntarie celebrata ieiunia, quia Pascha nostrum immolatus est Christus; nec solum corpore epulemur Agni, sed etiam inebriemur et sanguine. Hujus enim tantummodo cruor non creat piaculum bibentibus, sed salutem. Ipso quoque vescamur et azimo ... Siquidem hic est panis, qui descendit e caelo, longe praestantior illo quondam mannae imbre frugifluo, quo tunc Israel epulatus interiit. Hoc vero qui vescitur Corpore, vitae perennis possessor existit*": *Praeconium Paschale Ambrosianum*, 1934, pp. (9)-(10), (12)-(13).

A questa percezione sacramentale ed eucaristica della Pasqua, espressa dal *Preconio* con parole che richiamano l'esegesi di Origene,[74] viene piegato, come si vede, lo stesso versetto paolino *ICor* 5, 7, che nella più antica tradizione esegetica della *Pascha-Passio* era abitualmente posto in relazione con l'immolazione del Signore Gesù sulla Croce.[75]

Il fatto che l'interpretazione in senso rituale ed eucaristico della Pasqua venga riproposta nella Veglia ambrosiana anche tramite la pericope di *Esodo* 12, non esclude che pure la tradizione arcaica della *Pascha-Passio* abbia lasciato traccia di sé nella celebrazione pasquale della Chiesa milanese e nello stesso *Preconio*, al cui interno interessanti parallelismi su questo tema con l'omelia dell'Anonimo quartodecimano *In sanctum Pascha* offrono un esempio tipico della continuità, anche nelle immagini, dell'antica catechesi cristiana.[76]

---

[74] *"Nostrum enim Pascha immolatus est Christus qui verus panis de coelo descendit"*: *In Exodum Homilia VII (interprete Rufino)*, 4, ed. W. BAEHRENS, Hinrichs, Leipzig 1920 [Die griechischen christlichen Schriftsteller (= GCS), 29], p. 209. 21-22.

[75] Cf in tal senso il *Perì Páscha* del quartodecimano *Melitone di Sardi*, scritto in cui il testo paolino non risulta esplicitamente citato, ma è presupposto in numerosi luoghi. Per circostanziate menzioni si possono vedere EUSEBIUS Caesariensis, *De solemnitate paschali*, 1, PG, 24, c. 696; IOANNES CHRYSOSTOMUS, *Adversus Iudaeos Homilia III*, 4, PG 48, c. 867; e, in ambito latino, GREGORIUS Eliberitanus, *Tractatus de libris Sanctarum Scripturarum*, IX, 9, ed. V. BULHART, Brepols, Turnholti 1967 [CCL, 69], p. 72; AMBROSIASTER, *Ad Corintios prima*, V, 7, ed. H. I. VOGELS, Hoelder-Pichler-Tempsky, Vindobonae 1968 [CSEL, 81/2], p. 56; Ps. AMBROSIUS, *Sermo XXXV de mysterio Paschae*, 1, PL, 17, c. 695. Un'interpretazione eucaristica di *ICor* 5, 7 figura, peraltro, già nell'anonima omelia quartodecimana *In sanctum Pascha*, 39, in merito alla quale importante era stato a suo tempo il lavoro di R. CANTALAMESSA, *L'omelia "in S. Pascha" dello Pseudo-Ippolito di Roma. Ricerche sulla teologia dell'Asia Minore nella seconda metà del II secolo*, Vita e Pensiero, Milano 1967 [Pubblicazioni dell'Università Cattolica del Sacro Cuore. Contributi. Serie III. Scienze Filologiche e Letteratura, 16], e di cui G. VISONÀ ha successivamente offerto un'edizione corredata da un puntuale studio critico: *In sanctum Pascha / Pseudo Ippolito. Studio, edizione, commento*, Vita e Pensiero, Milano 1988 [Studia Patristica Mediolanensia, 15] (per il luogo citato: p. 282).

[76] Cf con riferimento all'edizione di G. VISONÀ, p. 236:

[2] La figura si è realizzata, la verità è venuta alla luce — *Nam quae patribus in figura contingebant, nobis in veritate proveniunt*

Là un agnello tratto dal gregge, qui è agnello disceso dai cieli... — *Hic est agnus... non adductus e gregibus, sed evectus e caelo*

qui al posto della pecora lo stesso pastore — *nec pastore indigens sed Pastor bonus ipse tantummodo*

La citata pericope di *Esodo* 12 è una delle letture che compongono la catechesi biblica veterotestamentaria di questa notte.[77] Articolata da sempre in sei pericopi, tale catechesi è stata spesso denominata prebattesimale.[78] Denominazione certamente inesatta, giacché non il Battesimo ne costituisce l'oggetto, ma la Pasqua. Le tematiche in essa sviluppate sono infatti tipicamente pasquali, addirittura secondo la prospettiva ebraica del termine. Evidente da questo punto di vista la corrispondenza tra le prime tre letture (*Gn* 1, 1 - 2, 3: la Creazione; *Gn* 22, 1-19: l'Aqeda; *Es* 12, 1-11: l'Agnello pasquale) e il *Targum in Es 12, 42* del *Codex Neophiti I*, testo pasquale rabbinico noto come *Poema delle quattro notti*.[79]

---

[77] In merito alla struttura di questa catechesi cf ALZATI, *Alcune note in margine...*, p. 380, nota 1. Nella *Liturgia della Settimana Santa* del 1966 (si veda più sopra nota 8), per imitazione dei libri romani (atteggiamento variamente riproposto anche nelle fasi di riforma successive), furono omesse le due ultime letture. Nel libro liturgico del '70 (si veda nota 5) si tornò alle sei letture, con facoltà di ridurre la tradizionale catechesi a tre pericopi, non omettendo però *Gn* 22; *Es* 13; *Es* 12. Nel libro apparso nel '72 (si veda nota 6) si permise l'omissione nella Messa della Lettura di *Atti* e dell'Epistola. Con il Lezionario *ad experimentum* del '76 (si veda nota 7) si tornò alle norme del '70 e, della prima lettura di *Gn*, si offrì pure una redazione ridotta.

[78] Prescindendo da studi e commenti, basti qui citare i già menzionati libri liturgici del 1966 e del 1970.

[79] Eccone la traduzione di R. LE DÉAUT, *La nuit pascale. Essai sur la signification de la Pâque juive à partir du Targum d'Exode XII*, 42, Institut Biblique Pontifical, Rome 1963 (Anacleta Biblica, 22), pp. 64-65. Sono indicate tra parentesi le varianti più significative.

"C'est la nuit prédestinée et préparée pour la délivrance au nom de Yhv, (pour la délivrance devant Yhv, lors de la sortie) au moment de la sortie des enfants d'Israël, libérés de la terre d'Égypte. En effet (Parce que) 4 nuits ont été inscrites au Livre des Mémoriaux. La *première nuit* (fut) celle où Yhv se manifesta sur le monde pour le créer: le monde était désert et vide et la ténèbre était répandue sur la surface de l'abîme (*Gen* 1, 2). Le Memra de Yhv était la lumière et illuminait. Et il l'appela nuit première.

La *deuxième nuit* (fut) quand Yhv se manifesta à Abram âgé de 100 ans et Sara sa femme âgée de 90 ans (*Gen* 17,17) pour que s'accomplit ce que dit l'Écriture: Est-ce qu'Abram âgé de 100 ans va (peut) engendrer, et Sara sa femme âgée de 90 ans enfanter? (Est-ce qu'Isaac n'avait pas 37 ans au moment où il fut offert) Et Isaac avait 37 ans lorsqu'il fut offert sur l'autel: les cieux sont descendus et se sont abaissés et Isaac en vit les perfections et ses yeux s'obscurcirent par suite de leurs perfections. Et il l'appela nuit seconde.

La *troisième nuit* (fut) lorsque Yhv se manifesta contre les Égyptiens au milieu de la nuit (*Ex* 12, 29; *Sag* 18): sa main tuait les premiers-nés des Égyptiens et sa (main) droite protégeait les premiers-nés d'Israël pour accomplir la parole de l'Écriture: Mon fils premier-né, c'est Israël (*Ex* 4, 22). Et il l'appela nuit troisième.

Il ricordo della Creazione, ora segnalato, ha nell'ambito della solennità pasquale una storia assai antica, legata agli aspetti di linguaggio rituale da Israele mutuati attingendo alle popolazioni semitiche circostanti. A Babilonia, in particolare, alla Primavera si legava l'idea d'inizio, anzitutto del ciclo annuale solennemente festeggiato. Israele non soltanto guardò al mese di Nisan come al "primo mese dell'anno, l'inizio dei mesi",[80] ma venne legando alla Pasqua l'idea di anniversario della Creazione, con la lettura rituale dei primi capitoli di Genesi. Fu idea cui la letteratura rabbinica si mostrò particolarmente sensibile, ma che appare anche in Filone.[81] Il mondo cristiano, recependola dall'ambiente ebraico, se ne fece a sua volta interprete: l'anonima omelia quartodecimana *In sanctum Pascha* espressamente segnalandone la matrice ebraica,[82] autori successivi sentendola come diretta espressione del significato cristiano della Pasqua.[83] Al riguardo non sembra inutile quanto affermato da un'anonima omelia collocabile nell'anno 387:

> "L'equinozio viene osservato nella Passione per mostrare la ricapitolazione delle origini. Lo stesso per il Venerdì di Parasceve: il primo uomo infatti fu creato in esso ed era necessario che nel giorno in cui fu creato e cadde, in quello stesso fosse restaurato. Il Sabato poi la Scrittura lo riferisce al riposo, quando dice: *E Dio si riposò da tutte le sue opere nel giorno settimo e lo santificò*. Così anche adesso il Signore, avendo compiuto una volta per tutte la ricapitolazione con la Passione del Venerdì, quando realizzò tutto ciò che si riferisce al risollevamento dell'uomo caduto, nel giorno settimo si riposa e rimane nel cuore della terra, recando in dono a quelli dell'Ade la libertà scaturita dalla Passione".[84]

La *quatrième nuit* (sera) quand le monde accomplira sa fin pour être dissous. Les jougs de fer seront brisés et les générations de l'impiété anéanties. Et Moïse sortira du désert (*...lacune...*) L'un marchera sur le sommet d'une nuée (*ou mieux*: en tête du troupeau) et l'autre marchera sur le sommet d'une nuée (*ou* en tête du troupeau) et sa Parole marchera entre les deux, et eux marcheront ensemble.
C'est la nuit de la Pâque pour le nom de Yhv: nuit fixée et réservée pour le salut de toutes les générations d'Israël".

[80] *Ex* 12, 2.

[81] Philo, *De specialibus legibus*, II, 150-155, ed. S. Daniel, Éd. du Cerf, Paris 1975 [Les Oeuvres de Philon d'Alexandrie, 24], pp. 322-326.

[82] *In sanctum Pascha*, 17, ed. Visonà, pp. 266-270.

[83] Eusebius Caesariensis, *De solemnitate paschali*, 3, PG, 24, c. 697.

[84] Ps. Chrysostomus, *In sanctum Pascha. Homilia VII*, 35, edd. F. Floëri - P. Nautin, Éd. du Cerf, Paris 1957, p. 145; trad. it. R. Cantalamessa, *La Pasqua nella Chiesa antica*, SEI, Torino 1978 [Traditio Christiana, 3], p. 125.

Della connessione progressivamente stabilitasi tra tali temi soteriologici e la solennità pasquale, ormai intesa come giorno della Resurrezione, ci è testimone in ambito ambrosiano il vescovo di Brescia Gaudenzio:

> "Il Figlio di Dio, per mezzo del quale tutte le cose furono fatte, risolleva con la propria Resurrezione il mondo prostrato, nel medesimo giorno e nella stessa stagione in cui egli stesso all'inizio lo creò dal nulla. Così tutto è restaurato in Cristo, le cose del cielo e quelle della terra, perché – come disse l'apostolo – tutto è da Lui, per mezzo di Lui e in Lui; a Lui la gloria nei secoli".[85]

Quanto alla seconda Lettura, incentrata sull'Aqeda, la sua interpretazione strettamente cristologica ha lunga tradizione in ambito cristiano ed è riproposta anche dalla *praefatio* ambrosiana del giorno di Pasqua,[86] tuttavia il Salmello che accompagna la pericope in questa Veglia sembra accentuare un'altra prospettiva, consonante con l'esegesi ebraica più antica, che nell'episodio vedeva primariamente una prova della fede di Abramo[87]: *"Immola Deo sacrificium laudis et redde Altissimo vota tua / Deus Deorum Dominus locutus est et vocavit terram"*.[88] L'aspetto su cui si appunta l'attenzione sembra essere, dunque, non tanto l'accettazione dell'immolazione da parte di Isacco, quanto piuttosto l'offerta di Abramo e il giuramento che, in risposta, Dio a lui fece di benedire, per la sua discendenza, tutte le nazioni della terra. È questa l'interpretazione che della pericope nella seconda metà del IV secolo manifesta anche Zeno di Verona.[89]

---

[85] *"Filius ergo Dei, per quem facta sunt omnia, eodem die eodemque tempore prostratum mundum propria Resurrectione resuscitat, quo eum prius ipse crearat ex nihilo, ut omnia reformarentur in Christo, quae in caelis sunt et quae in terra sunt, quoniam ex ipso et per ipsum et in ipso omnia, ut ait apostolus, ipsi gloria in saecula"*: GAUDENTIUS Brixiensis, *Tractatus I in Exodum*, 3, ed. A. GLUECK, Hoelder-Pichler-Tempsky, Akademische Verlagsgesellschaft, Vindobonae-Lipsiae 1936 [CSEL, 68], p. 19; trad. it: CANTALAMESSA, *La Pasqua nella Chiesa antica*, p. 182.

[86] *"Cum Deus esset maiestatis, Christus Iesus Filius tuus, ob liberationem humani generis Crucem subire dignatus est. Quem dudum Abraa praefigurabat in filio"*: ed. O. HEIMING, *Das ambrosianische Sakramentar von Biasca. Die Handschrift Mailand Ambrosiana 24 bis inf.*, Aschendorff, Münster 1969 [Liturgiewissenschaftliche Quellen und Forschungen, 51: Corpus ambrosiano-liturgicum, 2], n° 525, p. 77.

[87] Cf DANIÉLOU, *Sacramentum Futuri*, p. 100; LE DÉAUT, *La nuit pascale*, p. 198.

[88] *Manuale Ambrosianum ex codice saec. XI olim in usum canonicae Vallis Travaliae* [= *Manuale Ambrosianum*], II, ed. M. MAGISTRETTI, Hoepli, Mediolani 1904, p. 202.

[89] ZENO Veronensis, *Tractatus*, I, 62, CCL, 22, pp. 141-142, dove alla promessa sono dedicati i paragrafi 1-2, e all'offerta di Abramo i paragrafi 3-5.

La menzionata terza Lettura, incentrata su l'agnello e la cena pasquale, presenta nella Veglia ambrosiana una connotazione specifica, degna di nota. In perfetta conformità a quanto attestato tra IV e V secolo per la Chiesa di Brescia dal vescovo Gaudenzio (ordinato da Ambrogio), la pericope si arresta al v. 11 e non insiste, come avveniva presso i Quartodecimani (e non solo), sul valore salvifico del sangue dell'agnello causa di salvezza per i figli d'Israele (vv. 12-14). Con l'estensione a questi ultimi versetti la pericope figurava anche nell'ordinamento delle letture della Pasqua romana fino alla riforma postconciliare. Raniero Cantalamessa, dando voce alla tradizione esegetica connessa a questa forma estesa del testo, scrive "Tale lezione, che rispecchia la fase più arcaica del rito pasquale (l'immolazione dell'agnello) collegava, senza soluzione di continuità, la Pasqua cristiana con la Pasqua originaria istituita per ordine di Dio a ricordare la salvezza mediante il sangue nella notte dell'Esodo".[90]

La scelta – certamente antica – della Chiesa milanese di delimitare la pericope ai vv. 1-11, scelta che distingue Milano anche rispetto all'ambito gallicano[91] e ispano visigotico,[92] riflette una tradizione esegetica, le cui ascendenze vanno cercate in Alessandria: a suo fondamento sta una lettura che, focalizzando l'attenzione sull'agnello nel contesto della cena pasquale, identifica la realizzazione di quell'antica figura nel nuovo Agnello disceso dal Cielo, di cui i fedeli sono chiamati a cibarsi. Va peraltro osservato che se Origene vede nelle carni del Logos divino anche il mistico accoglimento di "quelle cose che occhio non vide, né orecchio udì, e che mai

90 R. CANTALAMESSA, *La Pasqua della nostra salvezza. Le tradizioni pasquali della Bibbia e della primitiva Chiesa*, Marietti, Casale s. d., p. 155. La continuità di tale tradizione può essere seguita fin dalle più antiche testimonianze omiletiche ed esegetiche cristiane: Giustino (*Dialogus cum Tryphone Iudaeo*, XL, 1, ed. E. J. GOODSPEED, *Die ältesten Apologeten*, Vandenhoeck - Ruprecht, Göttingen 1914, p. 137), Melitone di Sardi (*Perì Páscha*, 30 ss., ed. O. PERLER, Éd. du Cerf, Paris 1966 [SCh, 123], pp. 74 ss.) e Anonimo quartodecimano *In sanctum Pascha*: 5, 15, 38, ed. VISONÀ, pp. 244, 262-264, 280); cf successivamente, a mo' d'esempio: IOANNES Hierosolymitanus, *Cathechesis mystagogica I*, 3, ed. A. PIÈDAGNEL, Éd. du Cerf, Paris 1966 [SCh, 126], p. 86; Ps. CHRYSOSTOMUS, *Homilia IV in sanctum Pascha*, PG, 59, c. 731. Per una valutazione del Cantalamessa in merito alla caduta della pericope *Ex* 12, 1-14 dall'attuale Veglia romana (con trasferimento alla Messa *in coena Domini*): CANTALAMESSA, *La Pasqua della nostra salvezza*, p. 155, nota 50.

91 *Le Lectionnaire de Luxeuil* [*Paris, ms. lat. 9427*], ed. P. SALMON, I ed. P. Salmon, I, Abbaye Saint-Jérôme - Libreria Vaticana, Roma - Città del Vaticano 1944 [Collectanea Biblica Latina, 7], pp. 102-104.

92 *Liber Commicus*, edd. J. PÉREZ DE URBEL - A. GONZALEZ Y RUIZ-ZORILLA, II, Consejo Superior de Investigaciones Cientificas, Madrid 1955 [Escuela de Estudios Medievales. Textos, XXVIII], pp. 376-379.

salirono in cuore d'uomo",[93] la Chiesa milanese, come il *Preconio* chiaramente afferma, resta saldamente ancorata a un'interpretazione dell'Agnello in senso sacramentale e misterico: "E non soltanto cibiamoci del Corpo dell'Agnello, ma inebriamoci anche col suo Sangue, l'unico sangue a non essere per chi lo beve causa di condanna, ma sorgente di salvezza".[94]. È la prospettiva cui si rifaceva anche Gaudenzio di Brescia.[95]

Quale terza Lettura si è, dunque, indicata – in consonanza con il *Poema delle Quattro Notti* – Esodo 12, 1-11 (l'agnello e il banchetto pasquale), giacché così era nell'antico ordinamento delle letture ambrosiano.

L'*Editio typica Calabiana-Ferrari*, recependo una tradizione codicologica (peraltro consistente), aveva anteposto a tale pericope Esodo 13, 18 - 14, 8: il *Transitus* d'Israele. In realtà, come attesta il 'cattedrale' Lezionario *L* (Milano, Bibl. Naz. Braidense, *Fondo Castigioni 16*), nonché il Beroldo, l'ordine corretto è l'inverso. Lo conferma anche la successione dei due cantici che accompagnano le letture: tutta la tradizione manoscritta assegna dopo la quarta lettura il *Cantico di Mosè*, che altro non è se non il cantico del *Transitus*, ossia del Passaggio d'Israele. E, del resto, anche sul piano della successione degli eventi e, soprattutto, sul piano della loro significazione soteriologica cristiana, non si può che affermare con l'Ambrosiaster: *"prius Pascha et sic Transitus"*.[96]

Proprio questa seconda pericope da *Esodo* viene a confermare, in forma particolarmente evidente, il carattere pasquale e non battesimale della catechesi della Veglia. In tale lettura infatti non è riferito il transito del Mar Rosso, oggetto della catechesi d'argomento battesimale nella Domenica di Lazzaro, ma l'ascesa di Israele dall'Egitto: *"In diebus illis. Quinta generatione ascenderunt filii Israel de terra Aegypti"*. È dunque la pericope del *Transitus*, e tramite essa trova espressione nell'ambito della Veglia ambrosiana la comprensione della Pasqua propria dei Padri alessandrini, che, sul-

---

[93] ORIGENES, *In Numeros Homilia XXIII (interprete Rufino)*, 6, ed. A. BAEHRENS, Hinrichs, Leipzig 1921 [GCS, 30], p. 218.

[94] *"Nec solum Corpore epulemur Agni, sed etiam inebriemur et Sanguine. Huius enim tantummodo cruor non creat piaculum bibentibus, sed salutem"*: Praeconium Paschale Ambrosianum, 1934, pp. (10)-(11).

[95] *"Discamus manducare Pascham ... ex quo enim venit, cuius umbra fuerat ista ovis* [ossia, l'agnello della Pasqua ebraica]: *verus ille Agnus Dei Dominus Iesus, qui tollit peccatum mundi et dixit: Nisi manducaveritis carnem meam et biberitis meum sanguinem, non habebitis vitam in vobis ipsis"*: GAUDENTIUS Brixiensis, *Tractatus II in Exodum*, 6-7, ed. A. GLUECK, Hoelder-Pichler-Tempsky, Akademische Verlagsgesellschaft, Vindobonae-Lipsiae 1936 [CSEL, 68], p. 25.

[96] AMBROSIASTER, *Ad Corintios prima*, V, 7, CSEL, 81/2, p. 56. Il Lezionario *ad experimentum* aveva, di fatto, ignorato la questione e riproposto l'ordinamento della *Typica*.

la base dell'esegesi filoniana,[97] erano venuti interpretando la Pasqua stessa come Passaggio [*Diábasis*]: di Israele dalla schiavitù alla libertà, dell'anima dalle passioni alla contemplazione del vero e del bene. È l'esegesi che ha avuto in Ambrogio il primo diffusore in Occidente.[98]

Il testo proclamato nella Veglia milanese si apre col termine "*ascenderunt*", che nei Settanta suona "*anébēsan*".[99] Questo verbo assunse in Origene un significato emblematico, spingendolo ad interpretare la Pasqua stessa come *anábasis* (ascesa) e orientandone la lettura di *Nm* 33, 1:[100] la ricchezza di richiami biblici, teologici e mistici che l'autore alessandrino intravide in tale interpretazione della Pasqua è davvero mirabile.[101]

La catechesi della Veglia è conclusa da due Letture tratte da Isaia.

La prima (Isaia 54, 17 - 55, 11), presente pure nella Veglia Pasquale gelasiana, in ambito beneventano e nella Spagna visigotica,[102] rappresenta l'ultima tappa nella meditazione degli eventi in questa notte celebrati, nei quali Dio ha operato la salvezza dell'uomo per mezzo della sua Parola inviata sulla terra. Significativamente lo Psalmello che accompagna questa pericope, comune anche all'Epifania, è segnato da un marcato carattere cristologico.

Solo l'ultima pericope, brevissima (Isaia 1, 16-19), ha un'evidente connessione al Battesimo: "Lavatevi, purificatevi...". Unitamente al canto *Sicut cervus*, essa costituisce una specie di *invitatio ad fontem* e, chiudendo la catechesi pasquale, segna il passaggio al momento successivo della Veglia.[103]

Nota che pervade l'intera Veglia ambrosiana è, come s'è detto, l'attesa dello Sposo: "*Decet ergo adventum Sponsi dulciatis Ecclesiae luminaribus*

---

[97] Cf PHILO, *De sacrificiis Abelis et Caini*, 63, ed. A. MÉASSON, Éd. du Cerf, Paris 1966 [Les Oeuvres de Philon d'Alexandrie, 4], p. 126.

[98] Cf ALZATI, *Alcune note in margine*, pp. 387-389.

[99] *Exodus*, ed. J. W. WEVERS, adiuv. U. QUAST, Göttingen 1991 [Septuaginta. Vetus Testamentum Graecum. Auctoritate Academiae Scientiarum Gottingensis editum, II, 1], p. 186.

[100] ORIGENES, *In Numeros Homilia XXVII (interprete Rufino)*, 3. 15 ss., ed. A. BAEHRENS, Hinrichs, Leipzig 1921 [GCS, 30], p. 260 ss.

[101] Si veda al riguardo CANTALAMESSA, *La Pasqua della nostra salvezza*, pp. 183-184.

[102] B. BOTTE, *La choix des lectures de la veillée pascale*, in *Les Questions Liturgiques et Paroissiales* 33 (1952) 68.

[103] Merita osservare come nella tradizione manoscritta dei trattati di Zeno di Verona sia possibile constatare il succedersi per cinque volte, con minime varianti, di un gruppo di brevissimi trattatelli riguardanti nell'ordine: *Genesi 1*; due pericopi da *Esodo*, di cui la prima *Es* 12 e la seconda un brano riferentesi all'uscita dall'Egitto; *Isaia*. Ad essi si aggiungono un commento a *Daniele 3* ed uno al *Salmo 41*: CCL, 22, pp. 5-6.

opperiri...". E certamente in questa notte lo Sposo verrà, "*ut coruscus*", "*in ictu oculi*".

"*Christus Dominus resurrexit!*": queste parole, proclamate per tre volte dalla *vox apostolica sacerdotis*, sono l'annuncio che, squarciando le tenebre della notte, ridona alla Chiesa lo Sposo, riconoscendolo presente nella luce della Resurrezione. Questo è il momento grande e misterioso atteso dalla Sposa, che per esso si è preparata, purificandosi nel bagno nuziale e adornandosi delle sue vesti più splendide.

Se tutta la Veglia cresce verso questo suo momento culminante, la Liturgia della Parola, che immediatamente lo segue e che avvia la celebrazione eucaristica, di tale annuncio rappresenta l'eco amplificata.

Ecco dunque la predicazione apostolica di Pietro: "Gesù di Nazaret, uomo accreditato da Dio presso di voi per mezzo di miracoli, prodigi e segni, ... Dio lo ha risuscitato ... Dice infatti Davide a suo riguardo: *Non abbandonerai la mia vita negli inferi, né permetterai che il tuo Santo subisca la corruzione*" (Atti 2, 22-28).

Ed ecco il *kérygma* di Paolo: "Paolo, apostolo per chiamata, scelto per annunciare il vangelo di Dio ... che riguarda il Figlio suo, nato dal seme di Davide secondo la carne, costituito Figlio di Dio con potenza ... in virtù della Resurrezione dei morti" (Romani 1, 1-7).

Ed ecco Matteo recare col suo Evangelo la prima testimonianza della Resurrezione, quella "*Vespere Sabbati, quae lucescit in prima Sabbati*" (Matteo 28, 1-7: è la testimonianza riservata nel ciclo dell'anno in modo esclusivo a questa celebrazione).[104]

A questo punto, avendo accolto l'annuncio della Resurrezione, secondo le parole del *Preconio* "*ad totius mysterii supplementum Christo vescitur turba fidelium*".[105]

L'Eucaristia è in effetti la realizzazione in pienezza dell'incontro tra la Chiesa e il suo Sposo, il compimento della loro comunione nuziale. La tensione che ha pervaso tutta la celebrazione, e ha sospinto la Chiesa fino al culmine di questa Veglia, può ora disciogliersi, secondo l'espressione di Eracleone, nel "riposo delle nozze".[106]

---

[104] Il quadro completo delle pericopi della veglia può vedersi al termine del capitolo nell'Allegato 2.

[105] *Praeconium Paschale Ambrosianum*, 1934, p. (18).

[106] "L'agnello, in quanto sacrificato, significava la passione del Signore nel mondo, in quanto mangiato era figura del riposo nelle nozze": in Origenes, *Commentarium in Iohannem*, X, 19, ed. E. Preuschen, Hinrichs, Leipzig 1903 [GCS, 10], pp. 190-191; cf anche Theodoretus Cyrensis, *In canticum canticorum*, III, 11, PG, 81, c. 128: "... Fate questo in mia memoria. Quanti, dunque, si cibano delle membra dello Sposo e bevono il suo sangue raggiungono la comunione nuziale con lui".

Nel *Preconio* è detto che in questo vespero pasquale "si condensa l'intera pienezza del mistero della salvezza, e quanto è avvenuto in figura attraverso i tempi, tutto si compie, svolgendosi nel corso di questa notte".[107] Tutto, dunque, in questa notte si è ricapitolato. Il congedo con cui si chiude una siffatta celebrazione non può pertanto segnare una conclusione, ma anzi rappresenta un inizio: inaugura infatti il lungo periodo della gioia pasquale, tempo di festa illuminato dalla presenza del Signore risorto.

Nella tradizione ambrosiana l'annuncio apostolico "Cristo Signore è risorto!", risuonato nella Veglia, diveniva, analogamente al *Christòs anéstē* in ambito greco, il tipico saluto pasquale.[108] Sarebbe quanto mai bello ripristinarlo come tale nello scambio di pace anche lungo tutta l'ottava: prolungherebbe nei giorni del "riposo nelle nozze" l'eco di quello straordinario momento, che ha segnato il ritorno alla Chiesa del suo Signore vittorioso sulla morte.

In ogni caso, quell'annuncio accompagnerà la Chiesa ambrosiana lungo il corso dell'anno, rinnovandosi ogni Domenica, nella celebrazione vespertina vigiliare della Pasqua ebdomadaria. È del resto su quell'annuncio che si fonda la fede della Sposa peregrinante nell'oggi della storia, ed è in quell'annuncio che trova sostegno la sua attesa della definitiva Parusia, quando il mistero, vissuto nel tempo attraverso i santi segni grazie al dono dello Spirito, diverrà esperienza definitiva di comunione con Colui che, nella Croce e Resurrezione del suo Verbo incarnato, ci ha chiamati alla sua ammirabile luce. A Lui, con le parole dell'antica liturgia, "*est honor, laus, gloria, magnificentia, potestas, a saeculis et nunc et semper et in omnia saecula saeculorum*".[109]

Allegato 1

PASSIONES
Responsori
(latino / italiano)

MARCO

I:
R   Haec dicit Dominus:

---

[107]   "*Igitur in hujus diei vespere cuncta venerabilis sacramenti plenitudo colligitur: et quae diversis sunt praefigurata, vel gesta temporibus, hujus noctis curriculo devoluta supplentur*": *Praeconium Paschale Ambrosianum*, 1934, p. (17).
[108]   BEROLDUS, p. 116.
[109]   *De Sacramentis*, VI, 24, ed. B. BOTTE, Paris 1961[2. 2a rist.] [SCh, 25 bis], p. 152.

Me tradet impius summis principibus sacerdotum
et senioribus populi.
Petrus autem sequebatur a longe,
     ut videret finem.

V   Ingressus Petrus in atrium principis sacerdotum,
sedens expectabat,
     ut videret finem.

[Breviarium Ambrosianum, Feria V in Authentica,
ad Matutinum:
Responsorium post Lectionem II]

R   Così dice il Signore:
L'empio mi consegnerà ai sommi sacerdoti
e agli anziani del popolo.
Pietro intanto lo seguiva da lontano,
     per vedere la conclusione.

V   Entrato nell'atrio del sommo sacerdote,
Pietro, postosi a sedere, aspettava
     per vedere la conclusione.

II:

R   Omnes amici mei dereliquerunt me,
et praevaluerunt insidiantes mihi.
Tradidit me, quem diligebam,
et terribilis oculis plaga crudeli percutiens,
     aceto potavit me.

V   Fiat mensa eorum coram ipsis
in laqueum et in retributionem et in scandalum:
quia dederunt in escam meam fel,
     aceto potavit me.

[Breviarium Ambrosianum, Feria VI in Parasceve, ad Matutinum, post Lectionem V:
Responsorium a sacerdote]

R   Tutti i miei amici mi hanno abbandonato
e coloro che mi tendevano insidie hanno avuto il sopravvento.
Mi ha tradito colui che io amavo;
ferendomi con il suo sguardo terribile,
egli ha aperto in me una piaga crudele
     e mi ha fatto bere aceto.

V   Il banchetto dinanzi a loro imbandito
divenga per essi un laccio e un'insidia;
trovino così la loro ricompensa,
poiché hanno immesso fiele nel mio cibo
     e mi hanno fatto bere aceto.

[III:
R   Ierusalem luge,
       et exue te vestibus iucunditatis.
       Induere cinere cum cilicio
             quia in te est occisus Salvator Israel.
V   Luctum Unigeniti
       fac tibi planctum amarum,
             quia in te est occisus Salvator Israel.

[Breviarium Ambrosianum, Feria VI in Parasceve, ad Vesperas:
Responsorium II a diacono ad latus altaris in cornu Evangelii]

R   Piangi Gerusalemme,
       deponi le vesti della gioia,
       copriti di cenere e indossa il cilicio;
             Perché il Salvatore d'Israele
             in te è stato ucciso.
V   Il lutto per l'Unigenito
       sia da te tramutato in amaro pianto.
             Perché il Salvatore d'Israele
             in te è stato ucciso.]

Luca

I:
R   Animæ impiorum fremebant adversum me,
       et gravatum est super eos cor meum;
       pro eo quod statuerunt pretium meum.
             Triginta argenteos, quo appretiatus sum ab eis.
V   Diviserunt sibi vestimenta mea,
       et super vestem meam miserunt sortem:
             Triginta argenteos, quo appretiatus sum ab eis.
[Liturgia Horarum, Feria VI in Parasceve, Officium lectionum:
Responsorium post Lectionem II]

R   Contro di me fremevano gli empi,
       s'indurì contro di me il loro cuore.
       Essi stabilirono il mio prezzo:
             trenta sicli d'argento
             sono stato da loro valutato.
V   Si dividono le mie vesti,
       sul mio vestito gettano la sorte;
             trenta sicli d'argento
             sono stato da loro valutato.

II:

R   Vinea electa, ego te plantavi:

        dicit Dominus.

        Quomodo conversa es in amaritudinem,

                ut me crucifigeres

                et Barabbam dimitteres ?

V   Popule meus, quid feci tibi,

        aut quid molestus fui,

                ut me crucifigeres

                et Barabbam dimitteres ?

[Breviarium Ambrosianum, Feria VI in Parasceve, ad Matutinum, post Lectionem II: *Responsorium a subdiacono*]

R   O vigna eletta,

        io ti ho piantata, dice il Signore.

        Come hai potuto tramutarti in fonte di amarezza,

                tanto da crocifiggermi

                e liberare Barabba?

V   Popolo mio, cosa ti ho fatto,

        in cosa sono stato per te motivo di afflizione,

                tanto da crocifiggermi

                e liberare Barabba?

[III:

R   Velum templi scissum est,

        et omnis terra tremuit.

        Latro de cruce clamabat dicens:

                Memento mei, Domine,

                dum veneris in Regno tuo.

V   Miserere mei, Deus,

        miserere mei,

        quoniam in te confidit anima mea.

                Memento mei, Domine,

                dum veneris in Regno tuo.

[Breviarium Ambrosianum, Feria VI in Parasceve, ad Vesperas: *Responsorium III a diacono* ad latus altaris in cornu Evangelii]

R   Il velo del Tempio si squarciò nel mezzo,

        e la terra tutta tremò.

        Il ladrone dalla croce gridava dicendo:

                Ricordati di me, Signore,

                quando entrerai nel tuo Regno.

V   Abbi pietà di me, o Dio,

abbi pietà di me,
perché in te confida l'anima mia.
Ricordati di me, Signore,
quando entrerai nel tuo Regno.]

GIOVANNI

I:

R   Eram quasi agnus innocens;
ductus sum ad immolandum, et nesciebam.
Consilium fecerunt inimici mei adversum me, dicentes:
Venite, mittamus lignum in panem eius,
et conteramus eum de terra viventium.

V   Exsurge, Domine, præveni eos, et subverte illos,
qui cogitaverunt adversum me, dicentes:
Venite, mittamus lignum in panem eius,
et conteramus eum de terra viventium.

[Liturgia Horarum, Feria VI in Parasceve, Officium lectionum:
Responsorium post Lectionem I]

R   Ero come agnello mansueto:
ero portato al macello e non lo sapevo.
Essi tramavano contro di me e dicevano:
"Abbattiamo l'albero nel suo rigoglio,
strappiamolo dalla terra dei viventi".

V   Sorgi, Signore, affrontali, abbattili,
loro che contro di me vanno dicendo:
"Abbattiamo l'albero nel suo rigoglio,
strappiamolo dalla terra dei viventi".

II:

R   Vadis, propitiator, ad immolandum pro omnibus;
non tibi occurrit Petrus, qui dicebat:
Pro te moriar; reliquit te Thomas,
qui clamabat dicens:
Omnes nos cum eo moriamur;
et nullus de illis, sed tu solus duceris,
qui immaculatam me conservasti,
Filius et Deus meus.

V   Venite et videte Deum et hominem
pendentem in cruce;
et nullus de illis, sed tu solus duceris,
qui immaculatam me conservasti,
Filius et Deus meus.

[Liturgia Horarum, Feria VI in Parasceve, Officium lectionum:
Responsorium post Lectionem III]

R   "Al sacrificio, solitaria vittima,
     tu vai, Signore, per tutti.
     Non c'è Pietro con te, che pur diceva:
     "Per te voglio morire".
     Ti abbandonò Tommaso, che gridava:
     "Andiamo tutti a morire con lui".
          Nessuno c'è dei tuoi: tu muori solo.
          Figlio e Dio mio,
          che immacolata mi preservasti.

V   Venite e vedete l'Uomo-Dio
     a una croce confitto.
          Nessuno c'è dei tuoi: tu muori solo.
          Figlio e Dio mio,
          che immacolata mi preservasti".

Allegato 2

VEGLIA PASQUALE
Ordinamento delle letture

CATECHESI PASQUALE

I Lettura   La Creazione   Genesi 1, 1 - 2, 3a[110]

Salmello   Tuoi sono i cieli, Signore, tua è la terra,
                  Tu hai fondato il mondo
                  e quanto contiene.
              V Canterò senza fine le tue grazie,
              con la mia bocca annunzierò
              la tua fedeltà nei secoli.
                  Tu hai fondato il mondo
                  e quanto contiene.   Cf Salmo 88, 12. 2

II Lettura   Il Sacrificio di Abramo   Genesi 22, 1-19[111]

Salmello   Offri a Dio un sacrificio di lode e
                  sciogli all'Altissimo i tuoi voti.
              V Parla il Signore, Dio degli dèi,
              convoca la terra; e tu
                  sciogli all'Altissimo i tuoi voti.   Cf Salmo 49, 14. 1

III Lettura   L'Agnello pasquale   Esodo 12,1-11[112]

Cantico   *Benedetto sei tu, Signore, Dio dei padri nostri,*
              degno di lode e di gloria nei secoli.
              R *Amen.*
              Benedetto il tuo nome glorioso e santo,
              degno di lode e di gloria nei secoli.
              R *Amen.*
              Benedetto sei tu nel trono del tuo regno,
              degno di lode e di gloria nei secoli.
              R *Amen.*
              Benedite, opere tutte del Signore, il Signore,
              lodatelo ed esaltatelo nei secoli.

---

[110] Typ.; L.ex.
[111] Typ.; L.ex.
[112] Typ. (IV); L.ex. (IV).

R *Amen.*

Benedite, sorgenti, il Signore,
lodatelo ed esaltatelo nei secoli.
R *Amen.*

Benedite, o servi del Signore, il Signore,
lodatelo ed esaltatelo nei secoli.
R *Amen.*

Benediciamo il Padre, e il Figlio, e lo Spirito Santo,
lodiamolo ed esaltiamolo nei secoli.
R *Amen.*   Cf Daniele 3, 52. 54. 57. 77. 85

IV Lettura   Il Passaggio pasquale   Esodo 13, 18b - 14, 8[113]

Cantico   *Allora Mosè e gli Israeliti cantarono questo canto al Signore e dissero:*
"Voglio cantare in onore del Signore:
perché ha mirabilmente trionfato,
ha gettato in mare cavallo e cavaliere.
Mia forza e mio canto è il Signore,
egli mi ha salvato.
E' il mio Dio e lo voglio lodare,
è il Dio di mio padre
e lo voglio esaltare!
Dio è prode in guerra,
si chiama Signore.
Il Signore regna
in eterno e per sempre!".
Gli Israeliti avevano camminato sull'asciutto in mezzo al mare. Allora Maria, la profetessa,
sorella di Aronne, prese in mano un timpano; dietro a lei uscirono le donne con i timpani,
formando cori di danze. Maria fece loro cantare il ritornello:
"Cantate al Signore
perché ha mirabilmente trionfato."   Esodo 15, 1-3. 18. 19c-21b

V Lettura   La parola uscita dalla bocca di Dio ne realizza il
disegno di salvezza;
per tutti i popoli assetati, chiamati alle acque,
è stabilita un'alleanza eterna   Isaia 54, 17c - 55, 11[114]

Salmello   Benedetto il Signore, Dio di Israele:
Egli solo compie prodigi.
       E benedetto il suo nome glorioso per sempre.

---

[113] Typ. (III); L.ex. (III).
[114] Typ. (-11a); L.ex.

V Dio, dà al re il tuo giudizio,
al figlio del re la tua giustizia;
egli scenderà come pioggia sull'erba,
come acqua che irrora la terra.

    E benedetto il suo nome glorioso per sempre   Cf Salmo 71, 18-19a. 1. 6

| VI Lettura | Invitatio ad fontem: lavatevi, purificatevi | Isaia 1, 16-19[115] |

| Canto | Come la cerva anela ai corsi d'acqua, così l'anima mia anela a Te, Signore! | Salmo 41, 2 |

CELEBRAZIONE EUCARISTICA

| Lettura | Pietro annuncia la Resurrezione sul fondamento delle Scritture | Atti 2, 22-28[116] |
| Salmo | Venite al Signore con canti di gioia | Salmo 117, 1-2. 16-17. 22-23 |

| Epistola | Cristo costituito Figlio di Dio mediante la Resurrezione | Romani 1, 1-7[117] |
| Alleluia | È risorto, come dal sonno, come un forte inebriato | Cf Salmo 77, 65 |

| Vangelo | L'Angelo annuncia la Resurrezione a Maria di Magdala e all'altra Maria | Matteo 28, 1-7[118] |

---

[115] Typ.; L.ex.
[116] Typ.; L.ex.
[117] Typ.; L.ex.
[118] Bu; Typ.; L.ex.

CAPITOLO XIV

IL RISORTO E IL CONSOLATORE
L'ARTICOLATA UNITÀ DEL TEMPO PASQUALE AMBROSIANO

1. LA DOMENICA DI PASQUA E LA SUA OTTAVA

Come per il Triduo Pasquale, anche per i giorni immediatamente successivi, durante le diverse fasi storiche della tradizione ambrosiana si rileva una sostanziale continuità nell'ordinamento delle pericopi. Si tratta di un ordinamento peculiare, nel quale si riflette la marcata specificità, che nell'arco dell'anno contraddistingue l'intera ottava, dal giorno di Pasqua alla Domenica *"in Albis depositis"*.

1.1. *Giorno di Pasqua*

Nell'insieme delle pericopi fissate dalla tradizione ambrosiana per questo giorno, la Lettura viene proponendo l'avvio degli *Atti degli Apostoli*. La pericope si interrompe – secondo la tradizione milanese – al v. 8a, così da focalizzare l'attenzione sull'imminente dono dello Spirito Santo, scaturito per i credenti dal mistero della Pasqua del Signore. Anche nella Chiesa di Gerusalemme agli inizi del V secolo, questa pericope caratterizzava l'Eucaristia pasquale matutina, protraendosi peraltro fino al v. 14.[1]

Pure l'Epistola si ritrova nell'ordinamento pasquale gerosolimitano, ubicata peraltro nell'Eucaristia della Veglia.[2]

Quanto al Vangelo, esso nella Città Santa agli inizi del V secolo presentava l'estensione *Io* 18, 38 - 20, 18, e costituiva la pericope della seconda Eucaristia pasquale all'*Anastasis*,[3] celebrazione di cui offre testimo-

---

[1] Cf A. RENOUX, *Le Codex Arménien Jérusalem 121*, II, Brepols, Turnhout 1971 [Patrologia Orientalis (= PO), 36/2, n° 168], pp. 310-311 [172-173].
[2] *Ibidem*, pp. 308-309 [170-171].
[3] *Ibidem*, pp. 310-311 [172-173].

nianza già Egeria nell'ultima parte del IV secolo.[4] Nell'evoluzione delle consuetudini gerosolimitane, la pericope avrebbe assunto già alla fine del V secolo l'estensione presente anche nell'ordinamento milanese.[5]

La sequenza dei testi a Milano è dunque la seguente:

Lettura	Nel mio primo libro ...	
	Gesù si mostrò vivo agli Apostoli, dopo la sua Passione,	
	apparendo per 40 giorni.	
	Avrete forza dallo Spirito Santo che scenderà su di voi	Atti 1, 1-8a[6]
Epistola	Cristo morì secondo le Scritture, è risorto il terzo giorno,	
	è apparso a Cefa, agli Apostoli, a più di 500 fratelli	1Corinzi 15, 3-10a[7]
Vangelo	Noli me tangere	Giovanni 20, 11-18[8]

1.2. *Settimana* "in Albis"

L'ordinamento, ancora tardo antico, del codice di Busto prevede nelle ferie "in Albis" un'unica pericope evangelica: quella dell'Eucaristia *"pro baptizatis"*. La cosa è pienamente comprensibile qualora si pensi al precedente ordinamento delle letture durante il periodo quaresimale e all'importanza che ancora assumeva ai tempi di formulazione dell'*ordo lectionum* l'itinerario ecclesiale d'iniziazione cristiana.[9]

La difformità riscontrabile nella pericope del Sabato tra *Capitolare* ed *Evangelistario di Busto* parrebbe suggerire che su questo elemento si sia determinata (in un tempo difficile da stabilire) un'incertezza, risolta nel *Capitolare* ricorrendo al Vangelo della Messa del giorno. Sembra lecito chiedersi se tale turbativa non abbia qualche legame con l'inserimento in quello stesso Sabato, nella Messa *"pro baptizatis"*, della pericope *Io* 13, 4-15 (La lavanda dei piedi) in luogo di *Io* 6, 1-14 (La moltiplicazione dei pani), testo quest'ultimo previsto dall'*Evangelistario* bustese. Va detto che *Io* 13, 4-15 (pericope fondamentale per la catechesi mistagogica e

---

[4]   EGERIA, *Itinerarium*, XXXVIII, 2, ed. P. MARAVAL, Éd. du Cerf, Paris 2002[2] [Sources Chrétiennes (= SCh), 296], p. 290.

[5]   Cf A. RENOUX, *Le Codex Arménien Jérusalem 121*, I, Brepols, Turnhout 1969 [PO, 35/1, n° 163], pp. 159-160.

[6]   Typ.; L.ex. (+8b).

[7]   Typ.; L.ex.

[8]   Bu; Typ.; L.ex.

[9]   Cf P. CARMASSI, ... qualiter beatus Ambrosius libros veteris testamenti et novi ad legendum ecclesiae suae disposuisset. *Il lezionario della Chiesa milanese tra età tardo antica e medioevale*, in *La Scuola Cattolica* 130 (2002) 837-878.

l'apologetica rituale milanese)[10] compare con i documenti carolingi, ma la sua presenza al Sabato potrebbe essere anche precedente e legarsi alla sua caduta nell'ambito dei riti battesimali. Proprio l'importanza misterica di detta pericope ne ha imposto la conferma anche nell'ordinamento qui presentato.

Stante il rilievo pastorale che l'iniziazione cristiana degli adulti sempre più va assumendo nella società contemporanea anche in ambito milanese, nel Lezionario ora promulgato si è ritenuto opportuno confermare, con riferimento alla precedente tradizione, una serie di pericopi collegate alle Messe *"pro baptizatis"*, offrendole come opportunità pastorale e catechetica, per itinerari mistagogici da sviluppare anche fuori dalla Settimana *"in Albis"* e dal Tempo di Pasqua.

Al riguardo merita notare la consonanza sussistente tra questa serie di pericopi, trasmessa dai libri milanesi, e i temi dell'omiletica mistagogica di Ambrogio. In particolare le tre pericopi fissate per il Martedì sono congiuntamente commentate in *De Mysteriis*, III-IV, e analogo accostamento si scorge per due delle pericopi del Mercoledì: *De Mysteriis*, IX. Non vi è invece traccia nell'ordinamento a noi pervenuto dei versetti *2Corinzi* 1, 21-22, di cui sicuramente si faceva lettura ai tempi di Ambrogio: *De Mysteriis*, VII, 42. Nell'attuale Lezionario si è pertanto ritenuto opportuno inserire una pericope che tali versettii comprendesse, offrendola quale possibile lettura alternativa al Mercoledì.

Non è stata prevista una celebrazione *"pro baptizatis"* nella Veglia pasquale. Come è stato più sopra segnalato, a Gerusalemme, nell'età di Ambrogio, la duplice celebrazione eucaristica in successione immediata ma con altra ubicazione (all'*Anastasis*, mentre la prima celebrazione si teneva al *Martyrion*), è attestata nella Veglia da Egeria. È lo schema rituale testimoniato (in questo caso con riferimento ai neofiti) dai libri ambrosiani carolingi e fedelmente riproposto dal Beroldo. Nel *Codice di Busto* (*Capitolare* ed *Evangelistario*) manca la pericope al riguardo. La pericope successivamente attestata (*Io* 3, 1-15) compare con l'indicazione *"In sabato sancto in ecclesia minore"* nelle note marginali apposte al tetraevangelo del secolo VI: *S. P. 45* (già *C 39 inf.*) dell'Ambrosiana. Una prassi rituale siffatta non è parsa, in ogni caso, riproponibile nell'oggi.

La Lettura del relativo formulario presente nei codici carolingi (Atti 2, 29-38: *Pietro annuncia la Resurrezione del Signore e invita al Battesimo*),

---

[10] Cf AMBROSIUS, *De Mysteriis*, VI, 31-32; nonché il problematico *De Sacramentis*, III, 1, 4-7: ed. B. BOTTE, Éd. du Cerf, Paris 1994[2. 2a rist.] [Sources Chrétiennes (= SCh), 25 bis], p. 172.

per il marcato riferimento alla Resurrezione, è parsa particolarmente idonea a caratterizzare l'eventuale celebrazione *"pro baptizatis"* del mattino di Pasqua. La pericope prevista fin dal *Capitolare di Busto "Dominica in Pascha mane"* (Atti 3, 1-8: *Il dono di Dio nel nome di Gesù Cristo*), unita all'Epistola e al Vangelo del formulario carolingio *"pro baptizatis"* della Veglia, è venuta a costituire il primo formulario *"pro baptizatis"* da utilizzare nel caso di celebrazione fuori dal giorno di Pasqua. Nell'eventualità che tale celebrazione abbia luogo nel giorno di Pentecoste, si è ripresa la pericope fissata allo scopo in età carolingia (1Corinzi 2, 9-16: *Abbiamo ricevuto lo Spirito di Dio per conoscere tutto ciò che Dio ci ha donato*).

Nei singoli giorni *"in Albis"* i formulari relativi alle messe *"pro baptizatis"* sono preceduti dalle letture proprie dei giorni dell'ottava e incentrate sul mistero della Resurrezione. La testimonianza caroligia al riguardo, nel riordino della Typ., è stata sostanzialmente ripresa nel L.ex., con alcuni singoli interventi generalmente recepiti anche nel presente edizione del Lezionario.

Al Giovedì, commemorazione del transito di sant'Ambrogio, come possibile lettura agiografica, in alternativa alla prevista pericope dagli Atti degli Apostoli, si è inserito il testo della *Depositio*, tratto dalla biografia di Paolino e già usato nella commemorazione della morte di Ambrogio in occasione del Centenario del 1997.

Ovviamente, entrambe le serie di pericopi, dell'ottava e *"pro baptizatis"*, presentano una forma strutturale tipicamente festiva, con Lettura, Epistola, Vangelo.[11]

1.3. *Domenica* "in Albis depositis"

La Domenica è incentrata sul Vangelo della manifestazione del Risorto "otto giorni dopo". Nella liturgia vespertina vigiliare viene proclamata la pericope evangelica Giovanni 7, 37-39a (*Sgorgheranno fiumi d'acqua viva: lo Spirito che avrebbero ricevuto i credenti in lui*).

L'ordinamento complessivo delle letture si presenta nel modo seguente:

Vangelo vigiliare	Sgorgheranno fiumi d'acqua viva: lo Spirito che avrebbero ricevuto i credenti in lui	Giovanni 7, 37-39a
Lettura	Gesù Cristo il Nazareno, che voi avete crocifisso e che Dio ha risuscitato dai morti	Atti 4, 8-24[12]

---

[11] Per l'elenco dei testi, si veda Allegato 2 (ottava) e Allegato 1 (*pro baptizatis*).

[12] Typ.

Epistola	Siete stati sepolti con Cristo nel Battesimo	
	e in lui siete stati risuscitati	Colossesi 2, 8-15[13]
Vangelo	L'apparizione del Risorto nel Cenacolo	
	presente Tomaso	Giovanni 20, 19-31[14]

2. IL CICLO FERIALE
DALLA II SETTIMANA ALL'ASCENSIONE

L'intero tempo pasquale si configura quale periodo di festa con carattere speciale.

A partire dalla Domenica "*in Albis depositis*" tale periodo è connotato dalla lettura progressiva del Vangelo secondo Giovanni, in cui il tema pasquale dell'Agnello è premessa al dono dello Spirito, nel quale si compie la suprema mistagogia dei credenti.[15]

Altro testo, che tradizionalmente segna questo tempo liturgico (e non soltanto a Milano), è il libro degli Atti degli Apostoli, di cui non a caso nella mattina di Pasqua si proclama l'inizio.

In quest'arco di tempo di 7 Settimane il Lezionario ora promulgato ha inteso rimarcare la specificità dei primi 40 giorni, caratterizzati dalla diretta presenza del Risorto tra i suoi Discepoli: segnatamente a tali giorni è attribuita la lettura progressiva del libro degli Atti.

A partire dal Lunedì della II Settimana di Pasqua si vengono sviluppando due serie di letture, ciascuna peraltro con uno sviluppo in sé compiuto. Sicché nell'Anno I l'andamento è focalizzato su la comunità del Cenacolo, Stefano, la questione d'Antiochia e il concilio di Gerusalemme, Paolo e i suoi viaggi missionari; mentre nell'Anno II l'attenzione s'incentra su Pietro e Giovanni a Gerusalemme, la conversione di Paolo a Damasco, il ministero di Pietro e il suo magistero sulla partecipazione dei Gentili alla salvezza, la cattura di Paolo 'civis romanus' e la sua andata a Roma.

Inoltre, secondo la tradizione (non soltanto milanese), è stato segnalato il giorno "a metà della festa" (Giovedì della IV Settimana), collocando in esso una specifica pericope evangelica, attestata fin dal *Capitolare di Busto*: Giovanni 7, 14-24.

Per un quadro completo delle pericopi si rinvia all'Allegato 5 in coda al capitolo.

---

[13] Typ.

[14] Bu; Typ.

[15] La successione delle pericopi potrà vedersi nell'Allegato 4 al presente capitolo.

3. Il ciclo sabbatico

Analogamente a quanto accade in Avvento, anche nel Tempo Pasquale i Sabati risultano organicamente inseriti nella lettura progressiva dei testi propri delle celebrazioni feriali (Geremia/Ezechiele e Matteo in Avvento; Atti e Giovanni nel Tempo di Pasqua).

A questi ultimi testi il Lezionario viene associando nei Sabati pasquali pericopi tratte dalla I Lettera ai Corinzi: in esse, nel corso dell'Anno I, viene riproposto il magistero apostolico intorno alla Resurrezione di Cristo e ai suoi riflessi nei credenti, mentre nell'Anno II – anche con riferimento alla parallela lettura degli Atti – si dà voce a Paolo per la presentazione della Chiesa quale Corpo di Cristo, le cui membra sono amalgamate dalla carità. Viene qui di seguito indicata la successione dei testi nei due anni:

Anno I

II Sabato	Se Cristo non è risuscitato, vana è la vostra fede	15, 12-20
III Sabato	Se a causa di un uomo la morte, a causa di un uomo la resurrezione	15, 21-28
IV Sabato	Se i morti non risorgono, mangiamo perché domani moriremo	15, 29-34b
V Sabato	Si semina un corpo corruttibile, risorge incorruttibile	15, 35-44a

Anno II

II Sabato	La Chiesa corpo a molte membra	12, 12-20
III Sabato	L'unità tra le membra del corpo di Cristo, che è la Chiesa	12, 21-27
IV Sabato	Ciascuno è corpo di Cristo e partecipe delle sue membra	12, 27-31; 14, 1a
V Sabato	L'inno alla carità	13, 1-13

4. Il ciclo domenicale
Domeniche dopo la Domenica "in Albis depositis" e prima dell'Ascensione

Nel codice di Busto il riferimento nel computo del tempo pasquale è costituito dalla *Dominica in albas depositas*. Evidentemente la Settimana *in albas* era avvertita come una realtà fortemente unitaria, corrispettiva alla prepasquale Settimana *Authentica*. Di fatto le Domeniche della Quarantina pasquale appaiono nel *Capitolare* computate *I-IV post albas*. Le pericopi evangeliche precarolinge, dopo l'ovvia lettura della Domenica *in albas depositas* (*Io* 20. 19-31), presentavano un carattere omogeneo e marcatamente cristologico:

Dominica I *post albas*: *Io* 1. 29-34 (Ecco l'Agnello di Dio);
Dominica II *post albas*: *Io* 1. 15-28 (Dalla sua pienezza abbiamo ricevuto grazia su grazia);
Dominica III *post albas*: *Io* 8. 12-20 (Io sono la luce del mondo);
Dominica IIII *post albas*: *Io* 14. 1-14 (Io sono la via, la verità e la vita; chi ha visto me ha visto il Padre).

L'intelletualità ecclesiastica carolingia ritenne di dover sostituire gli evangeli delle tre ultime Domeniche con i corrispettivi della tradizione romano franca, incentrati sui temi dell'imminente distacco del Cristo dai suoi discepoli e dell'invio ad essi dello Spirito Paraclito.

Nel proprio ciclo triennale l'attuale Lezionario, mettendo a frutto le diverse fasi della tradizione ambrosiana e l'esperienza del Lezionario Romano, nelle prime due Domeniche ha inteso offrire alla contemplazione dei credenti i lineamenti del Signore Risorto (Agnello di Dio, Buon Pastore, Luce del mondo, Via Verità e Vita, Mediatore tra Dio e gli uomini), nelle successive due Domeniche a presentarne l'andata al Padre quale premessa dell'invio del Consolatore.[16]

5. IL QUARANTESIMO GIORNO: L'ASCENSIONE

Collocandosi all'interno della quarantina di presenza dello Sposo, la festa dell'Ascensione – come chiaramente attestano il *Capitolare* e l'*Evangelistario di Busto* – non prevedeva anticamente *giorno* vigiliare: è essa stessa l'ultimo giorno del periodo di inalterata letizia, in cui gli amici dello Sposo si rallegrano per la presenza di lui.

In caso di solenne inizio vespertino di tale giorno con celebrazione eucaristica, si potrà usare l'apposito formulario vigiliare del Messale, proclamando, quale lettura vesperale, Atti, 1-11, e quali letture nella Messa, Epistola e Vangelo.

Le pericopi sono pertanto le seguenti.

Liturgia vespertina		
Lettura vesperale	Egli si mostrò vivo dopo la sua Passione e fu assunto in cielo	Atti 1, 1-11
Messa del giorno		
Lettura	L'Ascensione del Signore al Cielo	Atti 1, 6-13a[17]
Epistola	Ascendendo in cielo ha portato con sé prigionieri, ha distribuito doni agli uomini	Efesini 4, 7-13[18]
Vangelo	Il Signore Risorto tra i discepoli nel Cenacolo, li conduce a Betania e si stacca da loro	Luca 24, 36b-53[19]

---

[16] Il quadro compiuto delle pericopi viene presentato in coda al capitolo nell'Allegato 3.

[17] Typ.: 8-14 [i vv. 13-14 nell'attuale Lezionario sono utilizzati nella successiva Domenica]; L.ex.: 1-11.

[18] Typ. (-12).

[19] Typ.; L.ex. (46-).

6. La Domenica dopo l'Ascensione

La prassi pastorale attualmente in vigore nelle diocesi e archidiocesi di Rito Romano, i cui presuli si raccolgono nella Conferenza Episcopale Italiana (prassi cui peraltro restano estranee le tre eparchie di Rito Greco, i cui ordinari sono a pieno titolo componenti di quel medesimo organismo collegiale), prevede che la festa dell'Ascensione sia trasferita dal *quarantesimo* giorno alla Domenica successiva. Nella elaborazione del Lezionario, tenendo anche conto nella presenza nella comunità ambrosiana di parrocchie in territorio svizzero, per le quali siffatta traslazione non si pone, si è ritenuto di non dover fare violenza alla tradizionale lettura del dato scritturistico e, pertanto, non si è voluta alterare la naturale struttura liturgica del Tempo pasquale e la conseguente collocazione della festa dell'Ascensione. Questa fedeltà al calendario liturgico, dopo matura riflessione, è stata ritenuta anche pastoralmente rilevante, come strumento di educazione dei fedeli alla consapevolezza della propria identità religiosa ed ecclesiale quale realtà distinta e non soggetta alle decisioni dell'autorità politica, che va connotandosi in Europa con caratteri sempre più marcatamente secolari. Illuminante al riguardo è apparsa sia la passata e attuale esperienza delle Chiese sottoposte a regime di ateocrazia, sia l'osservanza domenicale custodita dai cristiani presenti all'interno di stati caratterizzati da altra tradizione religiosa.

Si è peraltro concesso che, nella celebrazione eucaristica, i formulari propri della festa dell'Ascensione possano essere riproposti anche nella successiva Domenica.

Quanto alle pericopi evangeliche di tale Domenica, esse negli anni B e C – in conformità anche al Lezionario *ad experimentum* – risultano da una segmentazione della lunga pericope prevista dalla Typ.

Ne deriva dunque il seguente quadro:

Liturgia vigiliare vespertina		
Vangelo della Resurrezione	Osservò i teli posati e il sudario; vide e credette	Giovanni 20, 1-8
Messa del giorno		

ANNO A

Lettura	Dopo l'Ascensione gli Apostoli in preghiera con Maria nel Cenacolo	Atti 1, 9a. 12-14[20]
Epistola	Non predichiamo noi stessi, ma Cristo Gesù Signore	2Corinzi 4, 1-6

---

[20] LR: 12-14.

Vangelo	Spiegò le Scritture, spezzò il pane: allora lo riconobbero; ma lui sparì dalla loro vista	Luca 24, 13-35

ANNO B

Lettura	L'elezione di Mattia	Atti 1, 15-26[21]
Epistola	La Chiesa del Dio vivente, colonna e sostegno della verità	1Timoteo 3, 14-16
Vangelo	Padre consacrali nella verità	Giovanni 17, 11-19[22]

ANNO C

Lettura	Stefano disse: Ecco contemplo il Figlio dell'uomo seduto alla destra di Dio	Atti 7, 48-57[23]
Epistola	Il Padre della gloria risuscitò Cristo dai morti e lo fece sedere alla sua destra nei cieli	Efesini 1, 17-23[24]
Vangelo	Quelli che mi hai dato siano con me, dove sono io	Giovanni 17, 1b. 20-26[25]

7. LE FERIE E IL SABATO DOPO L'ASCENSIONE

Già gli *Acta Pauli* (anteriori alla fine del II secolo)[26] testimoniano la recezione in ambito cristiano dell'idea veterotestamentaria di 'Pentecoste', i cui punti di riferimento all'interno della Torah, sono i seguenti.

Esodo 23, 16: "Osserverai la *Festa della Mietitura*, cioè dei primi frutti dei tuoi lavori di semina nei campi"; cf altresì *Es* 34,22.
Deuteronomio 16, 9-10: "Conterai sette settimane. Quando si metterà la falce nella messe, comincerai a contare sette settimane e celebrerai la *Festa delle Settimane* per il Signore, tuo Dio, offrendo secondo la tua generosità e nella misura in cui il Signore, tuo Dio, ti avrà benedetto".
Levitico 23, 15-16: "Dal giorno dopo il Sabato, cioè dal giorno in cui avrete portato il covone per il rito di elevazione, conterete sette settimane complete. Conterete cinquanta giorni fino all'indomani del settimo Sabato e offrirete al Signore una nuova oblazione"; cf *Nm* 28, 26-31.

---

[21]   Cf Typ.; LR, Anno B (15-17. 20-26).
[22]   Cf Typ.; LR, Anno B.
[23]   LR, Anno C (55-60).
[24]   LR Ascensione, Anno B.
[25]   Cf Typ.; LR, Anno C.
[26]   *Práxeis Paúlou / Acta Pauli: nach dem Papyrus der Hamburger Staats- und Universitäts-Bibliothek*, a cura di C. SCHMIDT, conl. W. SCHUBART, Augustin, Glükstadt-Hamburg 1936: I, 30-32, p. 26.

In particolare sulla scia del computo sancito nel Levitico nasce il termine giudeo-ellenistico di Pentecoste, esplicitamente attestato da *Tobia* 2, 1: "Per la nostra *Festa di Pentecoste*, cioè la *Festa delle Settimane*".

La ripresa di tali dati biblici in ambito cristiano portò a configurare i 50 giorni susseguenti alla Pasqua (Pentecoste) come un unico periodo (una settimana di settimane), formante un tutt'uno con la Pasqua stessa: "configurare", peraltro, in senso ideale, in quanto le affermazioni testimoniate da Tertulliano in merito al *laetissimum spatium* (*De baptismo*, XIX, 2)[27] si collocano in un'età in cui l'anno liturgico non esisteva e lo stesso ciclo pasquale ancora non s'era formato, sussitendo esclusivamente la festa annuale della Pasqua.

In effetti si sarebbe dovuto attendere il secolo IV inoltrato perché la coscienza ecclesiale desse vita alla festa della Pentecoste in senso cristiano, quale celebrazione espressamente connessa al ricordo della discesa dello Spirito Santo, avvenuta "mentre stava compiendosi il giorno della Pentecoste" (*Ac* 2, 1). Per Milano positiva attestazione sembra potersi ricavare nella santambrosiana *Apologia prophetae David*.[28]

Elemento ulteriore di tale ripensamento rituale in senso cristiano della Cinquantina di matrice veterotestamentaria fu la compiuta configurazione del ricordo cultuale dell'Ascensione, al 40° giorno dopo la Resurrezione, visto che il Signore "si mostrò a essi [gli apostoli] vivo, dopo la sua passione, con molte prove, durante quaranta giorni, apparendo loro e parlando delle cose riguardanti il Regno di Dio" (*Ac* 1, 3).

Va segnalato che siffatta articolazione non si determinò peraltro immediatamente. Nel *De sollemnitate Paschali*, tradizionalmente riconosciuto di Eusebio, si fa della festa dell'Ascensione il suggello conclusivo dei giorni della Pentecoste, nei quali "facciamo riposare il nostro corpo, come se fossimo già insieme con lo Sposo e perciò nell'impossibilità di digiunare".[29] L'affermazione riflette una celebrazione del ricordo dell'Ascensione collocato al termine dei 50 giorni: è la situazione ancora presente sul finire del secolo IV nella Chiesa di Gerusalemme, la quale nel 50° giorno – come

---

27 TERTULLIANUS, *De Baptismo*, XIX, 2, ed. B. LUISELLI, Paravia, Augustae Taurinorum 1968 [Corpus Scriptorum Latinorum Paravianum], pp. 32-33.

28 AMBROSIUS, *De apologia prophetae Dauid*, VIII, 42, ed. C. (K.) SCHENKL, Tempsky-Freytag, Vindobonae-Pragae 1897 [Corpus Scriptorum Ecclesiasticorum Latinorum (= CSEL), 32/2], p. 325. 12-16.

29 EUSEBIUS, *De sollemnitate paschali*, 5, PG, 24, c. 700. Si è voluto vedere in tale passo l'eco di un testo filoniano: PHILO, *De specialibus legibus*, II, 176, ed. S. DANIEL, Éd. du Cerf, Paris 1975 [Les Oeuvres de Philon d'Alexandrie, 24], p. 340.

attesta l'*Itinerarium* di Egeria[30] – dopo aver celebrato con l'Eucarestia all'ora terza al Sion la Discesa dello Spirito Santo, all'ora VI dall'Eleona si recava all'Imbomon per celebrarvi il ricordo dell'Ascensione del Signore. Tracce evidenti di tale struttura stazionale sono reperibili ancora nell'antico Lezionario armeno, in cui si riflette la prassi gerosolimitana degli inizi del V secolo e nel quale appare ormai pienamente fissata "la sinassi della santa Ascensione del Signore, a quaranta giorni dalla Pasqua".[31]

Tale celebrazione, sembra aver assunto un particolare significato rituale in area latina già sul finire del IV secolo.

La tradizionale connessione tra sottrazione dello Sposo e digiuno[32] spinse già per tempo a guardare ai giorni tra Ascensione e Pentecoste come a giorni d'intensa preghiera e d'ascesi. In tal modo, da una considerazione indistinta della cinquantina, ritualmente radicata nel Calendario cultuale ebraico, si tese a passare ad una interpretazione strettamente cristologica di quell'arco di giorni, rigorosamente interpretandolo come il Tempo della presednza del Risorto.

Di siffatta percezione della dinamica rituale dei giorni pasquali l'ambito italiciano offre una singolare testimonianza in un'opera – il *De haeresibus* – giuntaci sotto il nome di Filastrio di Brescia, ma probabilmente – come già si è segnalato – da collocare nella fase iniziale del V secolo. In tale scritto si ricorda che nella Chiesa si osservano quattro digiuni, di cui il terzo "*in Ascensione*"; e si precisa che quest'ultimo si sviluppa "da quel momento per i dieci restanti giorni fino a Pentecoste", giacché "questo è ciò che fecero i beati apostoli dopo l'Ascensione, conservandosi assidui nei digiuni e nelle preghiere".[33]

In piena continuità con tale prospettiva, al termine dell'XI secolo il cosiddetto Landolfo, di fronte alla contestazione (un poco semplicistica nelle argomentazioni, ma cruenta nei modi) mossa nel 1066 alle *Letaniae*, poteva farsi interprete della *scientia Ambrosiana* ed affermare: "Sappiamo, e ben sappiamo, come sant'Ambrogio attesta unitamente a molti altri santi, che in questi 50 giorni la Chiesa non conosce indizione di digiuno. Ma forse tu ignori quanto è proclamato da colui che è la Verita della verità: 'Non

---

[30] EGERIA, *Itinerarium*, XLIII, 3-6, SCh, 296, pp. 300-302.

[31] RENOUX, *Le Codex Arménien Jérusalem 121*, II, pp. 338 [200] - 343 [205]; cf. I, pp. 54-55.

[32] *Mr* 2, 20 e paralleli.

[33] PHILASTRIUS Brixiensis, *De haeresibus*, CXLIX, 3-4, ed. F. HEYLEN, Biblioteca Ambrosiana - Città Nuova, Milano-Roma 1991 [Scriptores circa Ambrosium, 2], p. 204-206. Cf il cap. II: "*Pollens ordo lectionum*". *Proclamazione delle Scritture e celebrazione misterica nell'esperienza storica della Chiesa Milanese*, nota 30.

possono gli amici dello Sposo digiunare fin tanto che lo Sposo è con loro; ma quando sarà loro tolto lo Sposo, allora in quei giorni digiuneranno'. E noi infatti crediamo che gli apostoli, dopo che il Signore con l'Ascensione al cielo fu loro sottratto, fino all'avvento della Spirito Santo, in preghiera, a Gerusalemme digiunarono".[34]

Merita qui osservare la profonda consapevolezza, che queste parole manifestano in merito al significato cristologico ed ecclesiologico della celebrazione dell'Ascensione, ma non pare inutile rimarcare pure la valenza pasquale che nella tradizione ambrosiana presentava la ritualità dei giorni successivi a quella solennità.

Mentre presso altre Chiese le *Letaniae*, ossia il patristico "Digiuno dei Niniviti", furono fin dal V secolo ubicate prima dell'Ascensione (così ad esempio si pronunciò anche il I concilio di Orléans nel 511),[35] a Milano il tempo della presenza del Risorto ebbe costante riconoscimento quale *laetissimum spatium* e le *Letaniae* stesse vennero a collocarsi in rapporto a quella presenza, ponendosi da sempre dopo la sottrazione dello Sposo.[36] Peraltro il fatto che le ceneri imposte in quell'occasione fossero ricavate dalla combustione degli olivi benedetti all'apertura della Settimana *Authentica* segnalava come tale gesto penitenziale fosse vissuto nella certezza gioiosa della Pasqua ed esprimesse la condizione esistenziale della Chiesa, Sposa del Risorto in fiduciosa attesa della definitiva parusia del suo Sposo. Dunque: un segno pasquale e, al tempo stesso, escatologico.

Quanto cerimonie e digiuno delle Litanie successive all'Ascensione fossero intimamente vissuti dal popolo ambrosiano è chiaramente attestato dalla indignata insurrezione al ricordato tentativo compiuto nel secolo XI dal diacono Arialdo di cancellare, sulla base del modello romano, tale elemento della tradizione milanese.[37]

---

[34] L(ANDULFUS), *Historia Mediolanensis* [= L(ANDULFUS)], III, 30 (29), edd. L. C. BETHMANN - W. WATTENBACH, Hahn, Hannoverae 1848 [Monumenta Germaniae Historica (= MGH), Scriptores (= SS), 8], p. 95; cf ed. A. CUTOLO, Zanichelli, Bologna 1942 [Rerum Italicarum Scriptores, editio altera (= RRIISS, e. a.), 4/2], p. 120.

[35] Can. 27: *Concilia Galliae. A. 511 – A. 695*, ed. Ch. DE CLERCQ, Brepols, Turnholti 1963 [Corpus Christianorum. Series Latina (= CCL), 148, A], pp. 11-12; cf concilio Lionese (a. 567-570), can. 6: *Ibidem*, p. 202.

[36] Su tale elemento rituale ambrosiano si veda ora P. CARMASSI, *Processioni a Milano nel Medioevo*, in *Art, cérémonial et liturgie au Moyen Age. Actes du Colloque de 3e Cycle Romand de Lettres. Lausanne - Fribourg, 24-25 mars, 14-15 avril, 12-13 mai 2000*, a cura di N. BOCK - P. KURMANN - S. ROMANO - J. M. SPIESER, Viella, Roma 2001 (Études Lausannoies d'Histoire de l'Art, 1), pp. 397-414.

[37] ARNULFUS, *Liber gestorum recentium*, III, 15, ed. I. SCARAVELLI, Zanichelli, Bologna 1996 [Fonti per la Storia dell'Italia medievale, 1], pp. 120-124; BONIZO Sutrinus, *Liber*

Alla luce di questa serie di considerazioni risulta chiara la proposta del Lezionario di segnalare i giorni successivi all'Ascensione con la lettura di un testo, il Cantico, fin dall'ambito ebraico sentito come tipicamente pasquale, peraltro proclamandone le pericopi in cui si evidenzia l'anelito della Sposa a ricongiungersi nel "riposo delle nozze" al proprio Sposo: che c'è, ma la cui presenza ella non può per ora sperimentare in pienezza.

Inoltre al Lunedì, quale eco più diretta della secolare tradizione rituale milanese e della sua spiritualità sponsale, al testo di Cantico 5, 2a. 5-6b (*Il mio diletto se n'era andato, era scomparso*) è associato Matteo 9, 14-15 (*Possono forse gli invitati a nozze essere in lutto mentre lo Sposo è con loro ? Verranno giorni quando lo Sposo sarà loro tolto e allora digiuneranno*).

Nei giorni restanti le pericopi evangeliche sono tratte dai capitoli 14-16 di Giovanni (i discorsi del congedo di Gesù dai Discepoli).

Il carattere festivo, che contraddistingue queste ferie, è segnalato dalla presenza in esse dell'epistola paolina.

Quest'ultima, nel Sabato dopo l'Ascensione (1Corinzi 15, 53-58), conclude il ciclo Sabbatico del Tempo pasquale e viene riprendendo il tema della vittoria sulla morte e della trasfigurazione del corpo mortale e corruttibile (*È necessario che questo corpo corruttibile si rivesta d'incorruttibilità*), trasfigurazione cui già ora tende il credente, da Cristo reso vincitore del peccato.[38]

8. PENTECOSTE

Per la struttura della celebrazione vigiliare si rinvia alle osservazioni formulate a suo tempo in merito alle Grandi Vigilie.[39]

Quanto alle pericopi 'vesperali', a sostituzione della serie fissata nella *Editio typica Calabiana-Ferrari* [Isaia 11, 1-9b: lo Spirito settiforme; Genesi 28, 10-22: la scala di Giacobbe; 2Re 2, 1-12a: Elia ed Eliseo al Giordano – il carro di fuoco (cf Vigilia dell'Epifania); 1Re 3, 5-14: il dono della sapienza a Salomone], la *Liturgia Horarum* ambrosiana ha fissato le seguenti letture, che sono state riprese nel Lezionario:

---

ad amicum, VI, ed. E. DÜMMLER, Hahn, Hannoverae 1891 [MGH, Libelli de lite, 1], p. 596. 36 ss.; L(ANDULFUS), *Historia Mediolanensis*, III, 30 (29): MGH, SS, 8, p. 95 (RRIISS, e. a., 4/2, p. 120).

[38] Il quadro completo delle pericopi potrà vedersi nell'Allegato 6 al capitolo.

[39] Cf il cap. VII: "... già splendevano le luci". *Il giorno liturgico nella tradizione ambrosiana*.

I Lettura	La Torre di Babele e la dispersione dei popoli	Genesi 11, 1-9[40]
II Lettura	La Teofania sul Sinai e il popolo di Dio	Esodo 19, 3-8. 16-19[41]
III Lettura	Lo Spirito vivificante rianima le ossa aride	Ezechiele 37, 1-14[42]
IV Lettura	L'effusione dello Spirito sopra ogni uomo	Gioele 3, 1-5[43]

Quanto alle pericopi per l'Eucaristia vigiliare, esse sono:

Epistola	Noi abbiamo ricevuto lo Spirito di Dio	
	per conoscere ciò che Dio ci ha donato	1Corinzi 2, 9-15a[44]
Vangelo	Quando sarò andato vi manderò il Consolatore,	
	egli vi guiderà alla verità tutta intera	Giovanni 16, 5-14[45]

L'ordinamento delle pericopi nella solennità è il seguente:

Lettura	La Pentecoste	Atti 2, 1-11[46]
Epistola	Nessuno può dire "Gesù è Signore"	
	se non sotto l'azione dello Spirito	1Corinzi 12, 1-11[47]
Vangelo	Lo Spirito di verità sarà in voi.	
	In quel giorno voi saprete che io sono nel Padre	
	e voi in me e io in voi	Giovanni 14, 15-20[48]

Allegato 1

SETTIMANA IN ALBIS
Pericopi per le celebrazioni "pro baptizatis"

GIORNO DI PASQUA

| Lettura | Pietro annuncia la risurrezione del Signore e invita al battesimo | Atti 2, 29-38[49] |
| Epistola | Riconciliati attraverso la morte di Cristo, salvati per la sua vita | Romani 5, 5b-11[50] |

---

[40] Cf LHA.
[41] Cf LHA.
[42] Cf LHA.
[43] Cf LHA.
[44] Typ.: 10-16.
[45] Bu (Ca) (15, 12-); Bu (Ev) (15, 26-); Typ. (15, 26-); LR: 16, 12-15 (Trinità, Anno C).
[46] Typ.; L.ex.
[47] Typ.; L.ex. (-13).
[48] Bu (Ev) (-27a: cf VI Domenica di Pasqua, Anno A: 25-29); Typ. (-27a); LR VI di Pasqua, Anno A (-21).
[49] Typ.: Veglia.
[50] Typ.

| Vangelo | Fiumi di acqua viva sgorgheranno | Giovanni 7, 37-39a[51] |

nel caso di celebrazione nel corso dell'anno:

| Lettura | Il dono di Dio nel nome di Gesù Cristo | Atti 3, 1-8[52] |
| Epistola | Un solo Spirito, un solo Signore, un solo Dio, una sola fede, un solo battesimo | Efesini 4, 1-6[53] |

a Pentecoste:

| Epistola | Abbiamo ricevuto lo Spirito di Dio per conoscere tutto ciò che Dio ci ha donato | 1Corinzi 2, 9-16[54] |
| Vangelo | Rinati nell'acqua e nello Spirito | Giovanni 3, 1-13[55] |

LUNEDÌ

Lettura	Filippo battezza l'eunuco della regina d'Etiopia	Atti 8, 26-39[56]
Epistola	Battezzati in Cristo, vi siete rivestiti di Cristo	Galati 3, 27-29[57]
Vangelo	Le otto Beatitudini	Matteo 5, 1-12[58]

MARTEDÌ

Lettura	Il lavacro e la guarigione di Nàaman	2Re 5, 1-15a[59]
Epistola	Battezzati in Cristo, siamo stati battezzati nella sua morte	Romani 6, 3b-4[60]
Vangelo	Il paralitico alla piscina probatica	Giovanni 5, 1-9b[61]

MERCOLEDÌ

| Lettura | La scure di Eliseo immersa e riemersa dalle acque del Giordano | 2Re 6, 1-7[62] |
| Epistola | Cristo roccia da cui sgorga la bevanda spirituale | 1Corinzi 10, 1-4[63] |

oppure:

| Epistola | In Cristo, Dio ci ha impresso il sigillo, ci ha dato la caparra dello Spirito Santo | 2Corinzi 1, 18-22[64] |

---

[51] Bu; Typ.
[52] Typ.
[53] Typ.: Veglia.
[54] Typ.: Pentecoste.
[55] Typ.: Veglia.
[56] Typ.
[57] Typ.
[58] Bu; Typ. (-12a).
[59] Typ.; cf AMBROSIUS, *De Mysteriis*: III, 16; IV, 21.
[60] Typ.; cf AMBROSIUS, *De Mysteriis*, IV, 21.
[61] Bu (Ev) (-4); Typ. (-15): cf AMBROSIUS, *De Mysteriis*, IV, 22 ss.
[62] Typ.; cf AMBROSIUS, *De Mysteriis*, IX, 51.
[63] Typ.; cf AMBROSIUS, *De Mysteriis*, IX, 58.
[64] Cf AMBROSIUS, *De Mysteriis*, VII, 42.

Vangelo	L'amore segno distintivo di quanti	
	vogliono essere figli del Padre celeste	Matteo 5, 44b-48[65]

GIOVEDÌ

Lettura	Melchisedek, sacerdote del Dio altissimo, offre pane e vino	Genesi 14, 18-24[66]
Epistola	Il Calice che benediciamo; il Pane che spezziamo	1Corinzi 10, 16-17[67]
Vangelo	Chi mangia la mia Carne e beve il mio Sangue ha la vita eterna	Giovanni 6, 51-58[68]

VENERDÌ

Lettura	Il contatto purificatore con le cose sante	Isaia 6, 1-7[69]
Epistola	La vita dell'uomo nuovo	Efesini 4, 29-32[70]
Vangelo	Io sono il Pane di Vita	Giovanni 6, 35-40[71]

SABATO in Albis depositis

Lettura	La mia anima esulta nel mio Dio,	
	perché mi ha rivestito delle vesti di salvezza	Isaia 61, 10 - 62, 3[72]
Epistola	Siate ricolmi di tutta la pienezza di Dio	Efesini 3, 13-21a[73]
Vangelo	La lavanda dei piedi	Giovanni 13, 4-15[74]

Allegato 2

SETTIMANA IN ALBIS
Pericopi per le celebrazioni nei giorni dell'Ottava

LUNEDÌ

Lettura	Dio aveva annunziato per bocca dei profeti	
	che il suo Cristo sarebbe morto;	
	egli deve essere accolto in Cielo	
	fino alla restaurazione di tutte le cose	Atti 3, 17-24[75]
Epistola	Cristo, nostra Pasqua, è stato immolato;	
	celebriamo la festa con azzimi di verità	1Corinzi 5, 7-8[76]
Vangelo	Le Mirofore al Sepolcro	Luca 24, 1-12[77]

---

[65] Bu; Typ.
[66] Typ.: Venerdì.
[67] Typ.
[68] Bu (Ca); Bu (Ev): 35-40 (= Venerdì); Typ.: 57-58.
[69] Typ.
[70] Typ.: Ebrei 4, 14-16a.
[71] Bu (Ca); Bu (Ev): 51-58 (= Giovedì); Typ.
[72] Typ.
[73] Typ.
[74] Typ.; Bu (Ca): Giovanni 21, 1-; Bu (Ev): Giovanni 6, 1-14.
[75] Typ.; L.ex. (12-26).
[76] Typ.; L.ex.
[77] Typ.; L.ex.

MARTEDÌ

Lettura   Nel nome di Gesù Cristo, che voi avete crocifisso

e che Dio ha risuscitato dai morti costui vi sta innanzi salvo   Atti 3, 25 - 4, 10[78]

Epistola   La testimonianza di Cristo si è stabilita tra voi.

Egli vi confermerà sino alla fine   1Corinzi 1, 4-9[79]

Vangelo   Gesù si manifesta alle donne.

I sommi sacerdoti impongono al drappello di guardia cosa dire   Matteo 28, 8-15[80]

MERCOLEDÌ

Lettura   Andate e mettetevi a predicare al popolo nel Tempio tutte queste parole di vita   Atti 5, 12-21a[81]

Epistola   Sapendo che Cristo risuscitato dai morti non muore più,

consideratevi morti al peccato, ma viventi per Dio in Cristo Gesù   Romani 6, 3-11[82]

Vangelo   I Discepoli di Emmaus   Luca 24, 13-35[83]

GIOVEDÌ

DEPOSIZIONE DI S. AMBROGIO

Lettura   Il Dio dei nostri padri ha risuscitato Gesù, che voi avete ucciso

appendendolo alla Croce.

Di questi fatti siamo testimoni noi e lo Spirito Santo   Atti 5, 26-42[84]

oppure

Lettura agiografica   Commemorazione del transito e della sepoltura

del beato vescovo Ambrogio   cf Paulinus, *De via Ambrosii*, 47, 2 - 48, 3

Epistola   Se siete risorti con Cristo,

cercate le cose di lassù   Colossesi 3, 1-4[85]

Vangelo   Gesù appare ai Discepoli nel Cenacolo   Luca 24, 36-49[86]

VENERDÌ

Lettura   Essi lo occisero appendolo alla Croce,

ma Dio lo ha risuscitato al terzo giorno

e ci ha ordinato di attestare

che egli è il giudice dei vivi e dei morti   Atti 10, 34-43[87]

---

[78] Typ.; L.ex. (-12).
[79] Typ. e L.ex.: Romani 10, 8b-15, ma IV Dom. di Pasqua, Anno A: 10, 11-15.
[80] Typ.; L.ex.
[81] Typ.; L.ex.
[82] L.ex.; Typ.: 1Corinzi 8, 8-13.
[83] Typ.; L.ex.
[84] L.ex.; Typ.: Isaia 6, 1-7.
[85] Typ.; L.ex.
[86] L.ex.; Typ.: Matteo 28, 16-20.
[87] L.ex.; Typ.: 7, 2-9.

Epistola	Cristo Gesù umiliò se stesso	
	fino alla morte di Croce,	
	per questo Dio gli ha dato il nome	
	che è al di sopra di ogni altro nome	Filippesi 2, 5-11[88]
Vangelo	Lo vedrete in Galilea	Marco 16, 1-7[89]

SABATO in Albis depositis

Lettura	Voi avete rinnegato il Santo e Giusto,	
	ma Dio l'ha risuscitatodai morti;	
	di questo noi siamo testimoni	Atti 3, 12b-16[90]
Epistola	Uno solo è Dio	
	e uno solo il mediatore fra Dio e gli uomini, Gesù Cristo	1Timoteo 2, 1-7[91]
Vangelo	Il Risorto si manifesta sul mare di Galilea	Giovanni 21, 1-14[92]

Allegato 3

TEMPO DI PASQUA
I Quaranta Giorni
Il Ciclo Domenicale

ANNO I

III DOMENICA DI PASQUA

Liturgia vigiliare vespertina	Vangelo della Resurrezione	Marco 16, 1-8a

Messa nel giorno

Lettura	Battesimo di Giovanni a Efeso	Atti 19, 1b-7
Epistola	Il sangue di Cristo,	
	mediatore di una nuova alleanza,	
	ci purifica dalle opere di morte	Ebrei 9, 11-15[93]
Vangelo	Giovanni addita Gesù come Agnello di Dio	Giovanni 1, 29-34[94]

---

[88] Typ.; L.ex.
[89] Typ.; L.ex.: Matteo, 28, 16-20.
[90] Typ.; L.ex.: Atti 13, 16a. 26-33.
[91] Typ.; L.ex.
[92] Typ.; L.ex.
[93] Cf Corpus Domini, Anno B (= LR).
[94] Bu, Typ.

IV DOMENICA DI PASQUA

Liturgia vigiliare vespertina
Vangelo della Resurrezione   Luca 24, 9-12

Messa nel giorno
Lettura   L'istituzione dei Sette   Atti 6, 1-7
Epistola   Chiunque invocherà il nome del Signore sarà salvato   Romani 10, 11-15[95]
Vangelo   Il buon Pastore   Giovanni 10, 11-18[96]

V DOMENICA DI PASQUA

Liturgia vigiliare vespertina
Vangelo della Resurrezione   Matteo 28, 8-10

Messa nel giorno
Lettura   Cornelio riceve da Dio lo Spirito Santo   Atti 10, 1-5. 24. 34-36.
                                                                                        44-48a[97]
Epistola   È Dio che suscita in voi il volere e l'operare   Filippesi 2, 12-16[98]
Vangelo   Chi accoglie i miei comandamenti,
                           questi mi ama e io mi manifesterò a lui   Giovanni 14, 21-24[99]

VI DOMENICA DI PASQUA

Liturgia vigiliare vespertina
Vangelo della Resurrezione   Giovanni 21, 1-14

Messa nel giorno
Lettura   Testimonianza di Pietro, uomo senza istruzione   Atti 4, 8-14[100]
Epistola   Non parliamo con linguaggio
                           suggerito dalla sapienza umana,
                           ma suggerito dallo Spirito   1Corinzi 2, 12-16
Vangelo   Lo Spirito vi insegnerà ogni cosa.
                           Vado al Padre.
                           Vi lascio la pace, vi do la mia pace   Giovanni 14, 25-29[101]

---

[95]   Cf S. Giovanni Ev. (8c-).
[96]   Miss. Rom.: III post Pascha; LR: IV Domenica, Anno B.
[97]   LR: VI di Pasqua, Anno B.
[98]   Typ. (-17).
[99]   LR: VI di Pasqua, Anno A.
[100] LR: IV di Pasqua, Anno B (-12).
[101] LR: VI di Pasqua, Anno C (23-)

ANNO B

III DOMENICA DI PASQUA

Liturgia vigiliare vespertina
Vangelo della Resurrezione   Marco 16, 1-8a

Messa nel giorno
Lettura   Il Battesimo del carceriere:
                        Credi nel Signore Gesù e sarai salvato   Atti 16, 22-34
Epistola   Sono lieto delle sofferenze
                        che sopporto per voi, a favore della Chiesa,
                        di cui sono diventato ministro   Colossesi 1, 24-29
Vangelo   Abbiate fede in Dio e abbiate fede in me. Mostraci il Padre.
                        Io sono la Via, la Verità e la Vita   Giovanni 14, 1-11a[102]

IV DOMENICA DI PASQUA

Liturgia vigiliare vespertina
Vangelo della Resurrezione   Luca 24, 9-12

Messa nel giorno
Lettura   Alla Domenica Paolo spezza il Pane nella comunità di Troade.   Atti 20, 7-12
Epistola   Il dono spirituale che è in te,
                        è stato conferito con l'imposizione delle mani
                        da parte dei presbiteri   1Timoteo 4, 12-16
Vangelo   Il Pastore buono comunica alle sue pecore la vita eterna   Giovanni 10, 27-30[103]

V DOMENICA DI PASQUA

Liturgia vigiliare vespertina
Vangelo della Resurrezione   Matteo 28, 8-10

Messa nel giorno
Lettura   La testimonianza alla storia della salvezza
                        in Cristo resa da Stefano davanti al Sinedrio   Atti 7, 2-8. 11-12a. 17. 20-22.
                                                                         30-34. 36-42a. 44-48a. 51-54

Epistola   Parliamo di una sapienza che non è di questo mondo.
                        I dominatori di questo mondo non l'hanno conosciuta;

---

[102] Bu: IV post Albas (-14); LR: V di Pasqua, Anno A.
[103] LR: IV di Pasqua, Anno C.

	se l'avessero conosciuta, non avrebbero crocifisso	
	il Signore della gloria	1Corinzi 2, 6-12[104]
Vangelo	Ho fatto conoscere il Tuo nome a quelli che mi hai dato.	
	Prego per loro non per il mondo.	
	Custodiscili nel Tuo nome	Giovanni 17, 1b-11[105]

VI DOMENICA DI PASQUA

| Liturgia vigiliare vespertina | | |
| Vangelo della Resurrezione | | Giovanni 21, 1-14 |

Messa nel giorno		
Lettura	La testimonianza resa da Paolo	
	davanti a Erode Agrippa	Atti 26, 1-23
Epistola	Vi ho trasmesso ciò che ho ricevuto:	
	è risorto ed è apparso	1Corinzi 15, 3-11[106]
Vangelo	Lo Spirito mi renderà testimonianza	
	e anche voi mi renderete testimonianza	Giovanni 15, 26 - 16, 4[107]

ANNO C

III DOMENICA DI PASQUA

| Liturgia vigiliare vespertina | | |
| Vangelo della Resurrezione | | Marco 16, 1-8a |

Messa nel giorno		
Lettura	Paolo a Roma	Atti 28, 16-28
Epistola	Desiderio di Paolo di predicare a Roma	Romani 1, 1-16b[108]
Vangelo	Io sono la Luce del mondo	Giovanni 8, 12-19[109]

IV DOMENICA DI PASQUA

| Liturgia vigiliare vespertina | | |
| Vangelo della Resurrezione | | Luca 24, 9-12 |

---

[104] LR: VI per Annum, Anno A (-10).
[105] LR: VII di Pasqua, Anno A.
[106] LR: V per Annum, Anno C (1-).
[107] Miss. Rom.: Dominica post Ascensionem.
[108] Cf Veglia Pasquale: 1-7 (cf Typ.; L.ex.).
[109] Bu: Dominica III post Albas.

Messa nel giorno

Lettura	Disponibilità di Paolo	
	a morire per il Signore	Atti 21, 8b-14
Epistola	Incoraggiati dalle mie catene	
	i fratelli annunciano la Parola di Dio	Filippesi 1, 8-14[110]
Vangelo	Io ho scelto voi. Rimanete nel mio amore	Giovanni 15, 9-17[111]

V DOMENICA DI PASQUA

Liturgia vigiliare vespertina
Vangelo della Resurrezione

Matteo 28, 8-10

Messa nel giorno

Lettura	Tutti erano un cuor solo. L'esempio di Barnaba	Atti 4, 32-37[112]
Epistola	L'inno alla carità.	1Corinzi 12, 31 - 13, 8a[113]
Vangelo	Vi do un comandamento nuovo:	
	Amatevi come io vi ho amato	Giovanni 13, 31b-35[114]

VI DOMENICA DI PASQUA

Liturgia vigiliare vespertina
Vangelo della Resurrezione

Giovanni 21, 1-14

Messa nel giorno

Lettura	Paolo testimonia che Cristo si è rivelato a lui	
	sulla via di Damasco	Atti 21, 40b - 22, 22
Epistola	Cristo sommo sacerdote	
	elevato al di sopra dei cieli	Ebrei 7, 17-26
Vangelo	Ancora un poco e non mi vedrete;	
	ma vi vedrò di nuovo, e il vostro cuore si rallegrerà	
	e nessuno vi potrà togliere la vostra gioia	Giovanni 16, 12-23a[115]

---

[110] L.ex. IV di Avvento, Anno C [= LR II di Avvento, C] (4-6.8-11)
[111] LR: VI di Pasqua, Anno B.
[112] Typ. (- 5, 11); LR: II di Pasqua (-35).
[113] Cf V Sabato di Pasqua (13, 1-13).
[114] LR: V di Pasqua, Anno C.
[115] Cf Typ.: IV Dom. post Pascha (5-15).

Allegato 4

TEMPO DI PASQUA
I Quaranta Giorni
La lettura progressiva del Vangelo secondo Giovanni
nelle ferie e nei Sabati

II SETTIMANA DI PASQUA

Lunedì	1, 35-42
Martedì	1, 43-51
Mercoledì	3, 1-7
Giovedì	3, 7b-15
Venerdì	3, 22-30
Sabato	3, 31-36

III SETTIMANA DI PASQUA

Lunedì	5, 19-30
Martedì	5, 31-47
Mercoledì	6, 1-15
Giovedì	6, 16-21
Venerdì	6, 22-29
Sabato	6, 30-35

IV SETTIMANA DI PASQUA

Lunedì	6, 44-51
Martedì	6, 60-69
Mercoledì	7, 40b-52
nel Giorno a metà della Festa	7, 14-24
Venerdì	7, 25-31
Sabato	7, 32-36

V SETTIMANA DI PASQUA

Lunedì	8, 21-30
Martedì	10, 31-42
Mercoledì	12, 20-28
Giovedì	12, 37-43
Venerdì	12, 44-50
Sabato	13, 12a. 16-20

VI SETTIMANA

Lunedì	13, 31-36
Martedì	14, 1-6
Mercoledì	14, 7-14

Allegato 5

TEMPO DI PASQUA
I Quaranta Giorni
La lettura progressiva degli Atti nelle ferie e nei Sabati

ANNO I

II SETTIMANA DI PASQUA

LUNEDÌ

Lettura	La comunità nel Cenacolo	Atti 1, 12-14

MARTEDÌ

Lettura	L'elezione di Mattia	Atti 1, 15-26

MERCOLEDÌ

Lettura	I primi tremila convertiti	Atti 2, 29-41

GIOVEDÌ

Lettura	La comunione dei beni nella comunità; l'esempio di Barnaba	Atti 4, 32-37

VENERDÌ

Lettura	Anania e Saffira	Atti 5, 1-11

SABATO

Lettura	Arresto, liberazione e nuovo arresto degli Apostoli	Atti 5, 17-26

III SETTIMANA DI PASQUA

LUNEDÌ

Lettura	Gli Apostoli davanti al Sinedrio	Atti 5, 27-33

MARTEDÌ

Lettura	Il consiglio di rabbi Gamaliele	Atti 5, 34-42

MERCOLEDÌ

Lettura	I Sette	Atti 6, 1-7

GIOVEDÌ

Lettura	L'arresto di Stefano	Atti 6, 8-15

VENERDÌ

Lettura	Il martirio di Stefano	Atti 7, 55 - 8, 1a

SABATO

Lettura	Persecuzione a Gerusalemme e diffusione dell'annuncio	Atti 8, 1b-4

IV SETTIMANA DI PASQUA

LUNEDÌ

Lettura	Paolo a Gerusalemme	Atti 9, 26-30

MARTEDÌ

Lettura	Fondazione della Chiesa d'Antiochia. Barnaba e Paolo. Il nome di Cristiani	Atti 11, 19-26

MERCOLEDÌ

Lettura	Prima missione di Paolo e Barnaba a Cipro: Sergio Paolo.	Atti 13, 1-12

GIOVEDÌ a metà della festa

Lettura	Ad Antiochia di Pisidia: gli Ebrei	Atti 13, 13-42
Vangelo	Quando ormai si era a metà della festa	Giovanni 7, 14-24

VENERDÌ

Lettura	Ad Antiochia di Pisidia: i Pagani	Atti 13, 44-52

SABATO

Lettura	Fine della missione	Atti 14, 1-7. 21-27

V SETTIMANA DI PASQUA

LUNEDÌ

Lettura	La questione d'Antiochia	Atti 15, 1-12

MARTEDÌ

Lettura	L'intervento di Giacomo e la lettera 'sinodale'	Atti 15, 13-31

MERCOLEDÌ

Lettura	La missione di Paolo in Europa: Filippi	Atti 15, 36 - 16, 3. 8-15

GIOVEDÌ

Lettura	Tessalonica	Atti 17, 1-15

VENERDÌ

Lettura	Atene. Discorso di Paolo all'Areòpago	Atti 17, 16-34

SABATO

Lettura	Corinto. L'incontro con Gallione	Atti 18, 1-18a

VI SETTIMANA DI PASQUA

LUNEDÌ

Lettura	Efeso.	Atti 19, 1b-10

MARTEDÌ

Lettura	Tumulto a Efeso.	Atti 19, 21 - 20, 1b

MERCOLEDÌ

Lettura	Congedo dagli Efesini.	Atti 20, 17-38

ANNO II

II SETTIMANA DI PASQUA

LUNEDÌ

Lettura	La primitiva comunità	Atti 2, 42-48

MARTEDÌ

Lettura	Pietro e Giovanni al Tempio: lo storpio risanato	Atti 3, 1-8

MERCOLEDÌ

Lettura	Pietro e Giovanni davanti al Sinedrio: il discorso di Pietro	Atti 4, 1-12

GIOVEDÌ

Lettura   Pietro e Giovanni davanti al Sinedrio: obbedire a Dio   Atti 4, 13-21

VENERDÌ

Lettura   Pietro e Giovanni tornano nella comunità   Atti 4, 23-31

SABATO

Lettura   I malati condotti perché li sfiorasse l'ombra di Pietro   Atti 5, 12-16

III SETTIMANA DI PASQUA

LUNEDÌ

Lettura   Filippo in Samaria   Atti 8, 5-8

MARTEDÌ

Lettura   Pietro e Giovanni in Samaria pregano per i battezzati perché ricevano lo Spirito   Atti 8, 9-17

MERCOLEDÌ

Lettura   Simon mago   Atti 8, 18-25

GIOVEDÌ

Lettura   Saulo sulla via di Damasco   Atti 9, 1-9

VENERDÌ

Lettura   Anania inviato a Paolo, "strumento d'elezione"   Atti 9, 10-16

SABATO

Lettura   Battesimo di Saulo e fuga da Damasco   Atti 9, 17-25

IV SETTIMANA DI PASQUA

LUNEDÌ

Lettura   Pietro a Lidda e Giaffa. La resurrezione di Tabità   Atti 9, 31-43

MARTEDÌ

Lettura   La visione di Giaffa   Atti 10, 1-23a

MERCOLEDÌ

Lettura   In casa di Cornelio   Atti 10, 23b-33

GIOVEDÌ a metà della festa

Lettura   Il battesimo del pagano Cornelio e dei suoi familiari   Atti 10, 34-48a

Vangelo   Quando ormai si era a metà della festa   Giovanni 7, 14-24

VENERDÌ

Lettura   Pietro a Gerusalemme motiva il suo operato   Atti 11, 1-18

SABATO

Lettura   Aiuti da Antiochia a Gerusalemme   Atti 11, 27-30

V SETTIMANA DI PASQUA

LUNEDÌ

Lettura   Paolo a Gerusalemme e il suo arresto nel Tempio   Atti 21, 17-34

MARTEDÌ

Lettura   Civis Romanus   Atti 22, 23-30

MERCOLEDÌ

| Lettura | Paolo condotto presso il governatore Felice a Cesarea | Atti 23, 12-25a. 31-35 |

GIOVEDÌ

| Lettura | Appello Caesarem | Atti 24, 27 - 25, 12 |

VENERDÌ

| Lettura | Paolo rende testimonianza di fronte a Festo e Agrippa | Atti 25, 13-14a. 23; 26, 1. 9-18. 22-32 |

SABATO

| Lettura | La navigazione verso Roma e il naufragio | Atti 27, 1-11. 14-15. 21-26. 35-39. 41-44 |

VI SETTIMANA DI PASQUA

LUNEDÌ

| Lettura | Malta | Atti 28, 1-10 |

MARTEDÌ

| Lettura | Da Malta a Roma | Atti 28, 11-16 |

MERCOLEDÌ

| Lettura | La predicazione a Roma | Atti 28, 17-31 |

Allegato 6

TEMPO DI PASQUA
Tra Ascensione e Pentecoste
Le ferie e il Sabato

VENERDÌ DOPO L'ASCENSIONE

Lettura	Ho cercato l'amato del mio cuore	Cantico 2, 17 - 3, 1b. 2
Epistola	Camminiamo nella fede e non ancora nella visione	2Corinzi 4, 18 - 5, 9
Vangelo	Non sia turbato il vostro cuore; vado e tornerò da voi	Giovanni 14, 27-31a

SABATO DOPO L'ASCENSIONE

Lettura	L'amato mio è riconoscibile fra mille	Cantico 5, 9-14. 15c-d. 16c-d
Epistola	È necessario che questo corpo corruttibile si vesta d'incorruttibilità	1Corinzi 15, 53-58
Vangelo	Io sono la vite vera; chi rimane in me porta molto frutto	Giovanni 15, 1-8

SETTIMANA DELLA DOMENICA DOPO L'ASCENSIONE O VII SETTIMANA DI PASQUA

LUNEDÌ

Lettura	L'amato se n'era andato, era scomparso	Cantico 5, 2a. 5-6b
Epistola	Sia che mangiate, sia che facciate qualsiasi altra cosa, fate tutto per la gloria di Dio	1Corinzi 10, 23. 27-33
Vangelo	Quando lo Sposo sarà tolto	Matteo 9, 14-15

MARTEDÌ

Lettura	Ho cercato l'amato mio	Cantico 5, 6b-8
Epistola	La nostra patria è nei cieli:	
	di là aspettiamo come salvatore il Signore Gesù Cristo	Filippesi 3, 17-4, 1
Vangelo	Rimanete nel mio amore	Giovanni 15, 9-11

MERCOLEDÌ

Lettura	Dimmi dove vai	Cantico 1, 5-6b.7-8b
Epistola	Dio ci ha fatti sedere nei cieli, in Cristo Gesù,	
	per mostrare la straordinaria ricchezza della sua grazia	
		Efesini 2, 1-10
Vangelo	Non voi avete scelto me, ma io ho scelto voi	Giovanni 15, 12-17

GIOVEDÌ

Lettura	Fammi sentire la tua voce	Cantico 6, 1-2; 8, 13
Epistola	L'amore di Dio è stato riversato nei nostri cuori	
	per mezzo dello Spirito Santo	Romani 5, 1-5
Vangelo	Io vi ho scelti dal mondo, per questo il mondo vi odia	Giovanni 15, 18-21

VENERDÌ

Lettura	Vieni, amato mio!	Cantico 7, 13a-d. 14; 8, 10c-d
Epistola	Lo Spirito viene in aiuto alla nostra debolezza	Romani 8, 24-27
Vangelo	È bene per voi che io me ne vada, perché quando me ne sarò andato	
	vi manderò il Consolatore	Giovanni 16, 5-11

Capitolo XV

NELLA LUCE DELLA TRINITÀ LA STORIA DELLA SALVEZZA
IL CICLO DOPO PENTECOSTE

1. "Ad totius mysterii supplementum"

Nei dibattiti sviluppatisi negli anni '90 sull'uso della Scrittura nella liturgia, soprattutto tra gli esegeti d'area germanica, si è spesso sottolineata l'esigenza di salvaguardare la specificità veterotestamentaria. Il disagio da alcuni espresso al riguardo andrebbe forse meglio precisato nel senso seguente: non ridurre la pagina veterotestamentaria a puro supporto testuale degli scritti neotestamentari.[1]

Su questo problema la secolare, ampia e costante utilizzazione liturgica del Vecchio Testamento nella tradizione ambrosiana (ne abbiamo testimonianza in Ambrogio e ininterrottamente dopo di lui) ha creato una consolidata 'sapienza', al cui fondo sta primariamente il rifiuto di ricondurre il complesso legame tra Antico e Nuovo Testamento a un semplice gioco di concordanze testuali (non a caso gli accostamenti scritturistici nelle Domeniche d'Avvento non risultano rigidamente vincolati a tali concordanze e tali concordanze sono programmaticamente escluse nelle Domeniche quaresimali – Samaritana, Abramo, Cieco, Lazzaro – marcate dalla proclamazione di specifiche pericopi da Esodo, un tempo dotate di melodia propria).

Sicché, in riferimento all'esigenza inizialmente espressa, l'esperienza cultuale vissuta lungo i secoli dalla Chiesa milanese, collocando la ricomposizione dei due Testamenti nella dinamica misterica propria della celebrazione liturgica, sembra delineare una specifica prospettiva ermeneutica.

---

[1] Cf, ad esempio, i diversi contributi raccolti in *Christologie der Liturgie. Der Gottesdienst der Kirche. Christusbekenntnis und Sinaibund*, a cura di C. Richter - B. Kranemann, Herder, Freiburg-Basel-Wien 1995 [Quaestiones disputatae, 159].

Merita a tale proposito ricordare che Ambrogio, autore dell'*Expositio evangelii secundum Lucam*, è altresì l'autore di un'organica serie di opere omiletiche legate alle grandi figure della Prima Alleanza; con riferimento a Genesi: *De paradiso*, *De Cain et Abel*, *De Noe*, *De Abraham*, *De Iacob*, *De Iosepho*, *De patriarchis*; ma anche, con riferimento ai quattro Libri dei Re: *Apologia prophetae David*, *De Helia*, *De Nabutha*.

Per il vescovo milanese, Antico e Nuovo Testamento sono le due coppe da cui attingere l'unico Signore Gesù Cristo.[2]

È prospettiva – quella espressa dalle parole di Ambrogio – che nasce, si alimenta e trova il suo inveramento nel *mysterium* cultuale. Nella celebrazione misterica, infatti, viene riproponendosi il contenuto salvifico proprio dell'Antico Testamento (*quae diversis sunt praefigurata vel gesta temporibus, huius noctis curriculo devoluta supplentur*)[3], ma come assorbito e ricapitolato nel compiuto inveramento realizzato dalla Nuova ed Eterna Alleanza in Cristo (*quae patribus in figura contingebant, nobis in veritate proveniunt*)[4], Nuova Alleanza per il dono dello Spirito Santo costantemente riproposta nella Chiesa e partecipata nei divini misteri ai credenti (*ad totius mysterii supplementum Christo vescitur turba fidelium*)[5].

---

[2]   "Bevi per prima cosa l'Antico Testamento, per bere poi anche il Nuovo Testamento. Se non berrai il primo, non potrai bere il secondo. Bevi il primo per mitigare la sete, bevi il secondo per raggiungere la sazietà ... Bevi dunque tutt'e due i calici, dell'Antico e del Nuovo Testamento, perché in entrambi bevi Cristo. Bevi Cristo, che è la vite (cf *Io* 15, 1. 5); bevi Cristo, che è la pietra che ha sprizzato l'acqua (cf *Ex* 17, 4-6); bevi Cristo, che è la fontana della vita (cf *Ps 35*, 10); bevi Cristo che è il fiume la cui corrente feconda la città di Dio (cf *Ps 45*, 5); bevi Cristo che è la pace (cf *Eph 2*, 14); bevi Cristo, dal cui seno sgorgano fiumi d'acqua viva (cf *Io* 7, 38); bevi Cristo, per bere il sangue da cui sei stato redento (cf *Ac* 5, 9); bevi Cristo, per bere il suo discorso! Il suo discorso è l'Antico Testamento, il suo discorso è il Nuovo Testamento. La Scrittura divina si beve, la Scrittura divina si divora quando il succo della Parola eterna discende nelle vene della mente e nelle energie dell'anima: così 'non di solo pane vive l'uomo, ma di ogni parola di Dio' (*Lc* 4, 4)": AMBROSIUS, *Expositio Psalmi I*, 33. 1. 4-5, ed. M. PETSCHENIG, Tempsky-Freytag, Vindobonae-Lipsiae 1919 [Corpus Scriptorum Ecclesiasticorum Latinorum (= CSEL), 64], pp. 28-29; trad. it. L. F. PIZZOLATO, Biblioteca Ambrosiana - Città Nuova, Milano-Roma 1980 [Sancti Ambrosii Episcopi Mediolanensis Opera (= SAEMO), 7/1], pp. 79, 81.

[3]   *Praeconium Paschale*, in *Manuale Ambrosianum ex codice saec. XI olim in usum canonicae Vallis Travaliae* [= *Manuale Ambrosianum*], II, ed. M. MAGISTRETTI, Hoepli, Mediolani 1904, p. 201.

[4]   *Ibidem*, p. 200.

[5]   *Ibidem*, p. 202.

Su questi fondamenti, nella linea dell'auspicio formulato a suo tempo da Achille Maria Triacca e più sopra ricordato,[6] il Lezionario Ambrosiano ora promulgato mette a frutto le potenzialità, dal Triacca stesso segnalate, che scaturiscono dalla funzione marcante assegnata già in età tardo antica al giorno del Martirio del Precursore e alla Domenica della Dedicazione.

Queste due celebrazioni sono di fatto configurate dalla tradizione ambrosiana come i pilastri di un arco temporale, il cui avvio è attualmente segnato dalla Domenica della Trinità ed il cui approdo è rappresentato dalla Domenica di Cristo Re, immediata premessa alla contemplazione della Parusia del Signore e della ricapitolazione in lui di tutte le cose.

Partendo da questi dati strutturali, tale vasto arco di settimane e Domeniche si propone, nel rinnovato Lezionario, quale celebrazione della storia della salvezza, ripercorsa nel suo muovere verso la pienezza dei tempi, realizzatasi nel Cristo, e contemplata nel suo diffondersi nel mondo e nella storia attraverso la Chiesa, sospinta dallo Spirito fino al ritorno definitivo dello Sposo.

A questo percorso, in cui si delinea non soltanto un cammino catechetico, ma anche una teologia della storia, può efficacemente introdurre un testo del papa di Roma di venerata memoria Giovanni Paolo II, testo di cui si ripropone qui un breve frammento:

> "'Gesù Cristo è lo stesso ieri, oggi e per sempre' (*Ebr* 13, 8). Per scoprire sotto il flusso degli eventi questa presenza segreta ed efficace, per intuire il regno di Dio che è già ora in mezzo a noi (cf *Lc* 17, 21), è necessario andare oltre la superficie delle date e degli avvenimenti storici … Alla luce del Padre, del Figlio e dello Spirito la storia cessa di essere una successione di eventi che si dissolvono nel baratro della morte, ma diventa un terreno fecondato dal seme dell'eternità, un cammino che porta a quella meta sublime in cui 'Dio sarà tutto in tutti' (*1Cor* 15, 28)".[7]

È in forza di simile teologia della storia e dell'*eschaton* che la Chiesa aquileiese, inserendo la festa della Trinità nell'anno liturgico, ritenne di farne la Domenica conclusiva dell'anno stesso, il segno dell'approdo definitivo dell'uomo e della storia.

In una linea di pensiero diversa, ma non dissimile, il Lezionario ambrosiano, che in consonanza con la consuetudine romana propone ai fedeli la contemplazione del mistero trinitario a conclusione della celebrazione

---

6 Cf cap. III: "*Ditior mensa Verbi Dei paretur fidelibus*". *Il Lezionario della Chiesa ambrosiana. Lineamenti di uno sviluppo in conformità al concilio Vaticano II,* nota 5.

7 Catechesi nell'Udienza Generale di Mercoledì 9 Febbraio 2000: in *Insegnamenti di Giovanni Paolo II,* 23/1, Libreria Editrice Vaticana, Città del Vaticano 2002, p. 158.

della salvezza realizzatasi nella Pasqua del Cristo e portata a compimento dall'effusione dello Spirito, attraverso l'ordinamento delle Domeniche successive alla Pentecoste ora proposto viene additando nella stessa divina Trinità la scaturigine del meraviglioso disegno d'amore, avviato dall'atto creativo di Dio, ribadito nell'Alleanza del Sinai, attuato dall'Incarnazione del Verbo nella pienezza dei tempi, annunciato dalla Chiesa a tutte le genti, fino al suo compiersi escatologico, quando nel Cristo glorioso "Dio sarà tutto in tutti".

2. LA I SETTIMANA

La settimana che alla solennità di Pentecoste immediatamente tien dietro è anche settimana che prepara alla Domenica della Santissima Trinità. Riprendendo temi e contenuti connessi alla Pentecoste dalla tradizione ebraica, in tali giorni il Lezionario viene riconsiderando la teofania del Sinai, quale grandioso momento manifestativo del mistero nascosto da secoli in Dio, che egli ha attuato nella Pasqua del Cristo e nel dono dello Spirito, concedendoci la libertà di accostarci a Lui in piena fiducia mediante la fede.[8]

---

[8] Cf *Eph* 3, 9-12. Particolarmente pertinente al riguardo risulta quanto affermato ancora una volta da Giovanni Paolo II nella sua catechesi su *La gloria della Trinità nella Pentecoste* svolta nell'Udienza Generale del 31 Maggio 2000: "Luca, nella sua seconda opera, colloca il dono dello Spirito all'interno di una teofania, ossia di una solenne rivelazione divina, che nei suoi simboli rimanda all'esperienza di Israele al Sinai (cf *Ex* 19). Il fragore, il vento impetuoso, il fuoco che evoca la folgore, esaltano la trascendenza divina. In realtà, è il Padre a donare lo Spirito attraverso l'intervento di Cristo glorificato. Lo dice Pietro nel suo discorso: 'Gesù ... innalzato alla destra di Dio e dopo aver ricevuto dal Padre lo Spirito Santo che egli aveva promesso, lo ha effuso, come voi stessi potete vedere e udire' (*Ac* 2, 33) ... È significativo notare che un commento giudaico all'Esodo, rievocando il cap. 10 della Genesi in cui si tratteggia una mappa delle settanta nazioni che si pensava costituissero l'umanità nella sua pienezza, le riconduce al Sinai per ascoltare la Parola di Dio: 'Al Sinai la voce del Signore si divise in settanta lingue, perché tutte le nazioni potessero comprendere' (*Exodus Rabba'*, 5, 9). Così pure nella Pentecoste lucana la Parola di Dio, mediante gli Apostoli, viene rivolta all'umanità per annunziare a tutte le genti, pur nelle loro diversità, "le grandi opere di Dio" (*Ac* 2,11). C'è, però, nel Nuovo Testamento un altro racconto che potremmo chiamare la Pentecoste giovannea. Nel quarto vangelo, infatti, l'effusione dello Spirito Santo è collocata nella sera stessa di Pasqua ed è connessa intimamente alla risurrezione ... Anche in questo racconto giovanneo risplende la gloria della Trinità: del Cristo Risorto che si mostra nel suo corpo glorioso, del Padre che è alla sorgente della missione apostolica e dello Spirito effuso come dono di pace": in *Insegnamenti di Giovanni Paolo II*, 23/1, pp. 995, 996-997.

Sicché, nell'Anno I le parole del Signore Gesù s'intrecciano alla memoria della teofania sul Sinai, al ricordo della rinnovata fedeltà alla Legge proclamata da Giosia, al preannuncio del dono di uno Spirito nuovo per una vera osservanza dei decreti del Signore, e infine alle disposizioni del Libro dei Numeri per la celebrazione della Festa delle Settimane, che nel cinquantesimo giorno dopo Pasqua è venuta associandosi in ambito ebraico alla commemorazione del dono della Legge.

Nell'Anno II, invece, i testi evangelici si legano alle disposizioni in merito alla Festa delle Settimane (Deuteronomio 16, 9-12), nonché, in sintonia con quanto previsto dalla liturgia sinagogale, alla lettura della pericope relativa alla teofania sul Sinai (Esodo 19), concludendola al Sabato con la proclamazione da parte di Dio delle Dieci Parole (Esodo 20, 1-21).

3. DOMENICA DELLA SANTISSIMA TRINITÀ

Il complesso delle pericopi per la I Domenica dopo Pentecoste si presenta così articolato nei tre anni:

Anno A

Lettura	La rivelazione a Mosé del Nome divino	Esodo 3, 1-15
Salmo	Cantate a Dio, inneggiate al suo nome	Salmo 67, 8-9. 20-21. 32-33-35a
Epistola	Nello Spirito possiamo gridare a Dio: Abba!	Romani 8, 14-17[9]
Canto al Vangelo	Gloria al Padre, al Figlio, allo Spirito santo; a Dio che è, che era e che viene	Cf Apocalisse 1, 8
Vangelo	Il Padre rivelato dal Figlio e dallo Spirito	Giovanni 16, 12-15[10]

Anno B

Lettura	Mosè contempla la Gloria di Dio	Esodo 33, 18-23; 34, 5-7a
Salmo	Ti ho cercato, Signore, per contemplare la tua gloria	Salmo 62, 2-3. 4-5. 6-8
Epistola	Lo Spirito di Dio che dà vita in Gesù Cristo ci ha liberati dalla legge del peccato	Romani 8, 1-9b
Canto al Vangelo	Gloria al Padre, al Figlio, allo Spirito santo; a Dio che è, che era e che viene	Cf Apocalisse 1, 8
Vangelo	Vi manderò lo Spirito che procede dal Padre	Giovanni 15, 24-27

Anno C

Lettura	I Tre Angeli a Mamre	Genesi 18, 1-10a
Salmo	Il Signore è fedele alla sua parola	Salmo 104, 4-6. 7-9. 43-45

---

[9] Cf LR: B.
[10] Cf LR: C.

Epistola	Nessuno può dire 'Gesù è Signore' se non sotto l'azione dello Spirito di Dio	1Corinzi 12, 2-6
Canto al Vangelo	Gloria al Padre, al Figlio, allo Spirito santo;	
	a Dio che è, che era e che viene	Cf Apocalisse 1, 8
Vangelo	Nel mio nome il Padre manderà lo Spirito Santo	Giovanni 14, 21-26

4. IL CICLO FERIALE

L'intero ciclo feriale delle settimane, che seguono la Domenica della Santisima Trinità (fino alla Domenica della Dedicazione), trova il proprio elemento unificante e caratterizzante nella progressiva lettura del Vangelo secondo Luca, dalla tradizione additato come il testo evangelico che ha particolarmente ispirato Ambrogio nella sua predicazione non direttamente legata alle celebrazioni del ciclo pasquale.[11]

Con riferimento agli altri testi scritturistici che accompagnano le pericopi evangeliche, la celebrazione del martirio del Precursore connessa al 29 Agosto, data d'inizio della così detta "Era dei Martiri", costituisce il tornante all'interno di un programma di Letture volto a riproporre all'attenzione dei fedeli la storia della salvezza: preparata "fino a Giovanni" nell'Antica Alleanza e successivamente, nell'economia di grazia scaturita dall'Incarnazione del Verbo divino, annunciata e comunicata a tutte le genti (cf per questo le Domeniche dopo il Martirio del Precursore).

Nelle Settimane dopo Pentecoste, pertanto, e segnatamente dal Lunedì della seconda settimana, un'organica serie di pericopi, tratte in ordine progressivo a cominciare dal Pentateuco (ed escludendo ovviamente Genesi, la cui sistematica proclamazione si è sviluppata durante la Quaresima), viene presentando le grandi opere con cui Dio ha scandito il dialogo col suo popolo a partire dalla liberazione dall'Egitto e dall'Alleanza del Sinai, e nel lungo succedersi delle generazioni, quando "tutti i Profeti e la Legge hanno profetato, fino a Giovanni"[12].

Sicché, al termine della lettura di Deuteronomio, si apre la lettura di Giosuè, cui succede la lettura di Giudici e quelle dal I e dal II Libro di Samuele. I Libri dei Re (Anno I) e delle Cronache (Anno II) precedono le due settimane di letture da Esdra (Anno I) e Neemia (Anno II), alle quali segue la settimana della lettura di Giuditta (Anno I) e di 1Maccabei (Anno II).

L'ultima delle Settimane dopo Pentecoste presenta letture tratte rispettivamente da 2Maccabei (Anno I) e 1Maccabei (Anno II). Qualunque sia il numero delle Domeniche sussistenti tra Pentecoste e Decollazione, tale Settimana e la Domenica, che ne segna l'apertura, non vengono mai

---

[11] La serie delle pericopi potrà vedersi al termine del capitolo nell'Allegato 4.
[12] *Mt* 11, 13.

omesse. Esse costituiscono la Domenica antecedente e la settimana in cui si colloca la celebrazione del Martirio del Battista. Anche per la congruità con la vicenda del Precursore, il ricordo degli antichi martiri immolatisi per la Torah appare estremamente opportuno quale momento conclusivo del profilo dell'Antica Alleanza; tanto più che proprio a loro la Chiesa ambrosiana, fin dai suoi più arcaici calendari, dedicava una speciale commemorazione, la cui pericope evangelica compare già nel *Capitolare di Busto*.[13]

Questa settimana conclusiva della serie delle Settimane dopo Pentecoste è caratterizzata anche da una successione di pericopi evangeliche propria che, interrompendo la *lectio* semicontinua del Vangelo secondo Luca, alla persona del Battista in modo molto diretto si riferisce.[14]

Come già si è osservato, il 29 Agosto è giorno che segna l'inizio del ciclo annuale secondo l'Era dei Martiri, tuttora utilizzata dalle Chiese di tradizione alessandrina. Nel Calendario delle Chiese di matrice costantinopolitana tale inizio si colloca nelle Calende immediatamente successive, ossia il 1° Settembre.[15]

Poiché la tradizione ambrosiana esclude la celebrazione delle feste di santi la Domenica, qualora il 29 Agosto cada in tale giorno, la festa del Martirio di san Giovanni viene trasferita al 1° Settembre.

5. IL CICLO DOMENICALE

Va segnalato come, dalla Settimana della V Domenica, ciclo feriale e ciclo domenicale delle Letture veterotestamentarie di fatto s'intreccino, facendo sì che le pericopi feriali concorrano a delineare il quadro entro cui viene collocandosi quanto enunciato dalle pericopi domenicali.[16]

Si deve inoltre notare che in queste Domeniche dopo Pentecoste, a partire dalla II Domenica, come in Avvento e nelle Domeniche propriamente quaresimali, durante le celebrazioni vespertine vigiliari quale lettura precedente il Vangelo viene proclamata, anziché l'Epistola, la Lettura

---

[13] A. PAREDI, *L'Evangeliario di Busto Arsizio*, in *Miscellanea Liturgica in onore di Sua Eminenza il cardinale Giacomo Lercaro*, II, Desclée, Roma-Parigi-Tournai-New York 1967, p. 220.

[14] La successione delle pericopi evangeliche e dei rispettivi Alleluia potrà vedersi al termine del capitolo nell'Allegato 5.

[15] Cf il cap. II: "Pollens ordo lectionum". *Proclamazione delle Scritture e celebrazione misterica nell'esperienza storica della Chiesa Milanese*, nota 31.

[16] L'ordinamento delle Letture veterotestamentarie nelle ferie dopo Pentecoste e il loro coordinamento, a partire dalla V Settimana, con le letture veterotestamentarie domenicali, potrà vedersi nell'Allegato 2.

veterotestamentaria. L'unità delle pericopi di ciascuna Domenica si radica, peraltro, nel mistero di Cristo annunciato dal Vangelo.[17]

6. Il Ciclo Sabbatico

Con la seconda settimana dopo Pentecoste riprende altresì la serie delle celebrazioni sabbatiche comuni, avviatasi nel Tempo dopo l'Epifania con la Settimana successiva alla festa del Battesimo del Signore e interrottasi con l'avvio della Quaresima.

***

In *Appendice* al volume delle celebrazioni festive relative al III Libro del Lezionario, sono registrate le pericopi per *Corpus Domini* e *Sacro Cuore*, nonché per la festa della *Trasfigurazione*, qualora il 6 agosto cada in Domenica.

La prima solennità ripropone i testi del Lezionario Romano e la relativa articolazione triennale. Analogamente avviene per la solennità del Sacratissimo Cuore di Gesù, nel cui Anno A, tuttavia, la norma ambrosiana, che configura l'Epistola come rigorosamente appartenete al corpus paolino, ha imposto la sostituzione di I Giovanni 4, 7-16, con Romani 15, 5-9a: *Accoglietevi gli uni gli altri come Cristo ha accolto voi*.

Quanto alla festa della Trasfigurazione, essa presenta le seguenti pericopi:

Liturgia vigiliare vespertina			
Vangelo della Resurrezione	Gesù risorto		
	si mostra coi segni della Passione		Giovanni 20, 24-29
Messa nel giorno			
Lettura	Questa voce, noi l'abbiamo udita scendere dal cielo		2Pietro 1, 16-19[18]
Salmo	Splende sul suo volto la gloria del Padre		Salmo 96, 1-2. 5-6. 11a. 12b
Epistola	Il Figlio è irradiazione della Gloria di Dio		Ebrei 1, 2b-9
Canto al Vangelo	Si aprirono i cieli e la voce del Padre disse:		
	"Questi è il Figlio mio, l'amato: ascoltatelo"		Cf Matteo 3, 16-17; Marco 9, 7
Vangelo ANNO A	Il suo volto brillò come il sole		Matteo 17, 1-9[19]
Vangelo ANNO B	Questi è il Figlio mio, l'amato		Marco 9, 2-10[20]
Vangelo ANNO C	Mentre pregava il suo volto cambiò d'aspetto		Luca 9, 28b-36[21]

---

[17] Quanto allo specifico ordinamento delle pericopi domenicali, si rinvia all'Allegato 3.
[18] Cf LR: Epistola.
[19] Cf LR.
[20] Cf LR.
[21] Cf LR.

Allegato 1

Pericopi della Settimana dopo Pentecoste

ANNO I

LUNEDÌ

Lettura	La teofania al Sinai	Esodo 19, 16b-19
Vangelo	Una voce dal cielo: "L'ho glorificato"	Giovanni 12, 27-32

MARTEDÌ

Lettura	Non servirete altri dei. Osserverete le leggi che il Signore vi ha date	Deuteronomio 6, 10-19
Vangelo	Chi avrà lasciato tutto per il Regno di Dio	
	riceverà già al presente cento volte tanto e la vita eterna	Marco 10, 28-30

MERCOLEDÌ

Lettura	Quando tuo figlio domanderà: che significano queste leggi?	Deuteronomio 6, 20-25
Vangelo	Qual è il primo di tutti i comandamenti?	Marco 12, 28a.d-34

GIOVEDÌ

Lettura	Re Giosia conclude di nuovo l'alleanza	
	e impegna l'intero popolo a custodire la Legge	2Re 23, 1-3
Vangelo	Ogni giorno insegnava nel Tempio	
	e tutto il popolo pendeva dalle sue parole	Luca 19, 41-48

VENERDÌ

Lettura	Darò loro un cuore di carne perché seguano le mie leggi	Ezechiele 11, 14. 17-20
Vangelo	È lo Spirito del Padre vostro che parla in voi	Matteo 10, 18-22

SABATO

Lettura	La festa delle Settimane	Numeri 28, 1. 26-31
Epistola	Invito a offrirsi al Signore e a essere generosi nei confronti dei bisognosi	2 Corinzi 8, 1-7
Vangelo	Questa vedova nella sua miseria ha dato tutto quanto aveva per vivere	Luca 21, 1-4

ANNO II

LUNEDÌ

Lettura	La festa delle Settimane	Deuteronomio 16, 9-12
Vangelo	Questa vedova nella sua miseria ha dato tutto quello che aveva per vivere	Luca 21, 1-4

MARTEDÌ

Lettura	Dio parla dal Sinai: Sarete un regno di sacerdoti, una nazione santa	Esodo 19, 1-6
Vangelo	Siate simili a coloro che aspettano il padrone	Luca 12, 35-38

MERCOLEDÌ

Lettura	Guardatevi dal toccare le falde del monte	Esodo 19, 7-15
Vangelo	Gli si avvicinò e toccò il lembo del mantello	Luca 8, 42b-48

GIOVEDÌ

Lettura	La teofania al Sinai	Esodo 19, 16-19
Vangelo	Una voce dal cielo: L'ho glorificato	Giovanni 12, 27-32

VENERDÌ

Lettura	Dio convoca Mosè sul Sinai	Esodo 19, 20-25
Vangelo	Il Signore Gesù andò sulla montagna	
	e chiamò a sé i discepoli e scelse i Dodici	Luca 6, 12-16

SABATO

Lettura	Dio pronuncia le Dieci Parole	Esodo 20, 1-21
Epistola	Il fine della Legge di Mosè è Cristo	Romani 10, 4-9
Vangelo	Fate discepoli tutti i popoli	Matteo 28, 16-20

Allegato 2

SETTIMANE DOPO PENTECOSTE
Le pericopi veterotestamentarie di ferie e Domeniche

SETTIMANA DELLA I DOMENICA DOPO PENTECOSTE

ANNO I

LUNEDÌ

Lettura	I discendenti di Giacobbe e la loro oppressione in Egitto	Esodo 1, 1-14

MARTEDÌ

Lettura	La nascita di Mosè	Esodo 2, 1-10

MERCOLEDÌ

Lettura	La chiamata di Mosè	Esodo 6, 2-11

GIOVEDÌ – CORPUS DOMINI

VENERDÌ

Lettura	L'associazione di Aronne	Esodo 4, 10-17

ANNO II

LUNEDÌ

Lettura	I discendenti di Giacobbe in Egitto e la loro oppressione	Esodo 3, 7-12

MARTEDÌ

Lettura	Aronne 'profeta' di Mosè	Esodo 6, 29 - 7, 10

MERCOLEDÌ

Lettura	Annuncio della decima piaga d'Egitto	Esodo 11, 1-9

GIOVEDÌ – CORPUS DOMINI
VENERDÌ

| Lettura | La decima piaga e l'uscita dall'Egitto | Esodo 12, 29-36 |

II DOMENICA DOPO PENTECOSTE
Anno A

| Lettura | Il Signore creò l'uomo e diede precetti verso il prossimo | Siracide 17, 1-4.6-11b.12-14 |

Anno B

| Lettura | Nella creazione del Signore le sue opere sono dal principio | Siracide 16, 24-30 |

Anno C

| Lettura | Colui che vive per sempre ha creato l'universo | Siracide 18, 1-2.4-9a.10-13 |

ANNO I

LUNEDÌ

| Lettura | Mosè e Aronne dal faraone | Esodo 5, 1-9. 19 - 6, 1 |

MARTEDÌ

| Lettura | La decima piaga e l'uscita di Israele dall'Egitto | Esodo 12, 29-34 |

MERCOLEDÌ

| Lettura | Israele spoglia gli Egiziani | Esodo 12, 35-42 |

GIOVEDÌ

| Lettura | La legge dei primogeniti | Esodo 13, 3a. 11-16 |

VENERDÌ – SACRATISSIMO CUORE DI GESÙ

ANNO II

LUNEDÌ

| Lettura | Le leggi della Pasqua | Esodo 12, 43-51 |

MARTEDÌ

| Lettura | Le acque amare | Esodo 15, 22-27 |

MERCOLEDÌ

| Lettura | La battaglia contro Amalek e l'intercessione di Mosè | Esodo 17, 8-15 |

GIOVEDÌ

| Lettura | La legge del sabato | Esodo 35, 1-3 |

VENERDÌ – SACRATISSIMO CUORE DI GESÙ

III DOMENICA DOPO PENTECOSTE
Anno A

| Lettura | La creazione dell'uomo | Genesi 2, 4b-17 |

Anno B

| Lettura | La creazione della coppia | Genesi 2, 18-25 |

Anno C

| Lettura | La caduta e la condanna. Eva, madre di tutti i viventi | Genesi 3, 1-20 |

ANNO I

LUNEDÌ

| Lettura | Nell'esercizio del servizio sacerdotale appare la gloria di Dio | Levitico 9, 1-8a. 22-24 |

MARTEDÌ

| Lettura | La nube divina sopra la Tenda del Convegno | Numeri 9, 15-23 |

MERCOLEDÌ

| Lettura | La marcia d'Israele | Numeri 10, 33 - 11, 3 |

GIOVEDÌ

| Lettura | Aronne ed Eleazaro: la continuità del sacerdozio | Numeri 20, 22-29 |

VENERDÌ

| Lettura | L'offerta del mattino e della sera | Numeri 28, 1-8 |

ANNO II

LUNEDÌ

| Lettura | Le leggi di santità | Levitico 19, 1-19a |

MARTEDÌ

| Lettura | La legge del nazireato | Numeri 6, 1-21 |

MERCOLEDÌ

| Lettura | Mormorazione del popolo e intercessione di Mosè | Numeri 14, 2-19 |

GIOVEDÌ

| Lettura | L'investitura di Giosuè | Numeri 27, 12-23 |

VENERDÌ

| Lettura | Disposizioni per l'ingresso in Canaan | Numeri 33, 50-54 |

IV DOMENICA DOPO PENTECOSTE

Anno A

| Lettura | La corruzione sulla terra ai tempi di Noè | Genesi 6, 1-22 |

Anno B

| Lettura | La condanna di Sodoma e Gomorra | Genesi 18, 17-21; 19, 1. 12-13. 15. 23-29 |

Anno C

| Lettura | Abele e Caino | Genesi 4, 1-16 |

ANNO I

LUNEDÌ

| Lettura | Mosè escluso dalla Terra Promessa | Deuteronomio 4, 21-31 |

MARTEDÌ

| Lettura | Cercate il Signore vostro Dio nella sua Dimora | Deuteronomio 12, 2-12 |

MERCOLEDÌ

| Lettura | Ti costituirai giudici e scribi | Deuteronomio 16, 18-20; 17, 8-13 |

GIOVEDÌ

| Lettura | Dio susciterà in mezzo a te un profeta | Deuteronomio 18, 9-22b |

VENERDÌ

Lettura   Ti ricorderai che sei stato schiavo nel paese d'Egitto   Deuteronomio 24, 10-22

ANNO II

LUNEDÌ

Lettura   Vi fu mai cosa grande come questa?   Deuteronomio 4, 32-40

MARTEDÌ

Lettura   Popolo di dura cervice,

non per tua giustizia Dio ti dà questa terra   Deuteronomio 9, 1-6

MERCOLEDÌ

Lettura   Seguirete il Signore vostro Dio e gli resterete fedeli   Deuteronomio 12, 29 - 13, 9

GIOVEDÌ

Lettura   L'anno sabbatico   Deuteronomio 15, 1-11

VENERDÌ

Lettura   Il Signore eredità dei Leviti   Deuteronomio 18, 1-8

V DOMENICA DOPO PENTECOSTE

Anno A

Lettura   Esci dalla tua terra   Genesi 11, 31. 32b-12, 5b

Anno B

Lettura   Ti chiamerai Abraham, perché padre di una moltitudine di popoli   Genesi, 17, 1b-16

Anno C

Lettura   La trattativa di Abramo a favore di Sodoma   Genesi 18, 1-2a. 16-33

ANNO I

LUNEDÌ

Lettura   La legge delle primizie   Deuteronomio 26, 1-11

MARTEDÌ

Lettura   Tu sarai un popolo consacrato al Signore   Deuteronomio 26, 16-19

MERCOLEDÌ

Lettura   Le benedizioni e le maledizioni dei Leviti su Israele   Deuteronomio 27, 9-26

GIOVEDÌ

Lettura   Investitura di Giosuè   Deuteronomio 31, 14-23

VENERDÌ

Lettura   La fine di Mosè   Deuteronomio 32, 45-52

ANNO II

LUNEDÌ

Lettura   Occhio per occhio   Deuteronomio 19, 15-21

MARTEDÌ

Lettura   La legge del levirato   Deuteronomio 25, 5-10

MERCOLEDÌ

Lettura   Le due vie   Deuteronomio 30, 15-20

Lettura   L'elogio di Mosè   Deuteronomio 31, 1-12

VENERDÌ

Lettura   Ultimi ammonimenti di Mosè e suo Cantico   Deuteronomio 31, 24-32, 1

VI DOMENICA DOPO PENTECOSTE

Anno A

Lettura   Mosè sul Sinai contempla la gloria di Dio   Esodo 33, 18 - 34, 10

Anno B

Lettura   Dio nel roveto ardente rivela a Mosè il Nome divino   Esodo 3, 1-15

Anno C

Lettura   Mosè stabilisce nel sangue l'alleanza tra Dio e il popolo   Esodo 24, 3-18

ANNO I

LUNEDÌ

Lettura   Promesse di Dio a Giosuè   Giosuè 1, 1-5

MARTEDÌ

Lettura   Il Giordano si arresta all'arrivo dell'arca   Giosuè 3, 7-17

MERCOLEDÌ

Lettura   La traversata del Giordano   Giosuè 4, 11-18

GIOVEDÌ

Lettura   Preannuncio della caduta di Gerico   Giosuè 5, 13 - 6, 5

VENERDÌ

Lettura   La conquista di Gerico   Giosuè 6, 19-20. 24-25. 27

ANNO II

LUNEDÌ

Lettura   Le promesse di Dio a Giosuè   Giosuè 1, 1. 6-9

MARTEDÌ

Lettura   Raab   Giosuè 2, 1-15

MERCOLEDÌ

Lettura   La traversata del Giordano   Giosuè 3, 1-13

GIOVEDÌ

Lettura   L'arrivo a Galgala   Giosuè 4, 19 - 5, 1

VENERDÌ

Lettura   La circoncisione di Israele in Galgala   Giosuè 5, 2-12

VII DOMENICA DOPO PENTECOSTE

Anno A

Lettura   Le dodici pietre,

	memoriale perenne della traversata del Giordano	
	e dell'ingresso d'Israele nella Terra Promessa	Giosuè 4, 1-9
Anno B		
Lettura	Sole, fermati in Gabaon!	Giosuè 10, 6-15
Anno C		
Lettura	L'assemblea e l'alleanza di Sichem	Giosuè 24, 1-2a. 15b-27

ANNO I

LUNEDÌ

Lettura	Le conquiste di Giosuè in terra di Canaan	Giosuè 11, 15-23

MARTEDÌ

Lettura	Morte di Giosuè e sepoltura a Sichem delle ossa di Giuseppe	Giosuè 24, 29-32

MERCOLEDÌ

Lettura	Dopo Giosuè Dio suscita i Giudici	
	e mette alla prova Israele con i Gentili	Giudici 2, 18-3, 6

GIOVEDÌ

Lettura	Vocazione di Gedeone	Giudici 6, 1-16

VENERDÌ

Lettura	Il segno del vello	Giudici 6, 33-40

ANNO II

LUNEDÌ

Lettura	Le mura di Gerico	Giosuè 6, 6-17. 20

MARTEDÌ

Lettura	L'assemblea di Sichem e la confermata fedeltà all'alleanza	Giosuè 24, 1-16

MERCOLEDÌ

Lettura	Morte di Giosuè e devastazione della Gerusalemme cananea	Giudici 1, 1-8

GIOVEDÌ

Lettura	Sansone e Dalila	Giudici 16, 4-5. 15-21

VENERDÌ

Lettura	Muore Sansone insieme ai Filistei	Giudici 16, 22-31

VIII DOMENICA DOPO PENTECOSTE

Anno A		
Lettura	Vocazione di Samuele	1Samuele 3, 1-20
Anno B		
Lettura	I Giudici in Israele	Giudici 2, 6-17
Anno C		
Lettura	Il popolo chiede un re a Samuele e Dio lo concede	1Samuele 8, 1-22a

ANNO I

LUNEDÌ

Lettura   Preghiera di Anna e nascita di Samuele   1Samuele 1, 9-20

MARTEDÌ

Lettura   Samuele unge re Saul, della più piccola famiglia e tribù   1Samuele 9, 15-10, 1b

MERCOLEDÌ

Lettura   L'affetto di Gionata per Davide e la gelosia di Saul   1Samuele 18, 1-9

GIOVEDÌ

Lettura   Non ho voluto stendere la mano sul consacrato del Signore   1Samuele 26, 3-14a. 17-25

VENERDÌ

Lettura   Morte di Saul   1Samuele 31, 1-13

ANNO II

LUNEDÌ

Lettura   Sterilità di Anna e voto di nazireato per il figlio   1Samuele 1, 1-11

MARTEDÌ

Lettura   Saul riconosciuto re in Mizpa. I diritti del regno   1Samuele 10, 17-26

MERCOLEDÌ

Lettura   Golia e Davide   1Samuele 17, 1-11. 32- 37. 40-46. 49-51

GIOVEDÌ

Lettura   Davide non stende la mano contro Saul   1Samuele 24, 2-13. 17-23

VENERDÌ

Lettura   La negromante di Endor   1Samuele 28, 3-19

IX DOMENICA DOPO PENTECOSTE

Anno A

Lettura   Il peccato e il pentimento di Davide   2Samuele 12, 1-13

Anno B

Lettura   Davide si umilia davanti all'arca di Dio   2Samuele 6, 12b-22

Anno C

Lettura   L'unzione di Davide   1Samuele 16, 1-13

ANNO I

LUNEDÌ

Lettura   Davide è riconosciuto re in Ebron e conquista di Gerusalemme   2Samuele 5, 1-12

MARTEDÌ

Lettura   Davide conduce l'arca a Gerusalemme   2Samuele 6, 1-15

MERCOLEDÌ

Lettura   Davide e la moglie di Uria   2Samuele 11, 2-17. 26-27; 12, 13-14

GIOVEDÌ

Lettura   Davide e la morte del figlio ribelle Assalonne   2Samuele 18, 24 - 19, 9b

VENERDÌ

Lettura   Salomone unto re   1Re 1, 41b-53

ANNO II

LUNEDÌ

Lettura   Davide, riconosciuto re in Ebron,
muove verso Gerusalemme e conquista la cittadella di Sion   1Cronache 11, 1-9

MARTEDÌ

Lettura   Davide conduce l'Arca a Gerusalemme   1Cronache 14, 17-15, 4. 14-16. 25 - 16, 2

MERCOLEDÌ

Lettura   La preghiera di Davide per la stabilità della sua casa   1Cronache 17, 16-27

GIOVEDÌ

Lettura   Non Davide, ma Salomone è destinato da Dio a edificare il Tempio   1Cronache 28, 2-14

VENERDÌ

Lettura   Salomone unto re   1Cronache 29, 20-28

X DOMENICA DOPO PENTECOSTE

Anno A

Lettura   Preghiera di Salomone per la dedicazione del Tempio   1Re 8, 15-30

Anno B

Lettura   La nube divina prende possesso del tempio   1Re 7, 51 - 8, 14

Anno C

Lettura   Salomone chiede a Dio la sapienza   1Re 3, 5-15

ANNO I

LUNEDÌ

Lettura   Il saggio giudizio di Salomone   1Re 3, 16-28

MARTEDÌ

Lettura   Salomone edifica il Tempio   1Re 6, 1-3. 14-23. 30-38; 7, 15a. 21

MERCOLEDÌ

Lettura   Sviamento di Salomone   1Re 11, 1-13

GIOVEDÌ

Lettura   Morte di Salomone e divisione del regno   1Re 11, 41-12, 2. 20-25b

VENERDÌ

Lettura   Geroboamo istituisce culti idolatrici nel regno d'Israele   1Re 12, 26-32

ANNO II

LUNEDÌ

Lettura   Trasporto dell'arca nel Tempio e presa di possesso da parte di Dio   2Cronache 5, 2-14

MARTEDÌ

Lettura   La dedicazione del Tempio   2Cronache 7, 1-10

MERCOLEDÌ

Lettura   La regina di Saba viene per ascoltare la sapienza di Salomone   2Cronache 8, 17 - 9, 12
GIOVEDÌ

Lettura   Splendore di Salomone e sua morte   2Cronache 9, 13-31
VENERDÌ

Lettura   La divisione del regno   2Cronache 10, 1-4. 15-19

XI DOMENICA DOPO PENTECOSTE

Anno A
Lettura   Dio si rivela ad Elia e lo invia   1Re 19, 8b-16.18a-b
Anno B
Lettura   Elia e la punizione dei falsi profeti di Baal al Carmelo   1Re 18, 16b-40a
Anno C
Lettura   La vigna di Nabot   1Re 21, 1-19

ANNO I

LUNEDÌ
Lettura   Salmanassar, re di Assiria, conquista il regno d'Israele   2Re 17, 1-12
MARTEDÌ

Lettura   I Samaritani   2Re 17, 24-29. 33-34
MERCOLEDÌ

Lettura   Ezechia, re di Giuda, e il profeta Isaia   2Re 19, 9-22. 32-37
GIOVEDÌ

Lettura   Il rinnovamento religioso del re Giosia in Giuda   2Re 22, 1-2; 23, 1-3. 21-23
VENERDÌ

Lettura   Ioiakin e la prima deportazione   2Re 24, 8-17

ANNO II

LUNEDÌ
Lettura   Rettitudine di Giosafat, re di Giuda   2Cronache 17, 1-6; 19, 4-11
MARTEDÌ

Lettura   I peccati di Acaz, re di Giuda   2Cronache 28, 16-18a. 19-25
MERCOLEDÌ

Lettura   Ezechia, re di Giuda, purifica il tempio   2Cronache 29, 1-12a. 15-24a
GIOVEDÌ

Lettura   La Pasqua di Ezechia   2Cronache 30, 1-5. 10-13. 15-23. 26-27
VENERDÌ

Lettura   I peccati dei re e la fine del regno di Giuda   2Cronache 36, 5-12. 17

XII DOMENICA DOPO PENTECOSTE

Anno A

Lettura   La distruzione del Tempio e di Gerusalemme   2Cronache 36, 11-21

Anno B

Lettura   Geremia preannuncia i settant'anni di cattività babilonese   Geremia 25, 1-13

Anno C

Lettura   Distruzione di Gerusalemme e spoliazione del Tempio   2Re 25, 1-17

ANNO I

LUNEDÌ

Lettura   I rimpatriati da Babilonia   Esdra 2, 1-2. 61-65. 68-70

MARTEDÌ

Lettura   L'opposizione dei Samaritani e degli occupanti

alla ricostruzione del Tempio a opera dei soli rimpatriati   Esdra 4, 1-16

MERCOLEDÌ

Lettura   Lettera a Dario sulla ricostruzione del Tempio   Esdra 4, 24-5, 17

GIOVEDÌ

Lettura   Disposizioni di Dario per la ricostruzione del Tempio   Esdra 6, 1-18

VENERDÌ

Lettura   Esdra, inviato dal re a Gerusalemme   Esdra 7, 1a. 6b-26

ANNO II

LUNEDÌ

Lettura   Preghiera di Neemia   Neemia 1, 5-11

MARTEDÌ

Lettura   Neemia giunge a Gerusalemme

e si ricostruiscono le mura della città   Neemia 2, 9-20

MERCOLEDÌ

Lettura   La difesa armata della ricostruzione   Neemia 4, 1-17

GIOVEDÌ

Lettura   La solidarietà fattiva del popolo impegnato nella ricostruzione   Neemia 5, 1-13

VENERDÌ

Lettura   Trame in Gerusalemme contro Neemia   Neemia 6, 15 - 7, 3

XIII DOMENICA DOPO PENTECOSTE

Anno A

Lettura   Ordine scritto di Ciro per la ricostruzione del Tempio   Esdra 1, 1-11

Anno B

| Lettura | Dio suscita Ciro, re di Persia, per ricostruire il Tempio | 2Cronache 36, 17c-23 |

Anno C

| Lettura | Re Artaserse concede a Neemia di recarsi a Gerusalemme |
| | per la ricostruzione | Neemia 1, 1-4; 2, 1-8 |

ANNO I

LUNEDÌ

| Lettura | Preparativi di Esdra per la partenza | Esdra 7, 27-28; 8, 15-23 |

MARTEDÌ

| Lettura | Esdra a Gerusalemme e il problema dei matrimoni misti | Esdra 8, 24-33a. 34. 36 - 9, 4 |

MERCOLEDÌ

| Lettura | La preghiera di Esdra | Esdra 9, 5-15 |

GIOVEDÌ

| Lettura | Deliberazioni sugli sposati con straniere | Esdra 10, 1-8 |

VENERDÌ

| Lettura | La verifica delle separazioni dalle donne straniere | Esdra 10, 9-17 |

ANNO II

LUNEDÌ

| Lettura | In digiuno e vestiti di sacco i figli d'Israele confessano i propri peccati | Neemia 9, 1-15. 36 - 10, 1 |

MARTEDÌ

| Lettura | I figli d'Israele s'impegnano con giuramento |
| | a camminare nella Legge del Signore | Neemia 10, 29 - 11, 2 |

MERCOLEDÌ

| Lettura | Dedicazione delle mura | Neemia 12, 27-31. 38-43 |

GIOVEDÌ

| Lettura | Rinnovata osservanza del sabato | Neemia 13, 15-22 |

VENERDÌ

| Lettura | Neemia impone che i figli d'Israele |
| | si separino dalle donne straniere | Neemia 13, 23-32 |

XIV DOMENICA DOPO PENTECOSTE

Anno A

| Lettura | Esdra comunica la Legge al popolo | Neemia 8, 1-4b. 5-6. 7b-10 |

Anno B

| Lettura | Ripresa del calendario e spiegazione della Legge | Neemia 8, 13b-18 |

Anno C

| Lettura | Costruzione del secondo Tempio e ripresa della vita religiosa | Esdra 2, 70 - 3, 7. 10-13 |

ANNO I

LUNEDÌ
| Lettura | Le minacce di Oloferne sulla Giudea | Giuditta 4, 1-8; 8, 1a. 2. 4-8 |

MARTEDÌ
| Lettura | La preghiera di Giuditta | Giuditta 9, 1-14 |

MERCOLEDÌ
| Lettura | Giuditta si reca da Oloferne | Giuditta 10, 1-8. 9b-13b. 20-11, 1. 4 |

GIOVEDÌ
| Lettura | Banchetto e uccisione di Oloferne | Giuditta 12, 10 - 13, 10c |

VENERDÌ
| Lettura | Esaltazione di Giuditta | Giuditta 13, 10d-20; 15, 8-10 |

ANNO II

LUNEDÌ
| Lettura | Alessandro Magno, i Diadochi e l'ellenismo tra gli Ebrei | 1Maccabei 1, 1-15 |

MARTEDÌ
| Lettura | Imposizione di usi pagani agli Ebrei e introduzione dell'idolo nel Tempio | 1Maccabei 1, 44-63 |

MERCOLEDÌ
| Lettura | L'insurrezione di Mattatia | 1Maccabei 2, 1-25. 27-28 |

GIOVEDÌ
| Lettura | L'opera di Mattatia continuata dai figli Simone e Giuda Maccabeo | 1Maccabei 2, 49-70 |

VENERDÌ
| Lettura | La purificazione del Tempio e l'istituzione della festa di Chanukkah | 1Maccabei 4, 36-59 |

DOMENICA CHE PRECEDE IL MARTIRIO DI SAN GIOVANNI IL PRECURSORE

Anno A
| Lettura | L'ellenizzazione di Antioco IV Epifáne e i mille martiri per l'osservanza del Sabato | 1Maccabei 1, 10. 41-42; 2, 29-38 |

Anno B
| Lettura | La madre e i sette figli, martiri per la Legge | 2Maccabei 7, 1-2. 20-41 |

Anno C
| Lettura | Lo scriba Eleazaro, martire per non dare scandalo ai giovani contro la Legge | 2Maccabei 6, 1-2. 18-28 |

ANNO I

LUNEDÌ
| Lettura | Eliodoro, fermato al tesoro del Tempio da una visione | 2Maccabei 3, 1-8a.24-27.31-36 |

MARTEDÌ

Lettura	Giasone, sommo sacerdote sotto il re Antioco,	
	introduce l'ellenismo	2Maccabei 4, 7-17a

MERCOLEDÌ

Lettura	Introduzione dei culti pagani nel Tempio	2Maccabei 6, 1-17a

GIOVEDÌ

Lettura	Giuda Maccabeo purifica il Tempio.	
	Istituzione della festa di Chanukkah	2Maccabei 10, 1-8

VENERDÌ

Lettura	Giuda e il sacrificio espiatorio per i defunti	2Maccabei 12, 38-46

ANNO II

LUNEDÌ

Lettura	Antioco V Eupàtore	1Maccabei 6, 1-17

MARTEDÌ

Lettura	Elogio di Roma	1Maccabei 8, 1-7. 12-18

MERCOLEDÌ

Lettura	Dopo la morte di Giuda, il fratello Gionata guida la resistenza	1Maccabei 9, 23-31

GIOVEDÌ

Lettura	Gionata, nominato sommo sacerdote dal re Alessandro Epìfane	1Maccabei 10, 1-2. 15-21

VENERDÌ

Lettura	Alleanza tra Simone e Roma	1Maccabei 15, 15-23a. 24

I DOMENICA DOPO IL MARTIRIO DI SAN GIOVANNI IL PRECURSORE

Allegato 3

SETTIMANE DOPO PENTECOSTE
Ciclo Domenicale

ANNO A

II DOMENICA DOPO PENTECOSTE

Lettura	Il Signore creò l'uomo	
	e diede precetti verso il prossimo	Siracide 17, 1-12
Salmo	Benedici il Signore, anima mia!	Salmo 103, 1-3a. 5-6. 9-11. 14
Epistola	Gli uomini, misconoscendo la gloria del Dio incorruttibile,	
	sono diventati stolti. Per questo Dio li ha abbandonati a passioni infami	Romani 1, 22-26a. 28-32
Canto al Vangelo	Siate perfetti, dice il Signore, come è perfetto il Padre vostro celeste	Matteo 5, 48

| Vangelo | Amate i vostri nemici: Dio fa sorgere il sole | |
| | sopra i malvagi e sopra i buoni | Matteo 5, 43-48 |

III DOMENICA DOPO PENTECOSTE

Lettura	La creazione dell'uomo	Genesi 2, 4b-17
Salmo	Benedetto il Signore, che dona la vita	Salmo 103, 24. 27-30
Epistola	Per un solo uomo il peccato, per un solo Uomo la grazia	Romani 5, 12-17[22]
Canto al Vangelo	Tutte le cose sono state create per mezzo di lui e in vista di lui	Colossesi 1, 16b
Vangelo	Dio ha dato il suo Figlio, perché chiunque crede in lui abbia la vita eterna	Giovanni 3, 16-21

IV DOMENICA DOPO PENTECOSTE

Lettura	La corruzione sulla terra ai tempi di Noè	Genesi 6, 1-22
Salmo	L'alleanza di Dio è con la stirpe del giusto	Salmo 13, 1-6
Epistola	Camminate secondo lo Spirito, non per soddisfare la carne	Galati 5, 16-25[23]
Canto al Vangelo	Chi ama la propria vita la perde e chi odia la propria vita	
	in questo mondo la conserverà per la vita eterna	Giovanni 12, 25
Vangelo	Come ai tempi di Noè: chi vuole salvare la propria vita la perde	Luca 17, 26-33

V DOMENICA DOPO PENTECOSTE

Lettura	Esci dalla tua terra	Genesi 11, 31. 32b - 12, 5b
Salmo	Cercate sempre il volto del Signore	Salmo 104, 5-9. 11-12. 14
Epistola	Per fede Abramo, chiamato da Dio, partì	Ebrei 11, 1-2. 8-16b
Canto al Vangelo	Chiunque avrà lasciato case, o fratelli, o sorelle, o padre, o madre,	
	o figli, o campi per il mio nome, riceverà cento volte tanto	
	e avrà in eredità la vita eterna	Matteo 19, 29
Vangelo	Nessuno che ha messo mano all'aratro e si volge indietro è adatto per il Regno	Luca 9, 57-62

VI DOMENICA DOPO PENTECOSTE

Lettura	Mosè sul Sinai contempla la Gloria di Dio	Esodo 33,18 - 34, 10
Salmo	Mostrami, Signore, la tua gloria	Salmo 76, 2-3. 5. 9-10. 12-13
Epistola	I ministri sono collaboratori di Dio e i fedeli il suo campo	1Corinzi 3, 5-11
Canto al Vangelo	Tutto quanto volete che gli uomini facciano a voi,	
	anche voi fatelo a loro, dice il Signore: questa infatti è la Legge e i Profeti	Matteo 7, 12
Vangelo	Le beatitudini nuova Legge proclamata sul monte da Cristo	Luca 6, 20-31

VII DOMENICA DOPO PENTECOSTE

Lettura	Le dodici pietre, memoriale perenne della traversata del Giordano	
	e dell'ingresso d'Israele nella Terra Promessa	Giosuè 4, 1-9
Salmo	La tua legge, Signore, è luce ai nostri occhi	Salmo 77, 3-7. 52. 55
Epistola	Non c'è che un solo Dio, Dio dei giudei e dei pagani	Romani 3, 29-31
Canto al Vangelo	Verranno da oriente e da occidente, da settentrione e da mezzogiorno	
	e siederanno a mensa nel Regno di Dio	Luca 13, 29

---

[22] Typ.: XIII post Pentecosten
[23] Typ.: II post Pentecosten (-26).

| Vangelo | Verranno da Oriente e da Occidente e siederanno alla mensa del Regno | Luca 13, 22-30 |

VIII DOMENICA DOPO PENTECOSTE

Lettura	Vocazione di Samuele	1Samuele 3, 1-20
Salmo	Dal seno di mia madre sei Tu il mio sostegno	Salmo 62, 2-9. 12; R: Salmo 70, 6
Epistola	Il ministero affidato a Paolo	Efesini 3, 1-12
Canto al Vangelo	Venite dietro a me, dice il Signore, vi farò diventare pescatori di uomini	cf Marco 1, 17
Vangelo	La chiamata dei primi apostoli	Matteo 4, 18-22

IX DOMENICA DOPO PENTECOSTE

Lettura	Il peccato e il pentimento di Davide	2Samuele 12, 1-13
Salmo	Ridonami, Signore, la gioia del perdono	Salmo 31, 1-2. 5. 7. 11
Epistola	Noi abbiamo un tesoro in vasi di creta	2Corinzi 4, 5b-14
Canto al Vangelo	Dio non ha mandato il Figlio nel mondo per condannare il mondo, ma perché il mondo sia salvato per mezzo di lui	Giovanni 3, 17
Vangelo	Il Figlio dell'uomo ha il potere di rimettere i peccati.	Marco 2, 1-12[24]

X DOMENICA DOPO PENTECOSTE

Lettura	Preghiera di Salomone per la Dedicazione del Tempio	1Re 8, 15-30
Salmo	Adoriamo Dio nella sua santa dimora	Salmo 47, 2-3. 9-11c. 12ab. 15ab; R: cf Salmo 131, 7
Epistola	Voi siete il Tempio: io ho posto il fondamento, che è Cristo	1Corinzi 3, 10-17
Canto al Vangelo	Beati i poveri in spirito, perché di essi è il regno dei cieli	Matteo 5, 2
Vangelo	Gli spiccioli della vedova nel tesoro del Tempio	Marco 12, 41-44

XI DOMENICA DOPO PENTECOSTE

Lettura	Dio si rivela ad Elia e lo invia	1Re 19, 8b-16. 18a-18b
Salmo	Beato chi cammina alla presenza del Signore	Salmo 17, 2b-3. 33-34. 37. 44c-45. 47; R: cf Salmo 114, 9
Epistola	La rivelazione di Cristo a Paolo	2Corinzi 12, 2-10b
Canto al Vangelo	Beati voi quando dovrete soffrire per causa mia, dice il Signore, perché grande è la vostra ricompensa nei cieli	Matteo 5, 11-12
Vangelo	È lo Spirito a suggerire ai fedeli le parole per la loro testimonianza	Matteo 10, 16-20

XII DOMENICA DOPO PENTECOSTE

Lettura	La distruzione del Tempio e di Gerusalemme	2Cronache 36, 11-21
Salmo	Salvaci, Signore, nostro Dio	Salmo 105, 35-37. 40. 43. 47a. 48ab
Epistola	Il nome di Dio bestemmiato tra i pagani a causa dei falsi credenti	Romani 2, 12-29
Canto al Vangelo	Stringiamoci a Cristo, pietra viva, rigettata dagli uomini, ma scelta e preziosa davanti a Dio	cf 1Pietro 2, 4
Vangelo	Guai a te Corazin! Guai a te Betsàida!	Matteo 11, 16-24

---

[24] Testo parallelo (*Lc* 5, 17-26) in Bu (Ev) *De cottidianis diebus*.

XIII DOMENICA DOPO PENTECOSTE

Lettura	Ordine scritto di Ciro per la ricostruzione del Tempio	Esdra 1, 1-11
Salmo	Chi semina nel pianto, raccoglie nella gioia	Salmo 125, 1-5
Epistola	L'olivo e l'oleastro	Romani 11, 16-24
Canto al Vangelo	Sii buono con il tuo servo e avrò vita, osserverò la tua parola	Salmo 118, 17
Vangelo	Non sono degno che tu entri nella mia casa:	
	il centurione pagano e la suocera di Pietro	Matteo 8, 5b-15

XIV DOMENICA DOPO PENTECOSTE

Lettura	Esdra comunica la Legge al popolo	Neemia 8, 1-4b. 5-6. 7b-10
Salmo	Le tue parole, Signore, sono spirito e vita	Salmo 18, 8-12. 15
Epistola	La perseveranza nelle buone opere	Ebrei 10, 21-29
Canto al Vangelo	Un grande profeta è sorto tra noi: Dio ha visitato il suo popolo	Luca 7, 16
Vangelo	L'insegnamento di Gesù nella sinagoga di Cafarnao	Marco 1, 21-28

ULTIMA DOMENICA DOPO PENTECOSTE

Lettura	L'ellenizzazione di Antioco IV Epifane	
	e i mille martiri per l'osservanza del Sabato	1Maccabei 1, 10. 41-42; 2, 29-38
Salmo	Dammi vita, Signore, e osserverò la tua parola	Salmo 118, 53. 61. 134. 150. 158-159
Epistola	La nostra battaglia è contro i dominatori di questo mondo di tenebra	Efesini 6, 10-18
Canto al Vangelo	Risplendete come astri nel mondo, tenendo salda la parola di vita	Filippesi 2, 15-16
Vangelo	Rendete a Cesare ciò che è di Cesare e a Dio ciò che è di Dio	Matteo 22, 15-22

ANNO B

II DOMENICA DOPO PENTECOSTE

Lettura	Nella Creazione del Signore le sue opere sono dal principio	Siracide 16, 24-30
Salmo	Lodate il Signore dai cieli, lodatelo nell'alto dei cieli	Salmo 148, 1-10
Epistola	Le perfezioni di Dio si possono contemplare nella Creazione	Romani 1, 16-21
Canto al Vangelo	La vita vale più del cibo, dice il Signore, e il corpo più del vestito	Luca 12, 23
Vangelo	Osservate i gigli: nemmeno Salomone vestiva come loro	Luca 12, 22-31

III DOMENICA DOPO PENTECOSTE

Lettura	La creazione della coppia	Genesi 2, 18-25
Salmo	O Signore, nostro Dio, quanto è grande il tuo nome	Salmo 8, 2-3b. 4-8
Epistola	Amate le vostre mogli come Cristo ha amato la Chiesa	Efesini 5, 25-33
Canto al Vangelo	L'uomo non divida quello che Dio ha congiunto	Matteo 19, 6
Vangelo	L'indissolubilità del matrimonio	Marco 10, 1-12

IV DOMENICA DOPO PENTECOSTE

Lettura	La condanna di Sodoma e Gomorra	Genesi 18, 17-21. 19, 1.12-13.15.23-29
Salmo	Il Signore regna su tutte le nazioni	Salmo 32
Epistola	Gli ingiusti non erediteranno il Regno di Dio	1Corinzi 6, 9-12
Canto al Vangelo	Non chiunque mi dice "Signore, Signore" entrerà nel regno dei cieli,	
	ma colui che fa la volontà del Padre mio che è nei cieli	Matteo 7, 21

| Vangelo | Il banchetto delle nozze del figlio del re | Matteo 22, 1-14[25] |

V DOMENICA DOPO PENTECOSTE

Lettura	Ti chiamerai Abraham, perché padre di una moltitudine di popoli	Genesi, 17, 1b-16
Salmo	Cercate sempre il volto del Signore	Salmo 104, 5-9. 11-12. 14
Epistola	Abramo, padre dei circoncisi e di tutti i non circoncisi che credono	Romani 4, 3-12
Canto al Vangelo	Quelli che vengono dalla fede sono benedetti insieme ad Abramo che credette	Cf Galati 3, 9
Vangelo	Credete nella Luce per diventare figli della Luce	Giovanni 12, 35-50

VI DOMENICA DOPO PENTECOSTE

Lettura	Dio nel roveto ardente rivela a Mosè il Nome divino	Esodo 3, 1-15[26]
Salmo	O Signore, nostro Dio, quanto è grande il tuo nome su tutta la terra	Salmo 67, 5. 8-9. 11. 27. 32-34
Epistola	Non venni tra voi con sublimità di parola; ritenni di non sapere altro se non Gesù Cristo crocifisso	1Corinzi 2, 1-7
Canto al Vangelo	La Sapienza, uscita dalla bocca di Dio, è riflesso della sua luce e immagine della sua bontà	Cf Siracide 24, 3; Sapienza 7, 26
Vangelo	Nessuno conosce il Padre se non il Figlio e colui a cui il Figlio lo voglia rivelare	Matteo 11, 27-30[27]

VII DOMENICA DOPO PENTECOSTE

Lettura	Sole fermati in Gàbaon!	Giosuè 10, 6-15
Salmo	Il Signore salva il suo consacrato	Salmo 19, 2-3. 5-9
Epistola	In tutto siamo vincitori in virtù di colui che ci ha amati	Romani 8, 31b-39
Canto al Vangelo	Gesù Cristo è il vero Dio e la vita eterna	1Giovanni 5, 20c
Vangelo	Nelle tribolazioni abbiate fiducia: io ho vinto il mondo	Giovanni 16, 33 - 17, 3

VIII DOMENICA DOPO PENTECOSTE

Lettura	I Giudici in Israele	Giudici 2, 6-17
Salmo	Ricordati, Signore, del tuo popolo e perdona	Salmo 105, 35-36. 39-40, 43-44
Epistola	L'annunciatore del Vangelo nella Chiesa	1Timoteo 3, 1-7
Canto al Vangelo	Dio ha riconciliato il mondo in Cristo, affidando a noi la parola della riconciliazione	Cf 2Corinzi 5, 19
Vangelo	Il primo tra voi sia servo di tutti	Luca 10, 1-12

IX DOMENICA DOPO PENTECOSTE

Lettura	Davide si umilia davanti all'Arca di Dio	2Samuele 6, 12b-22
Salmo	Il Signore ha scelto Sion per sua dimora	Salmo 131, 1b. 2a. 3. 5. 8-10. 13-14

---

[25] Anche III dopo Dedicazione, Anno C; Typ.: III post Dedicationem.
[26] Cf Trinità, Anno A.
[27] SS. Cuore, Anno A, [LR] (25-).

Epistola	Ciò che è stoltezza di Dio è più sapiente degli uomini	1Corinzi 1, 25-31
Canto al Vangelo	Chi si vergognerà di me e delle mie parole,	
	dice il Signore, anche il Figlio dell'uomo si vergognerà di lui,	
	quando verrà nella gloria del Padre suo con gli angeli santi	Luca 9, 26
Vangelo	Chi mi vuol seguire rinneghi se stesso	Marco 8, 34-38

X DOMENICA DOPO PENTECOSTE

Lettura	La nube divina prende possesso del Tempio	1Re 7, 51 - 8, 14
Salmo	Mostrati a noi, Signore, nella tua santa dimora	Salmo 28, 1b-2. 4. 7. 9c-11
Epistola	Noi siamo il tempio del Dio vivente	2Corinzi 6, 14 – 7, 1
Canto al Vangelo	La mia casa sarà chiamata casa di preghiera, dice il Signore	Matteo 21, 13
Vangelo	Gesù entra nel Tempio e ne scaccia i venditori	Matteo 21, 12-16

XI DOMENICA DOPO PENTECOSTE

Lettura	Elia e la punizione dei falsi profeti di Baal al Carmelo	1Re 18, 16b-40a
Salmo	Sei tu, Signore, l'unico mio bene	Salmo 15, 1-2. 4-5. 8. 11
Epistola	L'esempio dei fedeli d'Israele al tempo di Elia	Romani 11, 1-15
Canto al Vangelo	Da ultimo, dopo i suoi servi, mandò il proprio figlio	Cf Matteo 21, 36-37
Vangelo	L'opposizione all'inviato di Dio: i vignaioli omicidi	Matteo 21, 33-45[28]

XII DOMENICA DOPO PENTECOSTE

Lettura	Geremia preannuncia i 70 anni di cattività babilonese	Geremia 25, 1-13
Salmo	Chi semina nel pianto, raccoglie nella gioia	Salmo 136, 1-5
Epistola	La chiamata di Dio è irrevocabile	Romani 11, 25-32
Canto al Vangelo	Il Regno dei cieli è vicino, dice il Signore: convertitevi e credete nel Vangelo	Marco 1, 15
Vangelo	I Discepoli inviati alle pecore perdute d'Israele	Matteo 10, 5b-15

XIII DOMENICA DOPO PENTECOSTE

Lettura	Dio suscita Ciro, re di Persia, per ricostruire il Tempio	2Cronache 36, 17c-23
Salmo	Renderò grazie, Signore, al tuo santo nome	Salmo 105, 43-47
Epistola	Sono stato trovato da quelli che non mi cercavano	Romani 10, 16-20
Canto al Vangelo	Corro sulla via dei tuoi comandamenti, perché hai allargato il mio cuore	Salmo 118, 32
Vangelo	Neanche in Israele ho incontrato una fede così grande	Luca 7, 1b-10

XIV DOMENICA DOPO PENTECOSTE

Lettura	Ripresa del Calendario e spiegazione della Legge	Neemia 8,13b-18
Salmo	Esultate in Dio, nostra forza	Salmo 80, 2a. 3-8c. 9-11b
Epistola	Il perfetto culto a Dio in Cristo	Ebrei 10, 12-22
Canto al Vangelo	Signore, noi abbiamo creduto e conosciuto che tu sei il Santo di Dio	Giovanni 6, 69
Vangelo	Gesù insegna nel Tempio, spiegando le Scritture	Giovanni 7, 14b-29[29]

---

[28] Typ.: V post Decollationem.

[29] Cf *In die festo mediante* (14-24): già Bu (Ca) (Ev: 14-31).

ULTIMA DOMENICA DOPO PENTECOSTE

Lettura	La madre e i sette figli martiri per la Legge	2Maccabei 7, 1-2. 20-41
Salmo	Avrò pienezza di vita alla tua presenza	Salmo 16, 1. 5-6. 8. 15
Epistola	Parliamo convinti che colui che ha risuscitato il Signore Gesù risusciterà anche noi con Gesù	2Corinzi 4, 7-14
Canto al Vangelo	Chi avrà perduto la sua vita per causa mia, la troverà, dice il Signore	Matteo 10, 39b
Vangelo	Non abbiate paura di coloro che uccidono il corpo	Matteo 10, 28-42

ANNO C

II DOMENICA DOPO PENTECOSTE

Lettura	Colui che vive per sempre ha creato l'Universo	Siracide 18, 1-2. 4-9a. 10-13
Salmo	Rendete grazie al Signore, il suo amore è per sempre	Salmo 135, 1-9
Epistola	La Creazione, sottomessa alla caducità, geme nelle doglie	Romani 8, 18-25
Canto al Vangelo	Guardate gli uccelli del cielo, dice il Signore, non raccolgono nei granai; eppure il Padre vostro celeste li nutre	Matteo 6, 26
Vangelo	Non affannatevi di quello che mangerete. Cercate il Regno	Matteo 6, 25-33

III DOMENICA DOPO PENTECOSTE

Lettura	La caduta e la condanna. Eva madre di tutti i viventi	Genesi 3, 1-20
Salmo	Il Signore è bontà e misericordia	Salmo 129, 1-6
Epistola	Per un solo uomo la condanna, per Uno solo la giustificazione	Romani 5, 18-21
Canto al Vangelo		Cf Luca 1, 45
Vangelo	Maria partorirà un Figlio e questi salverà il popolo dai suoi peccati	Matteo 1, 20b-24b

IV DOMENICA DOPO PENTECOSTE

Lettura	Abele e Caino	Genesi 4, 1-16
Salmo	Sacrificio gradito al Signore è l'amore per il fratello	Salmo 49, 1. 8. 16-17. 20-21
Epistola	Senza fede è impossibile essere graditi: per fede Abele offrì un sacrificio migliore di Caino	Ebrei 11, 1-6
Canto al Vangelo	Quando vi mettete a pregare, se avete qualcosa contro qualcuno, perdonate, perché anche il Padre vostro che è nei cieli perdoni a voi le vostre colpe	Cf Marco 11, 25
Vangelo	Non uccidere. Ma io vi dico: nessuno si adiri con il proprio fratello	Matteo 5, 21-24

V DOMENICA DOPO PENTECOSTE

Lettura	La trattativa di Abramo a favore di Sodoma	Genesi 18, 1-2a. 16-33
Salmo	Signore, ascolta la voce della mia supplica	Salmo 27, 2. 6-9
Epistola	Eredi si diventa per la fede. Abramo è padre di tutti noi	Romani 4, 16-25[30]
Canto al Vangelo	Verranno da oriente e da occidente, e siederanno a mensa con Abramo nel regno di Dio	Cf Luca 13, 29
Vangelo	Vedrete Abramo, Isacco e Giacobbe nel Regno di Dio	Luca 13, 23-29

---

[30] Typ.: III post Dedicationem (13-).

VI DOMENICA DOPO PENTECOSTE

Lettura	Mosè stabilisce nel sangue l'Alleanza tra Dio e il popolo	Esodo 24, 3-18
Salmo	Ascoltate oggi la voce del Signore	Salmo 49, 1-6
Epistola	Gesù mediatore di un'Alleanza migliore	Ebrei 8, 6-13a
Canto al Vangelo	Voi foste liberati con il sangue prezioso di Cristo, come di agnello senza difetti e senza macchia	Cf 1Pietro 1, 18-19
Vangelo	"Tutto è compiuto". Sangue ed acqua	Giovanni 19, 30-35[31]

VII DOMENICA DOPO PENTECOSTE

Lettura	L'assemblea e l'alleanza di Sichem	Giosuè 24, 1-2a. 15b-27
Salmo	Serviremo per sempre il Signore, nostro Dio	Salmo 104, 4-6. 7-9. 43-45
Epistola	Vi siete allontanati dagli idoli per servire il Dio vivo e vero	1Tessalonicesi 1, 2-10
Canto al Vangelo	Signore, tu hai parole di vita eterna	Giovanni 6, 68
Vangelo	Da chi andremo? Tu hai parole di vita eterna	Giovanni 6, 59-69

VIII DOMENICA DOPO PENTECOSTE

Lettura	Il popolo chiede un re a Samuele e Dio lo concede	1Samuele 8, 1-22a
Salmo	Sei tu, Signore, la guida del tuo popolo	Salmo 88, 16-22
Epistola	Si preghi per i re e per quelli stanno al potere	1Timoteo 2, 1-8
Canto al Vangelo	Onorate tutti, amate i vostri fratelli, temete Dio, onorate il re	1Pietro 2, 17
Vangelo	Date a Cesare quel che è di Cesare e a Dio quel che è di Dio	Matteo 22, 15-22[32]

IX DOMENICA DOPO PENTECOSTE

Lettura	L'unzione di Davide	1Samuele 16, 1-13
Salmo	La tua mano, Signore, sostiene il tuo eletto	Salmo 88, 20-22. 27-28
Epistola	Gesù Cristo della stirpe di Davide	2Timoteo 2, 8-13
Canto al Vangelo	Signore Gesù, Figlio di Davide, abbi pietà di me	Cf Matteo 9, 27
Vangelo	Il Messia, figlio, ma anche Signore di Davide	Matteo 22, 41-46

X DOMENICA DOPO PENTECOSTE

Lettura	Salomone chiede a Dio la sapienza	1Re 3, 5-15
Salmo	Benedetto il Signore, Dio d'Israele	Salmo 71, 1-4. 9-10
Epistola	La sapienza di questo mondo è stoltezza davanti a Dio	1Corinzi 3, 18-23
Canto al Vangelo	Quanto è difficile, per quelli che possiedono ricchezze, entrare nel Regno di Dio, dice il Signore	Marco 10, 23b
Vangelo	È difficile per chi possiede ricchezze entrare nel Regno di Dio	Luca 18, 24b-30

XI DOMENICA DOPO PENTECOSTE

Lettura	La vigna di Nabot.	1Re 21, 1-19
Salmo	Ascolta, Signore, il povero che t'invoca	Salmo 5, 2-3. 5-7

---

[31] SS. Cuore, Anno C, [= LR] (31-37).

[32] Typ.: II post Dedicationem (-21); cf Ultima Domenica dopo Pentecoste, Anno A.

Epistola	Presso i credenti regni la carità e la pace.	Romani 12, 9-18[33]
Canto al Vangelo	Beati coloro che custodiscono la parola di Dio con cuore integro e buono e producono frutto con perseveranza	Cf Luca 8, 15
Vangelo	Il ricco epulone e il povero Lazzaro.	Luca 16, 19-31[34]

XII DOMENICA DOPO PENTECOSTE

Lettura	Distruzione di Gerusalemme e spoliazione del Tempio	2Re 25, 1-17
Salmo	Popolo mio, porgi l'orecchio al mio insegnamento	Salmo 77, 1a. 2-4b. 55-56. 59-60. 62-64
Epistola	Pensi, tu che giudichi, di sfuggire al giudizio di Dio?	Romani 2, 1-10
Canto al Vangelo	Ascoltate oggi la voce del Signore che vi parla: non indurite il cuore come già fecero i vostri padri	Cf Salmo 94, 8
Vangelo	Gerusalemme, che uccidi i profeti	Matteo 23, 37 - 24, 2

XIII DOMENICA DOPO PENTECOSTE

Lettura	Re Artaserse concede a Neemia di recarsi a Gerusalemme per la ricostruzione	Neemia 1, 1-4; 2, 1-8
Salmo	Ascolta, Signore, il grido della mia preghiera	Salmo 83, 9a. 2-8
Epistola	Vado a Gerusalemme a rendere servizio a quella comunità	Romani 15, 25-32
Canto al Vangelo	La mia casa si chiamerà casa di preghiera per tutti i popoli, dice il Signore	Isaia 56, 7d-e
Vangelo	Agitazione di Gerusalemme all'ingresso di Gesù in città	Matteo 21, 10-16

XIV DOMENICA DOPO PENTECOSTE

Lettura	Costruzione del secondo Tempio e ripresa della vita religiosa	Esdra 2, 70 - 3, 7. 10-13
Salmo	Sia lode in Sion al nome del Signore	Salmo 101, 13-17. 19-22
Epistola	Non siate come i pagani, ma siate uomini nuovi in Cristo	Efesini 4, 17-24
Canto al Vangelo	Non crediate che io sia venuto ad abolire la Legge o i Profeti, dice il Signore; non sono venuto per abolire, ma a dare compimento	Matteo 5, 17
Vangelo	Gerusalemme la città del gran Re. Il bene non soltanto come tra i pagani	Matteo 5, 33-48[35]

ULTIMA DOMENICA DOPO PENTECOSTE

Lettura	Lo scriba Eleazaro martire per non dare scandalo ai giovani contro la Legge	2Maccabei 6, 1-2. 18-28
Salmo	Nella tua legge, Signore, è tutta la mia gioia	Salmo 140, 1-4. 8-9
Epistola	Il momentaneo peso della tribolazione ci procura una quantità eterna di gloria	2Corinzi 4, 17 - 5, 10
Canto al Vangelo	È inevitabile che vengano scandali, ma guai all'uomo a causa del quale viene lo scandalo!	Matteo 18, 7b-c
Vangelo	Guai a chi scandalizza uno di questi piccoli!	Matteo 18, 1-10

---

[33] Typ.: VII post Pentecosten (5-16).

[34] Typ.: IV post Pentecosten.

[35] Cf II dopo Pentecoste, Anno A (43-48).

Allegato 4

Settimane dopo Pentecoste
La lettura progressiva del Vangelo secondo Luca nel Ciclo Feriale

SETTIMANA DELLA I DOMENICA DOPO PENTECOSTE
Lunedì   4, 14-16. 22-24
Martedì   4, 25-30
Mercoledì   4, 38-41
Corpus Domini
Venerdì   4, 42-44

SETTIMANA DELLA II DOMENICA DOPO PENTECOSTE
Lunedì   5, 1-6
Martedì   5, 12-16
Mercoledì   5, 33-35
Giovedì   5, 36-38
Sacratissimo Cuore di Gesù

SETTIMANA DELLA III DOMENICA DOPO PENTECOSTE
Lunedì   6, 1-5
Martedì   6, 6-11
Mercoledì   6, 17-23
Giovedì   6, 20a. 24-26
Venerdì   6, 20a. 36-38

SETTIMANA DELLA IV DOMENICA DOPO PENTECOSTE
Lunedì   6, 39-45
Martedì   7, 1-10
Mercoledì   7, 11-17
Giovedì   7, 18-23
Venerdì   7, 24b-35

SETTIMANA DELLA V DOMENICA DOPO PENTECOSTE
Lunedì   8, 4-15
Martedì   8, 16-18
Mercoledì   8, 19-21
Giovedì   8, 22-25
Venerdì   8, 26-33

SETTIMANA DELLA VI DOMENICA DOPO PENTECOSTE
Lunedì   8, 34-39
Martedì   8, 40-42a. 49-56
Mercoledì   9, 10-17
Giovedì   9, 18-22
Venerdì   9, 23-27

SETTIMANA DELLA VII DOMENICA DOPO PENTECOSTE

Lunedì   9, 37-45

Martedì   9, 46-50

Mercoledì 9, 51-56

Giovedì   9, 57-62

Venerdì   10, 1b-7a

SETTIMANA DELLA VIII DOMENICA DOPO PENTECOSTE

Lunedì   10, 8-12

Martedì   10, 13-16

Mercoledi 10, 17-24

Giovedì   10, 25-37

Venerdì   10, 38-42

SETTIMANA DELLA IX DOMENICA DOPO PENTECOSTE

Lunedì   11, 1-4

Martedì   11, 5-8

Mercoledì 11, 9-13

Giovedì   11, 14-20

Venerdì   11, 21-26

SETTIMANA DELLA X DOMENICA DOPO PENTECOSTE

Lunedì   11, 27-28

Martedì   11, 29-30

Mercoledì 11, 31-36

Giovedì   11, 37-44

Venerdì   11, 46-54

SETTIMANA DELLA XI DOMENICA DOPO PENTECOSTE

Lunedì   12, 1-3

Martedì   12, 4-7

Mercoledì 12, 8b-12

Giovedì   12, 13-21

Venerdì   12, 22b-26

SETTIMANA DELLA XII DOMENICA DOPO PENTECOSTE

Lunedì   12, 42b-48

Martedì   12, 49-53

Mercoledì 12, 54-56

Giovedì   12, 57 - 13, 5

Venerdì   13, 6-9

SETTIMANA DELLA XIII DOMENICA DOPO PENTECOSTE

Lunedì   13, 10-17

Martedì   13, 18-21
Mercoledi   13, 34-35
Giovedì   14, 1-6
Venerdì   14, 1a. 7-11

SETTIMANA DELLA XIV DOMENICA DOPO PENTECOSTE
Lunedì   14, 1a. 12-14
Martedì   14, 1a. 15a. 15c-24
Mercoledì   14, 25-33
Giovedì   14, 34-35
Venerdì   15, 1-7

Allegato 5

Settimana del Martirio del Precursore: ultima dopo Pentecoste Canti al Vangelo e Vangeli

LUNEDÌ

Canto al Vangelo	Venne un uomo mandato da Dio e il suo nome era Giovanni	Giovanni 1, 6
Vangelo	**Si presentò Giovanni a bettezzare nel Deserto**	Marco, 1, 4-8

MARTEDÌ

Canto al Vangelo	Io sono voce di uno che grida nel deserto:Rendete diritta la via del Signore	Giovanni 1, 23
Vangelo	**Tutti, riguardo a Giovanni, si domandavano se non fosse lui il Cristo**	Luca 3, 15-18

MERCOLEDÌ

Canto al Vangelo	Giovanni è il suo nome. Egli ricondurrà molti figli d'Israele al Signore loro Dio	Luca 1, 63. 16
Vangelo	**Che cosa siete andati a vedere nel deserto?**	Luca 7, 24b-27

GIOVEDÌ

Canto al Vangelo	Egli camminerà innanzi al Signore con lo spirito e la potenza di Elia	Cf Luca 1, 1
Vangelo	**Giovanni è quell'Elia che deve venire**	Matteo 11, 11-15

VENERDÌ

Canto al Vangelo	Ho visto e ho testimoniato che questi è il Figlio di Dio	Giovanni 1, 34
Vangelo	**Uno dei discepoli di Giovanni era Andrea, fratello di Simon Pietro**	Giovanni 1, 35-42

CAPITOLO XVI

"È GIUNTO FRA VOI IL REGNO DI DIO"
LE SETTIMANE DOPO IL MARTIRIO DEL PRECURSORE

"La Legge e i Profeti fino a Giovanni; da allora in poi viene annuncia-to il regno di Dio" (*Lc* 16, 16).

Nello sviluppo dell'anno liturgico la festa del martirio di san Giovanni, inserita nel contesto della testimonianza resa a Dio e alla sua Legge dai giusti dell'Antico Testamento, riafferma la profonda unità sussistente tra l'Antica e la Nuova Alleanza, ma evidenzia altresì la nuova economia di salvezza cui, nella Chiesa, tutti gli uomini di tutti i tempi sono chiamati ad essere partecipi, giacché "il Verbo si fece carne e venne ad abitare in mezzo a noi" (*Gv* 1, 14).

In questa luce è certamente significativo il fatto che nella Chiesa ambrosiana, fin dal *Capitolare di Busto*, sia attestata una specifica Domenica *"post Decollationem"* (tra l'altro, con la pericope evangelica poi conserva-tasi lungo i secoli).[1]

Tramite il Lezionario ora promulgato, all'interno del Tempo liturgico scaturito dalla Pentecoste, la riflessione ecclesiale, dopo aver ripercorso nell'Alleanza del Sinai la presenza dello Spirito "che ha parlato per mezzo dei Profeti", nelle settimane dopo il Martirio di san Giovanni viene ripro-ponendo l'annuncio che "è giunto fra voi il regno di Dio" (*Mt* 12, 28) e proclama i doni dello Spirito che da Dio, in Cristo e per Cristo, alla Chiesa sono accordati.

---

[1] P. CARMASSI, *Libri liturgici e istituzioni ecclesiastiche a Milano in età medioeva-le. Studio sulla formazione del lezionario ambrosiano*, Aschendorff, Münster 2001 [Liturgiewissenschaftliche Quellen und Forschungen, 85: Corpus ambrosiano-liturgi-cum, 4], pp. 115-118.

1. Il Ciclo Domenicale

La prima Domenica dopo il Martirio del Precursore, attestata già nell'ordinamento d'età tardo antica, presentando Giovanni quale Amico dello Sposo che dello Sposo addita la presenza, segna il compimento delle promesse di Dio a Israele e l'avvio dell'annuncio che il Regno è giunto.

Le pericopi di tale prima Domenica si dispongono secondo il seguente ordinamento.

ANNO A

Lettura	I miei servi saranno chiamati con un altro nome.	
	Ecco io creo nuovi cieli e nuova terra	Isaia 65, 13-19[2]
Epistola	Destati dai morti e Cristo ti lluminerà.	
	Ora siete luce, comportatevi come figli della luce	Efesini 5, 6-14[3]
Vangelo	Dopo l'uccisione di Giovanni	
	Erode tetrarca è posto di fronte al mistero di Gesù	Luca 9, 7-11[4]

ANNO B

Lettura	La visita del Signore	Isaia 29, 13-21
Epistola	Voi vi siete accostati al monte di Sion,	
	al mediatore della Nuova Alleanza	Ebrei 12, 18-25
Vangelo	La testimonianza di Giovanni:	
	Chi possiede la sposa è lo Sposo, ma l'amico dello Sposo,	
	che è presente e l'ascolta, esulta di gioia alla voce dello Sposo	Giovanni 3, 25-36

ANNO C

Lettura	Nella conversione sta la vostra salvezza	Isaia 30, 8-15b
Epistola	Riconciliati per la morte di Cristo, salvati per la sua vita	Romani 5, 1-11[5]
Vangelo	Dopo l'arresto di Giovanni Gesù comincia a predicare:	
	Convertitevi perché il Regno dei cieli è vicino	Matteo 4, 12-17[6]

Nelle successive Domeniche, parallelamente alla catechesi feriale, in cui è riproposto sitematicamente il magistero degli apostoli, l'*ordo lectionum* viene sviluppando una serie di temi cristologici ("di me Mosè ha scritto"; il Figlio e il Padre) ed ecclesiologici (la rinascita dall'acqua e dallo

---

[2] Typ.

[3] Typ.; cf I Avvento, Anno C (1-11a).

[4] Typ.

[5] Cf SS. Cuore, Anno C.

[6] Bu (Ev): III post Epiphaniam.

Spirito Santo; il Pane disceso dal Cielo; la carità; il servizio; la diffusione del Regno).[7]

2. IL CICLO FERIALE

"Quello che era da principio, quello che noi abbiamo udito, quello che abbiamo veduto con i nostri occhi, quello che contemplammo e che le nostre mani toccarono del Verbo della vita – la vita infatti si manifestò, noi l'abbiamo veduta e di ciò diamo testimonianza e vi annunciamo la vita eterna, che era presso il Padre e che si manifestò a noi –, quello che abbiamo veduto e udito, noi lo annunciamo anche a voi, perché anche voi siate in comunione con noi. E la nostra comunione è con il Padre e con il Figlio suo, Gesù Cristo" (*1Io* 1, 1-3).

Dopo aver seguito nella serie delle Settimane dopo Pentecoste lo sviluppo dell'Antica Alleanza, dal Lunedì successivo al Martirio del Precursore viene riproposta ai fedeli nelle liturgie feriali la testimonianza, che al Logos fatto carne e alla nuova economia di salvezza scaturita dalla sua persona hanno reso i diretti testimoni, ossia coloro che furono con il Cristo "per tutto il tempo nel quale il Signore Gesù ha vissuto fra noi, cominciando dal battesimo di Giovanni fino al giorno in cui è stato di mezzo a noi assunto in cielo" (*At* 1, 21-22). Paolo è ad essi associato soltanto per le "lettere pastorali" e il biglietto a Filemone (l'esposizione del restante *corpus* paolino si sviluppa in effetti lungo tutto il corso dell'anno).

Quest'insieme di scritti presenta, ad un tempo, la testimonianza – per la Chiesa 'fondante' – resa a Gesù dai suoi Discepoli e Apostoli, e le loro direttive per la vita delle prime comunità dei credenti.

La successione dei testi si sviluppa lungo le settimane, in lettura praticamente continua, nel modo seguente.

ANNO I: 1Giovanni [Lu I - Me III], 3Giovanni [Gi III], 2Pietro [Ve III - Ve IV], Giuda [Lu-Ma V], a Filemone [Me-Gi V], 1Timoteo [Ve V - Ve VII].
ANNO II: 1Pietro [Lu I - Lu III], Giacomo [Ma III - Ma V], 2Timoteo [Me V - Ve VI], Tito [Lu-Ve VII].

Queste voci apostoliche s'accompagnano alla prosecuzione della lettura sistematica del Vangelo secondo Luca, avviata nella settimana successiva alla Domenica della Santissima Trinità. Tale lettura si conclude

---

[7]   Quadro compiuto delle pericopi potrà vedersi nell'Allegato 1.

congiuntamente a questo ciclo di Settimane che seguono il Martirio del Precursore.[8]

3. IL CICLO SABBATICO

Anche in questa serie di Settimane prosegue il ciclo delle comuni letture sabbatiche avviatosi nella settimana successiva al Battesimo del Signore.

All'interno di tale ciclo, il Sabato che immediatamente precede la Domenica della Dedicazione non deve mai essere omesso, indipendentemente dal numero delle settimane che seguono il Martirio del Precursore: le pericopi dal Pentateuco, in tale Sabato incentrate sulla consacrazione della Tenda del Convegno, non rientrano nel criterio della lettura progressiva, ma privilegiano l'aspetto tematico, alludendo chiaramente all'imminente solennità della Dedicazione.

* * *

In *Appendice* al volume per le celebrazioni festive connesse al III Libro del Lezionario, sono registrate le pericopi per la festa dell'*Esaltazione della Santa Croce*, qualora il 14 Settembre cada in Domenica. In tale occorrenza, nella celebrazione vespertina vigiliare quale Vangelo della Resurrezione viene proclamata la pericope Luca 24, 1-8: *Perché cercate tra i morti colui che è vivo?* Quanto alle pericopi della Messa, esse recepiscono le scelte del Lezionario Romano.

Allegato 1

SETTIMANE DOPO IL MARTIRIO DEL PRECURSORE
Ciclo Domenicale

ANNO A

II DOMENICA DOPO IL MARTIRIO DEL PRECURSORE

Lettura	Non il sole e la luna, ma il Signore sarà per te luce eterna	Isaia 60, 16b-22
Epistola	Cristo, primizia dei risorti, alla fine consegnerà il Regno al Padre	1Corinzi 15, 17-28
Vangelo	Il Padre ha rimesso il giudizio al Figlio, perché tutti lo onorino come onorano il Padre	Giovanni 5, 19-24

---

[8]   La successione delle pericopi è riportata al termine del capitolo nell'Allegato 2.

III DOMENICA DOPO IL MARTIRIO DEL PRECURSORE

Lettura	Si leverà la radice di Iesse, le genti la cercheranno con ansia	Isaia 11, 10-16
Epistola	Cristo Gesù è venuto nel mondo per salvare i peccatori	1Timoteo 1, 12-17
Vangelo	Il Cristo di Dio	Luca 9, 18-22

IV DOMENICA DOPO IL MARTIRIO DEL PRECURSORE

Lettura	Se tu squarciassi i cieli! Nessuno ha udito che un Dio abbia fatto tanto	Isaia 63, 19b - 64, 10[9]
Epistola	Il sacrificio che ci procura una redenzione eterna	Ebrei 9, 1-12
Vangelo	Il Pane disceso dal cielo	Giovanni 6, 24-35

V DOMENICA DOPO IL MARTIRIO DEL PRECURSORE

Lettura	Amerai il Signore Dio tuo con tutto il tuo cuore	Deuteronomio 6, 4-12[10]
Epistola	Tutta la Legge si riassume in un precetto: ama il prossimo tuo	Galati 5, 1-14
Vangelo	Il più grande comandamento	Matteo 22, 34-40

VI DOMENICA DOPO IL MARTIRIO DEL PRECURSORE

Lettura	Il Signore ha dato, il Signore ha tolto	Giobbe 1, 13-21
Epistola	Sii come un lavoratore che non ha di che vergognarsi	2Timoteo 2, 6-15
Vangelo	Dite: Siamo servi inutili	Luca 17, 7-10

VII DOMENICA DOPO IL MARTIRIO DEL PRECURSORE

Lettura	Ho chiamato e non avete risposto, ho parlato e non avete udito	Isaia 65, 8-18[11]
Epistola	Abbiamo seminato in voi cose spirituali	1Corinzi 9, 7-12
Vangelo	La parabola del Seminatore. Pur udendo, non odono.	Matteo 13, 3b-23

ANNO B

II DOMENICA DOPO IL MARTIRIO DEL PRECURSORE

Lettura	Tu conducesti il tuo popolo per farti un nome glorioso	Isaia 63, 7-17
Epistola	Mosè servitore nella casa e testimone di ciò che doveva essere più tardi; Cristo alla casa è preposto come Figlio	Ebrei 3, 1-6
Vangelo	Voi scrutate le Scritture. Di me Mosè ha scritto	Giovanni 5, 37-46

III DOMENICA DOPO IL MARTIRIO DEL PRECURSORE

Lettura	In noi sarà infuso uno Spirito dall'alto	Isaia 32, 15-20
Epistola	L'amore di Dio è stato riversato nei nostri cuori per mezzo dello Spirito	Romani 5, 5b-11[12]
Vangelo	Se uno non nasce da acqua e da Spirito non può entrare nel Regno di Dio	Giovanni 3, 1-13

---

[9] Cf Typ.: V post Decollationem (63,15 - 64, 5); L.ex.: III Avvento, Anno B (63, 16-17. 19; 64, 1-7) [= LR I B].

[10] Cf In Traditione Symboli (6, 4-9).

[11] Typ.: I post Decollationem (13-19).

[12] Cf SS. Cuore, Anno C (1-11); I dopo Decollazione, Anno C (1-11).

IV DOMENICA DOPO IL MARTIRIO DEL PRECURSORE

Lettura	Il pane portato dall'angelo a Elia	1Re 19, 4-8
Epistola	Il Pane e il Calice eucaristici nella Chiesa	1Corinzi 11, 23-26[13]
Vangelo	Il Pane disceso dal cielo	Giovanni 6, 41-51

V DOMENICA DOPO IL MARTIRIO DEL PRECURSORE

Lettura	Amerai il Signore Dio tuo con tutto il tuo cuore	Deuteronomio 6, 1-9[14]
Epistola	Tutti i comandamenti si riassumono nelle parole: amerai il prossimo tuo	Romani 13, 8-14a[15]
Vangelo	Il Buon Samaritano	Luca 10, 25-37[16]

VI DOMENICA DOPO IL MARTIRIO DEL PRECURSORE

Lettura	Volgetevi a me e sarete salvi, paesi tutti della terra	Isaia 45, 20-24a
Epistola	Per grazia siete salvati mediante la fede	Efesini 2, 5c-13[17]
Vangelo	Gli operai dell'undicesima ora	Matteo 20, 1-16

VII DOMENICA DOPO IL MARTIRIO DEL PRECURSORE

Lettura	Io sono il Signore, il creatore d'Israele: il popolo che ho plasmato per me celebrerà le mie lodi. Faccio una cosa nuova, ecco germoglia	Isaia 43, 10-21
Epistola	C'è chi pianta e chi irriga, ma è Dio che fa crescere	1Corinzi 3, 6-13
Vangelo	Le parabole del Regno: il buon seme e la zizzania; il granellino di senapa; il lievito	Matteo 13, 24-43

ANNO C

II DOMENICA DOPO IL MARTIRIO DEL PRECURSORE

Lettura	Israele la vigna del Signore	Isaia 5, 1-7
Epistola	Abbiamo creduto in Cristo per essere giustificati	Galati 2, 15-20
Vangelo	I figli nella vigna: è venuto Giovanni e non gli avete creduto; i pubblicani e le prostitute gli hanno creduto	Matteo 21, 28-32

III DOMENICA DOPO IL MARTIRIO DEL PRECURSORE

Lettura	Tu mi hai dato molestia coi tuoi peccati, ma io cancellerò i tuoi misfatti	Isaia 43, 24c - 44, 3
Epistola	Tenete lo sguardo fisso su Gesù autore della fede	Ebrei 11, 39 - 12, 4[18]
Vangelo	Quanti ascolteranno la voce del Figlio di Dio vivranno	Giovanni 5, 25-36

IV DOMENICA DOPO IL MARTIRIO DEL PRECURSORE

Lettura	La Sapienza ha imbandito la mensa: mangiate il mio pane, bevete il mio vino	Proverbi 9, 1-6

---

[13] Corpus Domini, Anno C; In coena Domini (20-34).
[14] Cf In traditione Symboli (4-9).
[15] L. ex.: Dom. Samaritana.
[16] Typ.: III post Decollationem.
[17] Dom. Lazzaro, Anno A (4-10) [= L.ex.].
[18] L.ex.: Vigilia Ascensione (12, 1b-7b).

| Epistola | Il calice della benedizione, il pane spezzato | 1Corinzi 10, 14-21[19] |
| Vangelo | Il Pane disceso dal cielo | Giovanni 6, 51-59[20] |

V DOMENICA DOPO IL MARTIRIO DEL PRECURSORE

Lettura	Il mio Tempio casa di preghiera per tutti i popoli	Isaia 56, 1-7[21]
Epistola	Accoglietevi gli uni gli altri come Cristo accolse voi	Romani 15, 2-7[22]
Vangelo	Siate misericordiosi come è misericordioso il Padre vostro	Luca 6, 27-38

VI DOMENICA DOPO IL MARTIRIO DEL PRECURSORE

Lettura	Elia ospitato dalla vedova di Zarepta	1Re 17, 6-16
Epistola	Praticate l'ospitalità	Ebrei 13, 1-8[23]
Vangelo	Chi accoglie voi accoglie me	Matteo 10, 40-42

VII DOMENICA DOPO IL MARTIRIO DEL PRECURSORE

Lettura	Verrò a radunare tutti i popoli e tutte le lingue	Isaia 66, 18b-23[24]
Epistola	Gli ingiusti non erediteranno il Regno: lo eravate anche voi, ma siete stati santificati in Cristo e nello Spirito	1Corinzi 6, 9-11[25]
Vangelo	Il Regno è simile a una rete che raccoglie ogni genere di pesci	Matteo 13, 44-52

Allegato 2

SETTIMANE DOPO IL MARTIRIO DEL PRECURSORE
La lettura progressiva del Vangelo secondo Luca nel Ciclo Feriale

SETTIMANA DELLA I DOMENICA DOPO IL MARTIRIO DEL PRECURSORE

Lunedì	15, 8-10
Martedì	16, 1-8
Mercoledì	16, 9-15
Giovedì	16, 16-18
Venerdì	16, 19-31

SETTIMANA DELLA II DOMENICA DOPO IL MARTIRIO DEL PRECURSORE

| Lunedì | 17, 1-3a |

---

[19] Corpus Domini, Anno A (16-17)

[20] Corpus Domini, Anno A (51-58).

[21] Typ.: V post Pentecosten (-8); VI dopo Epifania, Anno C (-8); II dopo Dedicazione, Anno B (3-7).

[22] Cf L.ex.: IV Avvento, Anno A (4-9) [= LR II A].

[23] Typ.: XV post Pentecosten.

[24] V dopo Epifania, Anno A (-22).

[25] Typ.: XI post Pentecosten (3-).

Martedì	17, 3b-6
Mercoledì	17, 7-10
Giovedì	17, 11-19
Venerdì	17, 22-25

SETTIMANA DELLA III DOMENICA DOPO IL MARTIRIO DEL PRECURSORE
Lunedì	17, 26-33
Martedì	18, 1-8
Mercoledì	18, 15-17
Giovedì	18, 18-23
Venerdì	18, 24-27

SETTIMANA DELLA IV DOMENICA DOPO IL MARTIRIO DEL PRECURSORE
Lunedì	18, 28-30
Martedì	18, 35-43
Mercoledì	19, 11-27
Giovedì	19, 37-40
Venerdì	20, 1-8

SETTIMANA DELLA V DOMENICA DOPO IL MARTIRIO DEL PRECURSORE
Lunedì	20, 9-19
Martedì	20, 20-26
Mercoledì	20, 27-40
Giovedì	20, 41-44
Venerdì	20, 45-47

SETTIMANA DELLA VI DOMENICA DOPO IL MARTIRIO DEL PRECURSORE
Lunedì	21, 5-9
Martedì	21, 10-19
Mercoledì	21, 20-24
Giovedì	21, 25-33
Venerdì	21, 34-38

SETTIMANA DELLA VII DOMENICA DOPO IL MARTIRIO DEL PRECURSORE
Lunedì	22, 35-37
Martedì	22, 67-70
Mercoledì	23, 28-31
Giovedì	24, 44-48
Venerdì	22, 31-33

Capitolo XVII

"IO SONO CON VOI FINO ALLA FINE DEI TEMPI"
LA CHIESA TRA STORIA ED *ESCHATON*

1. La Domenica della Dedicazione

Dopo aver considerato, sulla scia della commemorazione del Precursore, la persona di Cristo, la sua natura di Unigenito del Padre, la sua presenza permanente nella Chiesa, i suoi comandi ricapitolati nel precetto dell'amore, la diffusione del suo annuncio di salvezza tramite i suoi inviati, il riflesso del Regno presente nella comunità dei credenti in lui, con la Domenica della Dedicazione la Chiesa milanese giunge a contemplare la riproposizione di tutte queste realtà salvifiche nella propria esperienza di popolo di Dio, raccolto attorno ad Ambrogio e ai suoi Vicari per proclamare, nella storia, la salvezza del Signore e farne concreta esperienza attraverso i divini misteri.

La Dedicazione è in effetti celebrazione che dalla tarda antichità ha segnato l'anno liturgico della Chiesa ambrosiana (la Domenica che la precede già compare nel *Capitolare di Busto*), assumendo rilevanza pari alle quattro maggiori solennità (Natale, Epifania, Pasqua, Pentecoste).

Nella versione italiana della titolatura, il termine *"ecclesia maior"* è stato reso col tradizionale *"Duomo"*; e in effetti proprio questa solennità viene configurando la cattedrale milanese quale *domus Ecclesiae Ambrosianae* per eccellenza: chiesa madre e casa comune per tutti i fedeli ambrosiani dovunque dispersi.

Le letture per tale solenne celebrazione appaiono articolate secondo il ciclo triennale e sono le seguenti:

DOMENICA DELLA DEDICAZIONE DEL DUOMO DI MILANO,
CHIESA MADRE DI TUTTI I FEDELI AMBROSIANI

ANNO A

Lettura	Quanto è grande la casa di Dio	Baruc 3, 24-38[1]

---

[1] Typ. (-37); L.ex.

oppure

Lettura	La dimora di Dio con gli uomini	Apocalisse 21, 2-5[2]
Salmo	Di te si dicono cose gloriose, città di Dio	Salmo 86, 1-2. 4-7
Epistola	In una casa grande non vi sono soltanto vasi d'oro, ma anche di coccio	2Timoteo 2, 19-22[3]
Canto al Vangelo	Il Signore ricostruisce Gerusalemme, raduna i dispersi d'Israele	Salmo 146, 2
Vangelo	Gesù entrò nel Tempio, gli si avvicinarono ciechi e storpi e li guarì	Matteo 21, 10-17[4]

ANNO B

Lettura	Dio ha eretto a nostra salvezza mura e baluardo: aprite le porte, entri il popolo	Isaia 26, 1-2. 4. 7-8; 54, 12-14a[5]

oppure

Lettura	La Città Santa Sposa dell'Agnello	Apocalisse 21, 9a. c-27[6]
Salmo	Date gloria a Dio nel suo santuario	Salmo 67, 25-27. 29-30. 33-34a. 35-36
Epistola	Santo è il Tempio di Dio, che siete voi	1Corinzi 3, 9-17[7]
Canto al Vangelo	Santo è il Tempio di Dio, campo che egli coltiva, e costruzione da lui edificata	Cf 1Cor 3, 17. 9
Vangelo	Ricorreva la festa della Dedicazione ed era d'inverno	Giovanni 10, 22-30[8]

ANNO C

Lettura	Le tue porte saranno sempre aperte. Il Signore sarà per te luce eterna	Isaia 60, 11-21[9]

oppure

Lettura	Cristo è la pietra viva, ed anche voi venite impiegati come pietre vive per la costruzione di un edificio spirituale	1Pietro 2, 4-10[10]
Salmo	Rendete grazie al Signore, il suo amore è per sempre	Salmo 117, 2-4. 19. 22-24. 26-27a
Epistola	Obbedite ai vostri capi e state loro sottomessi, perché essi vegliano su di voi	Ebrei 13, 15-17. 20-2
Canto al Vangelo	Santo è il Tempio di Dio, campo che egli coltiva, e costruzione da lui edificata	Cf 1Cor 3, 17. 9
Vangelo	La casa costruita sulla roccia	Luca 6, 43-48[11]

---

[2] H.

[3] Typ.; L.ex.

[4] Bu (Ca / Ev).

[5] H; L (Anniv. Dedic).

[6] L (Anniv. Dedic.).

[7] M (incipt: v. 9).

[8] Typ.; L.ex.

[9] L (Anniv. Dedic.).

[10] La pericope si trova anche nell'ordinamento feriale, segnatamente nella Settimana della I Domenica dopo il Martirio del Precursore, Giovedì, Anno II.

[11] H.

2. Il Ciclo Domenicale

A partire dalla riflessione ecclesiologica connessa alla solennità della Dedicazione, l'ordinamento delle letture domenicali dilata il proprio sguardo ad abbracciare i confini del mondo e della storia, giungendo infine a travalicare la storia e a contemplare la ricapitolazione, nella regalità di Cristo, di tutte le cose e la loro sottomissione in lui al Padre, fonte della divinità e della vita (*Ef* 1, 10).

La *Domenica del mandato missionario*, collocata quale Domenica I dopo la Dedicazione, riprende i temi della carolingia Domenica I dopo Pentecoste, conservatasi ancora nella *Editio typica Calabiana-Ferrari*. La sua ubicazione s'inquadra perfettamente nel discorso sviluppato dal Lezionario nell'ultima fase del ciclo liturgico annuale, ma si accorda anche alla consuetudine, ormai invalsa, di richiamare in quel periodo dell'anno l'intera comunione cattolica a una riflessione sul proprio impegno di evangelizzazione e a un fattivo sostegno nei confronti delle opere missionarie.

Sulla scia della precedente Domenica, nella II Domenica dopo la Dedicazione il Lezionario presenta la *partecipazione di tutte le genti alla salvezza* e prepara alla Domenica conclusiva dell'anno, dedicata alla celebrazione della divina Regalità di Cristo.

Il Lezionario accosta tale aspetto del mistero di Cristo secondo tre prospettive, che pare opportuno segnalare fin d'ora. Con riferimento ai singoli anni del ciclo triennale, tali prospettive potrebbero essere così sintetizzate:

la premessa davidica e il suo superamento nell'ontologica regalità del Logos Dio;

il trionfo regale della Crocifissione, espresso dall'antica interpolazione salmica "*regnavit a ligno Deus*";

la gloria escatologica del Verbo divino fatto uomo e redentore della Creazione.

Quest'ultimo assunto, in particolare, organicamente connette la celebrazione della Regalità del Signore alla tensione verso il suo definitivo ritorno, contemplato nella successiva prima Domenica d'Avvento.[12]

3. Il Ciclo Sabbatico

Con le Settimane dopo la Dedicazione l'intero ciclo annuale approda al suo termine e, pertanto, trova conclusione pure il ciclo dei Sabati comuni, caratterizzati dalla progressiva proclamazione della Legge, ciclo avvia-

---

[12] Il quadro d'insieme delle pericopi potrà vedersi nell'Allegato 1 in coda al capitolo.

tosi nel Tempo dopo l'Epifania, con la Settimana successiva al Battesimo del Signore. Quale suggello dell'intero ciclo sabbatico, ma altresì dell'intero ciclo annuale, sta il Sabato dell'Ultima Settimana dell'Anno liturgico, il cui Vangelo – mediante il pressante invito "Vigilate!" – ben esprime la tensione escatologica cha caratterizza il vivere del popolo di Dio: radicato nella storia, ma proiettato verso il ritorno del Signore.

4. IL CICLO FERIALE

Le ultime quattro settimane del ciclo dell'anno offrono Vangeli propri per ciascun giorno, in connessione ai temi delle diverse Domeniche.

La prima Settimana, introduttiva alla Domenica del mandato missionario, presenta nelle pericopi evangeliche le chiamate di Apostoli e Discepoli al ministero della Parola; seguono nella seconda Settimana Vangeli incentrati sulla sequela di Cristo e sulle esigenze che tale sequela comporta. Le pericopi della terza Settimana, in preparazione alla Domenica di Cristo Re, sono focalizzate sul mistero del Cristo nel suo rapporto col Padre. Infine, l'ultima Settimana dell'anno liturgico, introducendo alla Domenica I d'Avvento, viene formulando, attraverso una serie di parabole, un pressante invito ai credenti e alla Chiesa, perché vivano nella vigilante attesa dello Sposo.

Accompagna questi Vangeli la lettura dell'Apocalisse. Nella prima settimana, sulla scia dei testi apostolici proclamati nelle settimane dopo il Martirio del Precursore, sono presentate "le lettere agli angeli delle sette Chiese" (nell'Anno II precedute, al Lunedì, dalla II Lettera di Giovanni). Seguono due serie, in sé compiute, di pericopi: nell'Anno I relative alla visione dell'Agnello, della Liturgia Celeste, dei cieli nuovi e della terra nuova; nell'Anno II relative alle visioni della Donna, della Bestia e della Città.

"Verrò presto!" è l'annuncio che conclude l'uno e l'altro ciclo, e che sigilla l'intera storia della salvezza, il cui svolgimento è stato ripercorso e mistericamente riproposto dai vari momenti dell'anno liturgico.

Allegato 1

ANNO A

I DOMENICA DOPO LA DEDICAZIONE   *Domenica del mandato missionario*

Lettura	La chiamata dei pagani alla salvezza	Atti 10, 34-48a[13]
Epistola	Predichiamo Cristo crocifisso, scandalo per i Giudei, stoltezza per i pagani	1Corinzi 1, 17b-24
Vangelo	Nel nome di Cristo saranno predicate a tutte le genti la conversione e il perdono dei peccati	Luca 24, 44-49a

II DOMENICA DOPO LA DEDICAZIONE   *La partecipazione delle genti alla salvezza*

Lettura	Volgetevi a me e sarete salvi Paesi tutti della terra	Isaia 45, 20-23[14]
Epistola	La nostra patria è nei cieli	Filippesi 3, 13b - 4, 1
Vangelo	Il regno dei cieli è simile a una rete gettata nel mare	Matteo 13, 47-52[15]

DOMENICA DI CRISTO RE

Lettura	La tua casa e il tuo regno saranno saldi per sempre davanti a me	2Samuele 7, 1-6. 8-9. 12-14a. 16-17
Epistola	Dio ci ha liberati dalle tenebre e ci ha collocati nel Regno del Figlio del suo amore	Colossesi 1, 9b-14[16]
Vangelo	Tu sei re. Il mio Regno non è di questo mondo	Giovanni 18, 33-37[17]

ANNO B

I DOMENICA DOPO LA DEDICAZIONE   *Domenica del mandato missionario*

Lettura	Il battesimo del ministro della regina d'Etiopia	Atti 8, 26-39
Epistola	Dio vuole che tutti gli uomini siano salvati e arrivino alla conoscenza della verità	1Timoteo 2, 1-5
Vangelo	Andate in tutto il mondo e predicate il Vangelo	Marco 16, 14b-20[18]

II DOMENICA DOPO LA DEDICAZIONE   *La partecipazione delle genti alla salvezza*

Lettura	Condurrò sul mio monte santo gli stranieri che restano fermi nella mia alleanza	Isaia 56, 3-7[19]
Epistola	In Cristo Gesù, voi che un tempo eravate i lontani siete diventati i vicini	Efesini 2, 11-22
Vangelo	Spingili a entrare perché la mia casa si riempia	Luca 14, 1a. 15-24

---

[13]   Typ.: I post Pentecosten.
[14]   VI dopo Decollazione, Anno B (-24a).
[15]   VII dopo Decollazione, Anno C (44-).
[16]   Typ.
[17]   Typ.; LR: Anno B.
[18]   Typ.: I post Pentecosten.
[19]   VI dopo Epifania, Anno C (1-8); V dopo Decollazione, Anno C (1-7).

DOMENICA DI CRISTO RE

Lettura	È troppo poco che tu sia mio servo per restaurare le tribù di Giacobbe, ti renderò luce delle nazioni	Isaia 49, 1-7
Epistola	Obbediente fino alla morte di Croce, per questo Dio lo ha esaltato	Filippesi 2, 5-11[20]
Vangelo	RicordaTi di me quando sarai nel Tuo Regno	Luca 23, 36-43[21]

ANNO C

I DOMENICA DOPO LA DEDICAZIONE   *Domenica del mandato missionario*

Lettura	Il mandato missionario a Paolo e Barnaba	Atti 13, 1-5a
Epistola	Paolo ministro di Gesù Cristo tra i pagani	Romani 15, 15-20
Vangelo	Andate, fate discepoli, battezzate tutte le genti	Matteo 28, 16-20[22]

II DOMENICA DOPO LA DEDICAZIONE   *La partecipazione delle genti alla salvezza*

Lettura	Il banchetto preparato da Dio per tutti i popoli	Isaia 25, 6-10a
Epistola	Abramo padre nella fede di molti popoli	Romani 4, 18-25[23]
Vangelo	Il banchetto nuziale del Figlio del Re	Matteo 22, 1-14[24]

DOMENICA DI CRISTO RE

Lettura	Il Vegliardo dà al Figlio dell'uomo potere su i popoli e le nazioni	Daniele 7, 9-10. 13-14[25]
Epistola	Alla fine Cristo consegnerà il Regno a Dio Padre	1Corinzi 15, 20-26. 28[26]
Vangelo	Il Figlio dell'uomo, Re cui il Padre ha affidato ogni giudizio	Matteo 25, 31-46[27]

Allegato 2

SETTIMANE DOPO LA DEDICAZIONE
Le pericopi evangeliche del Ciclo Feriale

SETTIMANA DOPO LA DEDICAZIONE
LUNEDÌ

Vangelo	La vocazione di Andrea, il primo chiamato, e degli altri apostoli	Giovanni 1, 40-51

MARTEDÌ

Vangelo	I Dodici	Marco 3, 13-19

MERCOLEDÌ

Vangelo	Lo stile della missione dei Dodici	Marco 6, 7-13

---

[20] Circoncisione; Palme, Messa del giorno.
[21] LR: Anno C (35-).
[22] LR: SS. Trinità, Anno B.
[23] Typ.: III post Dedicationem (13-25).
[24] Typ.: III post Dedicationem; IV dopo Pentecoste, Anno B.
[25] LR: Anno B (13-14).
[26] LR: Anno A
[27] LR: Anno A.

GIOVEDÌ

Vangelo | I Settantadue discepoli | Luca 10, 1b-12

VENERDÌ

Vangelo | Le donne che assistevano Gesù e i Dodici nella loro missione | Luca 8, 1-3

SETTIMANA DELLA I DOMENICA DOPO LA DEDICAZIONE
LUNEDÌ

Vangelo | Nessuno che si volga indietro è adatto per il Regno | Luca 9, 57-62

MARTEDÌ

Vangelo | Va, vendi quello che hai e dallo ai poveri; poi vieni e seguimi | Marco 10, 17-22

MERCOLEDÌ

Vangelo | Vi sono altri che si sono fatti eunuchi per il Regno | Matteo 19, 9-12

GIOVEDÌ

Vangelo | Noi abbiamo lasciato tutto e ti abbiamo seguito | Matteo 19, 27-29)

VENERDÌ

Vangelo | Chi accoglie un profeta come profeta, avrà la ricompensa del profeta | Matteo 10, 40-42

SETTIMANA DELLA II DOMENICA DOPO LA DEDICAZIONE
LUNEDÌ

Vangelo | Perché il Padre sia glorificato nel Figlio | Giovanni 14, 12-15

MARTEDÌ

Vangelo | Chi vede me, vede Colui che mi ha mandato | Giovanni 12, 44-50

MERCOLEDÌ

Vangelo | Il Padre che mi ha mandato dà testimonianza di me | Giovanni 8, 12-19

GIOVEDÌ

Vangelo | Parlo come il Padre mi ha insegnato | Giovanni 8, 28-30

VENERDÌ

Vangelo | Nessuno viene al Padre, se non per mezzo di me | Giovanni 14, 2-7

ULTIMA SETTIMANA DELL'ANNO LITURGICO
LUNEDÌ

Vangelo | Nell'ora che non immaginate, viene il Figlio dell'uomo | Matteo 24, 42-44

MARTEDÌ

Vangelo | Arriverà il padrone quando il servo non se l'aspetta | Matteo 24, 45-51

MERCOLEDÌ

Vangelo | Vegliate, perché non sapete né il giorno, né l'ora | Matteo 25, 1-13

GIOVEDÌ

Vangelo | I talenti | Matteo 25, 14-30

VENERDÌ

Vangelo | Il Figlio dell'uomo tornerà nella gloria per giudicare tutte le genti | Matteo 25, 31-46

Allegato 3

SETTIMANE DOPO LA DEDICAZIONE
Le Letture del Ciclo Feriale

ANNO I

SETTIMANA DOPO LA DEDICAZIONE
LUNEDÌ

Lettura	Rivelazione di Gesù Cristo	Apocalisse 1, 1-8

MARTEDÌ

Lettura	Chi ha orecchie ascolti ciò che lo Spirito dice alle Chiese	Apocalisse 2, 1-7

MERCOLEDÌ

Lettura	Così parla Colui che ha la spada affilata a due tagli	Apocalisse 2, 12-17

GIOVEDÌ

Lettura	Così parla Colui che possiede i sette spiriti di Dio	Apocalisse 3, 1-6

VENERDÌ

Lettura	Così parla l'Amen	Apocalisse 3, 14-22

SETTIMANA DELLA I DOMENICA DOPO LA DEDICAZIONE
LUNEDÌ

Lettura	C'era un trono nel cielo	Apocalisse 4, 1-11

MARTEDÌ

Lettura	Vidi, in mezzo al trono, un Agnello, in piedi, come immolato	Apocalisse 5, 1-14

MERCOLEDÌ

Lettura	L'Agnello scioglie i sette sigilli	Apocalisse 6, 1-11

GIOVEDÌ

Lettura	I quattro angeli, ai quattro angoli della terra, trattengono i quattro venti	Apocalisse 6, 12 - 7, 3

VENERDÌ

Lettura	Un altro angelo si fermò all'altare, reggendo un incensiere d'oro	Apocalisse 8, 1-6

SETTIMANA DELLA II DOMENICA DOPO LA DEDICAZIONE
LUNEDÌ

Lettura	Devi profetizzare ancora su molti popoli, nazioni, lingue e re	Apocalisse 10, 1-11

MARTEDÌ

Lettura	Misura il santuario di Dio e l'altare	Apocalisse 11, 1-12

MERCOLEDÌ

Lettura	Si aprì il santuario di Dio nel cielo e apparve l'arca dell'alleanza	Apocalisse 11, 15-19

GIOVEDÌ

Lettura	Il cantico dell'Agnello	Apocalisse 15, 1-7

VENERDÌ

Lettura	Guai, guai, immensa città, Babilonia	Apocalisse 18, 9-20

ULTIMA SETTIMANA DELL'ANNO LITURGICO
LUNEDÌ

| Lettura | Beati gli invitati al banchetto delle nozze dell'Agnello | Apocalisse 19, 6-10 |

MARTEDÌ

| Lettura | Il nome di colui che cavalca il cavallo bianco è Verbo di Dio | Apocalisse 19, 11-16 |

MERCOLEDÌ

| Lettura | Il libro della vita | Apocalisse 20, 11-15 |

GIOVEDÌ

| Lettura | Un nuovo cielo e una nuova terra | Apocalisse 21, 1-8 |

VENERDÌ

| Lettura | Io sono l'Alfa e l'Omega. Vieni, Signore Gesù | Apocalisse 22, 12-21 |

ANNO II

SETTIMANA DOPO LA DEDICAZIONE
LUNEDÌ

| Lettura | Alla Signora, eletta da Dio, e ai suoi figli, che amo nella verità | 2Giovanni 1-13 |

MARTEDÌ

| Lettura | Io, Giovanni, nell'isola chiamata Patmos, rapito in estasi nel giorno del Signore, udii | Apocalisse 1, 9-10 |

MERCOLEDÌ

| Lettura | Colui che ha orecchie ascolti ciò che lo Spirito dice alle Chiese | Apocalisse 2, 8-11 |

GIOVEDÌ

| Lettura | Così parla il Figlio di Dio | Apocalisse 2, 18-29 |

VENERDÌ

| Lettura | Così parla il Santo, che ha la chiave di Davide | Apocalisse 3, 7-13 |

SETTIMANA DELLA I DOMENICA DOPO LA DEDICAZIONE
LUNEDÌ

| Lettura | La Donna vestita di sole | Apocalisse 12, 1-12 |

MARTEDÌ

| Lettura | La bestia | Apocalisse 12, 13 - 13, 10 |

MERCOLEDÌ

| Lettura | L'altra bestia | Apocalisse 13, 11-18 |

GIOVEDÌ

| Lettura | L'Agnello, in piedi sul monte Sion | Apocalisse 14, 1-5 |

VENERDÌ

| Lettura | Temete Dio, perché è giunta l'ora del suo giudizio | Apocalisse 14, 6-13 |

SETTIMANA DELLA II DOMENICA DOPO LA DEDICAZIONE
LUNEDÌ

| Lettura | La grande prostituta | Apocalisse 17, 3b-6a |

MARTEDÌ

| Lettura | L'Agnello vincerà perché è il Signore dei signori e il Re dei re | Apocalisse 17, 7-14 |

MERCOLEDÌ

| Lettura | È caduta Babilonia la Grande | Apocalisse 18, 1-8 |

GIOVEDÌ

| Lettura | La voce potente di una folla immensa nel cielo | Apocalisse 18, 21 - 19, 5 |

VENERDÌ

| Lettura | Venite, radunatevi al grande banchetto di Dio | Apocalisse 19, 17-20 |

ULTIMA SETTIMANA DELL'ANNO LITURGICO

LUNEDÌ

| Lettura | Il dragone incatenato | Apocalisse 20, 1-10 |

MARTEDÌ

| Lettura | Gerusalemme, la Città Santa, Sposa dell'Agnello | Apocalisse 21, 9-14 |

MERCOLEDÌ

| Lettura | Il Signore Dio e l'Agnello sono il Tempio della Città | Apocalisse 21, 15-27 |

GIOVEDÌ

| Lettura | Il fiume d'acqua viva, che scaturisce dal trono di Dio e dell'Agnello | Apocalisse 22, 1-5 |

VENERDÌ

| Lettura | Io verrò presto: sono l'Alfa e l'Omega, il principio e la fine | Apocalisse 22, 6-13 |

APPENDICI

"A DIOECESI MEDIOLANENSI EXCISI"
LA CONTINUITÀ AMBROSIANA NEI TERRITORI SVIZZERI

I territori svizzeri, che a settentrione di Bellinzona salgono al Passo del San Gottardo e, partendo da Biasca, si dirigono al Lucomagno, sono tra le aree in cui la tradizione ambrosiana ha scritto alcune delle sue pagine più alte e significative. Non a caso da questo ambito provengono documenti codicologici tra i più importanti per la storia cultuale irradiatasi dalla Chiesa di Milano e, segnatamente, dalle sue cattedrali: basti pensare al *Messale di Biasca* (Ambr. *A 24 bis inf.*, del secolo IX^{ex}/X^{in}, originariamente destinato ad altra pieve e per la sua autorevolezza posto dal Ceriani a fondamento della *Editio typica* del *Missale Ambrosianum* voluta dall'arcivescovo Calabiana e pubblicata nel 1902 dal beato card. Ferrari), nonché al *Messale di Lodrino* (Ambr. *A 24 inf.*, collocabile poco dopo l'anno Mille e giunto in queste terre dopo essere stato in uso nella chiesa urbana di S. Stefano), ma altresì al *Manuale* sempre *di Lodrino* (rimasto qui in uso fino al secolo XV, ma risalente al secolo XI: Ambr. *A 246 suss.*).[1]

In età alto medioevale furono territori, questi, caratterizzati da un legame istituzionale strettissimo con il clero officiante nel complesso episcopale milanese, che qui esercitava giurisdizione signorile. Riferimento fondante di tali diritti fu nel secolo X la donazione (di incerta documentazione) del vescovo Attone di Vercelli (c. 925-960), cui seguirono quella dell'arcivescovo Arnolfo II (998-1018) e ulteriori acquisizioni. Nell'area sussistettero anche

---

[1] Rapida documentazione al riguardo può vedersi in P. CARMASSI, *Libri liturgici e istituzioni ecclesiastiche a Milano in età medioevale. Studio sulla formazione del lezionario ambrosiano*, Aschendorff, Münster 2001 [Liturgiewissenschaftliche Quellen und Forschungen, 85: Corpus ambrosiano-liturgicum, 4], pp. 290-295.

altre signorie, contro cui peraltro gli abitanti insorsero tra XI e XII secolo, vedendovi una minaccia alle proprie ampie autonomie, come ben attesta il *Patto di Torre* (1182), con cui i valligiani di Leventina e Blenio s'impegnarono a impedire che qualsiasi signore edificasse castelli nell'area.

Il clero delle cattedrali milanesi si trovò, dunque, ad essere signore riconosciuto del territorio, e la sua autorità fedelmente rispettata. Essendo cessati dal 1120 i diritti dei preti decumani ed essendo stata riservata da allora la giurisdizione al solo clero cardinalizio, il governo di quest'ultimo fu esercitato da un singolo cardinale insignito del titolo di "conte di Blenio e Leventina". La situazione tale sarebbe rimasta fino al secolo XIII, quando la funzione comitale (e la relativa prebenda) divenne appannaggio di quattro ecclesiastici.

La collocazione strategica di queste valli (e in particolare della Leventina) attirò su di esse le mire dell'autorità imperiale, aprendo un contenzioso, che strettamente s'intrecciò alle lotte tra Comune milanese e Impero.

Nel secolo XIV i Visconti, ormai saldamente signori di Milano, si fecero investire dai cardinali milanesi dei diritti sulle Valli, nelle quali peraltro, già dagli inizi del XV secolo iniziarono a penetrare i confederati di Uri, interessati al controllo del San Gottardo. Nel 1479-80 essi si impadronirono della Leventina, nel 1495 della Valle di Blenio e nel 1500 della meridionale Riviera.

La conseguente cessione dei diritti temporali non intaccò in ogni caso la permanenza delle tradizionali forme di giurisdizione ecclesiastica, confermate dalla concessione ai nuovi signori del diritto di presentazione dei candidati ai benefici.

Col procedere del tempo questa giurisdizione del collegio cardinalizio milanese si trovò progressivamente minacciata dall'autorità arcivescovile, cui già nel 1487 i signori di Uri appaiono essersi rivolti.

Alla giurisdizione ecclesiastica dei cardinali milanesi (altrimenti detti 'ordinari') mise fine la riforma borromaica, ispirata ai principi tridentini. Da allora la giurisdizione canonica su questi territori (che si iniziò a denominare "le Tre Valli") fu assunta dall'arcivescovo, che la esercitò tramite un proprio visitatore. Si conservò peraltro il titolo comitale, con la connessa prerogativa della collazione dei benefici parrocchiali, per quattro canonici del Capitolo Maggiore del Duomo di Milano, erede dell'antico collegio cardinalizio. Tale si conservò la situazione fino agli sconvolgimenti rivoluzionari e alla soppressione napoleonica, nel 1798, del Capitolo stesso. Rifondato quest'ultimo nel 1802, in seguito al Concordato, le prerogative dei quattro conti furono esercitate in solido dall'intero collegio, che le detenne fino al perdurare dei rapporti ecclesiastici tra l'area ticinese e la Chiesa milanese.[2]

Gli ecclesiastici delle Tre Valli, ai quali può associarsi il clero della pieve di Capriasca (in territorio elvetico, ma contigua alla milanese e ambrosiana Valsolda) e quello della parrocchia di Brissago (affacciata sul Verbano nei pressi dell'ambrosiana Cannobio) poterono disporre a Milano per la propria formazione, fin dai tempi di san Carlo, di uno specifico Collegio Elvetico, cui nel 1622 si affiancò il Seminario locale di Pollegio.

Questo intenso legame tra l'area ambrosiana elvetica e la Chiesa di Milano bruscamente s'interruppe nel 1884.

La preoccupazione, già viva in età moderna, ma ulteriormente stimolata nell'Ottocento dalle ideologie nazionaliste, di non avere nei territori di uno Stato giurisdizioni ecclesiastiche legate ad altri Stati, portò il 1° Settembre di quell'anno, in seguito a una Convenzione tra la Santa Sede e la Confederazione Elvetica, allo scorporo delle parrocchie ticinesi dalle loro diocesi storiche di appartenenza, Milano e Como, e alla loro costituzione in amministrazione apostolica, affidata il 23 Marzo 1885 al presule Eugène Lachat. Questi si era dimesso tra le polemiche il 18 Dicembre 1884 dalla cattedra di Basilea (con sede a Soletta) ed era stato traslato alla sede arcivescovile titolare di Damiata.[3]

È oltremodo significativo il fatto che, mentre la decisione di costituire in Ticino una circoscrizione ecclesiastica locale fu accolta con particolare soddisfazione dal clero "romano" già appartenente alla Diocesi di Como, suscitò strenue resistenze nelle valli ambrosiane, che si sentirono dolorosamente strappate al loro "ovile" e al loro "ottimo e santo pastore", l'arcivescovo Luigi Nazari di Calabiana. A lui, in quell'occasione, gli ecclesiastici delle Tre Valli, riuniti "in plenaria e straordinaria conferenza",

---

[2] Cf M. WELTI, *I quattro conti canonici ordinari (dal sec. XII al 1798)*, in *Helvetia Sacra*, sez. I, 6, a cura di P. BRAUN - H. J. GILOMEN, Helbing-Lichtenhahn, Basilea - Francoforte sul Meno 1989, pp. 360-415.

[3] Per tutti questi aspetti si rinvia ai bei lavori di Antonietta MORETTI; basti qui segnalare: *La Chiesa ticinese nell'Ottocento. La questione diocesana (1803-1884)*, Dadò, Locarno 1985, pp. 27 ss.: *Clero romano e clero ambrosiano nel Ticino: la questione diocesana*, in *Itinera* 4 (1986) [= *Kirchengeschichte und allgemeine Geschichte in der Schweiz*] 112-123; *L'amministrazione Apostolica Ticinese, poi Diocesi di Lugano*, in *Helvetia Sacra*, sez. I, 6, a cura di P. BRAUN - H. J. GILOMEN, Helbing-Lichtenhahn, Basilea - Francoforte sul Meno 1989, pp. 233 ss.; *Tre Valli Svizzere*, in *Dizionario della Chiesa ambrosiana*, VI, NED - Nuove Edizioni Duomo, Milano 1993, pp. 3713-3722. Quanto alla pieve di Capriasca, cf EAD., *Da feudo a baliaggio. Le comunità delle pievi della Val Lugano nel XV e XVI secolo*, Bulzoni, Roma 2006 [Quaderni di Cheiron, 16], pp.177-179, 252-256, 395-426, 428.

dopo aver constatato che "il distacco effettivo di queste Valli remote è un fatto compiuto a cui non sopravviveranno altri pubblici ed officiali vincoli tranne il pur preziosissimo del Rito ambrosiano", rivolsero queste commosse parole:

> "Uscendo dal 'vostro' ovile non per elezione, ma con dolore, fuori chiamatine dal Pastore dei Pastori, noi portiamo profondamente scolpita nell'anima la grata e perenne ricordanza dei benefici, dell'amore, della premura costante onde fummo l'oggetto da parte vostra e dei vostri venerandi predecessori sulla Cattedra di Sant'Ambrogio e di San Carlo, e, pur separati officialmente dalla gloriosa Chiesa di Milano, continueremo a tenerci stretti alla stessa con i vincoli della simpatia, della carità, della grande memoria, e spesso volgendosi il nostro sguardo dalla vetta dei nostri monti, o muovendo il passo verso la Metropoli Lombarda, sospesa al salice la nostra cetra ripeteremo le parole del pellegrino di Giuda: Si dimentichi di me la mia destra e s'inaridisca la mia lingua, se io non mi ricorderò sempre di te, o gloriosa Chiesa di Milano, e della letizia dei giorni vissuti nei tuoi santi tabernacoli...".[4]

Ma, nel distacco, un'attenzione tutta particolare fu riservata ai Canonici del Capitolo Metropolitano. I verbali delle sedute capitolari, al 18 Agosto di quello stesso 1885, segnalano che "Una rappresentanza del Clero delle Tre Valli Elvetiche annesse fin qui alla diocesi Milanese domandò di essere oggi ricevuta dal Capitolo che ha su di esse la Giurisdizione Spirituale, e lesse un *Indirizzo* affettuoso esprimente il dolore di quel clero per vedersi aggregato a una Diocesi di nuova formazione e per essere così avulso dal suo Superiore Ordinario il Capitolo Metropolitano di Milano. Il Capitolo accolse con manifesta simpatia i sentimenti espressigli, non dissumulando che il fatto lo colpiva tanto più dolorosamente perchè compiuto senza che previamente fosse stata richiesta la sua adesione ed il suo voto".[5] Merita riportare il testo di quell'*Indirizzo*:

> "Al Venerando Capitolo Maggiore della Basilica Metropolitana di Milano. Monsignori Illustrissimi e Reverendissimi! In un speciale Indirizzo a S. Ecc. Ill.ma e Rev.ma Monsignor Arcivescovo di Milano, il clero delle parti Ambrosiane del Canton Ticino, staccate dall'Archidiocesi di Milano per disposizione della Santa Sede, ha già esposto, in nome proprio e delle popolazioni che da esso dipendevano, quali siano i sentimenti che lo animano

---

4   Ed. E. MARTINOLI, *Ambrosiana Trium Vallium*, Tipografia Pontificia e Arcivescovile San Giuseppe, Milano (1925), pp. 26-29.

5   E. (T.) MONETA CAGLIO, *Le Tre Valli ambrosiane del Canton Ticino*, in *Civiltà Ambrosiana* 6 (1989) 55.

a riguardo e dell'Illustre Archidiocesi e del venerato Presule di Milano. Ma il clero suddetto crederebbe venire meno al ben sentito dovere se, nella dolorosa circostanza, non indirizzasse pure a Voi, Ill.mi e Rev.mi Monsignori, una riverente ed ossequiosa parola di congedo. Non ignora, infatti, il clero ambrosiano del Canton Ticino i vincoli speciali che, sanciti da solenni ed antiche stipulazioni, legano particolarmente queste remote parti della Diocesi a codesto Venerando Capitolo Maggiore, come non può ignorare i benefici segnalati che a queste stesse parti, nei tempi remoti, come nei più vicini, pervennero dalle pie e generose sollecitudini dei membri di codesto insigne Capitolo, i cui nomi sono iscritti nella storia della Diocesi e nei nostri cuori siccome di insigni e venerati nostri benefattori e padri. Il perchè ci teniamo a pubblicamente e solennemente dichiararvi e protestarvi, Monsignori Ill.mi e Rev.mi, che come Voi ed i vostri illustri antecessori avete amato nobilitarvi colle premure di uno zelo e di carità tutt'evangelica a nostro riguardo così noi ci ascriviamo e ci ascriveremo sempre ad onore di esprimervi e conservare di Voi e delle opere vostre, perenne e vivissima riconoscenza. Sarà grande sventura e dolore per noi l'aver perduto nei Reverendissimi Canonici del Capitolo Maggiore metropolitano, dei venerati protettori e padri; ma sarà pure grande conforto il poter ricordare, nel distacco, d'averli avuti tali. Non vogliate quindi, Illustrissimi, sdegnare di gradire la sincera e vivissima espressione della devota riconoscenza nostra e delle nostre popolazioni. Noi usciamo, Monsignori, dall'amata Diocesi di Milano, senza lamento perchè sinceramente ci inchiniamo alle disposizioni del Santo Padre in cui, insieme col supremo potere di capo della Chiesa, riconosciamo volentieri la speciale assistenza della Provvidenza anche negli atti di governo della Chiesa stessa: ma dobbiamo alla verità, dobbiamo a una legittima soddisfazione vostra e nostra di dichiarare che nelle pratiche e nel pensiero che condussero alla separazione del Canton Ticino dalle Diocesi di Milano e di Como non ci si può far rimprovero né di una aspirazione, né di un desiderio, né di una parola che, accennando a novità, fossero in opposizione colla gratitudine, coll'affettuosa devozione che a Voi, alla Diocesi, al Venerato Pastore dolcemente ci legavano. Felici nel seno della Chiesa di Milano, potevamo noi pensare di uscirne? Potevamo noi non sentire tutta la ripugnanza e non esprimerla in ogni occasione, come oggi non possiamo non sentire il dolore? Oh, possa la fermezza della nostra adesione alla venerata Archidiocesi provarvi la sincerità e la vivezza della nostra riconoscenza per le premure di cui fummo sì lungamente l'oggetto da parte vostra, Monsignori Ill.mi e Rev.mi; e possa pure la incrollabile nostra fedeltà ai superiori da cui ci vediamo a malincuore staccati, assicurare il nuovo nostro Pastore che i figli di Ambrogio e di Carlo ebbero sempre ed avranno per divisa un attaccamento incrollabile ed una fedeltà senza ambagi ai propri legittimi Superiori! Dal canto nostro, Illustrissimi e Reverendissimi Monsignori, rinnovandovi e pregandovi di aggradire l'espressione e l'omaggio della nostra gratitudine e del nostro ossequio più devoto, vi protestiamo che in separandoci dall'amata Chiesa di Milano, porteremo con noi e religiosamente custodiremo in cuore, della Diocesi e di Voi, la più grata memoria e ci consolerà la memoria vostra, come memoria di un tempo felice, ogni qual volta venendo in spirito a prostrarci innanzi all'urna venerata di San Carlo, divenuto il patrono della nuova Diocesi ticinese, ci sembrerà di incontrarci nuovamente davanti a quelle sante Reliquie. Deh, vogliate Voi pure degnarvi di conservare memoria benevola di noi e delle nostre popolazioni a Voi riconoscentissime ed ossequientissime, e pregare il grande San Carlo che ci ottenga di conservare sempre, nella nuova Diocesi, in cui entriamo, lo spirito di Lui".[6]

Il successivo 6 Novembre, sedendo i canonici a Capitolo, una nuova delegazione delle Tre Valli si presentò loro, recando "come pegno di gratitudine, di attaccamento e d'affetto pel vincolo spirituale che li unì per secoli ai loro Patroni" uno splendido calice, che a buon diritto meriterebbe di divenire il calice ufficiale per la solennità della III Domenica d'Ottobre: *Dedicazione del Duomo di Milano, chiesa madre di tutti i fedeli ambrosiani.*

Gli ecclesiastici elvetici vollero allora incisa alla base del loro calice un'iscrizione oltremodo espressiva:

TICINENSES A DIOECES(I) MEDIOL(ANENSI)
EXCISI MOERENTES OFFERUNT.[7]

Queste comunità solo nel 1971 sarebbero venute a costituire un'autentica diocesi ticinese.[8] Per esse il Rito ambrosiano non è in ogni caso

---

[6]   Ed. E. CATTANEO, *Mirabile testimonianza ambrosiana nel Canton Ticino*, in *Ambrosius*, 22 (1956) 184-185.

[7]   Il "Calice delle Tre Valli" è tuttora presente nel patrimonio della Sacrestia Capitolare e del Tesoro: *Inventario dei paramenti e delle suppellettili sacre del Duomo di Milano*, Centro Ambrosiano di documentazione e studi religiosi, Milano 1976 [NED - Nuove Edizioni Duomo, Milano 1983²] [Archivio Ambrosiano, 30], pp. 45-46 [p. 43]. In *Tesori d'arte sacra del Duomo di Milano*, NED - Nuove Edizioni Duomo, Milano 1980, p. 17, è riprodotto in sua vece il calice del Capitolo, opera dell'orafo Bellosio (s. XIX ex.-XX in.); lo scambio si ripropone anche in M. CINOTTI, *Oreficerie*, in *Tesoro e Museo del Duomo*, I, a cura di R. BOSSAGLIA - M. CINOTTI, Electa, Milano 1978, tavv. 452 e 451. In queste pubblicazioni il calice è designato meno correttamente come "dono alla Diocesi di Milano"; cf invece G. G. SAMBONET, *Le oreficerie*, in *Il Duomo di Milano, museo d'arte sacra*, a cura di E. BRIVIO, Banca Popolare di Milano, Milano 1981, n. 55, p. 63.

[8]   Nonostante l'interesse dell'Amministrazione ticinese per la costituzione di una diocesi locale, il Governo Federale conservò stabilmente un orientamento favorevole all'aggregazione dei territori ticinesi a diocesi già esistente, quale ad esempio Coira. Di fronte a tale divaricazione d'intenti, la Santa Sede scelse il compromesso della nuova Convenzione del 16 Marzo 1888: la collegiata di San Lorenzo a Lugano veniva elevata

solo polo attorno a cui si sono condensati i sentimenti sopra attestati, di pur evidente valore spirituale; esso è anche e sopratutto partecipazione in pienezza all'esperienza ecclesiale, che all'inizio di questo volume è stata evocata, nonché all'orizzonte ecclesiologico e al significato ecumenico, insiti in tale esperienza. E sta proprio nella testimonianza di queste dimensioni, anzitutto ideali, il prezioso carisma di tali comunità, che ne sostanzia il proiettarsi verso il futuro, all'interno del loro specifico contesto locale e nell'ambito dell'ecumene cristiana, che vede ridursi sempre più la lontananza tra le sue sparse membra, ma che all'inizio di questo XXI secolo è ancora faticosamente alla ricerca delle modalità per una piena e pur non uniforme comunione.

---

al rango di cattedrale e unita alla cattedrale della diocesi di Basilea, il cui vescovo assumeva il titolo "di Basilea e Lugano"; peraltro la nuova cattedrale sarebbe stata retta da un vescovo amministratore apostolico, che la Santa Sede avrebbe nominato d'intesa col vescovo di Basilea attingendo al clero ticinese. La situazione fu sancita dalla bolla "*Ad universam*", emessa da Leone XIII il 7 Settembre 1888, e si sarebbe trascinata in questi termini per più di sessant'anni, ossia fino alla bolla "*Paroecialis et collegialis*", con cui Paolo VI l'8 Marzo 1971 istituì la diocesi di Lugano.

"QUESTO RITO O CHIESA AMBROSIANA"
L'AUTOCOSCIENZA ECCLESIALE
NELLE COMUNITÀ AMBROSIANE BERGAMASCHE

MARCO MAURI

Nella seconda metà del XVIII secolo, la Corte austriaca, di concerto con la Repubblica di Venezia, si adoperò strenuamente per far collimare i confini delle circoscrizioni ecclesiastiche dei territori a lei soggetti con i confini politici.

In seguito a tale preoccupazione nel 1751 fu posto fine al patriarcato di Aquileia, tra i lamenti dell'ultimo patriarca, Daniele Dolfin, per la "distruzione di questa Chiesa" e la "divisione del mio Gregge".

Certamente in modo meno dirompente, ma non meno doloroso, nel 1787 più di quaranta parrocchie ambrosiane furono separate dall'arcidiocesi di Milano per essere aggregate alla diocesi di Bergamo, pur continuando a conservare il Rito della loro Chiesa madre.[1]

Ne derivò una particolare situazione istituzionale in cui poté nitidamente manifestarsi la coscienza ecclesiale propria di queste comunità, offrendo, di conseguenza, un ambito privilegiato di indagine in merito alle connotazioni ideali profonde della tradizione ambrosiana e ai suoi riflessi antropologici.

I documenti reperiti nell'archivio della Vicaria di Calolziocorte mettono in evidenza la grande attenzione mostrata dalla Curia di Bergamo, non solo nel rispetto del Rito ambrosiano, ma anche nel mantenere una stretta assonanza con la Chiesa milanese. Oltre a ciò, da tale documentazione emerge con analoga chiarezza l'attaccamento e l'amore dei sacerdoti della Valle S. Martino verso il loro Rito.

---

[1]   Cf E. CATTANEO, *Parrocchie di rito ambrosiano già di Milano ora nella Diocesi di Bergamo*, in *Archivio Storico Lombardo*, serie VIII, 7 [84] (1957) 410 ss.

Si evidenzia come in essi non vi fosse soltanto un fedele ossequio alle proprie consuetudini tradizionali, ma anzitutto la lucida percezione d'essere parte di una specifica Chiesa, sussistente nella sua tradizione al di là delle collocazioni territoriali o giurisdizionali. A tale Chiesa ritenevano quindi di dover continuare a far riferimento, non in antitesi rispetto alla loro diocesi d'appartenenza e al suo Ordinario (verso cui mostravano sincera e totale devozione), ma come necessaria e naturale esigenza di vita per le proprie parrocchie, in nome della specifica tradizione di cui esse erano portatrici.

Suffraga questa lettura delle vicende il fatto che nelle questioni attinenti il Rito, il clero ambrosiano non si sia mai rivolto individualmente all'Ordinario, ma sempre in quanto formante una vicaria e al termine di approfondite consultazioni, dopo aver cercato lumi nei documenti e nella prassi milanese, talvolta dopo aver chiesto delucidazioni agli organi della Curia milanese, e assai spesso di concerto con le altre vicarie ambrosiane viciniori in diocesi di Bergamo.

È commovente anche l'attenzione di questi ecclesiastici verso l'antica originaria pieve di Olginate, in territorio milanese, con cui ci si preoccupava di mantenere i contatti. Su una bella lettera circolare che il vescovo Pietro Luigi Speranza dedicò, in data 1° Maggio 1863, al Rito ambrosiano si legge l'annotazione, apposta dal responsabile della vicaria: "Calolzio. Spedita: Vercurago, Somasca, Rossino, Erve, Carenno, Lorentino. Per regola: Frassoni D. Pietro, cerimoniere della Vicaria. *Per nozione: Prevosto di Olginate, Parroco Fogliani di S. Gottardo*".[2]

Pure alcune espressioni formulate nei testi prodotti dal vicariato foraneo risultano molto significative.

Don Antonio Ubiali, in una interrogazione del 1863 alla Congregazione per i Riti romano e ambrosiano della diocesi di Bergamo, così viene autodefinendo gli ambrosiani della diocesi *"nos sequentes adhuc Ritum Ecclesiae Mediolanensis, unde excisi et huic Bergomensi adjuncti prope finem saeculi elapsi"*[3]. *Excisi*: non si può non notare come sia lo stesso vocabolo usato nel 1885 dal clero ambrosiano delle Tre Valli svizzere per esprimere il patito distacco dalla propria Chiesa madre: *"Ticinenses a Dioecesi Mediolanensi excisi"*.[4]

---

[2] Riproduzione del testo in M. MAURI, *I Serenissimi ambrosiani*, in *Archivi di Lecco* 15 (1992) 142-145.

[3] *Ibidem*, p. 166.

[4] Così nell'iscrizione sul calice da essi donato ai Canonici del Capitolo Maggiore del Duomo: G. G. SAMBONET, *Le oreficerie*, in *Il Duomo di Milano, museo d'arte sacra*, a cura di E. BRIVIO, Banca Popolare di Milano, Milano 1981, n. 55, p. 63.

In un ulteriore bel documento, anonimo e non datato, ma certo posteriore al 1863, si trova la definizione: "Questo Rito o Chiesa Ambrosiana", cui segue l'enunciato: "Anche questo Rito ... ha introdotto ed aggiunto qualche Santo ... quando la Chiesa comanda in generale a tutto l'Orbe ed a tutti i Riti ... per l'uniformità di tutto il mondo cattolico".[5]

Colpisce ritrovare in un testo scritto cent'anni prima del concilio Vaticano II una coscienza così chiara e ben definita del 'mondo cattolico', concepito come comunione di Chiese (tutti i Riti) presieduta dalla Chiesa romana, che ne garantisce l'armonia (uniformità). Sono temi affiorati con forza nella riflessione ecclesiale cattolica ai tempi, appunto, del Vaticano II, nel cui ambito hanno costituito oggetto di lunghi e fondamentali approfondimenti; hanno poi continuato a fornire materia di discussione nel corso degli anni. Proprio per questo si rimane stupiti di fronte alla singolare assonanza del lapidario "Questo Rito o Chiesa Ambrosiana" col decreto conciliare sulle Chiese Orientali, che nelle sue prime battute espressamente viene trattando *de Ecclesiis particularibus seu Ritibus*.[6]

Proseguendo nella prospettiva, che queste considerazioni evidenziano, risulta opportuno rivolgere l'attenzione a specifiche vicende, nelle quali sembra di poter cogliere lineamenti significativi di questo "Rito o Chiesa ambrosiana", quali sono venuti manifestandosi nella vita concreta delle comunità bergamasche e nell'azione del loro clero durante la seconda metà del XIX secolo.

1. LA FESTA DELLA DEDICAZIONE

Nel 1868, come possiamo apprendere dalla lettera inviata il 22 Luglio ai vicari foranei e firmata dal vicario generale di Bergamo, si presentava

---

[5] "Ora *questo Rito o Chiesa Ambrosiana* ha il suo Messale proprio, ha il suo proprio Breviario, antichi come il Rito e che servono a tutti quelli che fanno parte di questo Rito, sebbene dispersi o divisi in varie Diocesi; come ai Regolari il suo. Anche questo Rito, dipendente e subordinato alla Chiesa Cattolica Romana, dietro ordine della medesima ha introdotto ed aggiunto qualche Santo nella sua Liturgia ed officiatura, e ciò dovrà fare e farà certamente anche in avvenire, *quando la Chiesa comanda, in generale a tutto l'Orbe ed a tutti i Riti*, di Santi singolari per l'uniformità di tutto il mondo cattolico": MAURI, *I Serenissimi ambrosiani*, p. 145.

[6] "*Sancta et catholica Ecclesia, quae est Corpus Christi Mysticym, constat ex fidelibus, qui eadem fide, iisdem sacramentis et eodem regimine in Spiritu Sancto organice uniuntur, quique in varios coetus hierarchia iunctos coalescentes, particulares Ecclesias seu ritus constituunt. Inter eas mirabilis viget communio, ita ut varietas in Ecclesia nedum eiusdem noceat unitati, eam potius declaret; Ecclesiae enim catholicae hoc propositum est, ut salvae et integrae maneant uniuscuiusque particularis Ecclesiae seu ritus traditiones*": Orientalium Ecclesiarum, 2.

l'opportunità di decidere il giorno di celebrazione della Dedicazione della chiesa parrocchiale. Infatti l'approvazione, l'anno precedente, del nuovo Calendario liturgico diocesano aveva fatto decadere un precedente decreto del 1851, in cui si fissava la celebrazione alla III Domenica di Settembre, unitamente alla ricorrenza della Dedicazione della cattedrale.

La Curia aveva così deciso di chiedere ai parroci di scegliere un nuovo giorno, ritenuto più opportuno per la celebrazione, e suggeriva di orientarsi verso una Domenica di fine anno liturgico, di preferenza la IV di Ottobre, adducendo una serie di motivazioni tecniche.[7]

Il 1° Settembre la circolare giunse al vicario foraneo, don Antonio Ubiali, che provvide immediatamente a diramarla ai parroci della vicaria, annotando il fatto a piè di pagina della propria copia.

Bisogna per forza pensare ch'egli non si limitò a questo atto burocratico dovuto.

Sulla comunicazione pervenuta da Bergamo, oltre a segnalare in margine che "[noi ambrosiani] non abbiamo Ottava", il vicario foraneo annotò: "Ritiensi la 3ª più opportuna".

Questo consiglio don Ubiali dovette comunicare a tutta la vicaria; trovando peraltro un accordo quasi generale. La sua risposta alla Curia, datata 16 Settembre, è un elenco scarno ma puntiglioso delle singole istanze dei suoi confratelli, in alcuni casi documentate da allegate comunicazioni scritte.[8] Tutti, o quasi, chiesero di poter celebrare l'anniversario della Dedicazione della chiesa parrocchiale nella III Domenica di Ottobre. Fecero eccezione la parrocchia di Somasca, retta dai regolari (e nella quale, per decreto episcopale, già si osservava la IV di Ottobre), nonché la finitima parrocchia di Vercurago (che, per l'afflusso "di forestieri divoti e indivoti" al vicino santuario di san Girolamo Emiliani, chiede di perseverare nell'osservanza della III di Settembre).

Don Ubiali si premurò di ricordare che nella sua parrocchia, già dalla consacrazione della nuova chiesa (29 Settembre 1835), la festa della Dedicazione "si celebrava e si celebra – alla III di Ottobre – con molta divozione dalla popolazione, anche ultimamente, poiché ne conosce l'importanza".

---

[7]   "Pare a Noi che per tal festa sarebbe più opportuna di ogni altra la Domenica IVª di Ottobre come quella che per lo più viene in giorno non impedito da Officio di rito doppio e la cui Ottava, cioè la Domenica Iª di Novembre, non può essere che poche volte impedita dalla Festa di Ogni Santi". Il testo in MAURI, *I Serenissimi ambrosiani*, pp. 158-159.

[8]   *Ibidem*, pp. 159-161.

Dal documento inviato alla Curia di Bergamo sembra trasparire l'impegno profuso dal Vicario in quell'occasione per giungere, all'interno della vicaria, a un orientamento ampiamente condiviso su tale data.

Quale fosse l'importanza della questione, quali i significati ideali in essa implicati è chiaramente suggerito dalle iniziative successivamente intraprese da don Ubiali.

Il 26 Ottobre dello stesso anno (ossia dopo poco più di un mese dalla risposta alla consultazione) egli inviava, a nome di tutti i parroci della vicaria, un quesito alla Congregazione diocesana per il Rito ambrosiano. Il dubbio può essere così formulato: poiché, secondo il Rito ambrosiano, alla III di Ottobre si celebrava la Dedicazione del Duomo di Milano (obbligo a cui erano tenute nell'arcidiocesi anche le chiese di Rito romano, come riconosciuto dalla stessa Congregazione romana dei Riti), che ufficio si doveva adottare a Calolzio in quella occasione? Quello per la Dedicazione della chiesa parrocchiale poteva essere supplito dall'ufficio per la Dedicazione della cattedrale metropolitana; o, al contrario, abbandonato quest'ultimo si doveva celebrare l'ufficio comune per la Dedicazione di una chiesa?[9]

La formulazione del quesito non dovette essere iniziativa estemporanea, e sembrerebbe suggerirlo anche il titolo dialettale dato ad una versione informale della lettera: "*Un bel Quesét!!!*".[10] Di fatto, nell'archivio di Calolzio si trova una lettera, datata Milano 3 Novembre, priva di firma, ma molto probabilmente opera di un ecclesiastico della Curia arcivescovile in familiarità con la vita liturgica del Capitolo. In tale missiva si dà autore-

---

[9]   "*Congregationi Reverendissimae Sacri Ambrosiani Ritus, Bergomi in Curia Episcopali institutae, hoc Quaesitum Parochi Vicariae Caloltii solvendum proponunt.*
Die 29 Septembris anni 1835 Episcopus Bergomi ecclesiam parochialem recens extructam Caloltii in sua Dioecesi consecravit. Quae ecclesia, quondam Mediolanensis Dioecesis, adhuc retinet Ritum ambrosianum, et cum aliis ejusdem Ritus, utitur Calendario quod annuatim Mediolani imprimitur. Ex Decreto autem ejusdem diei, idem Episcopus consecrans, Dedicationis Anniversarium ipsius ecclesiae, die tertia Dominica Octobris quotannis recolendum mandavit.
Sed quoniam eodem die, juxta Ritum, officium solemne de Dedicatione Ecclesiae Metropolitanae faciendum est, etiam in omnibus ecclesiis Ritus romani, oborta est dubitatio de Officio in eadem Caloltii ecclesia celebrando.
Quaeritur igitur quale Officium tali die in supradicta Caloltii ecclesia sit celebrandum? Scilicet, an pro Anniversario ejusdem Dedicationis, suppleri possit eo Metropolitanae currenti et a Calendario, repetitisque S.R.C. Decretis omnibus, injuncto [quod esset in votis] ? Vel hoc relicto, fieri debeat in Dedicatione Ecclesiae Minoris, de Communi?
Caloltii, 26 Octobris 1868.
Pr. Antonius Ubiali Parochus, Vicarius Foraneus".
Ibidem, pp. 161-162.

[10]   *Ibidem*, p. 162.

vole risposta a quesiti d'ordine rituale, di cui il più rilevante risulta essere quello da don Ubbiali sottoposto anche alla Congregazione bergamasca.

Il corrispondente milanese, avendo consultato il Cerimoniere del Duomo, attestava nel proprio scritto che, con assoluta sicurezza, l'ufficio della Dedicazione della *Ecclesia Maior* andava anteposto a qualsiasi ufficio di Dedicazione di rango inferiore.

Peraltro, a tale considerazione di disciplina rubricale, seguiva un'ulteriore argomentazione di natura squisitamente ecclesiologica e degna di nota:

> *"Observandum praeterea est, Officium Ambrosianum Dominica 3.ª Octobris multum referri ad Mysticum Ecclesiae Corpus, ac proinde omnibus ubicumque ritui Ambrosiano utentibus congruere, quod agere tenentur sacerdotes etiam alienae Dioecesi addicti, qui ritu utuntur Ambrosiano, saltem in hac parte Archiepiscopo Mediolanensi conjuncti".*[11]

La lettera da Milano non porta l'indicazione dell'anno, sicché non è possibile affermare con certezza se essa si collochi dopo la risposta della vicaria all'indagine della Curia, o se non abbia preceduto la stessa indagine.

In ogni caso è evidente in don Ubiali e nei parroci a lui collegati una precisa strategia volta ad ottenere il ripristino della solennità della Dedicazione del Duomo di Milano, anche tramite il sofferto sacrificio della Dedicazione della propria parrocchiale. Evidentemente la testimonianza della propria comunione con la Chiesa madre milanese era avvertita come valore primario e fondante.

2. I Venerdì di Quaresima

Una delle specificità del Rito ambrosiano, immediatamente percepibile per chi abbia l'opportunità di partecipare alla liturgia durante i giorni feriali, è la mancanza della celebrazione eucaristica nei Venerdì di Quaresima.

Una sensibilità religiosa diffusasi già nell'Ottocento e legata a un'assidua frequentazione dell'Eucaristia volle rivendicare la possibilità di comunicarsi anche nei Venerdì quaresimali. Non stupisce dunque che questa specificità ambrosiana abbia suscitato problemi anche nelle vicarie d'oltre Adda e sia divenuta oggetto di interpellanze alla Curia di Bergamo.

Un primo documento è del 1863, indirizzato alla appena costituita Congregazione diocesana per il Rito.

---

[11] Il testo completo della missiva: *Ibidem*, pp. 162-163.

Dopo aver posto altre questioni, don Ubiali, a nome di tutti i parroci della sua vicaria, ricorda che il Calendario ambrosiano ogni anno proibisce ai sacerdoti di celebrare Messa nei Venerdì di Quaresima, anche se si trattasse di funerali o si dovesse celebrare in una chiesa di Religiosi o per qualsiasi altra causa. Ricorda anche che, per lo stesso giorno, si prescrive di custodire chiuso nel tabernacolo il SS. Sacramento, esponendo sull'altare maggiore all'adorazione ai fedeli la Santa Croce.

Stanti tali premesse, il vicario foraneo di Calolzio pone il quesito se si debba soddisfare la devozione di alcuni fedeli che chiedono la comunione e cosa si debba pensare dell'uso, invalso in alcune chiese di Milano e dell'arcidiocesi, di distribuire la Comunione. L'opinione espressa da don Ubiali, anche a nome del restante clero della vicaria, era al riguardo molto chiara: se doveva ritenersi proibito ai sacerdoti offrire il sacrificio, analogamente proibito doveva considerarsi per i fedeli violare la aliturgia.[12]

Il vescovo, mons. Pietro Luigi Speranza, rispose allora molto saggiamente che, sull'argomento, non si innovasse nulla.

Le difficoltà non vennero comunque meno, dal momento che non si trattava di problematica circoscritta alla vicaria di Calolzio ma, come si è detto, presente in tutto il territorio ambrosiano.

Ancora nel 1911, vediamo il vescovo Giacomo Maria Radini Tedeschi scrivere di suo pugno al vicario foraneo di Calolzio "per prevenire inosservanze che dovrei reprimere". Le parole del presule sono chiarissime:

"1° Avverta bene i sacerdoti ambrosiani delle prescrizioni sinodali e rituali in ordine alla Messa del Venerdì, notando che nessun indulto può dispensare se non sia prima fatto conoscere e autenticato dall'Ordinario.[13]
2° Avverta le Comunità Religiose nel Vicariato che è loro formalmente vietato ammettere a celebrare nei Venerdì di Quaresima qualsiasi sacerdote di rito ambrosiano".[14]

Di fatto la soluzione definitiva al problema sarebbe stata, e non soltanto nei territori bergamaschi, uno dei frutti del movimento liturgico, che portò in modo generalizzato alla reimmissione della devozione nell'alveo della liturgia, dei suoi ritmi, del suo linguaggio rituale.

---

12 *Ibidem*, pp. 166-167.
13 Il riferimento è alla facoltà, accordata dalla Congregazione dei Riti all'arcivescovo card. Andrea Carlo Ferrari, di distribuire la Comunione ai fedeli anche nei Venerdì quaresimali, "per uno zelo malinteso nella campagna per la Comunione frequente": P. Borella, Excursus II: *L'anno liturgico ambrosiano*, in M. Righetti, *Manuale di Storia Liturgica*, II, Àncora, Milano 1969³, pp. 551-552.
14 Mauri, *I Serenissimi ambrosiani*, p. 168.

3. Metropoli, diocesi, vicaria:
I molteplici riferimenti degli ambrosiani bergamaschi

L'ordinata fedeltà che ha contraddistinto l'esperienza ecclesiale delle comunità ambrosiane d'ambito bergamasco ha trovato rinnovata manifestazione in una lettera, che il 15 Maggio 1932 il clero della vicaria di Calolzio inviò, tramite il vicario foraneo, al vescovo Luigi Maria Marelli, per esporgli alcuni *"Desiderata"*. Due richieste paiono particolarmente eloquenti:

> "Si desidererebbe che ... al Clero Ambrosiano Diocesano *venissero trasmesse* per via gerarchica *tutte le nuove disposizioni Liturgiche, le varianti ecc. riguardanti il Rito Ambrosiano*, che fino ad oggi, *emesse nella Diocesi Milanese*, non vengono ufficialmente comunicate al Clero Ambrosiano Bergomense.
>
> Così sentirebbesi il bisogno di un *Decreto dell'Autorità Diocesana che sancisse quanto già negli ultimi Sinodi Milanesi si stabilì* pei Sacerdoti addetti a Chiese Ambrosiane per l'aliturgicità dei Venerdì di Quaresima".

A Milano, dunque, si guarda costantemente per assicurare anche nella vicaria piena conformità al Rito, ma nella consapevolezza d'essere parte della diocesi di Bergamo, dal cui vescovo, pertanto, si attende la sanzione istituzionale delle disposizioni disciplinari milanesi, nella certezza che il "Rito al quale le nostre popolazioni sono tanto attaccate ... sempre più apporterà alla *nostra* Diocesi lo splendore proprio della Liturgia Milanese".[15]

Tale lucida consapevolezza dell'identità rituale ambrosiana, e soprattutto delle esigenze istituzionali che a essa si connettevano in territorio canonico non milanese, appare essere stata caratteristica costante del clero e delle comunità d'oltre Adda, come attesta nuovamente la lettera con cui il 3 Marzo 1939 il vicario foraneo, don Achille Bolis, sollecitò al vescovo, l'ambrosiano mons. Adriano Bernareggi, un autorevole intervento istituzionale, tramite l'imminente XXXV Sinodo diocesano, in modo tale che "le disposizioni emanate dall'Autorità Diocesana di Milano verrebbero officialmente date anche dall'Autorità Diocesana nostra".[16]

---

[15] *Ibidem*, pp. 168-169.

[16] Merita riportare il testo della lettera:
"Eccellenza Ill.ma e Reverend.ma,
   dal Clero locale e delle Parrocchie di questa Vicaria mi si fa osservare che a norma delle disposizioni emanate in questi ultimi anni da sua Emin. il Cardinale di Milano, si è richiamata in vigore la aliturgicità dei Venerdì Quadragesimali, che non permette

Mi sembra opportuno rilevare in tali interventi alcune costanti di non trascurabile significato. Ancora una volta gli ecclesiastici della vicaria d'oltre Adda appaiono agire non singolarmente, ma come presbiterio locale ambrosiano; analogamente ai loro predecessori del XIX secolo, sono essi stessi a proporre all'Ordinario diocesano i provvedimenti necessari per il proprio Rito, con istanze che l'autorità diocesana approva ben volentieri; nel loro agire costantemente essi guardano alla Chiesa di Milano per attingervi il paradigma ambrosiano, ma nella consapevolezza della necessità di una trasposizione locale di quel paradigma ad opera del vescovo di Bergamo.

Quest'ultimo aspetto ha trovato in qualche modo ratifica in tempi non lontani ad opera della romana Congregazione per il Culto Divino, che nel 1985, rispondendo al vescovo Giulio Oggioni, sancì il principio per cui *"in paroeciis eiusdem dioecesis, quae pro celebrationibus liturgicis Ritum Ambrosianum ab immemorabili sequuntur, adhiberi valeat Calendarium istius Ritus, additis autem celebrationibus quae sunt propriae dioecesis Bergomensis"*.[17]

4. Considerazioni finali

La vasta e articolata comunità ambrosiana ha un momento liturgico capace di mantenere vitale la coscienza del proprio essere Chiesa al di là di

---

in questi giorni la S. Comunione ai fedeli. E mentre nelle Parrocchie limitrofe delle Vicarie di Lecco ed Olginate le suddette prescrizioni vengono osservate, da noi si continua da decenni a distribuire la S. Comunione a Fedeli e Sacerdoti. In proposito sarebbe forse opportuno avere dall'Eccellenza Vostra una generale disposizione che servisse di norma per tutti gli Ambrosiani Bergamaschi. E giacchè mi si presenta l'occasione, mi perdoni la libertà se all'Eccellenza Vostra ardisco sottoporre una proposta. Non sarebbe opportuno includere nel prossimo Sinodo una generale codificazione liturgica pel Clero Ambrosiano della Diocesi? riguardante il Calendario proprio, la Quaresima, il tempo proibito per la solennità delle Nozze (6 settimane d'Avvento, la Quaresima dalla I Domenica), celebrazione messe ad Mentem Ordinarii di S. Tommaso 3 Luglio, di S. Mattia 7 Febbrajo ecc.? Così le disposizioni emanate dall'Autorità Diocesana di Milano verrebbero officialmente date anche dall'Autorità Diocesana nostra. Tanto ho creduto rispettosamente esporre all'Eccellenza Vostra quale desiderio espresso dal Clero di questa Vicaria. BaciandoLe il S. Anello mi sottoscrivo Devotissimo Ubbidientissimo Sac. A. Bolis".
Ibidem, pp. 169-170.
Di fatto il Sinodo, celebrato in quello stesso 1939, incluse quanto richiesto nella sua Const. 11.
[17]   La disposizione, a firma del card. prefetto Paulus Augustinus Mayer e dell'arcivescovo segretario Vergilius Noè, porta la data 30 Novembre 1985 (Prot.: 1559/85).

ogni separazione storica. È la solennità della Dedicazione del Duomo, che si celebra la III Domenica di Ottobre di ogni anno.

Si è visto più sopra con quale determinazione in territorio bergamasco la vicaria di Calolzio abbia cercato di riappropriarsi di questa solennità.

In effetti proprio la celebrazione della *Dedicazione del Duomo di Milano, chiesa madre di tutti i fedeli ambrosiani* rappresenta per ogni comunità locale il segno vivo dell'appartenenza organica a quell'*Ambrosiana Ecclesia*, che nella cattedrale metropolitana ha la propria casa comune e il luogo di paradigmatica manifestazione della propria tradizione.

In tale solennità si esprime, dunque, la coscienza ecclesiale di questo "Rito o Chiesa Ambrosiana", e se ne manifesta altresì il significato ecclesiologico, giacché in tale celebrazione gli ambrosiani vengono riproponendo e offrono in testimonianza a tutta l'ecumene cristiana, la propria realtà di Chiesa latina, ma non romana, diversa per tradizione eppure alla Chiesa che presiede nella carità organicamente unita, così da raggiungere, in una multiforme comunione, l'altezza, la profondità, la lunghezza, la larghezza dell'amore di Cristo.

RAGIONI DI IERI E SIGNIFICATI PER L'OGGI
IL RITO AMBROSIANO NELLA PIEVE NOVARESE DI CANNOBIO

† S. E. Mons. Germano Zaccheo

Un avvenimento recente ha riportato alla ribalta la storia secolare del Rito Ambrosiano nella antica Pieve di Cannobio, cittadina al confine svizzero sulla sponda piemontese del Lago Maggiore.

L'avvenimento è la deliberazione del XX Sinodo diocesano della Chiesa Novarese, di riportare al Rito Ambrosiano l'intero territorio gravitante su Cannobio, dove, a seguito degli avvenimenti che ci accingiamo a narrare, alcune Parrocchie erano rimaste legate all'antico rito della Chiesa milanese e altre erano passate al Rito Romano.[1]

---

[1] SINODO XX, libro V, cap. III, Appendice,
Restituzione al Rito Ambrosiano del Vicariato di Cannobio
Antefatto storico (omissis)
Analisi della situazione attuale (omissis)
Motivazione per una unificazione del rito
Indubbiamente questa area ha una sua unitarietà: si tratta di una Vallata che fa perno sul centro-valle (Cannobio) più l'area di Cannero (con Trarego-Viggiona) che ha una notevole secolare consonanza di aggregazione.
La storia, la cultura, le abitudini, i costumi sono fortemente imperniati su una caratteristica ambrosiana molto evidente. Ma le motivazioni non possono essere solo radicate su motivi storico-culturali, pure significativi ed importanti.
Vi sono motivazioni di due ordini, che sembrano essere decisivi per una unificazione.
Motivi di carattere pratico e contingente
a) Anzitutto il fatto già segnalato che nel recente decreto di riduzione delle parrocchie si sono dovute accorpare, per ragioni di vicinanza e di appartenenza alla stessa unità comunale, parrocchie di rito diverso.
b) In secondo luogo il fatto, anch'esso già accennato in precedenza, che non essendo più possibile nè opportuna la presenza di un sacerdote in ciascuna delle piccole parrocchie della Vallata o della periferia di Cannobio, si viene a creare un fatto piuttosto anomalo: che lo stesso sacerdote debba celebrare e vivere in continua alternanza tra riti diversi.

Il Sinodo Gaudenziano porta la data della Festa del Corpus Domini: il 17 giugno 1990.

Questi fatti, con i successivi prevedibili accorpamenti e con l'ulteriore diminuzione del clero sono destinati ad acuirsi: e non si vorrebbe che ciò comportasse un surrettizio cambiamento di riti, senza nè autorizzazione nè programmazione.

Motivazioni di carattere pastorale

Ma è indubbio che gli argomenti più decisivi per una unificazione dei riti sono di tipo pastorale: ne elenchiamo solo i principali, scegliendoli tra i più significativi.

* L'argomento fondamentale e riferibile alla necessità e urgenza di una "pastorale organica", sia a livello di unità pastorali (Cannobio e le sue frazioni; Cannero con Trarego-Viggiona; la Vallata), sia a livello di tutto il territorio vicariale.

Ciò comporta che si programmino insieme alcuni grandi tempi liturgici che nei due riti e nelle diverse tradizioni culturali sono diversificati:

* l'apertura e lo svolgimento del tempo di Avvento che in ambrosiano è di sei settimane anzichè di quattro;

* l'apertura della Quaresima (con il prolungamento del carnevale fino al sabato precedente la prima domenica) con il collegato rito delle Ceneri;

* lo sviluppo della Quaresima con i "venerdì aliturgici" tipici del rito ambrosiano e la diversa catechesi biblico-liturgica delle domeniche quaresimali.

* Un altro tratto che tocca la "pastorale organica" è quello riferibile ai riti: l'interscambio di popolazioni e di famiglie tra Cannobio e il suo retroterra pone il problema di una certa omogeneità rituale per i Battesimi, i Matrimoni, i funerali, che sono anche frequenti occasioni, appunto, di interscambio tra i paesi vicini.

Tale fatto tocca anche la Messa domenicale: un terzo della popolazione di Cannobio è originaria della Vallata e tende a rientrare nei propri villaggi di origine nei "fine settimana" e nelle principali feste religiose: sarebbe più che opportuno quindi una certa omogeneità nella catechesi liturgica e nell'esperienza ecclesiale.

* Infine un argomento che coinvolge la "pastorale organica" è anche quello di un più attento utilizzo dei beni culturali comuni, legati a certe ritualità e festività: feste patronali e devozionali, "santorale" e pietà popolare si fondono spesso con l'antico rito ambrosiano.

Così per le suppellettili liturgiche, i paramenti, la celebrazione del Santo Patrono quand'è martire (con il rito del fuoco): si va dai baldacchini ai paramenti rossi, dagli ostensori ai rituali. Tutti segni che denotano una identità dell'intero paese.

Scelta di unificazione nel rito ambrosiano

A questo punto, sembra argomentata con sufficienza l'opportunità dell'unificazione del rito di tutto il vicariato.

Ma le argomentazioni fin qui portate tendono anche a concludere in favore **non di una unificazione nel rito romano** (oggi su 8000 abitanti, circa 6000 hanno conservato il rito ambrosiano), **ma di una unificazione delle "minoranze"** (forse meno di un quarto della popolazione) nel rito della "maggioranza" **il rito ambrosiano**.

Ciò per non perdere una "ricchezza" che la diocesi novarese ha pur sempre conservato.

D'altra parte, nell'attuale situazione di commistione di riti, un provvedimento di ritorno globale dell'intera pieve al rito ambrosiano potrebbe essere l'occasione propizia per una piena e costruttiva valorizzazione pastorale (e anche culturale) di questa storica "diversità".

Deliberazione

Il Sinodo, accogliendo positivamente le premesse fin qui esposte, auspica che, con il nuovo anno pastorale 1990-91 (e quindi a partire dalla prima domenica di Avvento secondo il

In quella stessa festa, convenuti nella chiesa plebana di S. Vittore Martire in Cannobio parroci e fedeli di tutte le Comunità parrocchiali dell'antica Pieve, il Vescovo stesso, mons. Aldo De Monte, ristabiliva con solenne celebrazione il Rito Ambrosiano come da deliberato conciliare.

Di fronte a questo avvenimento è lecito chiedersi le ragioni ed il significato.

1. UNA LUNGA TRADIZIONE

Ab immemorabili, Cannobio e la sua Pieve appartenne alla Archidiocesi milanese.

Vi sono testimonianze d'archivio che vanno oltre il mille: è comunque certo che nel 1076 la chiesa plebana di S.Vittore, insieme con la sua Canonica, subì un radicale intervento edilizio e il 10 luglio 1155 l'Arcivescovo di Milano Uberto Pirovano la consacrava, come si trova scritto in un antico messale della stessa chiesa.

Della Pieve, il *Dizionario della Chiesa ambrosiana,* alla voce *Cannobio*, ricorda che "nella sua massima estensione risaliva alla sponda occidentale del Lago Maggiore lungo il corso del torrente Cannobino fino a comunicare con la Val Vigezzo (Diocesi di Novara)" e "dalla riva orientale si allungava nella Val Veddasca sino a confinare col Malcantone e la Valdagno (Diocesi di Como)".[2]

---

calendario liturgico ambrosiano, domenica 18 novembre 1990), tutte le parrocchie appartenenti al vicariato di Cannobio siano definitivamenete restituite al rito ambrosiano.

Un decreto del Vescovo attuerà tempestivamente questo voto.

Ne conseguirà che in tutte le parrocchie di detto vicariato e in tutte le chiese aperte al pubblico, ivi compreso il Santuario della SS. Pietà in Cannobio, sarà obbligo celebrare secondo il rito ambrosiano, seguendo i rinnovati libri liturgici.

A norma del can. 678 anche le eventuali parrocchie affidate ai Religiosi saranno tenute a questo adempimento.

Affinché questa deliberazione possa portare il miglior frutto possibile, i fedeli siano illuminati a capire le ragioni di questa ripresa, siano istruiti sulle differenze dei riti e siano formati ad una partecipazione consapevole e attiva. Con la collaborazione degli Uffici liturgici diocesani, si attuino, con cura sistematica, iniziative di formazione e di informazione sia a livello locale che a livello diocesano, con speciale attenzione alla preparazione dei giovani sacerdoti in Seminario.

L'avvenimento del ritorno all'antico rito sia sottolineato con particolare solennità in tutte le parrocchie interessate.

E ne sia messa al corrente, nei modi ritenuti utili e opportuni, l'intera diocesi.

[2] G. COLOMBO, in *Dizionario della Chiesa ambrosiana*, II, NED - Nuove Edizioni Duomo, Milano 1988, p. 631.

Una Pieve ambrosiana, da sempre, dunque. Poichè era una Pieve di confine (un po' come le Tre Valli Ticinesi) ebbe spesso una cura particolare da parte degli Arcivescovi Milanesi, specie di S. Carlo, che vi fu presente in modo straordinario, visitandola tutta personalmente palmo a palmo, nella memorabile Visita Pastorale del 1574 di cui l'archivio presbiterale di Cannobio conserva gli atti come preziosissimo cimelio.

C'è da dire anche che S. Carlo fu spesso a Cannobio per varie ragioni; ma la prima è la sua grande devozione al Miracolo della Santissima Pietà avvenuto a Cannobio nell'inverno del 1522 e per il quale il Borromeo commissionò un progetto di Santuario al suo prediletto architetto, il Pellegrini.

Alla presenza di S. Carlo nella Pieve cannobiese lo storico locale, il prof. Aquilino Zammaretti, ha dedicato un apposito studio:[3] alle molte pubblicazioni dello stesso Autore si può riferire chi ambisce ad una più vasta conoscenza della storia di Cannobio e della sua Pieve.[4]

Questa lunga storia, per di più contrassegnata da tante attenzioni degli Arcivescovi di Milano (oltre a S. Carlo visitò la Pieve il card. Federico Borromeo nel 1605 e nel 1619, mentre fu il card. Pozzobonelli a consacrare personalmente la nuova Collegiata di S. Vittore nel 1749), spiega l'attaccamento che ad un certo punto sembrò addirittura feroce ed ingiustificato al Rito Ambrosiano.

2. UN TRAUMA POLITICO

Nel 1748 era stata stipulata la Pace di Aquisgrana che aveva portato i confini del regno di Sardegna fino al Ticino: così le acque stesse del Lago Maggiore divennero il nuovo confine. La sponda orientale rimase lombarda e, dunque, sotto il dominio austriaco e la sponda occidentale passò al Piemonte.

Così la Pieve di Cannobio si trovò divisa dal nuovo confine, il che impose anche una ristrutturazione dei territori diocesani.

Ciò avvenne dopo la bufera napoleonica, in pieno clima di Restaurazione.

Allora il Re di Sardegna ottenne da Pio VII la lettera apostolica *"Cum per nostras litteras"* (26 settembre 1817) che stabiliva, tra le altre cose,

---

[3]   A. ZAMMARETTI, *San Carlo Borromeo e la Pieve di Cannobio*, Carcano, Milano 1966.

[4]   A. ZAMMARETTI, *Le chiese di Cannobio nella storia e nell'arte*, s. e., Laveno, 1966; dello stesso, *Il borgo e la Pieve di Cannobio*, Società Anonima Subalpina, Milano 1932; ried.: Cerutti, Intra 1980.

il passaggio alla Diocesi di Novara della parte piemontese della Pieve di Cannobio.

Così, Brissago in Canton Ticino restò a Milano (fino alla costituzione della Diocesi di Lugano a fine ottocento); Pino, Tronzano e Bassano, ultimi rimasugli della Pieve cannobiese sulla sponda orientale, vennero assorbite nella Pieve di Ebbero Valtravaglia, e tutte le parrocchie della sponda occidentale passarono alla Diocesi di Novara.

Il trauma politico, che si era lentamente assorbito dopo Aquisgrana, riesplose sul piano religioso quando il nuovo Vescovo di Novara, card. Giuseppe Morozzo della Rocca, volle (ragionevolmente, diremmo oggi) imporre anche, con il cambio di Diocesi, il cambio del Rito.

Qui la popolazione si impuntò. E ne nacque un "contenzioso" che interessò più volte la stessa Santa Sede, tra il 1817 e il 1830 circa, con strascichi perfino in questo nostro secolo.

3. La "guerra" del Rito

Perfino con qualche velatura di leggenda popolare, la questione è stata tramandata fino a noi e si può dire che (un pò come la "questione romana", si licet parva componere magnis) trovò soluzione solo nel recente atto del XX Sinodo Diocesano novarese del 1990.

La questione dunque merita bene qualche annotazione.

Le desumiamo da alcune note di un altro storico della Valle, il compianto can. Virgilio Bergamaschi, nativo di Gurro (e ben si capisce dal testo!)

Scrive dunque il Bergamaschi:

"Al momento della Bolla pontificia del 1817 la Diocesi di Novara si trovava vacante, per la morte del Vescovo domenicano Vittorio Filippo Melano, da quattro anni. Toccò pertanto al Vicario Capitolare mons. Zucchi portare alla conoscenza dei parroci nella nostra Pieve, lo stesso anno 1817, il passaggio delle due Pievi di Arona e Cannobio alla diocesi di Novara.

Ci piace sottolineare che il passaggio di giurisdizione da Milano a Novara, alle nostre parrocchie non fu mai gradito: lo dovettero accettare perchè imposto, ma molto a malincuore".

Cannobio (e la sua Pieve) era orgogliosa di sentirsi parte della grande metropoli e, come giustamente osserva il prof. A. Zammaretti nella sua pregevole opera *Il borgo e la Pieve di Cannobio*, quel trapasso segnò il declino della medesima.

Alla fine di quell'infausto, per noi, 1817, viene eletto Vescovo di Novara il card. Giuseppe Morozzo, e la sua nomina a Novara coincide con l'inizio della lotta per il cambiamento di Rito nelle nostre parrocchie.

Al nuovo Vescovo infatti parve naturale che, diventate novaresi, le parrocchie della Pieve abbandonassero il Rito Ambrosiano proprio dei Milanesi, ed adottassero subito il Rito Romano universale.

Pertanto egli si affrettò, tramite il Vicario foraneo Fedele Zaccheo, in data 23 ottobre 1817 a realizzare il suo piano.

'E' mente di sua Eminenza il nostro Prelato (il card. Morozzo) che questa parte della Diocesi, altra volta di Milano, si uniformi al Rito Romano. Perciò il calendario deve essere quello ordinato dall'Ordinario di questa Diocesi'. Contro questo decreto vescovile le nostre popolazioni contesteranno per più di 10 anni. Si aprì così tra noi la lotta religiosa per l'imposto e non accettato cambiamento di Rito".[5]

Non è agevole ricostruire, nei dettagli e per ogni singola parrocchia, questo arruffato periodo.

In parte lo ha fatto, con una diligente tesi di laurea negli anni '50 la dott. Marinoni.[6]

Ma lo scopo puramente informativo di questo testo ci dispensa da una ricerca documentaristica scientifica.

Riferiamo soltanto il senso globale della vicenda che toccò le varie parrocchie con diversa intensità: Cannobio in particolare, Cannero e Gurro, come vedremo, e via via gli altri centri.

Ma incominciamo da Cannobio, il piccolo capoluogo della Pieve, che rifiutò energicamente l'obbedienza.

Dapprima si iniziò chiedendo varie dilazioni: così il card. Morozzo, dopo la prima imposizione del 1817, consentì che si conservasse il rito per tutto il 1818 e, in un secondo rinvio, procrastinò la decisione a tutto il 1819.

Il tira e molla però continuava. Tra l'altro si inserisce in questo periodo un episodio un po' "torbido" e quasi leggendario, se il "corpo del reato" non fosse ancora conservato oggi nell'Archivio parrocchiale di Cannobio.

In una sua Visita, il card. Morozzo volle forzare la mano e iniziò la celebrazione pontificale in Rito Romano; la capiente chiesa di S. Vittore si svuotò e alla porta del campanile apparve subito un cartello ammonitore: sotto una rudimentale immagine di S. Ambrogio con il flagello in mano, fu scritta la frase, nel chiaro dialetto lombardo: "O Ambrosiàn o luteràn".

---

[5]   V. BERGAMASCHI, *I due riti ambrosiano-romano nella Pieve di Cannobio*, in C. BERGAMASCHI - V. BERGAMASCHI - A. ZAMMARETTI, *Patrimonio culturale e religioso della Valle Cannobina*, Scuola Grafica Salesiana, Torino 1986, p. 25.

[6]   La tesi è rintracciabile nell'Archivio Diocesano di Novara insieme con una cartella che raccoglie alcuni documenti recenti riferiti alla vicenda.

Checché ne sia di questo episodio (il cartello è autentico, per altro), esso esprime bene la tensione che si era andata accumulando in quegli anni.

Infatti, come ricorda Zammaretti in un suo testo inedito, "nel frattempo il prevosto di Cannobio ed alcuni parroci avevano fatto ricorso a Roma contro le decisioni del Morozzo. Passato il 1820, su istanza dello stesso Morozzo, la S. Congregazione dei Riti il 31 marzo 1821 emetteva il proprio verdetto che in definitiva dava ragione ai cannobiesi ed invitava il Morozzo ad usare: "una saggia longanimità senza insistere soverchiamente ...". Inoltre si aggiungeva che *le popolazioni non dovevano essere coattivamente e precettivamente costrette a cambiar rito ma si dispongano volontariamente ad abbracciare il nuovo.*

La stessa Congregazione ammetteva implicitamente che si erano usati mezzi coercitivi per *obbligare* all'adozione del rito romano.

Il 17 luglio 1821 il Consiglio Comunale di Cannobio inviava al card. Morozzo la richiesta di poter continuare il rito ambrosiano ed invitava il vescovo ad astenersi dal fare pressioni per indurre i fedeli a cambiar rito.

Ma in verità le pressioni, più o meno amabili, continuarono soprattutto per le piccole parrocchie.

Persa la "battaglia" per Cannobio, la Curia novarese aveva buon gioco al momento dei cambi dei parroci dei piccoli centri: l'obbigo ai nuovi parroci era di iniziare con il Rito Romano.

Così avvenne che, come nota il Bergamaschi nel già citato articolo, "i parroci obbedienti, di nuova nomina, spesso dovevano funzionare in chiese vuote, perchè le popolazioni decisamente si rifiutavano di assistere alle SS. Messe ed altre funzioni in Rito Romano. Ed allora, per non mettersi in un ginepraio di guai, preferivano, l'uno dopo l'altro, abbandonare il nuovo gregge per tornarsene donde erano venuti. Così a Gurro, dopo la rinuncia del 1825 del parroco can. Bonaventura Zaccheo di Cannobio, non abbiamo più un regolare parroco con possesso, fino al 1838 quando da reggente diventerà parroco il gurrese Giovanni Battista Patritto".

Ed è proprio la vicenda di Gurro che aggiunge un capitolo nuovo alla lunga "querelle".

Infatti Gurro e Cannero, non accettando l'imposizione del Rito, fecero un ricorso alla Santa Sede nel 1826.

Continua il racconto del Bergamaschi: "Appena la parrocchia di Gurro era diventata vacante nel 1825 per la rinuncia del parroco d. Zaccho, si volle dall'alto imporre anche l'immediato cambiamento di Rito. Per più mesi le si negò ogni sacerdote, anche nei casi urgenti, che non fosse di Rito Romano. In seguito si mandarono a Gurro ben cinque sacerdoti l'uno dopo l'altro, con l'ordine preciso di introdurre il Rito Romano.

La popolazione pretendeva la liturgia ambrosiana ed essi, impediti ad accontentarli dall'interdetto minacciato dall'alto, l'uno dopo l'altro preferirono ritirarsi. Anche la parrocchia di Cannero si trovava nella stessa situazione di Gurro, e perciò sul finire dell'anno 1826 Gurro pensò di fare, insieme con Cannero, una nuova petizione alla S. Sede. La Congregazione dei Riti per incarico del Papa Leone XII rispondeva che '*attentis peculiaribus circumstantiis, non esse cogendas ad deserendum Ambrosianum Ritum et Romanum quamvis prestantiorem amplectendum*', cioè, le popolazioni imploranti la desiderata grazia non si dovevano obbligare ad abbandonare il Rito Ambrosiano per adottare il Romano, benché più eccellente. Solamente per un inspiegabile errore, forse del solo impiegato che scrisse il documento, invece che alle due parrocchie di Gurro e Cannero a cui spettava la risposta, questa venne fatta per le parrocchie di Cannero e Falmenta che non aveva fatto nessuna domanda.

Così redatto il documento arrivò alla Curia di Novara per l'esecuzione. Quelli di Gurro fanno presente all'autorità diocesana che l'apposizione del nome 'Falmenta' al posto di quello di 'Gurro' è stato un evidente, involontario errore della Congregazione, dato che si rispondeva ad una domanda di Gurro, non di Falmenta che non aveva inoltrato nessuna petizione: il rescritto della Santa Sede si eseguì per Falmenta e Cannero, e Gurro restò con l'imposizione di cambiare Rito".

Di qui nacque, da parte di Gurro, un nuova petizione nel 1830: di essa il Bergamaschi ci dà un'ampia sintesi avendone riscoperto l'originale nell'archivio della stessa parrocchia di Gurro.

Ma questa volta non si ebbe più alcuna risposta. Implicitamente si tenne valida quella celebre di Pilato "Quod scripsi, scripsi".

4. 150 ANNI

Le "guerre" lasciano sempre il segno.

Nella Pieve di Cannobio il segno fu la diffusione "a pelle di leopardo" dei due Riti.

Dal 1838 la situazione era la seguente: in Rito Romano celebravano le parrocchie di Viggiona, Oggiogno, S. Bartolomeo Valmara, Crealla, Gurrone, Socraggio, Orasso e Gurro.

Al Rito Ambrosiano erano rimaste fedeli Trarego, Cannero, Cannobio S.Vittore (con la Vicaria di Traffiume che sarebbe diventata parrocchia solo nel 1951), S. Agata sopra Cannobio, Cavaglio S. Donnino, Falmenta e Cursolo.

Queste ultime due ebbero poi due vicende successive, già in questo secolo.

Falmenta ottenne di passare al Rito Romano nel 1930 (decreto di mons. Castelli in data 25 gennaio 1930), Cursolo nel 1950 (petizione di mons. Ossola e rescritto della Congregazione).

La documentazione su questi due ultimi cambiamenti è contenuta in una teca dell'Archivio Diocesano di Novara.

Se ne deduce un tipo di motivazione sostanzialmente legata alla scomodità del parroco: nel primo caso a causa del canto ambrosiano difficile da apprendere da parte dei preti provenienti da una cultura romana e nel secondo a causa del fatto che allo stesso parroco erano state affidate le due parrocchie di Cursolo e Orasso, una ambrosiana l'altra romana.

Al parroco di Falmenta come premio per il trapasso, la Curia di Novara offrì il titolo di Arciprete.

Questi ultimi due spostamenti lasciavano purtroppo capire che, pastoralmente parlando, il territorio era profondamente lacerato nella sua dimensione liturgica.

Per questo il XX Sinodo volle riesaminare da capo l'intera questione.

5. RAGIONI DI IERI E DI OGGI

Rilette a distanza di tempo queste vicende non sono da noi facilmente decifrabili.

C'è qualcosa di certamente "spurio" nella disobbedienza di una intera popolazione ai suoi Pastori: ma più di uno storico attribuisce alla "resistenza" qualche significato di nobiltà nell'esplicito attaccamento ad una antica, preziosa tradizione liturgica. Del resto la S. Sede stessa conclude la vicenda con una sapiente normativa: non spegnere questo entusiasmo della gente e puntare, invece, solo sulla convinzione.

Oggi, dopo la grande riforma liturgica del Vaticano II che ha inciso profondamente nelle abitudini liturgiche del popolo di Dio, la questione del Rito Ambrosiano si pone certamente con diversa ottica.

Ci piace chiudere questa breve relazione storica con qualche rapida osservazione sulla decisione presa dal Sinodo XX della Chiesa Novarese.

Per chi vuole documentarsi sulle motivazioni pastorali (che non rifiutano anche quelle di carattere pratico e contingente), il riferimento è all'articolato testo del Sinodo stesso, oltre che alla lettera scritta per l'occasione dal card. Carlo Maria Martini.

Sostanzialmente il "ritorno" di una antica Pieve come Cannobio all'unità del Rito Ambrosiano non è una restaurazione di tipo archeologico.

È invece, più correttamente, un riconoscimento dell'importanza che può e deve avere la dimensione liturgica nella stessa programmazione pastorale.

Ciò che ora servirebbe ai parroci, ai consigli pastorali e ai fedeli della Pieve cannobina sarebbe una rinnovata capacità di trarre dalla grande ricchezza eucologica della loro tradizione ambrosiana la forza per rinnovare, seriamente e correttamente, il loro progetto pastorale.

E' quanto auspicava il Sinodo ed in questa direzione si sono mosse alcune timide iniziative di informazione culturale e liturgica in questi anni.

Ma è una strada in salita e va percorsa con costanza e creatività.

La stessa Diocesi di Novara non è sempre stata sensibile a cogliere con intelligenza la "diversità" rituale in vista anche di un proprio arricchimento.

Lo notava già nel 1933, in un suo lucido contributo culturale, un canonico del Duomo di Novara, mons. Giovanni Cavigioli, la voce forse più limpida e perspicace che nella Diocesi novarese si sia finora levata "in difesa del Rito Ambrosiano".[7]

Citarlo era d'obbligo.

---

[7] G. CAVIGIOLI, *Appunti sul rito ambrosiano nella diocesi di Novara*, in *Ambrosius* 9 (1933) 214-217. Fra i passi più significativi: "Io non so che cosa avvenga nella diocesi di Bergamo e nell'amministrazione apostolica di Lugano, anch'esse arrotondate di ritagli fatti sull'antico territorio della vasta archidiocesi di Milano, nelle quali anzi l'aliquota delle parrocchie ambrosiane è più alta di quello che sia nella diocesi di Novara. Io in casa mia ho rilevato qualche volta una cotale incomprensione, o per essere più esatti, una mentalità subcosciente che colla miglior fede del mondo inclina a vedere negli ambrosiani incorporati una sorta di cittadini *alloglotti* (per trasportare su questo terreno una qualifica etnico-politica) da riassorbire, magari di punto in bianco e per comodità di preti ufficianti, nel rito della maggioranza. Che essa derivi da uno scarso senso storico? Comunque sia, l'incomprensione sarebbe meno legittima per noi novaresi che nei nostri usi marginali liturgici abbiamo vestigia chiarissime di impronte storiche ambrosiane, prova della nostra parentela chiesastica con Milano. A tacere del rito novarese delle rogazioni, autorizzate dalla Santa Sede (se mai, ne tratterò in un'altra nota), posso ricordare che quasi dappertutto si trova l'ostensorio a foggia originaria di sepolcreto di tipo ambrosiano; che il colore rosso predomina nei ricchi broccati dei vecchi baldacchini delle processioni eucaristiche; che fino a qualche decennio addietro in qualche valle dell'Ossola si cantavano nei mortorii le litanie funerarie, quelle dolcissime invocazioni delle esequie ambrosiane, in cui la chiesa militante invoca la trionfante in aiuto della chiesa purgante descrivendo così tutta la traiettoria della circolazione della vita sovrannaturale che si ha nella comunione dei santi. Io mi auguro che le parrocchie ambrosiane novaresi si attengano all'indulto leoniano ... Ritengo che non sia da recidere il tenue plesso vitale di intercomunicazione liturgica che ancora ci lega visibilmente alla Chiesa milanese ...".

LA 'FERULA' AMBROSIANA SULLE RIVE DEL PO
LA PIEVE DI FRASSINETO E IL SUO CAPITOLO
NELLA DIOCESI DI CASALE MONFERRATO

DANILO BIASIBETTI

Frassineto Po è un piccolo paese in provincia di Alessandria, a sette chilometri da Casale Monferrato, e conta circa 1400 abitanti.

La parrocchia di S. Ambrogio in Frassineto Po, ab immemorabili appartenuta all'Arcidiocesi di Milano, era capo pieve della più piccola delle pievi ambrosiane, comprendendo solo due parrocchie: la parrocchia di S. Ambrogio in Frassineto Po e la parrocchia della Natività di Maria Vergine in Valmacca. La caratteristica di questa piccola pieve, era di costituire una enclave milanese sul territorio di altre diocesi, motivo per cui il Prevosto di Frassineto Po, oltre che Vicario Foraneo, era anche Vicario Generale dell'Arcivescovo.

L'attuale chiesa parrocchiale, che secondo la tradizione è la terza in ordine di tempo, venne iniziata nel 1440, dedicata il 20 maggio 1477, radicalmente ristrutturata nel 1781, assunse l'attuale forma neoclassica nel 1812. Conserva parecchie opere d'arte di area milanese, tra le quali spicca la Madonna del Rosario sull'altare della sacrestia, una tela di Pellegrino Tibaldi, terminata da Simone Pederzano detto il Venezian. Parte dell'arredo liturgico è legato al lascito testamentario di don Guglielmo Vidoni, frassinetese, canonico Prevosto della Basilica di S. Nazaro in Milano, morto nel 1604.

Anche Frassineto, già prima del 1336, era dotata di un Capitolo di otto canonici, come si rileva da una pergamena presso l'Archivio della Curia Arcivescovile di Vercelli, in cui si dibatte per una lite che vide il Prevosto e i Canonici di Frassineto opporsi ai monaci dell'abbazia di Lucedio, riguardo al territorio della Grangia di Gazzo, che i canonici avevano dato in enfiteusi alla comunità monastica.

Nel 1605 il Cardinale Federico Borromeo nella sua visita pastorale stabilì che con la prebenda di un canonicato si costituisse la dote alla cura coadiutoriale.

In una relazione fatta nel 1765 alla Curia di Milano sullo stato della Pieve, il Prevosto Mons. Pasquini nomina quattro canonici, 14 sacerdoti e quattro chierici con i relativi benefici. Il 1 gennaio 1806 la Prepositura passa alla diocesi di Casale Monferrato; nella relazione per la prima visita pastorale del Vescovo Francesco Alciati il 15 ottobre 1827, si parla ancora di chiesa collegiata e di benefici canonicali, di cui uno occupato dal Prevosto Bernardino Cervis, ultimo prevosto milanese, che così annotò sul libro dei morti il passaggio forzato dalla diocesi di Milano a quella di Casale Monferrato:

Mille ottocento e sei di nostro Signore, alli Primo del mese di Gennaio. Già da due anni inferma e da molti mesi spedita come si può vedere nelle carte di sua malattia e note conservate in questo Archivio. Si rese defunta nel giorno di ieri a mezzanotte questa Chiesa della Metropoli di Milano, aggregata ora a Casale, attesa la rinuncia fattane dal Card. Arciv. Caprara e per l'organizzazione, in età d'anni mille trecento, raccomandata la di lei esistenza al Signore, ferma nei SS. Sacramenti della Penitenza, Eucaristia, ed Olio Santo, ed altri, collo spirito unita all'antica sua Madre, conservati li Atti di Fede, di Speranza, e di Carità, perduta la Benedizione Papale, e le Indulgenze possedute, premesse le Esequie coll'intervento di tutto il Clero e Compagnie e popolo inconsolabili per perder l'Officio, funzioni e Rito Ambrosiano, cantando il Miserere, è stata sepolta nella mistura delle unite Diocesi, fuori del Cimitero di questa Chiesa Parrocchiale e Collegiata di S. Ambrogio di Frassineto, dalla predicazione del Vangelo ad oggi sempre Figlia della sede di Milano, avendo veduto nascere le città di Alessandria e di Casale, ora confusa con le ammucchiate Diocesi suddette e quelle di Tortona, Bobbio, Piacenza, Pavia, che formano quella di Casale. « Faciat Deus ut post Fata Resurgat. Amen dicit omnis populus. Fiat. Fiat. Amen! »

Secondo la tradizione locale, l'unico modo che ebbe il Vescovo della diocesi di Casale di imporre il passaggio al rito romano, fu di sequestrare tutti i testi liturgici ambrosiani: in effetti, pur conservando un prezioso baldacchino rosso della fine del XV secolo e diversi ostensori ambrosiani di epoche diverse, tra i molti libri liturgici e antifonari da coro, non si è trovato nulla che attenesse al rito precedentemente in uso.

A partire dal 7 dicembre 1997, il Vescovo Germano Zaccheo, ha stabilito che in memoria dell'antica appartenenza all'Arcidiocesi milanese, si celebrassero in rito ambrosiano le feste dell'Assunta (titolare della Chiesa Parrocchiale), di S. Ambrogio (titolare della Parrocchia e patrono) e di S. Giorgio (compatrono); inoltre, il Giovedì Santo 13 aprile 2006, nella memoria dei duecento anni dall'aggregazione della Prepositura alla Diocesi di Casale Monferrato, Mons. Zaccheo ha ristabilito il Capitolo, che risulta composto da canonici effettivi, che sono parroci "pro tempore" dell'attuale vicariato di Frassineto Po, fino ad un massimo di otto, e da quattro canonici onorari, che si radunano: a Frassineto Po, nella vigilia della solennità del Corpus Domini e nel giorno della solennità di S. Ambrogio; il tre novembre in suffragio dei Vescovi e canonici defunti; nelle Parrocchie dei singoli canonici effettivi durante le feste patronali delle medesime.

Abbiamo detto del passato, conosciamo il presente. L'augurio per il futuro è che, quanto al rito, sia profetico quel "resurgat" che il mio predecessore lasciò scritto quale auspicio nel 1806.

PICCOLO DIZIONARIO
DI LITURGIA AMBROSIANA

CROCE ILLUMINATA

L'officiatura matutinale domenicale ambrosiana era caratterizzata dalla processione con tre Croci illuminate, ossia ornate con un cero acceso infisso sulla sommità. Siffatta tipologia di Croce processionale era utilizzata anche in altri riti, quali lo *Psallentium* (ossia il corteo al canto delle sallende) in occasione delle celebrazioni stazionali. In tal caso, tuttavia, le Croci illuminate erano ornate con tre ceri, posti rispettivamente sul vertice e alle estremità dei bracci.[1] La processione matutinale accompagnata dall'*Antiphona ad Crucem* è descritta nel suo complesso cerimoniale da Beroldo[2], ma è già precedentemente ricordata da quel tipico interprete della cultura ecclesiastica milanese della fine del secolo XI, che fu il cosiddetto Landolfo, il quale ne venne parlando nei termini di "prerogativa che dà ornamento al *mysterium* di Dio e della santa Chiesa ambrosiana".[3] La matrice di tale elemento rituale legato alla Domenica è duplice. Se – analogamente al parallelo siro orientale – esso rappresenta una riproposizione adattata della processione gerosolimitana al Golgota a conclusione della veglia antelucana, quanto all'apparato cerimoniale, il rito risente con ogni evidenza dell'uso processionale delle Croci illuminate presente in ambito greco, uso attribuito al Crisostomo[4] e attestato ancora nella prima metà del XV secolo

---

[1] Riproduzione miniaturistica in *Dizionario di Liturgia Ambrosiana*, a cura di M. NAVONI, NED - Nuove Edizioni Duomo, Milano 1996, p. 575.

[2] BEROLDUS, *Ordo et caeremoniae ecclesiae Ambrosianae Mediolanensis* (= BEROLDUS), ed. M. MAGISTRETTI, Boniardi-Pogliani (Giovanola), Mediolani 1894, pp. 40-43

[3] L(ANDULFUS), *Historia Mediolanensis* [= L(ANDULFUS)], I, 13, edd. L. C. BETHMANN - W. WATTENBACH, Hahn, Hannoverae 1848 [Monumenta Germaniae Historica (= MGH), Scriptores (= SS), 8], pp. 43-44 (ed. A. CUTOLO, Zanichelli, Bologna 1942 [Rerum Italicarum Scriptores, editio altera (= RRIISS, e. a.), 4/2], pp. 21-23).

[4] SOCRATES, *Historia Ecclesiastica*, VI, 8. 1-6, ed. G. Ch. HANSEN, Akademie Verlag, Berlin 1995 [GCS, n. F., 1], p. 325; SOZOMENUS, *Historia Ecclesiastica*, VIII, 8. 1-4,

– proprio con riferimento all'ingresso in chiesa con la Croce durante l'officiatuta matutinale domenicale – da Simeone di Tessalonica.[5] A Milano la processione dell'*Antiphona ad Crucem* rimase in vigore col suo apparato cerimoniale nel Duomo fino all'officiatura matutinale dell'Epifania del 1798, quando cessò per la soppressione napoleonica del Capitolo.

FARO

Nelle celebrazioni patronali in chiese ambrosiane dedicate ai martiri, la liturgia eucaristica ancor oggi si apre con l'accensione del Faro. Questo momento rituale è ampiamente documentato dal Beroldo quale atto conclusivo della processione di accesso all'altare.[6] Alla metà del XIII secolo, l'*Ordo* del Capitolo di S. Giovanni nella 'patriarchina' Monza, offre al riguardo – con riferimento al giorno di Pasqua – un'efficace descrizione: "Allorché accediamo allo spazio dell'altare [*chorus*], il *custos*, innalzando la Croce d'oro con alle sue sommità le candele accese, dà fuoco alla *corona* delle lampade, circondata e ricoperta di fibre vegetali lanuginose [*bumbix*], cui si dà il nome di Faro; e dopo questo entriamo nello spazio dell'altare".[7] Si trattava, dunque, di una solenne modalità di accensione – mirabile nella sua rapidità – del grande lampadario che ornava l'accesso al *chorus*. Modificatisi gli ornamenti delle chiese e venuta meno la *corona*, il rito si perpetuò come accensione di una massa di lanugine vegetale, sospesa sopra l'ingresso al piano dell'altare. Ne dà testimonianza ai tempi di san Carlo il *Diario* del Cerimoniere in relazione alla festa di santo Stefano: "si procede all'altare, e l'arcivescovo con la candela fissata alla sommità della Croce dà fuoco alla bambagia".[8] Cessato l'uso delle 'Croci illuminate', il rito consiste ora nella combustione di un globo di bambagia (popolarmente: *Balùn*/Pallone) mediante l'*arundinem*, ossia un'asta, al cui vertice sono fissate tre candelette. In alcuni casi al 'Pallone' è attaccato un fiocco o una coda: elemento ornamentale derivato forse dallo stoppino che un tempo serviva per innescare l'accensione delle lampade della corona. Proprio questa coda pare stia all'origine del nome "*barba di san ...*" dato

---

    ed., post J. BIDEZ, G. CH. HANSEN, Akademie Verlag, Berlin 1995 [GCS, n. F., 4], pp. 360-361.

[5] SYMEON Thessalonicensis, *De sacra precatione*, CCCXLIX: PG, 155, cc. 637-640.

[6] BEROLDUS, pp. 65-66.

[7] *Liber Ordinarius Modoetiensis cum Kalendario-Obituario*, Tomus A: *Liber Ordinarius Modoetiensis*, ed. F. DELL'ORO, adlab. R. MAMBRETTI, CLV - Edizioni Liturgiche, Roma 2001 [Bibliotheca *Ephemerides Liturgicae*. Subsidia, 117: Monumenta Italiae Liturgica, 2], p. 473.

[8] Cit. in BEROLDUS, p. 192, nota 123.

al Faro dalla popolazione della Val Cavargna. Nell'attuale configurazione il Faro è divenuto simbolo del sacrificio martiriale e, come tale, è spesso caratterizzato dagli elementi simbolici propri del martirio: corona, palme, Croce. Connesso nella sua origine alla cerimonialità rituale, il Faro ha visto in alcuni luoghi stemperarsi la consapevolezza di tale iniziale matrice, per assumere connotazioni folkloriche, talvolta addirittura perdendo il rapporto con la celebrazione liturgica. Si tratta evidentemente di disdicevoli degradazioni in senso secolarizzante, non infrequenti nel contesto contemporaneo.[9]

Ferula

Insegna ecclesiastica, la Ferula è attualmente costituita da un bastone, di altezza pari alla persona, con un puntale all'estremità inferiore e al vertice superiore un globo, variamente ornato. La troviamo rappresentata in manoscritti ispano-visigoti altomedioevali quale insegna episcopale,[10] ma in ambito ambrosiano essa costituiva l'insegna tipica del clero urbano in cura d'anime: quei preti *decumani* che, raccolti in collegi nelle antiche basiliche (le chiese dette *matrices*), esercitavano il ministero in mezzo al popolo ed erano la figura più familiare di ecclesiastico milanese. Chi li presiedeva veniva detto *Primicerio* "delle cento Ferule", a designare gli ecclesiastici sui quali esercitava autorità. Non a caso il cosiddetto Landolfo affermava che per dignità e splendore le processioni dei preti ambrosiani apparivano come un corteo di vescovi.[11] Del Ferula la simbologia medioevale ambrosiana ha fatto lo specifico emblema del servizio pastorale e della comunione del presbiterio: "L'acuto puntale richiama agli stessi sacerdoti l'energia richiesta per essere guida ai fedeli; allo stesso modo in cui la rotondità esprime quella carità perfetta e vicendevole che tutti avvolge e lega tra loro i sacerdoti ambrosiani".[12] Dai secoli moderni la ferula è insegna che contraddistingue le dignità presbiterali: canonici maggiori e dignità del Duomo, l'arciprete di Sant'Ambrogio, prevosti (urbani e rurali). Ora la vediamo abitualmente usata anche dai vicari episcopali e da quanti ricevono dall'arcivescovo il mandato di amministrare la Confermazione.

---

[9] Cf M. Mauri, Excursus: *Considerazioni sul rito del "faro" in onore dei martiri*, in *La tunica variegata. Conversazioni sul Rito ambrosiano*, NED - Nuove Edizioni Duomo, Milano 1995, pp. 116-121.

[10] Cf, ad esempio, Escorial, *Codex Aemilianensis*, f. 393v: i vescovi di Spagna, miniatura riprodotta anche in J. Fontaine, *L'art mozarabe*, Zodiaque, St. Léger Vauban 1983 (trad. it.: *L'arte mozarabica*, Jaca Book, Milano 1983), n° 122.

[11] L(andulfus): I, 2; II, 35, pp. 38, 72 (pp. 9, 78).

[12] L(andulfus), II, 35, pp. 71-72 (pp. 77-78).

Lampada lucernare

L'introduzione vespertina della Lampada è rito, di matrice ebraica, già attestato in ambito cristiano dalla *Traditio Apostolica* dello Ps. Ippolito con riferimento al pasto rituale.[13] Successivamente la Lampada divenne componente costitutiva dei riti vespertini delle Chiese. *"Ad incensum lucernae"* s'intitola l'inno di Prudenzio,[14] e di *"hora incensi"* (ossia, "ora dell'accensione") parla Ambrogio.[15] Con una formula per la benedizione di un *lumen* si apre, a imitazione dell'archetipo gerosolimitano, la Veglia Pasquale ambrosiana,[16] come del resto avveniva nella Spagna, dove il momento lucernare della Veglia Pasquale prevedeva inizialmente la solenne benedizione della Lampada, prodromica alla benedizione del Cereo.[17] Tuttora nel rituale del Duomo, che ha valore paradigmatico per la Chiesa ambrosiana, la Veglia si apre con l'accensione e la benedizione della Lampada, da cui successivamente si attinge la fiammella per l'accensione del Cereo. Accesa *ex novo* nella Veglia Pasquale, nelle comuni celebrazioni vespertine la Lampada lucernare è recata già accesa dalla sacrestia: a essa attingendo, prende avvio l'accensione dei lumi, che apre la preghiera ecclesiale della sera.

Ostensorio

Dobbiamo alle *Instructiones* di san Carlo il merito di aver salvaguardato l'antica forma dell'ostensorio, che appunto 'ostensorio' non è, ma piuttosto un piccolo tabernacolo. La struttura a tempietto, che (sormontato dalla

---

[13] Ps. Hippolytus Romanus, *Traditio Apostolica*, 25, ed. W. Geerlings, Herder, Freiburg-Basel-Wien-Barcelona-Rom-New York 1991 [Fontes Christiani, 1], pp. 274-276.

[14] Prudentius, *Carmina*, ed. J. Bergman, Hoelder-Pichler-Tempsky, Vindobonae-Lipsiae 1926 [Corpus Scriptorum Ecclesiasticorum Latinorum (= CSEL), 61], pp. 25-31.

[15] Ambrosius, *De Virginibus*, III, 4. 18, post E. Cazzaniga, ed. F. Gori, Biblioteca Ambrosiana - Città Nuova, Milano-Roma 1987 [Sancti Ambrosii Episcopi Mediolanensis Opera (= SAEMO), 14], p. 222.

[16] *Manuale Ambrosianum ex codice saec. XI olim in usum canonicae Vallis Travaliae* (= *Manuale Ambrosianum*), II, ed. M. Magistretti, Hoepli, Mediolani 1904, p. 199. Cf anche l'orazione *"Dne s., P. o., ae. Ds, in nomine tuo"* conservata dal Beroldo Nuovo: p. 198, in apparato.

[17] Cf *Le Liber Ordinum en usage dans l'Église wisigothique et mozarabe d'Espagne*, ed. M. Férotin, Firmin-Didot, Paris 1904 [Monumenta Ecclesiae Liturgica, 5], pp. 209-210. Per i due successivi *Praeconia*: *Antifonario Visigotico Mozarabe de la Catedral de León*, ed. L. Brou - J. Vives, I, Consejo Superior de Investigaciones Cientificas, Barcelona-Madrid 1959 [Monumenta Hispaniae Sacra. Serie Liturgica, 5/1], pp. 281-283.

Croce o dall'immagine del Crocifisso o del Risorto) san Carlo ha voluto si conservasse a Milano, rinvia in modo immediato alla dimensione pasquale del mistero eucaristico. Per comprenderlo, ancora una volta bisogna tornare alla Gerusalemme costantiniana. Nella grande basilica dell'*Anastasis* il Sepolcro era rinchiuso entro un'edicola, e quest'ultima nelle riproduzioni iconografiche, sotto l'influsso anche degli antichi mausolei, assunse talvolta forma circolare, assimilandosi così a una torre con aperture nella parte superiore. Avendo quelle raffigurazioni negli occhi, tutto il mondo cristiano fece di quella struttura architettonica a torre l'immagine tipica del Sepolcro di Cristo. Lo possiamo verificare, per Milano, nel sarcofago di San Celso del secolo V ed ancora nel dittico eburneo del secolo IX del Tesoro del Duomo.[18] Il commentatore della liturgia gallicana d'età merovingica, con riferimento alla custodia dell'Eucaristia afferma: "Il Corpo del Signore viene portato all'interno di piccole torri, poiché il Sepolcro del Signore in forma di torre fu scavato nella roccia".[19] Il tabernacolo dell'altar maggiore del Duomo di Milano è precisamente una grande torre, che ha nella parte superiore aperture chiuse da una grata metallica, all'interno della quale fino ad alcuni decenni or sono, nella cerimonia di riparazione delle tre Domeniche precedenti la Quaresima, si esponeva la pisside eucaristica, circondata da alcune candele accese.[20] Conservare l'ostensorio-tabernacolo borromaico significa pertanto riaffermare – anche nei simboli rituali – una teologia eucaristica, in cui sacrificio e presenza unitariamente si concepiscono quale riproposizione viva del mistero pasquale della Morte e Resurrezione del Signore.

SEGNALE LIGNEO

Già Beroldo attesta che dall'annuncio della Morte del Signore nel Venerdì Santo il suono delle campane è sostituito dal *sonus ligneus*:[21] è l'equivalente del *sémantron* usato nei monasteri di tradizione greca per chiamare alla preghiera. In Duomo si conserva tuttora lo strumento impie-

---

18 Riproduzione in *Dizionario di Liturgia Ambrosiana*, a cura di NAVONI, pp. 545, 550-551

19 Ps. GERMANUS Parisiensis, *Epistula* I, 18, ed. E. C. RATCLIFF, London 1971 [Henry Bradshaw Society, 98] p. 10. Cf A. EKENBERG, *Germanus oder Pseudo-Germanus? Pseudoproblem um eine Verfasserschaft*, in *Archiv für Liturgiewissenschaft* 35-36 (1993-1994) 135-139.

20 P. BORELLA, *Il Rito Ambrosiano*, Morcelliana, Brescia 1964, pp. 441-442.

21 BEROLDUS, p. 107. 19.

gato allo scopo, il Crotalo (un asse con batacchi pendenti), ormai in uso soltanto in alcuni paesi.

TUBA

La Pasqua è sempre stata pervasa nella tradizione cristiana da una marcata tensione escatologica, che si espresse, tra l'altro, nell'opinione secondo cui il Signore sarebbe tornato proprio nel corso di una celebrazione pasquale.[22] Tale modo di sentire non rimase senza echi nella lettura dell'enunciato paolino di *ITess* 4, 16-17: *Ipse Dominus ... in tuba Dei descendet de caelo, et mortui qui in Christo sunt, resurgent primi. Deinde nos, qui vivimus, ... simul rapiemur cum illis ... obviam Christo.* Tenendo presente come la Tuba fosse elemento espressamente prescritto nel culto levitico (*Fac tibi duas tubas argenteas ductiles, quibus convocare possis multitudinem* [*Nm* 10, 2]), non meraviglia che, specificatamente per i riti del Sabato Santo, nella Chiesa ambrosiana clero e fedeli al suono di una Tuba venissero convocati.[23]

TURIBOLO

Il Turibolo si presenta presso gli ambrosiani in forma di braciere senza coperchio. A Milano si conserva, dunque, la forma più antica di questo strumento rituale, immortalata nel raggiante mosaico di Giustiniano a Ravenna.

Quanto alle modalità della turiferazione, la prassi corrente costituisce l'evoluzione (talvolta accentuata oltre misura) dell'incensazione *in modum Crucis*, di cui parla Beroldo (*archiepiscopus prius vadit ante altare cum praedictis ordinibus; sed subdiaconi prius faciunt incensum in modum Crucis ante ipsum altare*).[24] Al riguardo si può osservare che pure in Oriente, quando si avvia e si conclude la turiferazione, viene compiuta davanti all'altare un'incensazione in forma di Croce. L'attuale prassi ambrosiana prevede che il ministro: a) compia l'apertura con un *ductus* (ossia movendo il turibolo orizzontalmente) in senso antiorario (da destra a sinistra), accompagnando il gesto con un inchino; b) proceda poi all'incensazione vera e propria, facendo seguire a un *ductus* in senso orario (da sinistra a destra) un *tractus* (ossia una sollevazione in avanti del turibolo), così da

---

[22] Cf su questi temi: R. CANTALAMESSA, *La Pasqua della nostra salvezza. Le tradizioni pasquali della Bibbia e della primitiva Chiesa*, Marietti, Casale s. d., pp. 206-218.

[23] BEROLDUS, pp. 108, 109.

[24] BEROLDUS, p. 48. 35-37; cf p. 49. 8-9.

tracciare con la mano una Croce; c) in caso di incensazione del clero negli stalli e del popolo, la consuetudine comporta anche una chiusura, con un nuovo *ductus* in senso antiorario (da destra a sinistra), cui è fatto seguire l'inchino conclusivo.[25]

Vesti

La veste ha sempre avuto in ambito cristiano un fondamentale valore simbolico. Sulla base della parabola evangelica degli invitati alle nozze, che possono partecipare al banchetto soltanto se rivestiti della veste nuziale,[26] il rituale del Battesimo introdusse la simbolica vestizione dei neofiti con le *albae*, le vesti bianche, indossate durante l'ottava pasquale, nella Milano tardo antica fino al vespero del Venerdì. Da Girolamo è data positiva attestazione all'uso di vesti analogamente candide anche ad opera degli ecclesiastici nell'esercizio del loro ministero.[27] Nella Palestina della fine del IV secolo Egeria stupiva di fronte allo splendore degli addobbi e delle tende in seta dorata con cui erano ornati i santuari di Gerusalemme e di Betlemme in occasione della festa della Nascita del Signore.[28] La pellegrina non parla delle vesti dei ministri celebranti. Di fatto, sia in San Vittore in ciel d'oro a Milano nel secolo V, sia nel secolo successivo a Ravenna in San Vitale, nelle raffigurazioni musive i vescovi sopra la tunica bianca appaiono indossare una *poenula* dorata. Quanto alla foggia, l'evoluzione dell'abbigliamento comune, anche per influsso dei costumi barbarici, determinò di fatto una diversificazione sempre più marcata rispetto alle *vestes sacratae*,[29] cui la tradizione conservò l'antica forma romana. Stante la comune origine, le vesti liturgiche milanesi non si distinguono dalle altre

---

[25] G. Borgonovo, *Nuovo manuale di liturgia ambrosiana, ossia Regole e cerimonie dei Sacramenti, del Sacrificio e dei Sacramentali: raccolte ed ordinate in testo unico col Direttorio per le feste dell'anno ecclesiastico ambrosiano*, Tipografia Arcivescovile dell'Addolorata, Varese 1937[2] [1922[1]], pp. 302-304.

[26] *Mt* 22, 1-14.

[27] "*Quae sunt, rogo, inimicitiae contra Deum, si tunicam habuero mundiorem, si episcopus, presbyter, et diaconus, et reliquus ordo ecclesiasticus in administratione sacrificiorum candida veste processerint?*": Hieronymus, *Adversus Pelagianos*, I, 29, PL, 23, c. 547; cf ed. C. Moreschini, Brepols, Turnholti 1990 [Corpus Christianorum. Series Latina (= CCL), 80].

[28] Egeria, *Itinerarium*, XXV, 8, ed. P. Maraval, Éd. du Cerf, Paris 2002[2] [SCh, 296], p. 252.

[29] *Liber Pontificalis*, ed. L. Duchesne, I, De Boccard, Paris 1955 [Bibliothèque des Écoles Françaises d'Athènes et de Rome], p. 154.

vesti usate nelle Chiese latine, se non per piccoli particolari, per lo più dovuti alla conservazione di elementi o usi altrove spariti.

È il caso delle modalità di *assunzione dell'amitto*. Questo elemento del vestiario cultuale, anche alla luce della nomenclatura degli *Ordines* romani (*anagolaium*), è stato collegato all'*anabólaion*, una stoffa usata in ambito monastico egiziano per serrare più strettamente le vesti alla vita e al petto, e rendere più agevoli i movimenti (cf nell'Occidente benedettino lo *scapularem propter opera*). Peraltro in ambito romano esisteva anche il *focale*, una specie di sciarpa, ben attestata anche iconograficamente, con cui si serrava il collo all'apertura della *poenula*. Sia valida l'una o l'altra ipotesi sulla genesi dell'amitto, risulta comunque evidente come tale indumento dovesse indossarsi sopra l'*alba* (l'attuale camice). Questo era l'antico uso, e non soltanto del papa romano, tradizionalmente continuato anche dalla Chiesa lionese. Esso è stato praticato a Milano fino alle riforme postconciliari ed è tuttora osservato dall'arcivescovo.

Le modalità di assunzione dell'amitto, ancora praticate da Francescani, Domenicani, e da alcune Congregazioni benedettine, ci spiegano un'ulteriore particolarità ambrosiana. Dopo il secolo X si fu soliti nella vestizione coprire il capo con lo stesso amitto, acconciandolo quale "elmo di salvezza". In seguito si ritenne opportuno ornarne il bordo con un ampio ricamo che, lasciato cadere all'indietro, finiva per adagiarsi sul paramento e completarlo come un prezioso collare: da qui derivano i *cappini* ambrosiani, applicati alla sommità delle vesti liturgiche.[30]

Nelle fonti medioevali il bordo dell'amitto viene talvolta designato come *aurifrisium*; nel lessico ambrosiano l'*aurifregio* è invece un riquadro ricamato, applicato sull'alba, così da pendere davanti e dietro sotto i paramenti. Si tratta di un ultimo esempio di quelle decorazioni applicate alle tuniche, di cui si trova documentazione fin dalla tarda antichità. Peraltro, nella specifica forma di riquadro decorato applicato sull'*alba*, le attestazioni iconografiche si fanno frequenti a partire dal XIV-XV secolo.

Un elemento di vestiario liturgico usato un tempo anche a Milano da arcivescovi e preti cardinali – come attesta Landolfo da San Paolo nel secolo XII[31] – era il *succingolo*, fascia che veniva indossata sotto il cingolo,

---

[30] Cf M. Righetti, *Manuale di Storia Liturgica*, I, Àncora, Milano 1964³, pp. 590-592.

[31] Landulfus a Sancto Paulo, *Historia Mediolanensis*, 9, edd. L. Bethmann - F. Jaffé, Hannoverae 1868 [ried. an.: Hiersemann-Kraus, Stuttgart - New York 1963] [MGH, SS, XX], p. 24. 5-6.

a *sinistro latere* dicono le *Instructiones* borromaiche:[32] indumento prettamente prelatizio, conservato dal papa romano fino alle riforme conciliari,[33] sembra assimilabile, nella sua trasposizione simbolica, all'*epigonátion* greco.[34]

In ambito ambrosiano, e segnatamente in Duomo, è altresì conservato un altro capo d'abbigliamento liturgico, un tempo d'uso generalizzato: le *manopole*, a Milano dette *grammatae*, utilissime per fissare e stringere le maniche del camice onde evitare che queste ultime, pendendo, siano d'inciampo. Comuni in tutto l'Oriente, assumono in area greca il nome di *epimaníkia*.

La *stola diaconale* a Milano, come in Oriente, è indossata sopra la dalmatica. Ma fino alla riforma liturgica postconciliare, segnatamente in Duomo, s'era mantenuta, sempre per i diaconi, un'ulteriore tipologia di stola, indossata secondo modalità, che ricordavano da vicino quelle tuttora praticate dai diaconi 'greci' durante i riti di Comunione, quando essi stingono attorno a sé il proprio *horárion*, incrociandolo sulla schiena e sul petto: a Milano, nei primi tre giorni della Settimana Autentica, i diaconi incaricati di leggere i libri di Tobia e di Giobbe indossavano sopra l'alba (e sotto la dalmatica) una lunga stola di lana, che veniva anche in quel caso incrociata sul petto e sulla schiena.[35]

Quanto ai *colori liturgici*, se *planitae fuscae* per i giorni penitenziali sono già attestate a Roma verso la metà del secolo VIII,[36] dall'età carolingia in connessione all'allegorismo proprio di quella fase culturale, e da essa trasmesso ai secoli successivi, si venne sviluppando un articolato cromatismo con riferimento al carattere liturgico del giorno o del tempo

---

[32] CAROLUS BORROMAEUS, *Instructiones supellectilis ecclesiasticae (1577)*, edd. et tradd. S. DELLA TORRE - M. MARINELLI, LEV - Axios Group, Città del Vaticano 2001 [Monumenta Studia Instrumenta Liturgica, 8], n° 299, p. 318.

[33] RIGHETTI, *Manuale di Storia Liturgica*, I, p. 594.

[34] Nella *Gemma animae* di Onorio Augustodunense [su questo esempio di trattatistica rituale latina in età medioevale cf recentemente F. MAMBELLI, *Il problema dell'immagine nei commentari allegorici sulla liturgia. Dalla* Gemma Animae *di Onorio di Autun (1120 ca.) al* Rationale divinorum officiorum *di Durando di Mende (1286-1292)*, in *Studi Medievali* 45 (2004) 121-158] è detto: "*Cingulo pro arco se cingit, subcingulum pro pharetra sibi appendit*" (I, 82, PL, 172, c. 570); e non dissimilmente la formula bizantina per la vestizione dell'*epigonátion* afferma: "Cingi o potente, i tuoi fianchi della spada ... tendi l'arco ed avanza" (trad. it.: *La Divina Liturgia di san Giovanni Crisostomo*, Monastero Esarchico di Grottaferrata 1960, pp. 12-13).

[35] Cf BORELLA, *Il Rito Ambrosiano*, pp. 442-443.

[36] Così l'*Ordo XXI* per le litanie maggiori: M. ANDRIEU, *Les Ordines romani du haut Moyen-Age*, III, Université Catholique, Louvain 1951 [Spicilegium Sacrum Lovaniense, 24], p. 247; cf *Ordo XX* per il giorno della Purificazione (*planitae nigrae*): p. 235.

sacro. Innocenzo III, nel suo *De sacro altaris mysterio* in qualche modo codificò, con riferimento alla Chiesa romana, quattro colori fondamentali (bianco, rosso, nero e verde), accompagnati da alcune varianti.[37] I cinque colori (bianco, rosso, verde, violaceo e nero) furono ratificati dal Messale di Pio V.[38] La codificazione borromaica fissò anch'essa questi cinque colori,[39] stabilendo in particolare l'uso del rosso – segno del sacrificio – per tutto ciò che avesse attinenza con l'Eucaristia, e pertanto anche per il conopeo del tabernacolo. Ancora il rosso viene utilizzato nella Settimana Autentica e nel Tempo dopo la Pentecoste (tempo dello Spirito presente e operante nella Chiesa). Quanto alla Domenica d'inizio della Quaresima, essa fino a san Carlo non aveva carattere penitenziale, ma festivo, e solo con i Vesperi venivano assunti gli abiti penitenziali. Colore proprio delle ferie quaresimali in ambito ambrosiano deve considerarsi il nero. È questo l'uso antico e comune all'Occidente come all'Oriente; il nero in effetti è il tipico colore penitenziale (e non a caso è divenuto il colore monastico per eccellenza).[40]

---

[37] INNOCENTIUS III Romanus, *De sacro altaris mysterio*, LXV, a cura di S. FIORAMONTI, Libreria Editrice Vaticana, Città del Vaticano 2002 [Monumenta Studia Instrumenta Liturgica, 15], pp. 102-108.

[38] *Missale Romanum. Editio princeps (1570)*, a cura di M. SODI - A. M. TRIACCA, Libreria Editrice Vaticana, Città del Vaticano 1998 [Monumenta Liturgica Concilii Tridentini, 2], pp. 21b-22b.

[39] CAROLUS BORROMAEUS, *Instructiones suppellectilis ecclesiasticae*, edd. et tradd. DELLA TORRE - MARINELLI, n° 194, p. 204.

[40] Per un'ampia documentazione in merito alle fonti testuali e iconografiche relative alle vesti liturgiche in ambito ambrosiano, non si può che rinviare a M. MAGISTRETTI, *Delle vesti ecclesiastiche in Milano*, in *Ambrosiana. Scritti vari pubblicati in occasione del XV centenario della morte di s. Ambrogio*, Cogliati, Milano 1897, XI, pp. 1-83.

INDICI

INDICE DELLE FONTI ANTICHE, PATRISTICHE, MEDIOEVALI E PROTOMODERNE

Acta Pauli: 365 [26]

Agnelli *Liber Pontificalis Ecclesiae Ravennatis*: 21 [57]

Albertus Aquensis: 28 [85]

Ambrosiaster: 340 [75], 345 [96]

Ambrosius: 5, 6, 7, 8, 11 [22, 23, 24], 12 [25], 13 [26, 27], 14 [28, 30, 31, 32], 15 [34], 16 [35, 36 39], 17 [40, 41, 42, 44], 18 [46, 47, 49], 22 [61], 27 [80], 28 [82, 83, 84], 46 [30], 56 [76], 60 [96], 68 [3, 4, 7], 69 [8, 9, 10, 11], 70 [14, 16], 71 [18, 19, 20, 21], 77, 88, 109 [38], 110 [39, 41, 42], 111 [43, 44, 45], 112 [46], 129 [93], 140 [25], 144 [35], 152, 158 [79, 80, 81], 159 [82, 83], 162, 163, 164, 166 [105], 177 [1, 2, 3, 5], 169 [11, 13, 14], 180 [9], 183 [1], 218 [53], 258 [16], 265 [42], 270 [54, 56], 273 [65], 275 [70], 277 [77], 286 [102], 287, 290 [110], 291 [113], 319 [1, 2], 321 [4], 322 [10], 323 [12], 331 [43], 338 [71], 359 [10], 366 [28], 371 [59, 60, 61, 62, 63, 64], 386, 474 [15]

<Ambrosius> *Apologia Dauid altera*: 242 [23]

<Ambrosius> *De Sacramentis*: 25 [72, 73], 68 [5, 6, 7], 71, 149 [50], 157 [74], 348 [109], 359 [10]

Ps. Ambrosius, *Sermo de mysterio Paschae*: 340 [75]

Anastasius Sinaiticus: 263 [32]

Andreas Strumensis: 27 [79], 61 [97]

Annales Mediolanenses Minores: 59 [90]

Anonymus quartodecimanus, *Homilia In sanctum Pascha*: 254 [3], 340 [75, 76], 342 [82], 344 [90]

Anselmus Perypatheticus: 136 [13]

Arnulfus: 7 [12], 59 [89], 136 [14], 368 [37]

Athanasius Alexandrinus: 19 [51], 45 [28]

Augustinus Hipponiensis: 14 [29], 46 [30], 48 [44], 71 [22], 111 [44], 133, 149, 183 [1], 331 [43]

Aulus Gellius: 168

Basilius Caesariensis: 3 [3], 49 [46]

Beniamin Alexandrinus: 263 [32]

Bonizo Sutrinus: 368-369 [37]

Bonvicinus de Ripa: 33 [100]

Caesarius Arelatensis: 114, 264 [37]

Carolus Borromaeus: 32 [96, 98, 99], 56 [75], 64 [111], 65 [112], 82 [39], 138, 474, 479 [32], 480 [39]

Carolus IV imperator: 31 [94]

Catalogus Episcoporum Mediolanensium: 28 [85]

Chromatius Aquileiensis: 221 [64]

Chronicon Sancti Maxentii: 10 [19]

Clemens Alexandrinus: 41 [9], 51 [58]

Clemens Romanus: 175 [1]

Clemens VI Romanus: 31 [94]

Collectio Avellana: 261 [27]

Commemoratio superbiae Ravennatis archiepiscopi: 7 [12]

Constans II imperator: 21 [57]

Constantinus imperator: 167 [4], 257 [15]

Constitutiones Apostolorum: 46 [29], 207 [11], 331 [42]

Cyprianus Carthaginensis: 41 [9], 44 [22], 103, 144 [35]

Cyrillus Hierosolymitanus: 41 [9]

De vita et meritis Ambrosii: 5 [8], 18 [16]
Dicta Gelasii: 46 [30]
Didaché: 38 [4], 44 [20,21], 45 [25], 100 [10], 153 [61], 161, 255 [6], 257 [14]
Didascalia Apostolorum: 41 [9,10], 44 [22], 46 [29], 52 [59], 256 [12], 331 [42]
Dionysius Alexandrinus: 256 [11]
Dorotheus Gazeus: 262 [29], 263 [30]

Egeria: 59 [91], 60 [94], 70 [17], 76 [32], 107 [32], 108 [33,34,35], 112, 113 [51,52], 115 [64], 163 [91], 176 [2], 177 [4], 240 [9], 266 [44], 267 [46], 268 [47,49], 273, 274 [68], 283 [93], 284 [95], 324 [16], 327 [24], 331, 332 [44], 333 [55], 334, 358 [4], 367 [30], 477 [28]
Ekthesis Makrostichos: 19 [51]
Ps. Epiphanius, Index Discipulorum Domini: 29 [85]
Epistula cleri Romani ad Cyprianum: 41 [10]
Eusebius Caesariensis: 41 [9], 43 [15], 44 [23], 45 [28], 54 [68], 253 [1], 254 [2], 255 [4,5], 278 [78], 340 [75], 342 [83], 366 [29]
Ps. Eusebius Gallicanus, Hom. "Magnitudo" (Hom. XVII: VI de Pascha): 159-160 [85]
Eusebius Mediolanensis: 6 [11]

Ferrandus Carthaginensis: 10 [20]
Festus: 169 [11]

Gaudentius Brixiensis: 12 [25], 157 [74,75], 159 [84], 343 [85], 344, 345 [95]
Ps. Germanus: 475 [19]
Gesta apud Zenophilum: 41 [9]
Gesta Federici I imperatoris in Lombardia (Annales Mediolanenses Maiores): 59 [90]
Gregorius Eliberitanus: 340 [75]

Gregorius Magnus: 7 [12], 262 [29]
Gregorius Nyssenus: 47 [40], 115 [62]
Ps. Gregorius Thaumaturgus: 44 [22]
Gregorius Turonensis: 114 [59], 115 [62], 147 [43]
Guibertus de Novigento: 142 [32]

Hieronymus: 46 [30], 155 [63], 477 [27]
Hilarius Pictaviensis: 19 [51], 218 [54]
Hippolytus, Commentarii in Danielem: 41 [9]
Ps. Hippolytus, Traditio Apostolica: 39 [6], 103, 104, 128, 155, 474 [13]
Honorius Augustodunensis: 479 [34]
Humbertus a Silva Candida: 28 [85]

Ignatius Antiochenus: 169 [15]
In Iob Commentarius: 70 [15], 287 [105]
Innocentius I Romanus: 170 [16], 331 [41]
Innocentius III Romanus: 480 [37]
Innocentius VI Romanus: 31 [94]
Ioannes Antiochenus: 6 [10]
Ioannes Cassianus: 105, [25,26], 112 [48], 262 [29], 264 [35]
Ioannes Chrysostomus: 47 [39], 70 [12], 104 [22], 207 [12], 340 [75]
Ps. Ioannes Chrysostomus: 342 [84], 344 [90]
Ioannes Damascenus: 52 [60], 263 [31,32]
Ioannes Hierosolymitanus: 344 [90]
Irenaeus: 146 [42]
Isidorus Hyspalensis: 168 [7], 262 [29]
Iustinianus imperator: 22 [58]
Iustinus martyr: 38-39 [5], 148, 149 [49], 344 [90]

Lactantius: 42 [10]
L(andulfus): 4 [5], 5 [6,7], 7 [12], 9, 24 [69,70], 25 [71], 26 [76], 27 [80], 59 [86], 61 [96], 62 [103], 67 [1], 73 [26], 118, 119 [73], 125, 133, 136

[12, 13], 140 [25], 142 [31, 32], 145 [38], 269 [50], 368 [34], 369 [37], 471 [3], 473 [11, 12]

Landulfus a Sancto Paulo: 142-143 [32], 478 [31]

Leo Magnus: 55-56 [74]

Leo Ochridanus: 28 [85]

Leo IX Romanus: 28 [85]

Liber Pontificalis: 21 [57], 477 [29]

Liberius Romanus: 19 [51]

Libellus de situ civitatis Mediolani: 9 [19], 24 [70], 29 [85]

Luciferus Calaritanus: 19 [51]

Macrobius: 168 [8]

Maximinus episcopus Gothorum: 15 [34], 16 [35], 22 [62]

Maximus Taurinensis: 157-158 [76], 221 [63, 67], 259 [19], 263, 264 [33]

Ps. Maximus Taurinensis: 158 [77]

Melito Sardensis: 254 [3], 340 [75], 344 [90]

Minucius Felix: 40 [8]

Morigi (Paolo): 135 [10]

Nicetas Stethatos: 28 [85]

Origenes: 22 [59], 340 [74], 345 [93], 346 [100], 348 [106]

Palladius Ratiariensis: 15 [34], 16 [35], 22 [62]

Paulinus biographus: 7 [14], 13 [25], 18 [45, 50], 48 [43], 57 [77], 111 [44], 164, 265 [41]

Paulinus Nolanus: 170 [17]

Paulus Silentiarius: 120-121 [78]

Pelagius Ovetiensis: 9-10 [19], 67

Petrus Chrysologus: 259 [18]

Petrus Damiani: 155 [63]

Petrus Grosolanus: 28 [85]

Philastrius Brixiensis (?): 75 [30], 286 [103], 367 [33]

Philo Alexandrinus: 342 [81], 346 [97], 366 [29]

Plinius Caecilius Secundus: 40 [7]

Porphyrius: 41 [9]

Ps. Praeceptum Astulfi regis: 74 [29]

Ps. Praeceptum Desiderii regis: 74 [29]

Praedestinatus: 261 [27]

Priscillianus: 17 [43]

Prudentius: 111 [40], 474 [14]

Regula Benedicti: 46 [30]

Registrum Iohannis VIII. papae: 6 [9]

Rescriptio beati Udalrici: 27 [79]

Rodericus Ximénes de Rada: 10 [19]

Sermo beati Thome episcopi Mediolani: 9 [19], 67

Sermo de Quadragesima (Faustus Reiensis ?): 264 [36]

Severus Antiochenus: 76 [34], 263 [32]

Siricius Romanus: 18 [47], 170 [16]

Socrates historiographus: 19 [51], 119 [75], 471 [4]

Sozomenus historiographus: 19-20 [51], 23 [66], 119 [75], 471-472 [4]

Stephanus Tornacensis: 61 [98]

Sulpicius Severus: 17 [43], 19 [51]

Symeon Thessalonicensis: 472 [5]

Tertullianus: 41 [9, 10], 44 [22], 51 [57], 103 [20], 105 [24], 168 [6], 256 [10], 331 [42], 366 [27]

Thomas Aquinas: 160 [86]

Theodoretus Cyrensis: 18 [45], 20 [51], 23 [65], 347 [106]

Ursacius Singidunensis: 19 [51]

Valens Mursensis: 19 [51]

Versum de Mediolano civitate: 8 [17], 10 [21], 73 [24, 25]

Vigilius Tridentinus: 13 [25]

Vita Caesarii episcopi Arelatensis: 115 [63]

Vita sancti Nili junioris: 183 [2], 276 [73]

Vita sancti Verani episcopi Cavellicensis: 138 [21]

Vitruvius: 50 [48]

Walafridus Strabo: 11 [22]

Zeno Veronensis: 11 [23], 56 [75], 70 [14], 286 [103], 290 [111], 291 [113], 332 [48], 343 [89], 346 [103]

Zosimus Romanus: 24 [68]

INDICE DELLE FONTI LITURGICHE

Antifonario di Bangor (680-691): 115 [61]

Antifonario Visigotico di León (s. X): 338 [70], 474 [17]

Beroldus (1130 c.): 26-27 [77], 28 [84], 59 [88, 92], 62 [100, 103, 105, 106, 107], 63 [108], 95, 96 [7], 113 [49], 116 [66], 119 [74], 120 [77, 78], 125, 128 [91], 132 [3], 135, 139-140 [24], 141 [30], 142 [31], 145 [37, 39], 146 [40], 147 [45], 154 [62], 181 [10], 216 [38], 264, 266, 270 [53], 276 [75], 284, 285 [96], 291 [113], 323 [11], 325 [17], 326 [19], 328 [25], 329 [32, 36], 332 [49], 334 [36, 37], 345, 348 [108], 471 [2], 472 [6], 475 [21], 476 [23, 24]

Beroldus Novus (1269): 27 [77], 210 [1], 428 [7]

Breviarium Ambrosianum (1582): 32 [98], 112, 178

Calendario Ambrosiano per l'Anno 1970: 82 [40], 83 [42], 187, 221, 237

Calendario Ambrosiano per l'Anno 1978-1979: 151 [58]

Capitolare di Busto, v. *Codice di Busto*

Codex Forojuliensis (note ss. VI-VIII): 261 [27]

Codex Rehdigeranus (Capit. s. VIII): 261 [27], 290 [110]

Codex Vercellensis (note ss. VI-VIII): 77

Codice di Busto (s. IX[ex]): 73, 74, 75, 76, 77, 79, 80, 81, 88, 89, 90, 164, 176, 187, 209 [1], 210 [2, 5, 6, 12], 211 [16], 21, 216[6], 217[5, 46], 218, 219 [55], 220 [59], 223 [71], 225 [92], 237 [1], 238, 240, 241 [15, 18, 19, 20], 242 [21], 243 [24, 25], 244 [29], 264, 270 [56], 271, 274, 275, 280, 282 [89, 90, 91, 92], 286 [99, 101], 289, 290, 295 [123, 127], 296 [131, 135], 311 [143, 146], 312 [151, 155], 313 [158], 324 [15], 330 [39], 332 [45], 333 [54], 336 [68], 356 [118], 358 [8], 359, 361, 361 [14], 362, 363, 370 [45, 48], 371 [51, 58, 61], 372 [65, 68, 71, 74], 374 [94], 376 [102], 377 [109], 391, 408 [24], 411 [29], 419, 420 [6], 428 [4]

Direttorio per l'uso del nuovo Rito del Matrimonio nella liturgia ambrosiana (2006): 170 [19], 171

Euchologion (ed. Goar): 46 [31, 32], 131 [2], 148 [47], 207 [11]

Evangeliario (Milano, Ambr., *C 39 inf.*: s. VI): 220 [59, 60], 359

Evangeliario di Torino (s. VI): 74, 78

Evangelistario dei cardinali diaconi (s. IX[2]): 78 [36], 79, 187, 216, 218

Evangelistario di Busto, v. *Codice di Busto*

Expositio matutini officii (s. IX/X): 116 [68, 69], 117 [70, 71], 118 [72], 119 [76], 120 [77], 121, 122 [79, 80, 81], 123 [82], 124 [83, 84, 85], 125, 177, 178 [5], 281

Expositio Missae Canonicae (s. IX[2]): 146 [46]

Expositio Symboli (Milano, Ambros., *I 152 inf.*: ante 1140; ff. 153r-156r): 278 [79]

Formula Missae et Communionis (Martinus Lutherus: 1523): 52 [61], 160 [86]

Fragmentum 1 Omont, Louvain (s. VIII): 77

Hymnum canamus supplices (hymnus in coena Domini): 321

Illuminans Altissimus (hymnus in Epiphania: s. V[2/4]): 74 [28], 265

Impronta di Lezionario, Orléans (s. VI/VII): 77, 81, 243 [25]

Lezionario (Milano, Ambros., *A 23 bis inf.*: s. XIII ?): 310 [141]

Lezionario Ambrosiano. Quaresima (**1972**): 272, 291 [113], 332

Lezionario Ambrosiano. Settimana Santa. Ottava di Pasqua (**1972**): 321 [6], 335, 341 [77]

Lezionario Ambrosiano. Ad experimentum (**1976**): 81, 83 [45], 84 [47], 209 [1], 210 [3, 4, 5, 7, 8, 9, 10, 11, 13, 14], 211 [15, 17, 18], 212 [24, 25, 26], 214 [32, 33], 216 [35], 217 [40, 41, 42, 44, 45, 47, 48, 49], 218 [52], 220 [58, 59, 61], 222 [69], 223 [72, 73, 75, 77, 78, 79], 224 [82, 85, 86, 87, 89, 90, 91], 225 [93, 94, 95, 96], 240 [10, 11, 12], 243 [26], 244 [31], 245 [33], 271, 272, 278, 280, 282 [89, 90, 91, 92], 285 [98], 286 [99, 100, 101], 291 [113], 294 [118, 119], 295 [123, 126, 127, 128], 296 [129, 131, 132, 133, 135], 297 [136, 137, 140], 312 [149, 150, 154], 313 [156, 157, 158], 321 [7], 324 [13, 14, 15], 329, 330 [37, 38, 39], 332, 335, 341 [77], 345 [96], 354 [110, 111, 112], 355 [113, 114], 356 [115, 116, 117, 118], 358 [6, 7, 8], 360, 363 [17, 19], 364, 372 [75, 76, 77], 373 [78, 79, 80, 81, 82, 83, 84, 85, 86], 374 [87, 88, 89, 90, 91, 92], 377 [108], 378 [110], 423 [9], 424 [15, 18], 425 [22], 427 [1], 428 [3]

Lezionario Ambrosiano (**2008**): passim; in particolare: 33 [101] (documenti relativi alla *recognitio* romana), 85 [1] (promulgazione ad opera dell'arcivescovo milanese).

Lezionario Armeno (*Jér. 121*): 70 [13], 76 [33], 216 [37], 284 [95], 287 [104], [con riferimento al testimone Paris, B.N., *Arm 44*: 289 [108],] 323 [12], 324 [16], 331, 332 [44], 333, 335 [60], 357 [1, 2, 3], 358 [5], 367 [31]

Lezionario già Bibl. Magist. Caerem. (Milano, Braidense, *Castiglioni 16*: s. XII[1]): 209 [1], 345, 428 [5, 6, 9]

Lezionario di Luxeuil (s. VII/VIII): 219 [56], 221 [65], 261 [27], 290 [110], 344 [91]

Lezionario Romano (1972): 84

Lezionario Romano (1975[2]): 210 [1], 214 [31, 33], 215, 217 [42, 44, 45, 47, 48, 49], 218 [51, 52], 220 [58, 59, 61], 222 [69, 70], 223 [73, 75, 76], 224 [81, 85, 87, 89, 91], 229 [94, 95, 97], 280, 295 [125], 364 [20], 365 [21, 22, 23, 24, 25], 370 [45, 48], 374 [93], 375 [96, 97, 99, 100, 101], 376 [102, 103], 377 [104, 105, 106], 378 [110, 111, 112, 114], 389 [9, 10], 392 [18, 19, 20, 21], 410 [27], 413 [31], 422, 431 [17], 432 [21, 22, 25, 26, 27]

Libellus missarum palinsesto di San Gallo (s. VII): 74, 77, [altra sezione dello stesso palinsesto: s. VII/VIII: 78,] 81, 157 [73], 164, [annotazione, anteriore al s. VII/VIII, in margine al testo originale, s. VI, dello stesso palinsesto: 261 [27]]

Liber Commicus (edd. Pérez de Urbel - Gonzalez y Ruiz-Zorilla): 323-324 [12], 344 [92]

Liber Mozarabicus Sacramentorum (ed. Férotin): 157 [74], 262 [29]

Liber Ordinarius Modoetiensis: 472 [7]

Liber Ordinum (ed. Férotin): 474 [17]

Liturgia (antiochena) dei Dodici Apostoli: 207 [11]

Liturgia della Settimana Santa secondo il Rito Ambrosiano. A esperimento (**1966**): 291 [113], 322 [8], 328, 337 [69], 341 [77, 78]

Liturgia della Settimana Santa secondo il Rito Ambrosiano (**1970**): 291 [113], 321 [5], 329, 332, 335, 337 [69], 341 [77, 78]

Liturgia delle Ore secondo il Rito della Santa Chiesa Ambrosiana (1983-1984): 125 [86], 126 [87], 210 [1], 215 [34], 222 [68], 322 [8], 334, 369, 370 [40, 41, 42, 43]

Liturgia di San Giacomo: 207 [11]

Liturgia di San Giovanni Crisostomo: 207 [11], 479 [34]

Liturgia Sancti Petri (Vat. Ottob. Gr. 384: 1581): 153 [59]

Manuale di Lodrino (s. XI): 439

Manuale di Valtravaglia (s. XII [Heiming]): 60 [95], 62 [104], 144 [34], 150 [53], 166 [103, 104], 181 [10], 216, 221 [66], 278 [80], 279 [83], 343 [88], 386 [3, 4, 5], 474 [16]

Messale Ambrosiano. Rito della Messa (**1969**): 152 [59]

Messale Ambrosiano. Rito della Messa (**1972**): 152 [59]

Messale Ambrosiano. Settimana Santa. Ottava di Pasqua (**1972**): 321 [6], 337 [69]

Messale Ambrosiano (**1976**): 83, 143, 151 [57], 152 [59], 155, 272, 283, 326

Messale Ambrosiano (**1986**): 151 [58]

Messale Ambrosiano (**1990**): 143 [33]

Messale di Armio (s. IX[ex] [Bischoff]; X [Gamber]; XI[in] [Garrison]; XI [Amiet]): 72 [23], 156 [73], 165, 209 [1], 279, 428 [2, 5, 11]

Messale di Bergamo (s. IX): 216, 279

Messale di Biasca (s. IX[ex]/X[1]): 59 [87, 91], 157 [74], 165, 343 [86], 439

Messale di Lodrino (s. X [Gamber]; XI[1] [Amiet, Ferrari]): 216, 439

Messale di San Simpliciano (s. IX[ex]/X[in] [Frei]; X/XI [Garrison]): 72 [23], 149, 165

Missale Ambrosianum (1751): 110 [42]

Missale Ambrosianum (1902): 271, 278, 282, 285, 289, 323, 325, 328, 345, 369, 429, 439

Missale Ambrosianum (1954): 143, 210 [1, 2, 5, 6, 12, 14], 211 [16, 18, 21], 212 [24], 215 [34], 216 [35, 36], 217 [39, 43, 46], 220 [60, 61, 62], 222 [68, 69], 223 [71, 72], 225 [92], 240 [9, 10, 11, 12], 241 [13, 14, 16, 17, 19], 243 [26, 27, 28], 244 [30, 31, 32], 280 [86], 282 [89, 90, 91, 92], 286 [100, 101], 294 [120, 121], 295 [122, 123, 124, 125, 127, 128], 296 [130, 131, 132, 134, 135], 297 [136, 138, 140], 310 [141, 142], 311 [143, 144, 145, 146, 147], 312 [148, 151, 152, 153, 155], 313 [156, 157, 158], 324 [13, 14 15], 330 [37, 38, 39], 333 [50, 51, 52, 53, 54], 336 [66, 67, 68], 354 [110, 111, 112], 355 [113, 114], 356 [115, 116, 117, 118], 358 [6, 7, 8], 360 [12], 361 [13, 14], 363 [17, 18, 19], 364, 365 [21, 22, 25], 370 [44, 45, 46, 47, 48, 49], 371 [50, 51, 52, 53, 54, 55, 56, 57, 58, 59, 60, 61, 62, 63], 372 [65, 66, 67, 68, 69, 70, 71, 42, 73, 74, 75, 76, 77], 373 [78, 79, 80, 81, 82, 83, 84, 85, 86], 374 [87, 88, 89, 90, 91, 92, 94], 375 [98], 377 [108], 378 [112, 115], 407 [22, 23], 410 [25], 411 [28], 412 [30], 413 [32], 414 [33, 34], 4240 [2, 3, 4], 423 [9, 11], 424 [16], 425 [21, 23, 25], 427 [1], 428 [3, 8], 431 [13, 16, 17, 18], 432 [23, 24]

Missale Ambrosianum (1981): 151 [58]

Missale Bobiense (s. VIII): 155, 165

Missale Gothicum (700 c.): 156 [71]

Missale Mixtum (1755): 157 [74], 209 [1], 214 [32], 224 [80, 81, 83, 84, 86, 88, 91]

Missale Romanum (1570): 110 [42], 260 [24], 480 [38]

Missale Romanum (1962): 82-83 [41], 375 [96], 377 [107]

Normae de anno liturgico (2008): 238 [2]

Oracional Visigótico (ed. Vives): 338 [70]

Ordo I (s. VII[ex]): 135, 141

Ordo XIX (s. VIII[ex]): 26 [74, 75], 30 [92]

Ordo XX (s. VIII[ex]): 479 [36]

Ordo XXI (s. VIII [ex]): 479 [36]

Pesahim: 206 [6], 327 [23]

Petrus Casola, *Rationale caeremonia-rum Missae Ambrosianae* (1499): 153 [60]

Praeconium Ambrosianum: 122, 176, 278, 279, 336 [69], 337 [70], 338, 339 [73], 340, 345 [94], 347, 348, 386 [3, 4, 5]

(*La*) *Settimana Santa. Rituale ridotto in lingua italiana. Ad esperimento* (1965): 291 [113], 337 [69]

Sacramentario gallicano palinsesto di Milano (Milano, Ambros., *M 12 sup.*): 157 [74]

Sacramentario gallicano palinsesto di München (München, *CLM 14429*): 157 [74]

Sacramentario Gelasiano (*Vat. Reg. Lat. 316*): 259 [22]

Sacramentario Gregoriano: 215, 274

Salterio Ambrosiano (*Vat. Lat. 82*: s. IX): 181

Salterio Ambrosiano (*Vat. Lat. 83*: s. IX): 181

Salterio Ambrosiano (München, *CLM 343*: s. IX): 181

Salterio di Arnolfo II (s. X[ex]/XI[in]): 142 [32]

INDICE DELLE FONTI SINODALI

Concilium Antiochenum (327 c.): 23 [64]

Concilium Antiochenum (344): 19 [51]

Concilium Aquileiense (381): 14 [31, 32], 15 [33, 34], 16 [35, 36, 37], 17 [40], 22 [62]

Concilium Aquileiense [episcoporum Italiae] (381): 16 [39], 17 [40, 41, 42], 22 [63]

Concilium Ariminense (359): 19 [51]

Concilium Aurelianense (511): 264 [34], 368 [35]

Concilium Aurelianense (541): 264 [34], 266 [45]

Concilium Byzacense (416 / 418): 10 [20]

Concilium Caesaraugustanum (380): 18 [48], 20

Concilium Calchedonense (451): 20 [55]

Concilium Carthaginense (397): 20 [53]

Concilium Carthaginense (401): 20 [53]

Concilium Carthaginense (404): 20 [54]

Concilium Constantinopolitanum (381): 21 [56]

Concilium Constantinopolitanum (382): 23 [65]

Ps. Concilium Eliberitanum (s. IV[ex]): 42 [10]

Concilium Emeritense (666): 101 [15], 116 [66]

Concilium Epaonense (517): 10 [20], 46 [30]

Concilium Ephesenum (431): 21 [57]

Concilium Gerundense (517): 10 [20]

Concilium Lugdunense (567/570): 368 [35]

Concilium Mediolanense (392/3): 18 [47]

Concilium Mediolanense (451): 6 [11]

Concilium Mediolanense (1565): 182 [11]

Concilium Romanum (382 ?): 23 [67]

Concilium Serdicense (343): 21-22 [58]

Concilium Taurinense (398 o 399): 20 [52], 24 [68]

Concilium Toletanum (400 c.): 18 [48], 20

Concilium Toletanum (633): 10 [20]

Concilium Turonense (567): 48 [43]

Concilium Vannense (461 / 491): 10 [20]

Concilium Vaticanum II (1962-1965): 37, 87, 90, 91, 131 [1], 265

Synodus Mediolanensis (1584): 273 [66]

Synodus Novariensis (1990): 457 ss.

INDICE GENERALE

Presentazione di Manlio Sodi V

Parte Introduttiva
Una Chiesa nell'ecumene

La tradizione ambrosiana nella comunione delle Chiese 3

1. "Ordo Ambrosianus" e "Ambrosiana ecclesia" 5
2. Il presule milanese "vicarius Ambrosii" 6
3. Collegialità episcopale e antica unità rituale nella provincia ecclesiastica milanese 8
4. Cattedra della residenza imperiale e comunione delle Chiese 11
5. Milano da residenza imperiale a "civitas Ambrosiana" 24
6. "Ordo" e "Mysterium" 25
7. Il "Mysterium" e la continuità della tradizione ecclesiale ambrosiana 29
8. L'arcivescovo di Milano "caput ritus Ambrosiani" 32

Parte Prima

Una comunità cultuale nella storia

Capitolo I
Ecclesia e Mysterium
Chiesa, celebrazione e luogo di culto nella tradizione ambrosiana 37

1. L'"ekklesía" come comunità cultuale 37
2. L'edificio di culto come struttura mistagogica 43
3. "Marana tha": orientamento nella celebrazione e attesa della *parousía* 50
4. Gerusalemme e i suoi santuari 53
5. Le basiliche cristiane milanesi 56
6. Le riforme patariniche e la tradizione ambrosiana 60
7. Le Istruzioni borromaiche e il rinnovamento della tradizione 64
8. Dopo il concilio Vaticano II: verso una tradizione ambrosiana rivissuta con consapevolezza e offerta come dono 65

Capitolo II
"Pollens ordo lectionum"
Proclamazione delle Scritture e celebrazione misterica nell'esperienza storica della Chiesa Milanese 67

1. Ordinamento delle letture e strutture preambrosiane dell'"Ambrosianum mysterium" 68
2. Ordinamento delle letture e catechesi nell'età di Ambrogio 69
3. Tradizione ambrosiana e "ordo lectionum" tra tarda antichità e alto medioevo 72
4. Ciclo dell'anno e ordinamento delle letture nella sistemazione carolingia 78
5. Il concilio Vaticano II e il Lezionario "ad experimentum" (1976) 81

Capitolo III
"Ditior mensa Verbi Dei paretur fidelibus"
Il Lezionario della Chiesa Ambrosiana.
Lineamenti di uno sviluppo in conformità al concilio Vaticano II 85

1. Nuovo Lezionario e tradizione ambrosiana 87
2. Rinnovamento nella continuità 89
3. Il Ciclo Feriale 91
4. Il Ciclo Domenicale 92
5. Il Ciclo Sabbatico 93
6. I canti tra le letture 94
7. Il nuovo Lezionario come libro della Parola per la vita spirituale e la catechesi 94
8. Antico e Nuovo Testamento: il mistero nascosto dall'eternità in Dio ed ora nei divini misteri comunicato ai santi 95

Parte Seconda

GLI ORDINAMENTI RITUALI DI UNA TRADIZIONE ECCLESIALE

Capitolo IV
Il salmo e l'incenso
Antiche radici e nuovi sviluppi nell'officiatura ecclesiale 99

1. La preghiera quotidiana della Chiesa 99
2. Il ciclo rituale del giorno 101
3. Officiatura della *ecclesia* e officiatura dei monaci 101
4. Il modello gerosolimitano 107
5. Il vescovo Ambrogio 109
6. La preghiera della Chiesa Ambrosiana 112
7. Il processo di riforma seguito al concilio Vaticano II 125

Capitolo V

Dalla Parola all'Eucaristia

La celebrazione eucaristica e la sua dinamica mistagogica 131

  1. Officiatura e celebrazione eucaristica 131

  2. La celebrazione eucaristica come "mystérion" 132

  3. Il luogo dei divini misteri 137

  4. I segni dell'azione misterica 138

  5. Il paradigma arcivescovile 143

  6. Popolo e ministri: il "sallenzio" e l'"ingressa".............................. 145

  7. L'apostolicità dell'annuncio: il rituale delle letture 146

  8. Il 'post Evangelium' e la preparazione dell'altare 147

  9. La supplica della Chiesa 148

 10. Le premesse alla celebrazione dell'Eucaristia: l'unione fraterna e
     la comunione cattolica 151

 11. La preghiera eucaristica e i suoi rituali 153

 12. La "Fractio Panis" 161

 13. Dalla storia, oltre la storia... 162

Capitolo VI

Il velo della Sposa

La *Velatio* degli sposi nel rituale nuziale in ambito ambrosiano 167

  1. La reciproca promessa e l'anello delle fede sponsale 167

  2. L'abbigliamento nuziale della sposa 168

  3. Dalle premesse antropologiche al rito cristiano: "Velatio" e "Be-
     nedictio" in Ambrogio 169

Allegato

La Coronatio *e il suo possibile inserimento nei riti nuziali in ambito
ambrosiano* 171

Parte Terza

ANNUNCIO ED ESPERIENZA MISTERICA DELLA SALVEZZA
NEL LEZIONARIO AMBROSIANO

Capitolo VII

"... già splendevano le luci"

Il giorno liturgico nella tradizione ambrosiana 175

  1. Il giorno liturgico 175

  2. Le Grandi Vigilie 176

  3. Le Vigilie al vespero dei Venerdì di Quaresima 176

  4. La celebrazione vigiliare della Domenica 177

5. Le Vigilie dei Santi 180
    5.1. *"Quando gli Ordinari cantano i salmi"* 180
    5.2. *Le Vigilie vespertine* 181

Capitolo VIII
Il Sabato e la Domenica
I tempi dell'Alleanza e la loro memoria 183

1. Il carattere festivo del Sabato 183
2. Il primato della Domenica 186

Allegato

*Le pericopi del Ciclo Sabbatico [Tempo dopo l'Epifania e Tempo
dopo Pentecoste]* 188

Capitolo IX
L'Anno Liturgico
Celebrazione ciclica di una storia lineare 203

1. La percezione antropologica del Tempo: l'eterno ritorno 203
2. Israele e il Tempo come Storia della salvezza 204
3. *Zikkaròn – mnēmósynon*: il culto come memoria 205
4. La "pienezza del Tempo" e la sua riproposizione cultuale 206

Capitolo X
"Veni, Redemptor gentium"
Il mistero dell'Incarnazione del Signore e la sua manifestazione 209

1. Il Tempo d'Avvento 209
    1.1. *Il Ciclo Domenicale* 209
    1.2. *Il Ciclo Feriale e Sabbatico* 212
    1.3. *Le ferie "de Exceptato"* 213
    1.4. *La Domenica Prenatalizia* (quando il 24 dicembre cade in
    Domenica 214
2. Il Tempo di Natale 215
    2.1. *Vigilia di Natale* 215
    2.2. *Natale* 216
    2.3. *Domenica nell'Ottava del Natale* 217
    2.4. *Feste dei Santi nell'Ottava del Natale* 218
    2.5. *Ferie nell'ottava del Natale e prima dell'Epifania* 219
    2.6. *Ottava del Natale e Circoncisione* 219
    2.7. *Domenica dopo l'Ottava del Natale* 220
    2.8. *Epifania* 221
        - *Vigilia dell'Epifania* 222

- *Epifania* 223
- *Ferie e Sabato dopo l'Epifania* 223
- *Battesimo del Signore* 223

Allegati

1. *Avvento. Ciclo Domenicale (anni B e C).* 224
2. *Avvento. Lettura progressiva del Vangelo secondo Matteo nel Ciclo Feriale e Sabbatico* 226
3. *Avvento. Letture profetiche ed epistole del Ciclo Feriale e Sabbatico* 226
4. *Tempo di Natale. Le pericopi dei giorni tra Natale ed Epifania* ... 233
5. *Le pericopi dei giorni tra Epifania e Battesimo del Signore* 235

Capitolo XI
"... e i suoi discepoli credettero in lui"
Il Messia di misericordia e il suo disvelamento nel Tempo dopo l'Epifania 237

1. Il Ciclo Domenicale 237
2. Il Ciclo Sabbatico 239
3. Il Ciclo Feriale 239
4. 40 giorni dopo il Natale: la Presentazione del Signore al Tempio . 240

Allegati

1. *Dopo Epifania. Le pericopi del Ciclo Domenicale* 241
2. *Dopo Epifania. La lettura progressiva del Vangelo secondo Marco nel Ciclo Feriale* 245
3. *Dopo Epifania. Le pericopi sapienziali del Ciclo Feriale* 247

Capitolo XII
"Ecco il momento favorevole"
Il cammino verso la Pasqua 253

1. Il digiuno prepasquale 254
2. Il digiuno per la sottrazione dello Sposo 256
3. Dalle 40 ore ai 40 giorni di digiuno 257
4. Il Sabato festivo e l'astensione dal digiuno in Oriente e a Milano 258
5. Il digiuno evangelico e la Domenica *in caput Quadragesimae* 260
6. Ascetismo e computo del digiuno 261
7. Quaresima e itinerario catechetico in preparazione al Battesimo .. 265
8. La preparazione alla Pasqua, a Milano 269
9. L'antica catechesi episcopale e la sua continuità liturgica 269
10. Dalla Legge all'Evangelo nell'"ordo lectionum" feriale: Genesi, Proverbi e il Sermone del Monte 270

11. L'aliturgia dei Venerdì e le Vigilie 273

12. Gli scrutini ai "competentes" e le celebrazioni sabbatiche 275

13. La "Traditio Symboli" 277

14. Le antiche figure: la proclamazione di Esodo nelle Domeniche quaresimali 278

15. Le Domeniche *de Samaritana, de Abraham, de Caeco, de Lazaro* pilastri dell'itinerario quaresimale ambrosiano 280

16. Le acclamazioni al Vangelo 280

17. I Vangeli vigiliari nelle celebrazioni di apertura vespertina della Domenica 281

18. Alla sequela dello Sposo 282

19. "Sei giorni prima della Pasqua": l'ascesa dello Sposo a Gerusalemme 283

20. Settimana *Authentica*: sulle orme dello Sposo incamminato verso la *Passione* 286

    20.1. *Le figure tipologiche di Giobbe e Tobia* 286

    20.2. *Con i Vangeli sulle orme dello Sposo* 288

    20.3. *Giovedì in Autentica al mattino: contemplando la Figura e in ascolto della Profezia* 289

Appendice

La Messa Crismale 293

Allegati

1. *Quaresima. Ciclo Domenicale* 294

2. *Quaresima. Letture e Salmelli delle Vigilie* 297

3. *Quaresima. Ciclo Sabbatico* 310

4. *Quaresima. La* lectio continua *del Sermone del Monte nelle prime quattro settimane del Ciclo Feriale* 313

5. *Quaresima. Genesi e Proverbi nel Ciclo Feriale* 314

Capitolo XIII
"Solemnitatum omnium honoranda solemnitas"
La Chiesa Ambrosiana e il Mistero Pasquale 319

1. La solenne apertura del Triduo in forma di Grande Vigilia: la celebrazione vespertina "in coena Domini" 320

2. L'officiatura notturna dopo la Santa Cena: la veglia della Chiesa accanto allo Sposo 324

3. La celebrazione della Morte del Signore 325

4. Dalla Croce al Sepolcro: la Deposizione e Sepoltura del Signore 331

5. "Ablatus est Sponsus": il ricordo e l'attesa 333

6. La Veglia Pasquale: dall'attesa dello Sposo al riposo delle nozze. 336

Allegati

1. *Passiones. Responsori (latino / italiano)* 348
2. *Veglia Pasquale. Ordinamento delle letture* 354

Capitolo XIV
Il Risorto e il Consolatore
L'articolata unità del Tempo Pasquale ambrosiano 357

1. La Domenica di Pasqua e la sua ottava 357
   1.1. *Giorno di Pasqua* 357
   1.2. *Settimana "in Albis"* (Messe per i battezzati / Messe del giorno) . 358
   1.3. *Domenica "in Albis depositis"* 360
2. Il Ciclo Feriale. Dalla II Settimana all'Ascensione 361
3. Il Ciclo Sabbatico 362
4. Il Ciclo Domenicale. Domeniche dopo la Domenica "*in Albis de-positis*" e prima dell'Ascensione 362
5. Il quarantesmo giorno: l'Ascensione 363
6. La Domenica dopo l'Ascensione 364
7. Le ferie e il Sabato dopo l'Ascensione 365
8. Pentecoste 369

Allegati

1. *Settimana in Albis. Pericopi per le celebrazioni "pro baptizatis"* . 370
2. *Settimana in Albis. Pericopi per le celebrazioni nei giorni dell'Ot-tava* 372
3. *Tempo di Pasqua. I Quaranta Giorni. Il Ciclo Domenicale* 374
4. *Tempo di Pasqua. I Quaranta Giorni. La lettura progressiva del Vangelo secondo Giovanni nelle ferie e nei Sabati* 379
5. *Tempo di Pasqua. I Quaranta Giorni. La lettura progressiva degli Atti nelle ferie e nei Sabati* 380
6. *Tempo di Pasqua. Tra Ascensione e Pentecoste. Le ferie e il Sabato* 383

Capitolo XV
Nella luce della Trinità la storia della salvezza
Il Ciclo dopo Pentecoste 385

1. "Ad totius mysterii supplementum" 385
2. La I Settimana 388
3. Domenica della Santissima Trinità 389
4. Il Ciclo Feriale 390
5. Il Ciclo Domenicale 391
6. Il Ciclo Sabbatico 392

Allegati

1. *Pericopi della Settimana dopo Pentecoste* 393
2. *Settimane dopo Pentecoste. Le pericopi veterotestamentarie di fe-*
   rie e Domeniche 394
3. *Settimane dopo Pentecoste. Ciclo Domenicale* 406
4. *Settimane dopo Pentecoste. La lettura progressiva del Vangelo*
   secondo Luca nel Ciclo Feriale 415
5. *Settimana del Martirio del Precursore: ultima dopo Pentecoste.*
   Canti al Vangelo e Vangeli 417

Capitolo XVI
"È giunto fra voi il Regno di Dio"
Le settimane dopo il Martirio del Precursore 419

1. Il Ciclo Domenicale 420
2. Il Ciclo Feriale 420
3. Il Ciclo Sabbatico 422

Allegati

1. *Settimane dopo il Martirio del Precursore. Ciclo Domenicale* 422
2. *Settimane dopo il Martirio del Precursore. La lettura progressiva*
   del Vangelo secondo Luca nel Ciclo Feriale 425

Capitolo XVII
"Io sono con voi fino alla fine dei tempi"
La Chiesa tra storia ed *eschaton* 427

1. La Domenica della Dedicazione 427
2. Il Ciclo Domenicale 429
3. Il Ciclo Sabbatico 429
4. Il Ciclo Feriale 430

Allegati

1. *Settimane dopo la Dedicazione. Ciclo Domenicale* 431
2. *Settimane dopo la Dedicazione. Le pericopi evangeliche del Ciclo*
   Feriale 432
3. *Settimane dopo la Dedicazione. Le Letture del Ciclo Feriale* 434

APPENDICI

I. **"*A Dioecesi Mediolanensi excisi*". La continuità ambrosiana nei**
   territori svizzeri 439

II. Marco Mauri, *"Questo Rito o Chiesa Ambrosiana"*. L'autocoscienza ecclesiale nelle comunità ambrosiane bergamasche 447

III. † S. E. Mons. Germano Zaccheo, *Ragioni di ieri e significati per l'oggi.* **Il Rito Ambrosiano nella Pieve novarese di Cannobio** 457

IV. Danilo Biasibetti: *La 'ferula' ambrosiana sulle rive del Po.* **La Pieve di Frassineto e il suo Capitolo nella Diocesi di Casale Monferrato** 467

V. *Piccolo Dizionario di Liturgia Ambrosiana*: **Croce illuminata – Faro – Ferula – Lampada lucernare – Ostensorio – Segnale ligneo – Tuba – Turibolo – Vesti** 471

INDICI

Indice delle fonti antiche, patrristiche, medievali e protomoderne 483

Indice delle fonti liturgiche 487

Indice delle fonti sinodali 491

Indice generale 493

LIBRERIA EDITRICE VATICANA
00120 Città del Vaticano

Tel. (+39) 06-6988.5003 – Fax (+39) 06-6988.4716 – CCP 00774000
www.libreriaeditricevaticana.com – diffusione@lev.va

"Monumenta Liturgica Concilii Tridentini"

curantibus

Manlio Sodi – Achille Maria Triacca (†)
Facultatis Theologicae Universitatis Pontificiae Salesianae in Urbe

La collana (= MLCT) mette a disposizione degli studiosi e dei cultori di liturgia i sei testi liturgici che hanno caratterizzato la celebrazione della fede secondo il Rito Romano dal Concilio di Trento fino al Concilio Vaticano II.

With this series (= MLCT), researchers and liturgists have at their disposition the six liturgical texts that have characterised the celebration of faith according to the Roman Rite from the Council of Trent up to the Second Vatican Council.

1. M. Sodi – A.M. Triacca (edd.), *Pontificale Romanum. Editio Princeps (1595-1596)*. Edizione anastatica, Introduzione e Appendice, 1997, pp. XXIV + 731, € 30,99.

2. M. Sodi – A.M. Triacca (edd.), *Missale Romanum. Editio Princeps (1570)*. Edizione anastatica, Introduzione e Appendice, 1998, pp. XLVI + 720, € 50,61.

3. M. Sodi – A.M. Triacca (edd.), *Breviarium Romanum. Editio Princeps (1568)*. Edizione anastatica, Introduzione e Appendice, 1999, pp. XXII + 1056, € 50,61.

4. A.M. Triacca – M. Sodi (edd.), *Caeremoniale Episcoporum. Editio Princeps (1600)*. Edizione anastatica, Introduzione e Appendice, 2000, pp. XLIV + 346, € 36,15.

5. M. Sodi – J.J. Flores Arcas (edd.), *Rituale Romanum. Editio princeps (1614)*. Edizione anastatica, Introduzione e Appendici, 2004, pp. LXXVI + 442, € 36,00.

6.   M. Sodi – R. Fusco (edd.), *Martyrologium Romanum. Editio Princeps (1584)*. Edizione anastatica, Introduzione e Appendice, 2005, pp. XLVI + 604, € 42,00.

Facilitazioni per chi acquista l'intera collana dei 6 volumi rivolgendosi direttamente all'Editrice.
Discount possible for those who subscribe for the entire series (6 volumes). Contact directly the Libreria Editrice Vaticana.

"Monumenta Studia Instrumenta Liturgica"

In continuità con la precedente collana (MLCT), i successivi volumi (= MSIL) offrono la possibilità di confrontarsi con *fonti* d'interesse liturgico difficilmente reperibili; *studi* di storia e di teologia; *strumenti* per favorire la ricerca, a servizio della scienza liturgica.

These successive volumes (MSIL), in continuation with the previous one (MLCT) offer the possibility to study and compare with liturgical **sources** *which are not easily traceable; history and theology* **studies**; **instruments** *that assist in research, at the service of the liturgical science.*

7.   M. Sodi, *La Parola di Dio nella celebrazione eucaristica. The Word of God in the Eucharistic Celebration. Tavole sinottiche – Synoptic Tables*, 2000, pp. XXXIII + 928, € 59,39.

8.   S. Della Torre – M. Marinelli (edd.), *Instructionum fabricae et supellectilis ecclesiasticae libri II Caroli Borromei (1577)* [Testo latino-italiano], 2000, pp. XXII + 456, € 46,48.

9.   E. Ardissino, *Il Barocco e il sacro. La predicazione del teatino Paolo Aresi tra letteratura, immagini e scienza*, 2001, pp. VIII + 398, € 25,82.

10.   G. Baroffio – M. Sodi (edd.), *Graduale de Tempore iuxta Ritum Sacrosanctae Romanae Ecclesiae. Editio Princeps (1614)*. Edizione anastatica, Introduzione e Appendice, 2001, pp. XL + 631, € 50,61.

11.   G. Baroffio – E.J. Kim (edd.), *Graduale de Sanctis iuxta Ritum Sacrosanctae Romanae Ecclesiae. Editio Princeps (1614-1615)*. Edizione anastatica, Introduzione e Appendice, 2001, pp. V + 724, € 50,61.

12.   S. Parenti (ed.), *Liturgia delle Ore italo-bizantina (Rito di Grottaferrata)*. Introduzione e traduzione, 2001, pp. XL + 287, € 19,63.

13. G. BONACCORSO, *Il rito e l'Altro. La liturgia come tempo, linguaggio e azione*, 2001, pp. VII + 400, € 23,24.

14. S. DELLA TORRE – M. MARINELLI (edd.), *Rationale Divinorum Officiorum Guillelmi Duranti Liber I et III* [Testo latino-italiano], 2001, pp. XXII + 295, € 25,00.

15. S. FIORAMONTI (ed.), Innocenzo III, *Il sacrosanto Mistero dell'Altare (De sacro Altaris Mysterio)* [Testo latino-italiano], 2002, pp. XLII + 431, € 25,00.

16. G. CAPUTA, *Il sacerdozio dei fedeli secondo San Beda. Un itinerario di maturità cristiana*, 2002, pp. VII + 326, € 18,00.

17. E. DAL COVOLO – M. SODI (edd.), *Il latino e i cristiani. Un bilancio all'inizio del terzo millennio*, 2002, pp. IX + 515, € 25,00.

18. A. MONTAN – M. SODI (edd.), *Actuosa participatio. Conoscere, comprendere e vivere la Liturgia*. Studi in onore del Prof. Domenico Sartore, 2002, pp. XXXIX + 645, € 38,00.

19. D. SARTORE, *Flores vernantes. Trent'anni di studi e ricerche in Liturgia*, 2002, pp. XI + 555, € 35,00.

20. (G.B.) S.-H. CHANG (ed.), *Vetus Missale Romanum Monasticum Lateranense, archivii Basilicae Lateranensis. Codex A65 (olim 65)*. Introduzione, Edizione semicritica e Facsimile (f. 208 - f. 327), 2002, pp. VI + 609, € 30,00.

21. D. MUSSONE, *L'Eucaristia nel Codice di Diritto Canonico. Commento ai can. 897-958*, 2002, pp. VIII + 209, € 11,00.

22. C. CAPOMACCIO, *"Monumentum resurrectionis". Ambone e candelabro per il cero pasquale*, 2002, pp. XIV + 400 (con tavole a colori), € 28,00.

23. M. SODI – A. TONIOLO, *Concordantia et Indices Missalis Romani (Editio typica tertia)*, 2002, pp. XVI + 1965, € 82,00.

24. M. SODI – A. TONIOLO, *Prænotanda Missalis Romani. Textus – Concordantia – Appendices (Editio typica tertia)*, 2003, pp. XIV + 807, € 29,00.

25. G. PALEOTTI, *Discorso intorno alle immagini sacre e profane* (1582), 2002, pp. XXXVIII + 285, € 25,00.

26. Ieromonaco GREGORIO, *La Divina Liturgia. "Ecco, io sono con voi... sino alla fine del mondo"*, 2002, pp. VII + 262, € 13,00.

27. A.M. TRIACCA, *Nel mistero del Sangue di Cristo la vita della Chiesa*, 2003, pp. VII + 453, € 19,00.

28.   C. MAGNOLI, *"Paschale sacramentum consummans". Tempo pasquale ambrosiano e Spirito Santo. Saggio di pneumatologia liturgica*, 2003, pp. XIII + 752, € 30,00.

29.   F.M. AROCENA SOLANO, *Las* Preces *de la* Liturgia Horarum. *Una aproximación teológico-litúrgica a los formularios pascuales*, 2003, pp. XVI + 521, € 24,50.

30.   A. BOZZOLO, *Mistero, simbolo e rito in Odo Casel*, 2003, pp. VIII + 417, € 19,00.

31.   M. PRZECZEWSKI (ed.), *Missale Franciscanum Regulae codicis VI.G.38 Bibliothecae Nationalis Neapolinensis*, 2003, pp. XCIII + 643, € 29,50.

32.   L. CRIPPA (ed.), *La basilica cristiana nei testi dei Padri dal II al IV secolo*, 2003, pp. XIV + 178, € 16,90.

33.   M. PATERNOSTER, *Varietates legitimae. Liturgia romana e inculturazione*, 2004, pp. XI + 407, € 21,50.

34.   M. BARBA, *Il Messale Romano. Tradizione e progresso nella terza edizione tipica*, 2004, pp. VI + 488, € 24,50.

35.   M. SODI – G. LA TORRE (edd.), *Pietà popolare e liturgia. Teologia, spiritualità, catechesi, cultura*, 2004, pp. XXVIII + 383, € 22,00.

36.   M. CASADEI TURRONI MONTI – C. RUINI (edd.), *Aspetti del Cecilianesimo nella cultura musicale italiana dell'Ottocento*, 2005, pp. V + 229, € 10,00.

37.   F. M. AROCENA – J. A. GOÑI (edd.), *Psalterium liturgicum. Psalterium crescit cum psallente Ecclesia.* Vol. I.: *Psalmi in Misssale Romano et Liturgia Horarum*, 2005, pp. LXXII + 575, € 28,00.

38.   F. M. AROCENA (ed.), *Psalterium liturgicum. Psalterium crescit cum psallente Ecclesia.* Vol. II.: *Psalmi in Missalis Romani Lectionario*, 2005, pp. LXI + 149, € 16,00.

39.   A.M. TRIACCA, *Matrimonio e verginità. Teologia e celebrazione per una pienezza di vita in Cristo.* In Appendice: *Bio-bibliografia dell'Autore*, 2005, pp. XI + 525, € 29,50.

40.   M. BARBA, *L'*Institutio Generalis *del* Missale Romanum. *Analisi storico-redazionale dei riti d'ingresso, di offertorio e di comunione*, 2005, pp. XI + 594, € 29,50.

41.   V. TRAPANI, *Memoriale di salvezza. L'anamnesi eucaristica nelle anafore d'Oriente e d'Occidente*, 2006, pp. XIV + 316, € 28,50.

42. M. Pavone, *La preghiera di ordinazione del diacono nel Rito romano e nel Rito bizantino-greco*, 2006, pp. VIII + 288, € 28,00.

43. M. Sodi (ed.), *Il* Pontificalis liber *di Agostino Patrizi Piccolomini e Giovanni Burcardo (1485)*. Edizione anastatica, Introduzione e Appendice, 2006, pp. XLIV + 619, € 55,00.

44. S. Fioramonti (ed.), Innocenzo III, *Sermoni (Sermones)* [Testo latino-italiano], 2006, pp. LXXXVIII + 679, € 39,00.

45. M. Barba, *Institutio Generalis Missalis Romani. Textus – Synopsis – Variationes*, 2006, pp. XXVI + 708, € 39,50.

46. P.F. Bradshaw, *Alle origini del culto cristiano. Fonti e metodo per lo studio della liturgia dei primi secoli*, 2007, pp. VIII + 268, € 25,00.

47. E. Ardissino, *Tempo liturgico e tempo storico nella "Commedia" di Dante*, 2009, pp. IX + 183 (in stampa).

48. G. Peressotti (ed.), *Missale Aquileyensis Ecclesie (1517)*. Edizione anastatica, Introduzione e Appendice, 2007, pp. XXXVI + 474, € 43,00.

49. L. Scappaticci, *Codici e liturgia a Bobbio. Testi, musica e scrittura (secoli X ex. - XII)*, 2008, pp. XXIV + 592 + 29 tav. f.t., € 39,00.

50. C. Alzati, *Il Lezionario della Chiesa Ambrosiana. La tradizione liturgica e il rinnovato "ordo lectionum"*, 2009, pp. IX + 501, € 29,00.

51. N. Valli, *L'Ordo Evangeliorum a Milano in età altomedievale*. Edizione dell'evangelistario A 28 inf. della Biblioteca Ambrosiana, 2008, pp. XIII + 658, € 39,00.

52. S. Parenti, *A oriente e occidente di Costantinopoli. Temi e problemi liturgici di ieri e di oggi*, 2009 (in stampa).

53. P. Sorci - G. Zito (edd.), *Missale Messanense secundum consuetudinem Gallicorum (1499)*, 2009 (in stampa).

"Monumenta Liturgica Piana"

Sulla linea dei "Monumenta Liturgica Concilii Tridentini" la collana (= MLP) propone l'edizione anastatica dei libri liturgici secondo l'ultima *editio typica* realizzata all'interno del progetto della "Riforma Piana" (ad eccezione del *Caeremoniale* e del *Martyrologium*). L'edizione – cartonata e a due colori – sarà completata dalla indicizzazione delle formule dei volumi dei MLCT e MLP.

On the same line of "Monumenta Liturgica Concilii Tridentini" the series (= MLP) proposes the anastatical edition of the liturgical books according to the latest editio typica *which took place within the project of the "Piana Reform" (with the exception of the* Caeremoniale *and the* Martyrologium). *This edition (hardbound and in two colours) will be completed with the cataloguing of the formulas of the volumes of the MLCT and MLP.*

1. *Missale Romanum.* Editio typica (1962). Edizione anastatica e Introduzione, a cura di M. Sodi e A. Toniolo, 2007, pp. XVIII + 1096, € 59,00.

2. *Rituale Romanum.* Editio typica (1952). Edizione anastatica e Introduzione, a cura di M. Sodi e A. Toniolo, 2008, pp. XIII + 970. € 57,00.

3. *Pontificale Romanum.* Editio typica (1961-1962). Edizione anastatica e Introduzione, a cura di M. Sodi e A. Toniolo, 2008, pp. XIV + 526, € 35,00.

4. *Breviarium Romanum.* Editio typica (1961 – *Totum*) Edizione anastatica e Introduzione, a cura di M. Sodi e A. Toniolo, 2009 (*in stampa*).

5. *Liturgia Tridentina.* Indices et fontes (1568-1962), 2009 (*in stampa*).

Chi prenota l'intera collana ha diritto allo sconto del 27% sul prezzo di copertina (*diffusione@lev.va*).

Those who order the entire series will will be entitled for a 27% discount on the selling price (**diffusione@lev.va***).*